BUSINESS ÖKOSYSTEM DESIGN

Impressum
Willhelmstr. 9, 80801 München
ISBN Deutschland Print-Buch: 978-3-8006-6336-1
ISBN Deutschland E-Book: 978-3-8006-6337-8
Lizenzausgabe für die Schweiz: Versus Verlag, Zürich 2021
ISBN Schweiz Print-Buch: 978-3-03909-305-2
ISBN Schweiz E-Book: 978-3-03909-805-7
Gestaltung und Satz: Verlag Franz Vahlen GmbH
Umschlaggestaltung und Visualisierung: Donika Palaj
Gedruckt auf säurefreiem, alterungsbeständigem Papier
(hergestellt aus chlorfrei gebleichtem Zellstoff)

CO_2 neutral

www.vahlen.de

BUSINESS ÖKOSYSTEM DESIGN

EIN PARADIGMENWECHSEL IN DER GESTALTUNG VON GESCHÄFTSMODELLEN UND WACHSTUM

MICHAEL LEWRICK

VISUALISIERUNG: DONIKA PALAJ

VERLAG FRANZ VAHLEN GMBH MÜNCHEN

PROBLEM TO GROWTH AND SCALE FRAMEWORK

1 Design Thinking

- Bestimme deine potenziellen Nutzer, Kunden und Stakeholder
- Erkenne mit Design Thinking die wahren Kundenbedürfnisse
- Finde gleichsam elegante wie einfache Lösungen
- Nutze Systems Thinking und Data Analytics

3 Co-Creation

- Binde weitere Kunden, Nutzer und Lead User ein
- Hol dir die nötige Hilfe von aussen
- Arbeite in Teams über Abteilungs- und Unternehmensgrenzen hinweg
- Entwickle MVPs und baue Vertrauen zu Partnern und Kunden auf

5 Business Ökosystem Design & Agile Produkt- und Kundenentwicklung

- Verlagere deine Aktivitäten von der Problemlösung und Lösungsfindung auf das Finden des richtigen Geschäftsmodells mit Business Design
- Entwickle das Produkt und das Geschäftsmodell agil weiter, z.B. mit Methoden wie SCRUM
- Denke bei der Entwicklung von Geschäftsmodellen in Varianten
- Betrachte multidimensional die Geschäftsmodelle von allen Akteuren im Ökosystem und erstelle ein MVE

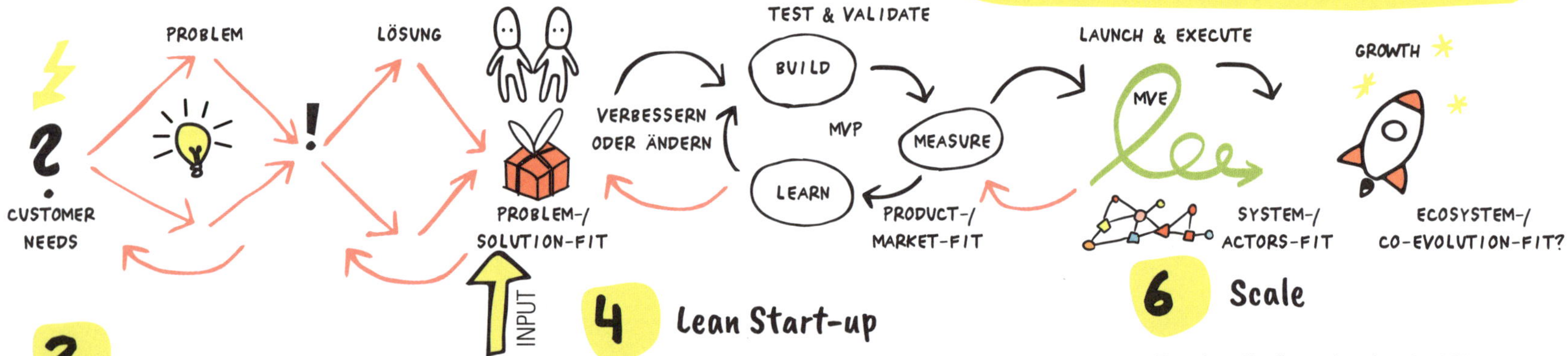

2 Research

- Verstehe das Problem und die Situation ganzheitlich
- Nutze Marktforschungsinstrumente
- Validiere und ergänze deine Erkenntnisse

4 Lean Start-up

- Nutze den Lean Start-up-Ansatz, um mit wenig Kapital dein Angebot weiter zu entwickeln
- Strukturiere die Lösung schrittweise
- Verbessere und validiere mit schnellen Iterationen dein Geschäftsmodell
- Kläre mit Experimenten die grössten Unsicherheiten ab

6 Scale

- Bereite die Organisation für Wachstum und Skalierung vor
- Etabliere skalierbare Prozesse, Strukturen und Plattformen
- Überprüfe das Mindset und die Fähigkeiten in deiner Organisation und folge nicht einfach einem Blueprint
- Bring die gesamte Organisation einen Schritt nach vorne und geh neue Wege

---

MVP - Minimum Viable Product
MVE - Minimum Viable Ecosystem

Business Ökosystem Design ist ein immer wichtig werdender Baustein zwischen Identifikation von Kundenbedürfnissen, ersten Prototypen und der Skalierung von Lösungen.

Business Ökosystem Design hat sich als eigene Disziplin etabliert. Dieses Buch über angewandtes Business Design reflektiert den aktuellen Stand von Definitionen, Vorgehensmodellen und Methoden rund um die Gestaltung von Ökosystemen. Während **„Das Design Thinking Playbook“** in den Gesamtkontext von der Problemstellung hin zu skalierbaren Lösungen einleitete und durch die Methoden im **„Das Design Thinking Toolbook“** ergänzt wurde, so konzentriert sich **„Business Ökosystem Design“** auf einen Paradigmenwechsel, der vielen Unternehmen die nächsten Jahre in Bezug auf Geschäftsmodelle, Wertströme und Wachstum bevorsteht.

WWW.BUSINESS-ECOSYSTEM-DESIGN.COM

1-6

1-3

5

In einer digitalisierten Welt verändern sich nicht nur die Kundenbedürfnisse, sondern es werden auch die Grenzen zwischen den Branchen neu definiert. Sobald die traditionellen Branchengrenzen wegfallen, wird die Zukunft in hohem Masse von Business Ökosystemen beeinflusst werden.

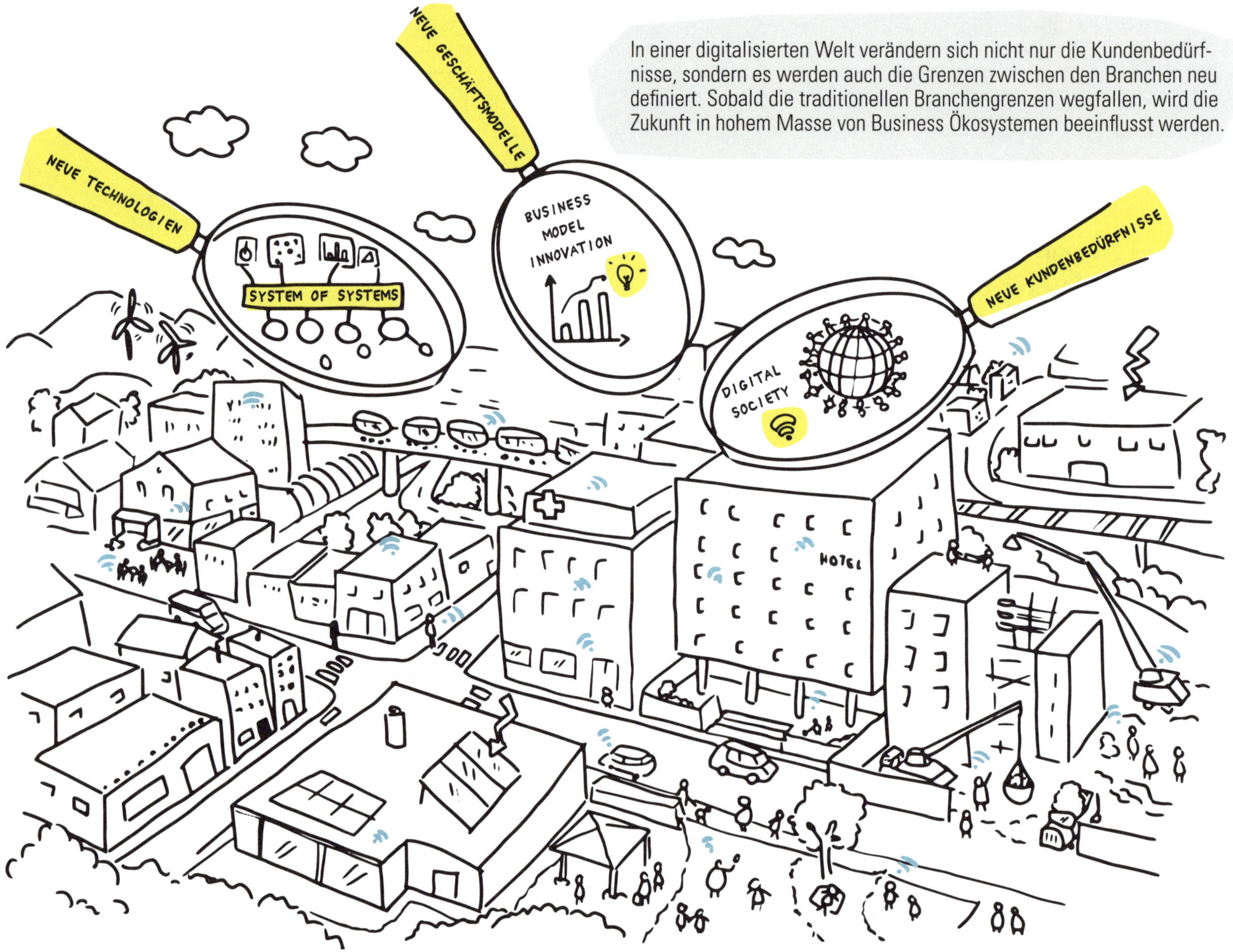

Vorwort

PATRICK VAN DER PIJL
CEO Business Model Inc. und Bestseller-Autor von «Design A Better Business» und «Business Model Shifts»

Unter uns, den Business-Anwendern, hat sich schon lange Konsens darüber gebildet, dass erfolgreiche Unternehmen auf zwei Ebenen agieren: EXPLORE und EXPLOIT.

Während es den meisten Unternehmen leichtfällt, die bestehenden Fähigkeiten und Geschäftsmodelle weiterzuentwickeln, ist es umso herausfordernder für Unternehmen, neue Marktflächen mit neuen Angeboten bis hin zu neuen Zielkunden zu erschliessen.

Eine Möglichkeit für EXPLORE besteht in der Initialisierung von Business Ökosystemen. In solchen Systemen arbeiten verschiedene Unternehmen über die bislang bekannten Branchengrenzen hinweg zusammen. Das gemeinsame Ziel der Akteure in einem Business Ökosystem ist, dem Kunden ein einzigartiges Wertversprechen zu bieten.

Die Strukturen in solchen Ökosystemen sind dynamisch und jeder Akteur ist angehalten, sich und das System ständig weiterzuentwickeln. Basis für ein Business Ökosystem sind die Kundenbedürfnisse, eine überzeugende Value Proposition und durchdachte Geschäftsmodelle, die es erlauben, das System exponentiell wachsen zu lassen. Neue Enabler-Technologien ermöglichen die Umsetzung solcher Systeme.

Elemente zur Ausarbeitung eines Wertversprechens sind aus dem Value Proposition Design bestens bekannt. Wobei für die Validierungen von Prototypen, Minimum Viable Products & Ecosystems für den späteren Erfolg entscheidend sind. Zudem braucht es ein Shift hin zu neuen Geschäftsmodellen, die auf „create, deliver & capture value" ausgerichtet sind.

Michael Lewrick schlägt mit „Business Ökosystem Design" die Brücke zwischen dem Product-/Market-Fit und dem System-/Actors-Fit in der Initialisierung und Orchestrierung von Ökosystemen.

Dieses Buch hat aus meiner Sicht vier entscheidende Merkmale, die es besonders für Anwender zu einem unverzichtbaren Begleiter macht:

- Einführung in die Grundlagen von Business Ökosystem Design
- Beschreibung eines Vorgehensmodells zur Gestaltung, Umsetzung und Implementierung von Ökosystemen
- Vorstellung der wichtigsten Design Methoden und Tools
- Beschreibung von Initiativen und Unternehmensbeispielen, die bewusst in Business Ökosystemen denken

Die Fähigkeit, Business Ökosysteme zu gestalten, wird zu einer der Schlüsselfähigkeiten für Unternehmen im nächsten Jahrzehnt. Dieses Buch ist wegweisend für einen Paradigmenwechsel in der Gestaltung von Wachstum, Innovation und neuen Geschäftsmodellen.

Ich wünsche euch ein gutes Gelingen und viel Erfolg bei der Anwendung von Business Ökosystem Design!

Patrick

BUSINESS ECOSYSTEM DESIGN MINDSET

Anwendung von variierenden „Design Lenses“

- Nutze die jeweils passende Design Lense abhängig vom Startpunkt der Überlegungen zum Business Ökosystem.
- Fokussiere in einer frühen Phase auf die Kundenbedürfnisse und die relevanten Erfahrungen und Funktionen.
- Validiere die Lösung mit einem MVP und nutze die Value Proposition als Einstieg in die Ökosystem-Überlegungen.
- Gestalte das Business Ökosystem über mehrere Loops und bereite die Organisation für exponentielles Wachstum vor.

Nutzung von Momentum im Markt und Geschwindigkeit

- New Ways of Working: Wende agile Arbeitsweisen an.
- Arbeite mit kurzen Design-Zyklen, Prototypen und Iterationen.
- Mache „Fail fast“ im Design von MVPs und MVEs zum Grundsatz.

Zusammenarbeit in interdisziplinären Teams

- Transformiere die Organisation hin zu einer kooperationsorientierten Kultur.
- Sei offen für Co-Creation-Ansätze, Leverage von vorhandenen Assets und Fähigkeiten.
- Nutze je nach Situation die Design Thinking und Systems Thinking Fähigkeiten der Teams.

Die Kunst des Loslassens von bestehenden Strukturen

- Nimm andere Akteure im Ökosystem als Partner auf Augenhöhe wahr, die ein Teil in der Erbringung eines einzigartigen Wertangebots für die gemeinsamen Kunden sind.
- Denke in Value Streams statt in Risiken.
- Verändere die Perspektive von „ja, aber" zu „ja!....und".

NEW MINDSET.
NEW PARADIGM.
BETTER SOLUTION.

WWW.BUSINESS-ECOSYSTEM-DESIGN.COM

Verdoppelung des Herzschlags

- Mache es zum Grundsatz, dass zu tun wichtiger ist, als nur darüber zu sprechen.
- Teile erste Ergebnisse, auch wenn diese noch nicht final sind, mit den potenziellen Akteuren im Ökosystem.
- Fokussiere jeweils auf die „Minimum Viability" im Produkt- und Ökosystem.

Auswahl von zukunftsorientierten Teamplayern, Organisationen und Unternehmen

- Arbeite mit Menschen über die Unternehmensgrenzen hinweg zusammen, die lernwillig und optimistisch sind.
- Lerne über die T-Profile der Menschen in deiner eigenen und den anderen Organisationen.
- Sei bereit, Fehler zu akzeptieren und jedes Scheitern als Möglichkeit für Reflexion und Lernen anzuerkennen.

Wie du am meisten aus dem Buch rausholst

Die folgenden Elemente erleichtern die Orientierung im Buch:

Dieses Buch hat eine kleine Übung, um das Vorgehen und die Prinzipien im Business Ökosystem Design besser zu verstehen.

Hier werden Beispiele von Unternehmen und Ökosystem-Initiativen beschrieben und vorgestellt.

Verschiedene bekannte und neue Methoden, Tools und Vorgehensmodelle werden vorgestellt. Eine Übersicht mit allen Tools, Methoden und Frameworks befindet sich im Buchumschlag.

Am Ende von logischen Abschnitten werden die Inhalte reflektiert und kurz zusammengefasst.

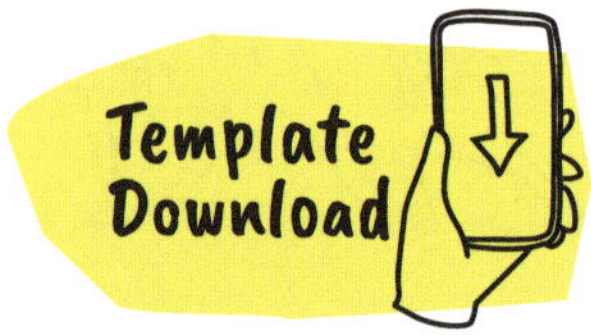

Ausgewählte Tools zur Gestaltung und Dokumentation von Business Ökosystem Initiativen stehen als PDF Template zum Download zur Verfügung. Premium Templates sind im Online Shop verfügbar:
www.dt-toolbook.com/shop

Adapt

Das Zeitalter des starren Management-Frameworks ist seit der Jahrtausendwende passé und deshalb bitte auch die Vorgehensmodelle in diesem Buch an die jeweilige Situation anpassen.

Besonders in komplexen Vorhaben, wie der Gestaltung von Business Ökosystemen, gibt es unzählige Parameter, die Sprünge, Abkürzungen oder andere Wege zulassen.

Für alle diejenigen, die mit den neuen agilen Werkzeugen arbeiten, das Design Thinking bis auf die Knochen verinnerlicht haben, wird an dieser Stelle nichts Neues erzählt. Jedoch erlebe ich in der Praxis immer wieder, wie Empfehlungen aus Handlungsanweisungen akribisch wie die Anleitung aus einem Kochbuch genutzt werden, um an das Ziel zu kommen.

Viel wichtiger ist jedoch, ein gutes Gefühl für die Kundenbedürfnisse zu erlangen und zu erkennen, welche Akteure in einem Business Ökosystem zur gewünschten Value Proposition passen und auf welchem Weg Co-Creation zum Erfolg führt. Alle Methoden, Tools und Vorgehensmodelle sind Mittel zum Zweck. Sie geben dem Business Ökosystem Design Team den Rahmen und zeigen, wo die Teams im Prozess stehen, sodass sie mit unterschiedlichen Akteuren schnell eine gute und zielgerichtete Basis der Zusammenarbeit finden können.

Es kann nicht oft genug darauf hingewiesen werden, dass die jeweils vorgestellten Werkzeuge, Methoden und Vorgehensmodelle an die jeweilige Situation anzupassen sind.

Inhalt

Einleitend wird auf den Begriff „Business Ökosystem" eingegangen und erklärt, was darunter zu verstehen ist. Unter der Prämisse, den Aufbau oder die Partizipation an einem Ökosystem als strategische Option zu sehen, zeigt dieses Buch auf, wie auf der Basis von Kundenproblemen und -bedürfnissen die Grundlagen für erste Lösungen in Form von Prototypen erarbeitet werden können, die dann im Rahmen des Lean Start-up-Ansatzes validiert werden. Das eigentliche Design des Ökosystems basiert auf einer validierten Value Proposition, bevor auf die Methoden und Tools zur Skalierung solcher Systeme eingegangen wird. Dieses Buch hat das Ziel, die Zusammenarbeit von verschiedenen Akteuren in einem System mit einfach verständlichen Frameworks, Tools und Prinzipien zu unterstützen und zugleich Bewusstsein für das Denken in Business Ökosystemen zu schaffen.

Adopability
Feasibility
Value Enhanceability
Ecosystem Design
212

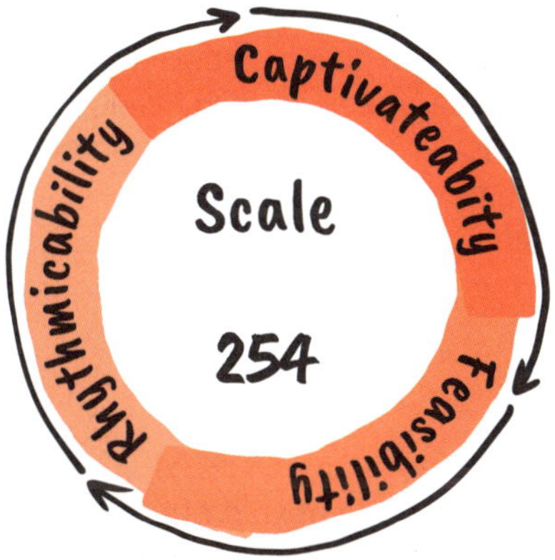

Captivateability
Feasibility
Rhythmicability
Scale
254

America
Europe
Asia

Motivation für dieses Buch

Michael Lewrick, PhD, hat sich in den letzten Jahren sehr intensiv mit dem Mindset auseinandergesetzt, das uns befähigt, verschiedene Arten von Problemstellungen zu lösen. Er ist unter anderem Autor des internationalen Bestsellers „Das Design Thinking Toolbook" und „Das Design Thinking Playbook", in dem er die achtsame Transformation von Menschen, Teams und Organisationen beschreibt. Er arbeitet intensiv mit Universitäten und Unternehmen zusammen und setzt die Selbstwirksamkeit von Menschen in persönlichen und organisatorischen Veränderungsvorhaben in den Mittelpunkt seiner Aktivitäten. In den letzten Jahren hat er seinen Werkzeugkasten zur Gestaltung von Business Ökosystemen erweitert. Als international anerkannter Experte auf dem Gebiet der Digitalen Transformation und des Managements von Innovationen haben zahlreiche Unternehmen mit seiner Hilfe Ökosystem-Strategien entwickelt, geschärft oder skaliert.

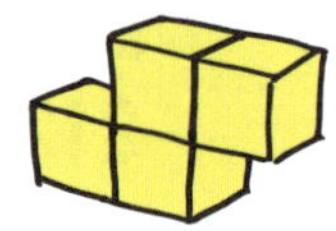

Kernaussagen

Das Design und die Partizipation in Business Ökosystemen eröffnet **neue Wachstumschancen**, die es Unternehmen ermöglichen, **viel bedeutungsvoller für Kunden zu werden.**

Um die wirklichen **Kundenprobleme** über die gesamte Wertschöpfungskette hinweg **zu lösen**, bedarf es der **Zusammenarbeit von verschiedenen Akteuren** in einem System.

Ökosysteme mit einer **hohen Kapitalmarktrendite** setzen hauptsächlich auf den **Ausbau von Geist- und Ökosystem-Kapital**, das sich vornehmlich aus den **Strukturen und Verbindungen** zu den jeweiligen Akteuren monetarisiert.

Das Wort Ökosystem war **ursprünglich** auf die **Welt der Wissenschaft** beschränkt und bezog sich auf eine **biologische Gemeinschaft** interagierender Organismen und ihrer physikalischen Umwelt. **Seit den 90er-Jahren** wird es allgemeiner verwendet und bedeutet **ein komplexes Netzwerk oder ein miteinander verbundenes System.**

Interaktionen in einem Ökosystem sind **zahlreich, vielfältig und mehrdimensional** und betreffen etablierte Unternehmen, Start-ups, Investoren, Serviceprovider, Technologieanbieter, Datenbroker, Zahlungssysteme, Universitäten bis hin zu Regierungsbehörden und vielen anderen.

Um in Ökosystemen erfolgreich zu sein, müssen Unternehmen ihre **traditionellen Rollen und Geschäftsmodelle überdenken** und **Marktopportunitäten** in der Zusammenarbeit **mit Akteuren anderer Branchen prüfen.**

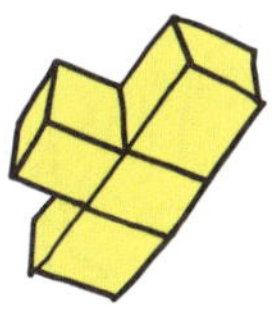

Besonders **Entscheidungsträger** müssen verstehen, **welche Fähigkeiten** es braucht, um **Ökosysteme zu gestalten**, neue **Wertströme zu realisieren** und die Risiken zu bewerten.

Business Ökosysteme erschaffen sich **nicht von selbst**. Die Akteure eines solchen Systems verbinden sich **nicht automatisch** und fangen einfach an, **radikal zusammenzuarbeiten**. In der Realität muss **genau verstanden werden**, wer **potenzielle Ökosystem-Partner** sind, welche **Rollen** sie einnehmen, welche **Fähigkeiten** sie einbringen und wie mit einer potenziellen **Co-Competition** umgegangen wird.

Warum die Fähigkeit, in Business Ökosystemen zu denken, zunehmend wichtiger wird

Das Zeitalter der Business Ökosysteme erweitert die traditionelle Sichtweise auf Geschäftsmodelle und Wachstum. Bis 2030 werden mehr als 30% der weltweiten Umsätze in Business Ökosystemen erwirtschaftet werden. Besonders Asien hat das Potenzial, mit einer hohen Affinität zu digitalen Geschäftsmodellen hier eine Vorreiterrolle einzunehmen. Verschiedene Studien zeigen, dass sich neben den bereits bekannten Super-Plattformen neue Ökosysteme formieren, die massgeblich hierzu beitragen. Weltweit werden wohl 15–20 dominante Business Ökosysteme den Takt vorgeben. Zudem ist heute schon zu beobachten, dass Business Ökosystem Design vor allem bei den am stärksten wachsenden Firmen im S&P 500 eine hohe Relevanz hat. Hierzu zählen Alphabet, Amazon, Apple, Facebook, Microsoft, Alibaba und Tencent. Zudem werden sich zahlreiche nationale und lokale Ökosysteme formieren, um in Nischen oder in bestimmten Regionen dem Kunden ein einmaliges Wertversprechen bereitzustellen.

Die in diesem Buch vorgestellten Modelle, Vorgehensweisen und Mindsets sind aus meiner Arbeit und Research in den letzten zwei Jahrzehnten entstanden. Ich hatte das Privileg, mich intensiv mit dem Management von Innovationen und Technologie, der Dynamik von High-Tech-Clustern und der Gestaltung von Business Ökosystemen auseinanderzusetzen. Insbesondere konnte ich tiefe Einblicke in Sourcing-Initiativen erlangen, die Evolution von Daten Ökosystemen beobachten und Initiativen begleiten, die durch neue Schlüsseltechnologie und dezentrale Ökosysteme neue Dimensionen der End-to-end-Automatisierung erreichten.

In meiner täglichen Arbeit als Experte für die Lösung von komplexen Problemen lebe ich bewusst das Design Thinking Mindset. Es gibt mir als Business- und Ökosystem-Designer eine etablierte Denkhaltung an die Hand, die mir hilft, ausgehend von den Bedürfnissen der Kunden komplexe Probleme zu lösen. Da Business Ökosysteme meist sehr komplex sind, nutze ich zudem Systems Thinking, um Teilbereiche zu gestalten und durch den Minimum Viable Ecosystem (MVE) -Ansatz das Risiko im Griff zu behalten. Diese Denkhaltung und Form der Validierung ist vielen aus der Lean Start-up Welt und der damit verbundenen Realisierung von Minimum Viable Products (MVPs) bestens bekannt.

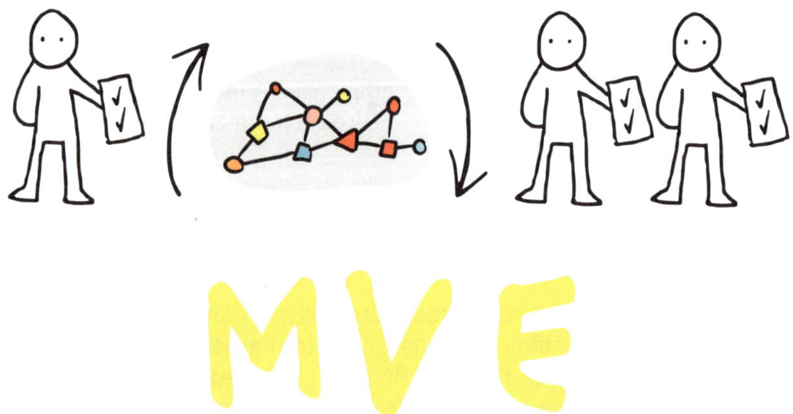

Somit bilden Design Thinking, Systems Thinking und die Lean Start-up Methodologie das Fundament für Business Ökosystem Design in diesem Buch. Das Vorgehensmodell zur Gestaltung von Business Ökosystemen konnte ich in zahlreichen Initiativen anwenden und iterativ verbessern. Insbesondere in meinen Tätigkeiten als Chief Innovation Officer, später als Leiter der Innovation Labs bei einer der BIG-4 und meiner aktuellen Advisory-Tätigkeit ist die Anwendung von Business Ökosystem Design einer der zentralen Ansätze für eine branchenübergreifende Transformation bei Kunden im Banken-, Versicherungs-, Pharma-, Technologie- und Industriesektor. Viele davon haben die Ambition, ein Ökosystem zu gestalten, zu initialisieren oder zu orchestrieren. Zudem habe ich Kontakt zu unzähligen Akteuren, die den Anspruch haben, eine neue Marktrolle in bestehenden Systemen einzunehmen oder ihre Fähigkeiten weiterzuentwickeln, um über kurz oder lang ein relevanter Akteur in einem Business Ökosystem zu werden.

Das in diesem Buch vorgestellte Vorgehensmodell zur Gestaltung von Business Ökosystemen hilft vor allem den beteiligten Teammitgliedern einer Ökosystem-Initiative und den jeweiligen Akteuren im System, eine Orientierung zu erhalten. Es gibt zudem Hinweise, welche Aspekte in der Bearbeitung beleuchtet werden sollen und welche Faktoren zum Erfolg führen. Zudem soll das Buch Bewusstsein schaffen, dass solche Systeme dynamische Gebilde sind, die sich ständig weiterentwickeln. Deshalb braucht es in Bezug auf die Fähigkeiten, Marktrollen und Wertversprechen eine ständige Reflexion und Justierung, um Wertschöpfung für das eigene Unternehmen und die anderen Akteure im System sicherzustellen.

Der beschriebene Ansatz zur Gestaltung eines Business Ökosystems ist kein starres Framework. Die Tiefe und Breite der Anwendung ist für jede Initiative anders und entsprechend darauf anzupassen. Deshalb empfiehlt es sich bei komplexen Vorhaben, einen geübten „Business Ökosystem Faciltator" miteinzubeziehen, der das Vorhaben koordiniert, die nötige Methodenkompetenz besitzt und die Moderation mit den jeweiligen Akteuren im System sicherstellt.

Ich freue mich über Feedback zur Anwendung von Business Ökosystem Design und wünsche viel Erfolg bei der Erkundung neuer Zusammenarbeitsformen, Wertströme, Geschäftsmodelle, Marktrollen und beim Aufbau von passenden Fähigkeiten.

Michael Lewrick

Ich freue mich über direktes Feedback zum Buch und über einen Austausch zur Gestaltung von Business Ökosystemen.

www.linkedin.com/in/michael-lewrick

Auf den Punkt gebracht!

Business Ökosystem Design ist die Realisierung von neuen, einzigartigen Angeboten für Kunden, die von verschiedenen Akteuren in einem System, dem Kunden bereitgestellt werden.

NUTZUNG VON VARIIERENDEN DENKZUSTÄNDEN…
die es ermöglichen, Design Thinking und Systems Thinking zu kombinieren, um von einer Problemstellung über ein MVP/MVE skalierbare Angebote zu erhalten.

ANWENDNG VON EINEM „DESIGN" -MINDSET…
das forciert in Iterationen und mit Experimenten zu arbeiten und die Funktion und die Erfahrung für den Kunden ins Zentrum stellt.

BISLANG UNBEKANNTE MARKTOPPORTUNITÄTEN ADRESSIEREN… die aufgrund von Kundenbedürfnissen erkundet werden und mit anderen Akteuren im Rahmen von Co-Creation entwickelt werden.

AMBITION ZUR REALISIERUNG EINER „BLACK OCEAN STRATEGY"… die Akteuren im System die besten Rahmenbedingungen für die Realisierung der Value Proposition gibt und es konkurrierenden Angeboten schwer macht, im Wettbewerb zu bleiben.

ÖKOSYSTEM THINKING MINDSHIFTS

Paradigmenwechsel:

Die 10 Shifts für den schnellen Einstieg ins Thema

Business Ökosystem Design basiert auf einem Paradigmenwechsel in der Gestaltung von Geschäftsmodellen und Wachstum. Hierfür sind zehn Mindshifts essenziell, die zugleich die Basis für dieses Buch und das Design von erfolgreichen Business Ökosystemen darstellen.

Unternehmen, die bereits im Rahmen der digitalen Transformation grössere Veränderungsprozesse durchlaufen haben, sind hier in vielen Fällen bereits besser aufgestellt, da sie den ein oder anderen Mindshift schon vollzogen haben. Dennoch ist in der Praxis oft zu beobachten, dass dedizierte Teams für Strategie oder Ökosystem Design immer wieder in alte Denkhaltungen zurückfallen. Besonders ist dies beim Startpunkt der Überlegungen zu einen Business Ökosystem zu erkennen. Leider wird allzu oft das eigene Unternehmen mit seinen Produkten und Dienstleistungen in das Zentrum der Überlegungen gestellt und nicht der Kunde mit seinen heutigen und zukünftigen Bedürfnissen **(Mindshift #1)**. Im schlimmsten Fall ist der Kunde dann nur noch ein Akteur von vielen im System, wobei er doch im Zentrum stehen sollte. Ähnlich verhält es sich mit der Erarbeitung von ersten Lösungen und Prototypen von Ökosystemen. Das Design von Prototypen, MVPs und MVEs ist ein iterativer Prozess. Dieser hat das Ziel, zum einen eine Validierung des MVP von den potenziellen Kunden zu erhalten. Zum anderen soll der MVE und die damit verbundene Value Proposition von den potenziellen Akteuren im System mit geringen Aufwänden validiert werden. Das iterative Vorgehen erlaubt es im Gegensatz zum linearen Vorgehen, die jeweiligen Prototypen sukzessive zu verbessern, zu verwerfen oder weiterzuentwickeln **(Mindshift #2)**. Im Design von Business Ökosystemen richtet sich der Blick zudem sehr stark auf die anderen Akteure und ihre Stärken. Klassische Analysen helfen hierbei nur bedingt, da es nicht darum geht, mehr über den Wettbewerb zu erfahren, sondern im besten Fall eine Symbiose zwischen den Akteuren zu realisieren. Die gemeinsame Arbeit von verschiedenen Akteuren am System ist der Nährboden für die Realisierung von einzigartigen Wertversprechen und Innovation **(Mindshift #3)**. Da Business Ökosysteme einer unvermeidlichen Dynamik ausgesetzt sind und sich die Akteure im System ständig miteinander weiterentwickeln, ist Koevolution zusammen mit anderen Unternehmen ein natürlicher Prozess. Wer weiter in Silos denkt und an bestehenden Strukturen festhält, wird über kurz oder lang nicht erfolgreich sein **(Mindshift #4)**. Während sich Unternehmen bislang auf ihre eigenen Kernkompetenzen und Fähigkeiten konzentriert haben, um ein Wertversprechen in den Markt zu tragen, so ist es in der Realisierung von Business Ökosystemen notwendig, sich von einer Betrachtung der einzelnen Elemente zu lösen, um mit den konsolidierten Fähigkeiten und Kompetenzen im System ein einzigartiges Wertversprechen zu generieren **(Mindshift #5)**.

Zudem muss akzeptiert werden, dass Netzwerkstrukturen eine gewisse Komplexität besitzen, und zugleich muss Verständnis für den Kunden aufgebracht werden, der über die für ihn passenden Kanäle bedient werden möchte. Statt die Interaktionen zu entkoppeln, braucht es im Business Ökosystem Design ein Mindset des vernetzten Denkens **(Mindshift #6)**. In diesem Zusammenhang müssen Initiatoren von Business Ökosystemen die Wertströme und Beziehungen der Netzwerkstrukturen verstehen. Also eine Veränderung der Betrachtung von isolierten Finanzströmen zu Beziehungen und Wertströmen in Systemen **(Mindshift #7)**. Hierfür braucht es einen anderen Umgang mit den jeweiligen Geschäftsmodellen. Anstelle der Betrachtung des eigenen Geschäftsmodells rückt eine multidimensionale Betrachtung der Geschäftsmodelle in den Vordergrund. Die Aufgabe eines Initiators bzw. Orchestrators ist neben dem Geschäftsmodell des Ökosystems ebenfalls die potenziellen Geschäftsmodelle der anderen Akteure im System zu definieren und entsprechend attraktiv zu gestalten **(Mindshift #8)**. Das Ziel von gut durchdachten Business Ökosystemen ist, eine vorherrschende Marktmacht und Durchdringung zu erreichen. Diese Sichtweise geht über eine reine Differenzierungsstrategie hinaus und wird als „Black Ocean Strategie" bezeichnet **(Mindshift #9)**. Schliesslich soll das Business Ökosystem aufgrund seiner Konfiguration mit den jeweiligen Akteuren den anderen Systemen und Unternehmen überlegen sein. Um solche Systeme langfristig exponentiell wachsen zu lassen, braucht es eine durchdachte Governance und einen entsprechenden Ökosystem, Leadership-Ansatz, welcher nicht auf „Command & Control", sondern auf „Initiate & Orchestrate" fokussiert **(Mindshift #10)**.

Die zehn Mindshifts sind auf den nächsten Seiten nochmals ausführlich beschrieben. Sie bieten eine gute Basis für potenzielle Design-Prinzipien, die Entscheidungsträger und Business Ökosystem Teams in das Zentrum ihrer Arbeit stellen sollten, um Business Ökosystem Initiativen auf ein solides Fundament zu stellen.

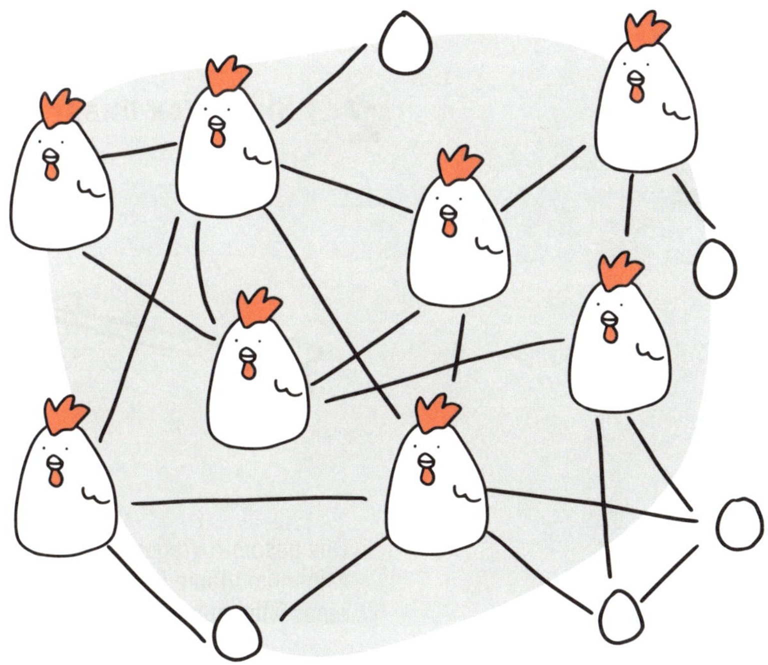

1 Shift: Von produkt-/unternehmenszentriert zu kundenzentriert

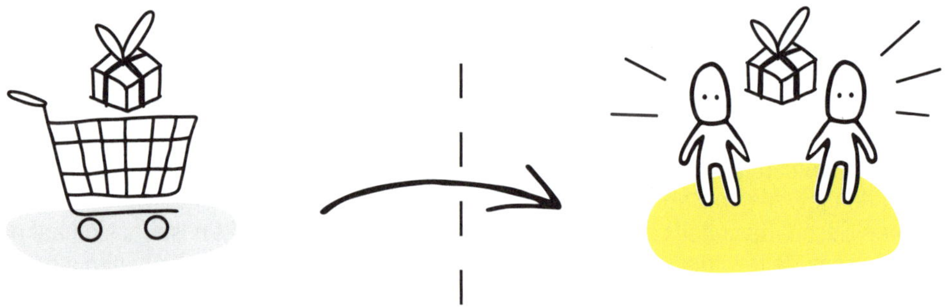

Nicht das eigene Unternehmen, ein bestehendes Produkt oder eine Dienstleistung steht im Mittelpunkt, sondern der Kunde mit seinen heutigen und zukünftigen Bedürfnissen und seinen zu erfüllenden Aufgaben.

2 Shift: Von linear zu iterativ

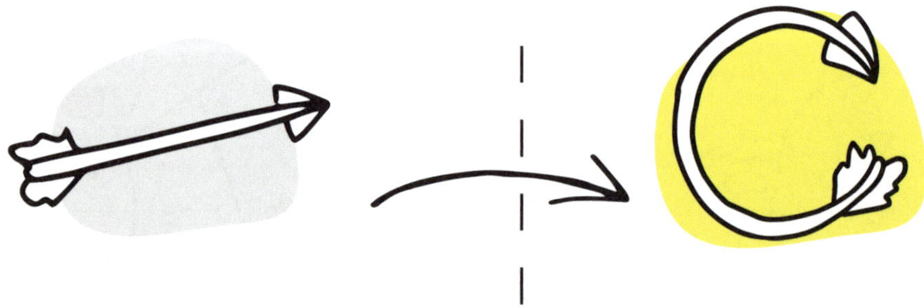

Das gesamte Vorgehen, also von der Erkundung der Kundenbedürfnisse über erste Prototypen, Minimum Viable Products (MVP), bis hinzu einem ersten funktionierendem System im Rahmen eines Minimum Viable Ecosystems (MVE), basiert auf einem iterativen Vorgehen.

3 Shift: Von Analyse zur Symbiose

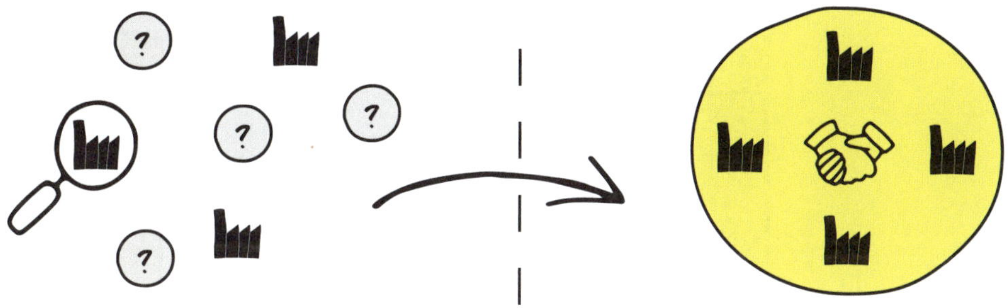

Klassische Vorgehensmodelle der Strategiedefinition beschränken sich meist auf die Möglichkeiten in bestehenden Denkmustern zu Branchen, Industrien und Wettbewerbern. Gut gestaltete Business Ökosysteme nehmen andere Akteure aus anderen Branchen bis hin zu Wettbewerbern als Partner wahr, die unabdingbar in der Erbringung einer einzigartigen Value Proposition für den Kunden sind.

4 Shift: Von Silos zur Koevolution

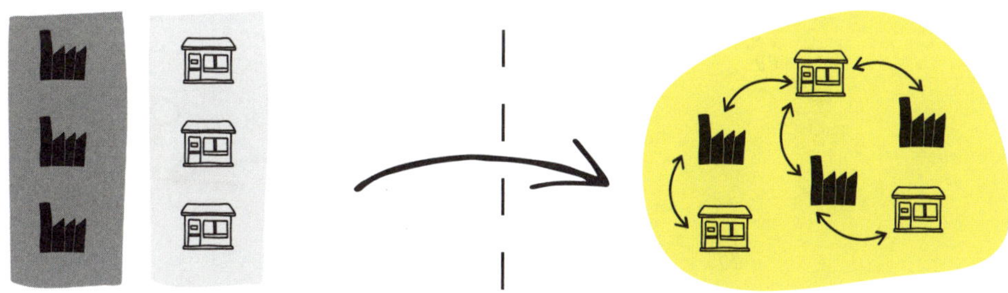

Das Denken in Produktkategorien, klassischen Segmentierungen und Kernkompetenzen wird durch eine ständige Koevolution im Business Ökosystem ersetzt, die es den Akteuren ermöglicht, an neuen Märkten, Regionen und Kundensegmenten zu partizipieren.

5 Shift: Von Elementen zu einzigartigen Wertversprechen

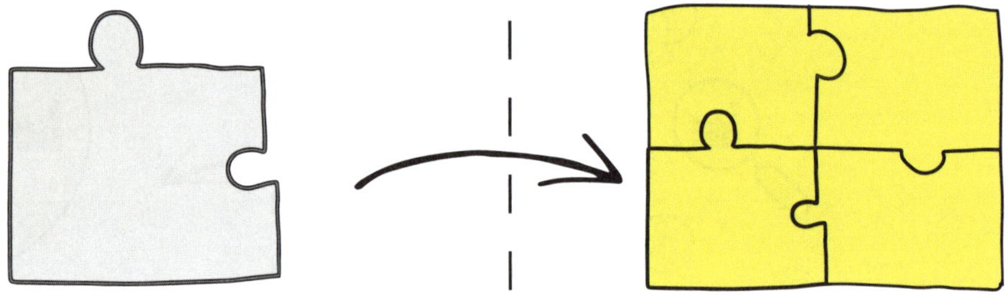

Die Einzigartigkeit eines Wertversprechens in einem Business Ökosystem entsteht durch die sinnvolle Verknüpfung von verschiedenen Fähigkeiten, Produkten oder Plattformen. Ein einzelner Marktteilnehmer ist meist alleine nicht in der Lage, solche Wertversprechen zu realisieren und zu skalieren.

6 Shift: Von der Entkopplung zur Vernetzung

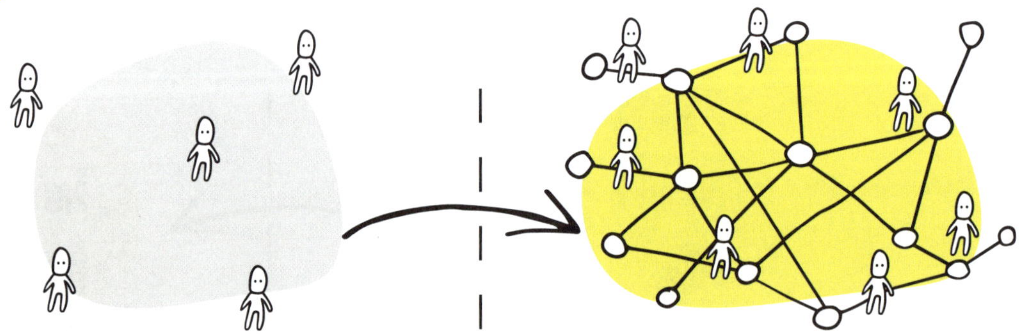

Ökosysteme sind agile Netzwerkstrukturen, die zusammenwirken und vernetzt handeln. Oberstes Ziel dieser Systeme ist, die Kundenbedürfnisse auf effiziente und effektive Weise über unterschiedliche bzw. die für den Kunden passenden Kanäle zu bedienen.

7 Shift: Von der Isolation zu Beziehungen/Wertströmen

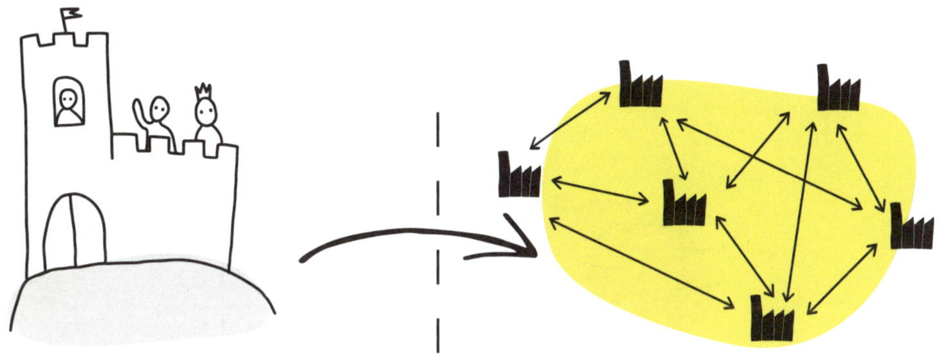

Der Fokus des Denkens von Unternehmen verschiebt sich von einer Innensicht zu einem ganzheitlichen Blick auf das System mit seinen unterschiedlichen Wertströmen und Beziehungen, die ständig in Bewegung sind und je nach den Kunden- und Marktbedürfnissen adjustiert und neu ausgerichtet werden.

8 Shift: Von der Betrachtung eines einzelnen zur multidimensionalen Betrachtung von Geschäftsmodellen

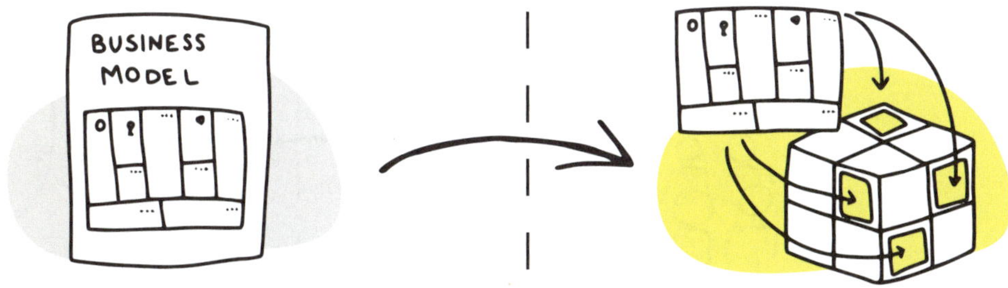

Neben dem eigenen Geschäftsmodell ist es wichtig, die Möglichkeiten und Vorteile für die anderen Akteure im System durch eine multidimensionale Sicht auf die Geschäftsmodelle herauszuarbeiten. Je attraktiver die Möglichkeiten für die beteiligten Akteure sind, um Geld im System zu verdienen, desto grösser ist i.d.R. die Bereitschaft, die vorgeschlagene Value Proposition gemeinsam zu realisieren und weiterzuentwickeln.

9 Shift: Von Red/Blue Ocean zu Black Ocean

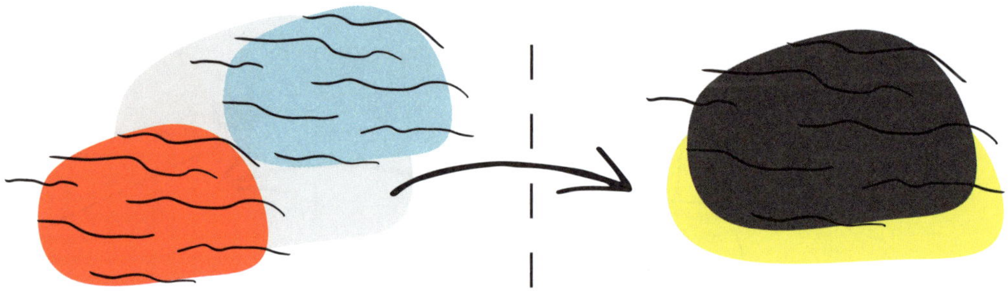

Gut gestaltete Business Ökosysteme sind so konfiguriert, dass andere Systeme oder einzelne Unternehmen keine Möglichkeiten haben, mit derselben oder einer ähnlichen Value Proposition zu konkurrieren. Eine solche Strategie wird auch als „Black Ocean" Strategie bezeichnet.

10 Shift: Von Command & Control zu Initiate & Orchestrate

Ökosystem Leadership basiert auf dem Gedankengut von Initiate & Orchestrate. Klassische Command & Control-Mechanismen scheitern meist an der Dynamik und der Komplexität der schnell wachsenden Business Ökosysteme.

Auf den Punkt gebracht!

Unternehmen und Akteure, die den Paradigmenwechsel über die digitale Transformation hinaus vollzogen haben, konzentrieren sich zunehmend auf die Möglichkeiten der digitalen Disruption und Innovation in Business Ökosystemen.

Ökosystem-Player setzen auf Koevolution, Symbiose und Vernetzung und agieren über klassische Kundenerlebnisketten hinaus. Sie schaffen Systeme mit einzigartigen Wertangeboten.

Die erfolgreichen Initiatoren und Orchestratoren von Ökosystemen streben nicht nach stabilen, linearen Wachstumsmustern, sondern nach Agilität in der Realisierung von exponentiellem Wachstum.

EINFÜHRUNG ÖKOSYSTEM-PLAY

Der Hype um Business Ökosysteme

Kein anderes Wort wird im Business-Kontext aktuell so oft gebraucht wie Ökosysteme. Viele Unternehmen haben im letzten Jahrzehnt, getrieben durch die Digitalisierung, sich zunehmend geöffnet und kollaborative Arbeitsformen über die Unternehmensgrenzen hinweg erprobt und etabliert. Zudem entsteht das Denken im Business Ökosystem aus der Notwendigkeit, sich noch stärker zu verändern. Zum einen ändern sich die Rahmenbedingungen immer schneller, was zur Folge hat, dass neue Fähigkeiten entweder schnell selbst aufgebaut werden müssen oder diese durch die eigenen Veränderungen und die komplementären Fähigkeiten der anderen Akteure im Business Ökosystem erbracht werden.

Viele Unternehmen haben zudem erkannt, dass neue Technologien es ermöglichen, neuartige Wertangebote für Kunden zu realisieren. Meist fehlen jedoch für die Realisierung die erfolgswirksamen Elemente, Fähigkeiten, Distributionskanäle, Daten oder der Kundenzugang. So erstaunt es nicht, dass die meisten Ziele, die in Programmen zur digitalen Transformation definiert wurden, bislang nur wenig Wirkung zeigen. Wer in Business Ökosystemen agieren möchte, muss radikaler umdenken!

Für Unternehmen stellt sich für die Gestaltung und Realisierung die Frage, ob ein passendes Ökosystem selbst zu initialisieren ist oder ob man Teil von einem bestehenden Ökosystem wird. In beiden Fällen ist man Teil der Wertschöpfung, um eine gemeinsam getragene Value Proposition mit den anderen Akteuren im Ökosystem zu realisieren. Zudem bringt der Business Ökosystem Ansatz den Vorteil, dass durch die Teilnahme an verschiedenen Ökosystemen verschiedene neue Marktopportunitäten parallel erprobt werden können. In einer eher traditionell-zentrieter Vorgehensweise reichen meist die Ressourcen und Fähigkeiten nicht aus, um so vorzugehen.

Grundvoraussetzungen für die Partizipation in Ökosystemen sind ein grosses Vertrauen in die anderen Akteure im System sowie gemeinsame Werte, Vorstellungen und Ambitionen der teilnehmenden Unternehmen. Darüber hinaus benötigt die Initialisierung eines Ökosystems finanzielle Ressourcen von der ersten Idee bis zur Skalierung des Systems. Kosten sind hier primär Aufbau- und Koordinationsaufwände, die neben Ausgaben für Technologien und Schnittstellen anfallen.

Business Ökosysteme treten im globalen Kontext wie auch in lokalen Initiativen auf. Die lokalen Initiativen werden oft aufgrund von bestehenden Verbindungen und Partnerschaften initialisiert. Globale Ökosysteme werden ins Leben gerufen, um zum Beispiel ganze Branchen zu disruptieren, neue Wertangebote zu schaffen oder eine End-to-end-Automatisierung umzusetzen.

Über die letzten zwei Jahrzehnte haben zudem neue Technologien wie das Internet, Big Data Analytics, Cloud Computing und Blockchain neue Möglichkeiten geschaffen, Ökosysteme in den unterschiedlichsten Erscheinungsformen entstehen zu lassen. Innovationsökosysteme, Wissensökosysteme und Datenökosysteme sind auf Seite 53 kurz beschrieben.

Business Ökosysteme haben einen speziellen Charakter und ihre Erscheinungsform kann nicht unterschiedlicher sein. Um dennoch einleitend eine erste Verortung von Business Ökosystemen durchzuführen, bietet es sich an, die jeweils anderen extremen Erscheinungsformen dem Business Ökosystem gegenüberzustellen:

SEHR STABILE SYSTEME: Vertikal integriertes Unternehmen mit meist statischen Kunden-Lieferanten-Ketten.

SEHR AGILE SYSTEME: Offene, kapitalwirtschaftliche Märkte ohne staatliche Regulation, in denen Kunden nach ihren Bedürfnissen verschiedene Produkte und Dienstleistungen zusammenstellen und konsumieren.

Integriertes Unternehmen vs. Business Ökosystem Sicht

Aus dem Blickwinkel eines traditionellen Mindsets mit einem eher zentralisierten und integrierten Ansatz hat die Ökosystem-Perspektive verschiedene Elemente, die neu für Unternehmen sind. Das wichtigste ist, dass Ökosysteme über die bestehende Industrie- und Unternehmensgrenzen hinaus agieren und so einen externen Fokus im Rahmen der Wertschöpfung einnehmen. Zudem ist die Denkweise auf Netzwerkeffekte und übergreifende Netzwerkstrukturen ausgelegt anstatt einer reinen Fokussierung auf eine lineare Wertschöpfung. Dadurch sind Ökosysteme den jeweiligen Marktdynamiken und Technologieveränderungen stärker ausgesetzt, was dazu führt, dass die Vorhersehbarkeit von Zielzuständen abnimmt, die Unsicherheit steigt und die ständige Adjustierung zu einer zentralen Fähigkeit wird. Klassische, eher linear ausgelegte Finanzmodelle und Geschäftsmodellbetrachtungen weichen einer multidimensionalen Betrachtung von Geschäftsmodellen und einer eher indirekten Monetarisierung von Investitionen.

Die Governance und Kontrolle des Ökosystems wird zunehmend dezentral geregelt und steht im Kontrast zu klassischen Modellen der vollständigen Ownership und Kontrolle. Die Zusammenarbeit mit anderen Akteuren hat einen kollaborativen Charakter und ist darauf ausgelegt, die unterschiedlichen Angebote, Fähigkeiten und Dienstleistungen so zu kombinieren, dass der Kunde eine einzigartige Erfahrung mit dem Produkt oder der Dienstleistung erlebt. Daraus ergibt sich eine höhere Dynamik solcher Systeme, die es notwendig macht, sich spiralförmig mit den anderen Akteuren weiterzuentwickeln, sich zu verändern oder das Ökosystem zu verlassen.

Die TOP 10 der grössten Herausforderungen für traditionelle Unternehmen, in Business Ökosystemen zu denken in Bezug auf Kultur, IT, Prozesse und Fähigkeiten

	VON...	ZU...
1	Interner Fokus	Externer Fokus
2	Lineare Wertschöpfung	Netzwerkorientiert
3	Langfristige und starre Planung	Iteratives Vorgehen und agile Adjustierung
4	Klassische Geschäftsmodellbetrachtung	Multidimensionale Sicht auf Geschäftsmodelle
5	Direkte Wert- und Finanzströme	Indirekte Monetarisierung und Finanzströme
6	Vollständige Kontrolle und Ownership	Geteilte Kontrolle und „Mitgliedschaft"
7	Produktzentriert	Komplementäres Produkt oder Dienstleistung
8	Statische Sicht	Dynamische/koevolutionäre Sicht
9	Protektionistisch in Bezug auf Daten und Kundenbeziehung	Transparent und offen im Bezug auf Daten und Kundenbeziehungen
10	Denken in marktreifen Plattformen, Funktionen, Angeboten	Denken in Minimum Viable Products/Ecosystems

Diese neuen Fähigkeiten, Denkhaltungen und zu beherrschenden Technologien sind nicht zu unterschätzen. Eine Faustformel besagt, dass ca. 20% der Kernfähigkeiten eines Unternehmens zu ungefähr 70% der Wertschöpfung beitragen. Das heisst im Umkehrschluss, dass bis zu 20% der Fähigkeiten eines Unternehmens angepasst werden müssen, um die neuen 70% an erstmaliger Wertschöpfung in einem Ökosystem-Play abzuschöpfen. Zudem ist eine solche Veränderung noch komplexer als die, welche die Unternehmen bislang aus der Digitalen Transformation kennen. Nicht zuletzt weil diese neuen Fähigkeiten im eigenen Unternehmen und auch bei den anderen Akteuren im Ökosystem bislang meist fehlen. Die Überzeugungsarbeit, Orchestrierung und Zusammenarbeit mit anderen Akteuren ist Teil der Governance von Business Ökosystemen.

Warum und wann sollten sich Unternehmen mit Business Ökosystemen auseinandersetzen?

Es gibt unzählige vertikal integrierte Unternehmen, die mit ihren aktuellen Geschäftsmodellen und Wertschöpfungsketten gut positioniert sind und ein Denken in Business Ökosystemen bislang keine grosse Relevanz hat. Anders sieht es jedoch bei den Unternehmen aus, die aktuell eine Disruption von neuen Marktteilnehmern verspüren, sich in einem dynamischen Umfeld bewegen, in dem neue Technologien grosse Veränderungen ankündigen oder Wachstum und Diversifikation nur mit einem grossen Ressourceneinsatz gestemmt werden können. Zudem bieten Business Ökosysteme auch Chancen für kleinere Unternehmen, indem auf ähnliche Ressourcen, Erfahrungen und Fähigkeiten zugegriffen werden kann, die sonst nur den grossen Konglomeraten zur Verfügung stehen. Zudem kann mit einem Ökosystem-Ansatz auf neue und zukünftige Kundenbedürfnisse reagiert werden.

Somit sind die strategischen Handlungsfelder in der Regel:

- Leverage von bestehenden Fähigkeiten (EXPLOIT) bis hin zu Vorstössen in neue, bislang unbesetzte Angebote (EXPLORE)
- Zusammenstellung von einem einzigartigen, jedoch vielfältigen oder komplexen Werteangebot, welches verschiedenen Akteure zur Erbringung benötigt
- Erschliessung von neuen Marktplätzen und Vermarktungskanälen
- Disruption der eigenen Industrie, Wertschöpfungsketten oder einzelner Intermediäre

Wie ist die Erfahrung aus Sicht des Kunden?

Der Kunde erhält von einer Vielzahl von Akteuren eine integrierte Erfahrung in Form einer Dienstleistung, einer Information oder einer vollkommen automatisierten Abwicklung eines Vorgangs. Somit ist ein Business Ökosystem oftmals eine vernetzte Anzahl an Diensten, die es dem Kunden ermöglichen, eine Vielzahl von Bedürfnissen zu befriedigen. Die von dem Ökosystem erzeugte Value Proposition wirkt für den Kunden oftmals wie ein Gateway, das ermöglicht, eine Vielzahl von Dienstleistungen und Produkten zu nutzen – und diese Erfahrung sollte für einen Kunden möglichst schnittstellenfrei sein.

Beispiel

So können zum Beispiel Nutzer via WeChat Messenger nicht nur eine Nachricht an einen Freund senden, sondern auch mit Kryptowährungen den Einkauf bezahlen – alles auf einer einzigen Plattform. Lösungen wie NEST im Smart-Home-Bereich konsolidieren verschiedene Informationen in eine monatliche Energiebilanz für den Kunden, der zudem die Möglichkeit hat, sich mit seinen Nachbarn zu vergleichen.

720°

Ökosysteme nutzen hier Netzwerkeffekte, die dem Ökosystem per se und im besten Fall allen Akteuren im System einen strategischen Grössenvorteil verschaffen. Eine einzigartige Erfahrung für den Kunden ist jedoch nur dann möglich, wenn eine **720-Grad-Sicht über Kunden** vorliegt. Die Schaffung einer ganzheitlichen und intelligenten Sicht auf den Kunden ist nächste Stufe einer zielgerichteten Kunden-Interaktion.

Deshalb integrieren Ökosysteme Daten, die von den einzelnen Akteuren bereitgestellt werden. Heute werden diese meist noch zentralisiert ausgewertet und für die Entwicklung von einzigartigen Angeboten von den Akteuren genutzt. Distributed Databases, Ledgers und Blockchain als Schlüsseltechnologien werden in Zukunft dies auch dezentral und mit einer neuen Sicht auf die Datenhoheit erledigen. Grosse Datenmengen erlauben es zudem, eine Mass Customization von Produkten und Dienstleistungen zu realisieren. Es werden dadurch zunehmend individuelle Erfahrungen und Produkte für jeden Kunden erzeugt oder Produkte und Dienstleistungen gestaltet, die den grossen Massen gefallen. Dadurch können Ökosysteme und die jeweiligen Akteure zum Beispiel die Kundenbeziehungen schrittweise ausbauen und die Kundenbindung verbessern.

Die heutigen Technologien erlauben es, die veränderten Kundenbedürfnisse zu befriedigen

In vielerlei Hinsicht sind neue Technologien der Enabler für moderne und skalierbare Business Ökosysteme. Technologien wie das Internet und Cloud Computing haben es überhaupt möglich gemacht, über die letzten 20 Jahre digitale Marktplätze und Plattformen zu realisieren. Die grossen und mächtigen Business Ökosysteme setzen heute auf Big Data Analytics sowie Automation und bedienen ihre Kunden über den für den Kunden am besten geeigneten Kanal (Opti-Channel). Dies erfolgt in manchen Ökosystemen bereits rein sprachgesteuert oder in bekannter Mensch-Maschinen-Interaktion via Texteingabe.

Technologien erlauben es, dass Kunden auf Plattformen miteinander interagieren oder mit Anbietern von Leistungen in Kontakt treten können. In Business Ökosystemen wird auf verschiedenen Ebenen eine Nutzung der Kunden- und/oder Transaktionsdaten ermöglicht. Hier liegt der primäre Schwerpunkt meist auf der Erfassung und Nutzung von proprietären Daten.

Basis für die jeweiligen Interaktionen sind radikal neu gestaltete Kundenergebnisketten (sog. Ecosystem Journey), die die Dienstleistungen von mehreren Unternehmen integrieren und so eine neue Art der Leistungserbringung ermöglichen, die dem Kunden eine oder mehrere Aufgaben erfüllen. Technologie hilft, die Angebote zu bündeln, transparent oder kundenindividuell bereitzustellen. Für einfache Funktionen wird oft Robotics/Automatisierung eingesetzt, komplexere Vorgänge benötigen Künstliche Intelligenz, Machine und Deep Learning Ansätze. Im nächsten Jahrzehnt werden schneller als jemals zuvor weitere „Game Changing Technologies“ helfen, diesen Prozess zu beschleunigen.

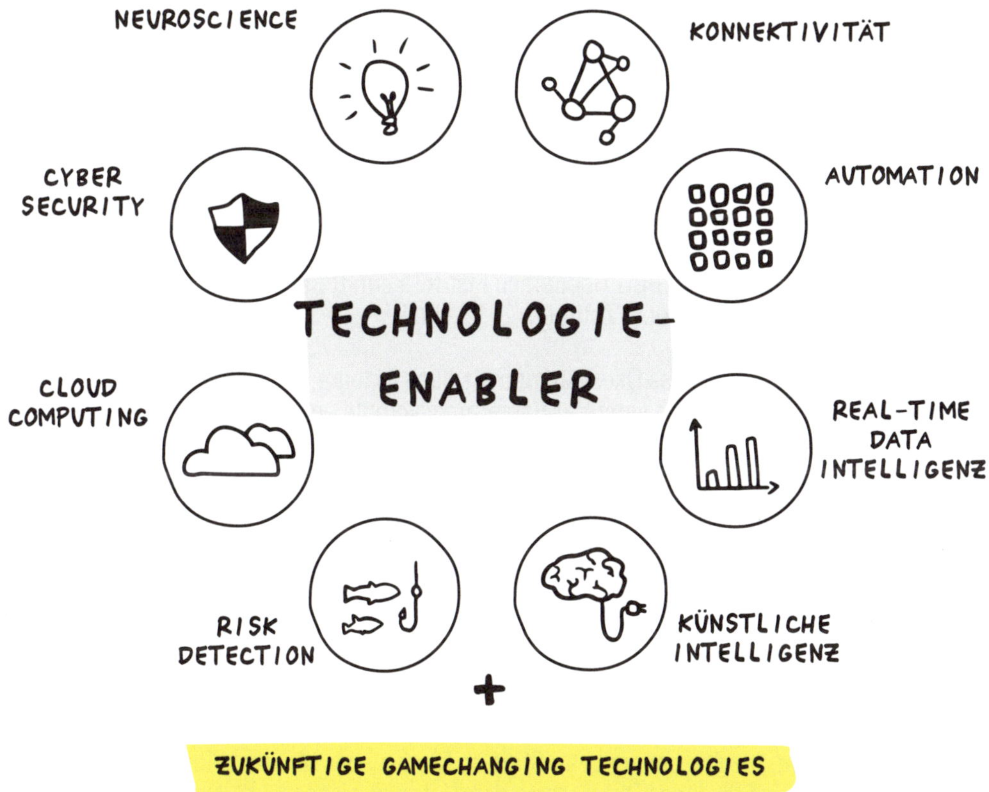

„We won't experience 100 years of progress in the 21st century – it will be more like 20'000 years of progress.“
– Kay Kurzweil, Futurist und Director of Engineering bei Google

Gut gestaltete und automatisierte Business Ökosysteme senken die Kosten für die Kundengewinnung. Zudem erhält der Kunde in einer Transaktion eine Vielzahl von Produkten und Dienstleistungen, die gemeinsam von verschiedenen Akteuren erbracht werden. Diese hohe Anzahl an Transaktionen bietet dem Ökosystem und den jeweiligen Akteuren einen einzigartigen Zugang zu Daten, die wiederum für die Gestaltung von neuen Produkten und Dienstleistungen genutzt oder auf anderen Wegen monetarisiert werden. Genaue Standort-, Rechnungs-, Bewegungs-, Gesundheits- bis hin zu Verhaltensdaten sind in vielen Systemen das „Öl", also der Treibstoff für die Weiterentwicklung der jeweiligen Ökosysteme.

Zudem hat es sich über die letzten Jahre abgezeichnet, dass Unternehmen, die Netzwerkeffekte nutzen, am Kapitalmarkt besser bewertet werden als klassische Anlagenbauer, Dienstleister und reine Technologiefirmen. Wie einleitend schon erwähnt, haben Firmen, die in Business Ökosystemen denken, ein höheres Umsatzwachstum pro Jahr als traditionelle Unternehmen. Eine Studie des BCG Henderson Institute ermittelte ein höheres Wachstum von 1–4% pro Jahr, basierend auf dem Zeitraum 2012–2017.

Sowohl Initiatoren von Business Ökosystemen als auch Akteure, die in solchen Ökosystemen partizipieren, können in Zukunft verstärkt Bewertungsvorteile am Kapitalmarkt erzielen, Investoren für sich gewinnen und schliesslich den Erhalt ihrer Wettbewerbsfähigkeit sicherstellen. Die Bewertung von Unternehmen erfolgt in der Welt von Netzwerkeffekten und Daten meist auf der Grundlage von Nutzerbindungen, die die bekannten Top-Line-Metriken zurückdrängen. Bei Ökosystemen, die auf Blockchain-Technologien basieren, kann zukünftig zum Beispiel auch die Reichweite von den eigenen „Währungen" im Ökosystem der Gradmesser sein.

Aktuell sind die erfolgreichen Initiatoren von überregionalen Business Ökosystemen meist Unternehmen, die bereits eine digitale Marke oder eine Plattform besitzen, die es ihnen ermöglicht hat, die Fähigkeit, in Netzwerkeffekten und Skalierung zu denken, zu entwickeln. Zudem haben die Initiatoren meist multiple Visionen über eine mögliche Zukunft und die Möglichkeit erkannt, iterativ und im Lean Start-up Modus über Minimal Viable Products und ein aktives Design des Business Ökosystems das Ziel zu erreichen.

„Traditionelle Geschäftsmodelle, die dazu neigen, den Schwerpunkt auf interne Kompetenzen zu legen, reichen in einer Welt mit stark vernetzten Ökosystemen nicht mehr aus. Heute nutzen erfolgreiche Unternehmen die gemeinsamen Kompetenzen eines ganzen Netzwerks an Partnern, um einen Wettbewerbsvorteil zu erzielen."

– Dr. Marco Iansiti, Professor an der Harvard Business School

Unternehmen, die bereits grosse Anstrengungen in die digitale Transformation gesteckt haben, arbeiten heute bereits in agilen Strukturen und über die Unternehmensgrenzen hinweg zusammen. Jedoch sind für die Teilnahme an Business Ökosystemen zwei weitere Paradigmenwechsel von zentraler Bedeutung: Die **Sichtweise auf die Geschäftsmodelle** und die **Hebel** solcher Systeme **für ein exponentielles Wachstum**.

Traditionelle Unternehmen müssen bildlich gesprochen einen digitalen Graben überwinden. Die bislang gültigen Prämissen wie eine produktzentrierte Entwicklung, klassische hierarchische Organisationsstrukturen und ein starker Fokus auf Marktanteile, physische Transaktionsketten mit Intermediären gelten oft nicht mehr.

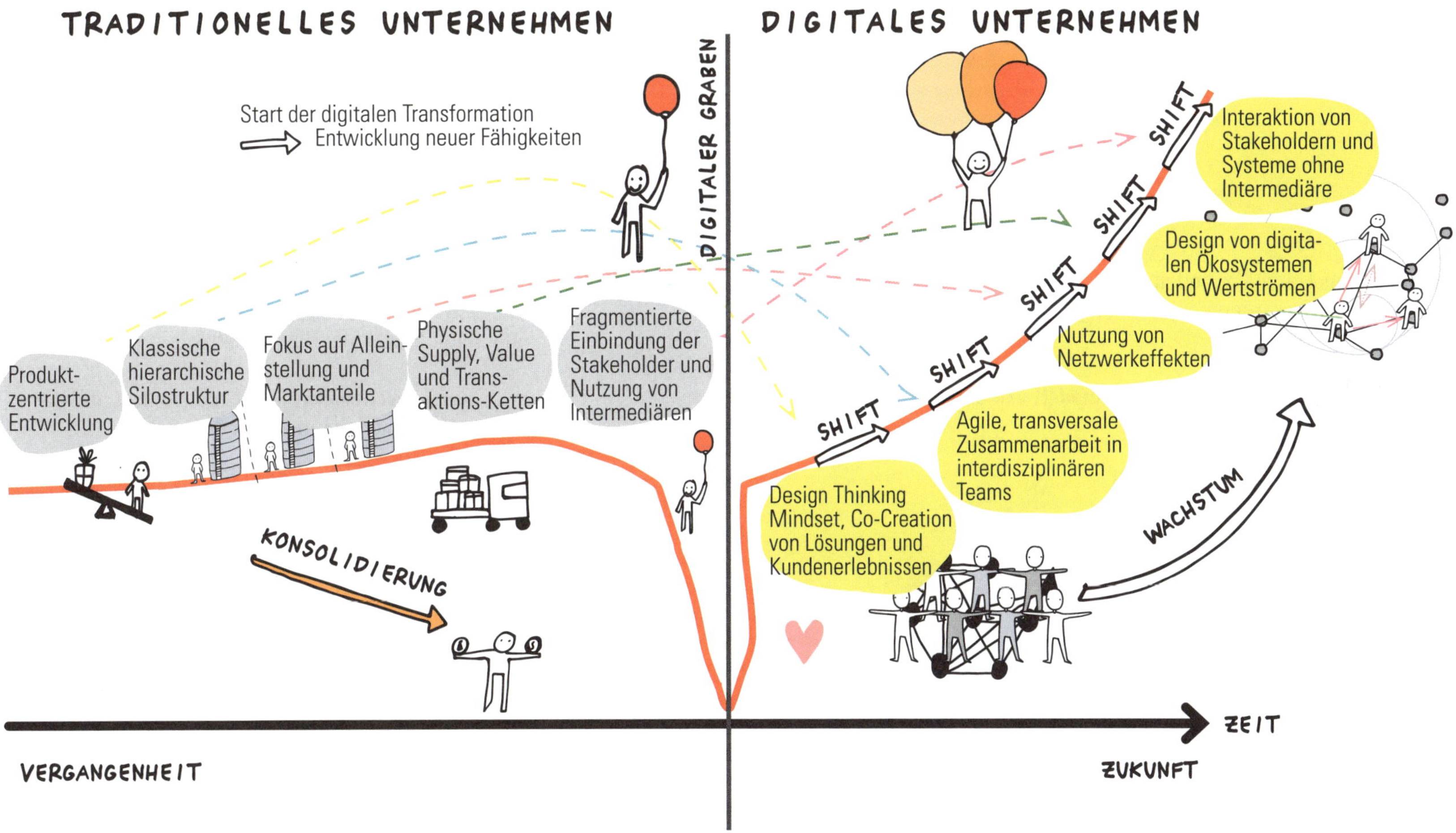

Wie sieht der Paradigmenwechsel in der Gestaltung von Geschäftsmodellen und Wachstum konkret aus?

In der bekannten Sicht auf ein Geschäftsmodell wurden die dafür relevanten Dimensionen für ein einziges Unternehmen oder für eine zentralisierte Plattform betrachtet. Diese sind in der Regel eine Sicht auf die Einnahmen und Kosten, die Fähigkeiten eines Unternehmens, die zu adressierenden Kunden- und Kundensegmente inkl. einer definierten Differenzierung für das Angebot des Unternehmens. Diese Dimensionen sind per se nicht falsch, benötigen aber die Erweiterung zu einer multidimensionalen Sicht. D.h., dass sich das Geschäftsmodell eines Business Ökosystems aus multiplen Möglichkeiten für die Akteure zusammensetzt. Dies kann so weit gehen, dass Initiatoren eines Business Ökosystems dieses nur mit dem Zweck initialisieren, um ihre eigenen Marktchancen im System zu erhöhen und aus einer engen (finanziellen) Verknüpfung in das Ökosystem Vorteilen erlangen, wie zum Beispiel Zugang zu Transaktions- oder Kundendaten, die wiederum Rückschlüsse auf das Verhalten oder Bedürfnisse der Kunden geben. Daraus lassen sich datengetriebene Innovationen in verschiedene Richtungen realisieren.

Paradigmenwechsel Geschäftsmodellbetrachtung

Wie sieht das Geschäftsmodell des Unternehmens aus, um mit Differenzierung am Markt erfolgreich zu sein?

Klassische Sicht auf das Geschäftsmodell von einem Unternehmen

- Differenzierung des Unternehmens
- Ein Ertragsmodell
- Einzelne Fähigkeiten in der Wertschöpfungskette
- Besitz der Kundenschnittstelle

Wie kann jeder einzelne Akteur, der seine Fähigkeiten zur Erstellung einer einzigartigen Value Proposition einbringt, in vielerlei Hinsicht profitieren?

Multidimensionale Sicht auf die Geschäftsmodelle in einem Ökosystem

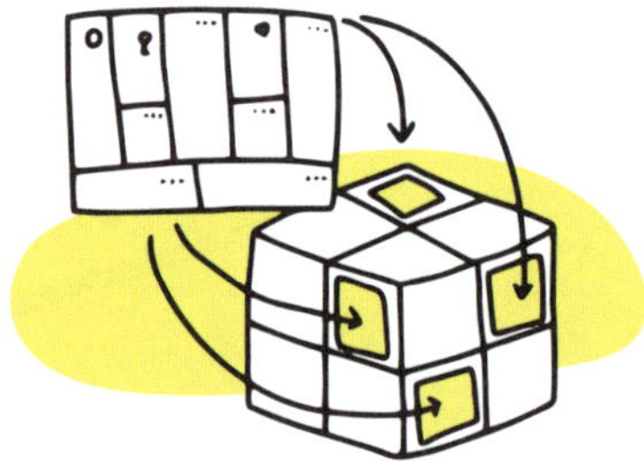

- Beitrag zu einer gemeinsamen Value Proposition
- Verschiedene Möglichkeiten der Partizipation
- Geteilte Fähigkeiten zur Erfüllung des Wertversprechens
- Partizipation mit passenden Fähigkeiten

In Bezug auf den zweiten Paradigmenwechsel Wachstum bedarf es eines Umdenkens hinsichtlich des Umgangs mit bestehenden Geschäftsmodellen von Unternehmen. Oft werden existierende Geschäftsmodelle als Basis genommen und geprüft, wie diese für eine Ertragssteigerung optimiert werden können. Wird jedoch eine solche Denkweise auf Ökosysteme angewandt, so ergeben sich hieraus in der Regel meist nur Überlegungen, wie bestehende Geschäftsmodelle mittels eines Ökosystem-Ansatzes erweitert werden können. Auf diese Weise wird meist nur lineares Wachstum realisert. Durch den Paradigmenwechsel verändert sich die Sicht von der reinen Optimierung hin zum Design eines superioren Business Ökosystems, welches darauf ausgelegt ist, zum einen Ökosystem-Kapital zu realisieren und zum anderen einen exponentiellen Wachstumspfad zu beschreiten. Auf dieser Basis ist zu evaluieren, ob zum Beispiel die vorhandenen Fähigkeiten oder der Kundenzugang es ermöglichen, in einem bestimmten Business Ökosystem aktiv zu werden.

Paradigmenwechsel Wachstum

Wie kann ein Geschäftsmodell mit einem Ökosystem Play erweitert werden?

Wie kann ein Business Ökosystem Vorteile für das Wachstum von einem Unternehmen bringen?

Lineare Sicht auf Wachstum

Business Ökosystem Sicht auf Wachstum

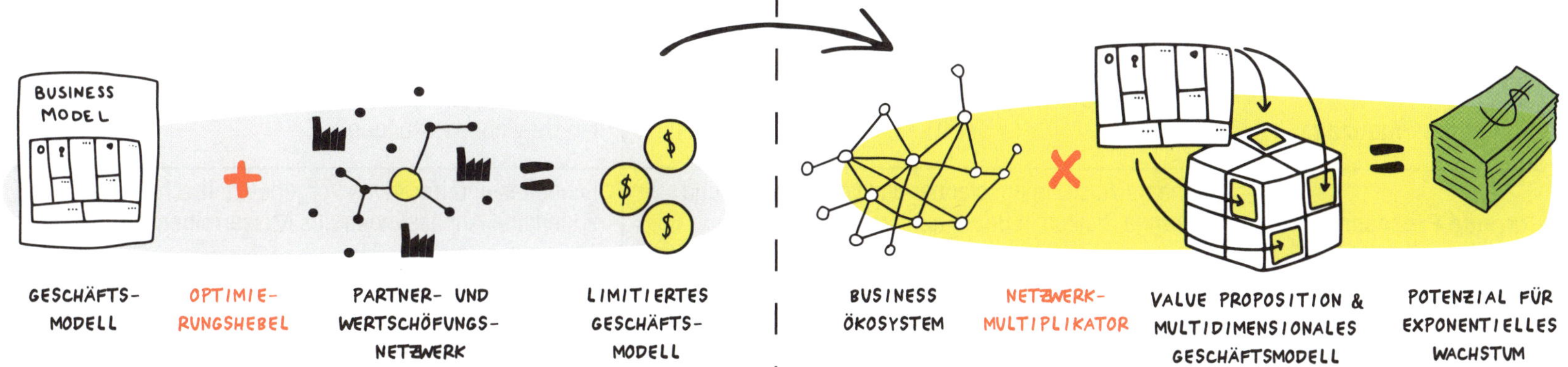

Für die neuen Geschäftsmodelle und Wachstum in digitalen oder hybriden Modellen braucht es vor allem ausgeklügelte Business Ökosysteme, die dem Kunden auf einfache und effiziente Weise einen Mehrwert bieten. Besonders europäische Unternehmen neigen dazu, ihre bestehenden und vornehmlich linearen Geschäftsmodelle in Ökosystem-Initiativen mit bekannten Unternehmenspartnern anzureichern. Das geläufige Gedankengut für das Partnermanagement orientiert sich eher an den Modellen von Sourcing Strategien als auf die im digitalen Zeitalter notwendigen Portfolio-basierten Geschäftsmodellbetrachtungen, die sowohl einen differenzierenden Charakter als auch Synergien zum Kerngeschäft herstellen. Meist fehlt es an der Veränderungsbereitschaft des Top Managements und so bleibt es nicht aus, dass bestehende Geschäftsmodelle geschützt werden und die kurzfristige finanzielle Optimierung dem Aufbau von zukunftsfähigen Systemen und innovativen Geschäftsmodellen den Vorrang geben wird.

Alexander Osterwalder beschreibt Unternehmen, die diesen Spagat schaffen, als „Invincible Companies", also als Organisationen, die sich ständig neu erfinden, bevor sie obsolet werden. „Invincible Companies" erforschen die Zukunft (EXPLORE), während sie die bestehenden Märkte mit ihrer Marktstellung für ihre Ertragsmaximierung nutzen (EXPLOIT). Nach Osterwalder leben sie eine ausgewogene Kultur, basierend auf Innovationsstärke und Umsetzungskraft. Die Wettbewerbsfähigkeit wird in Form von durchdachten Geschäftsmodellen und einer Überschreitung von traditionellen Branchengrenzen realisiert. Die ständige Erkundung von neuen Marktopportunitäten, basierend auf den Kundenbedürfnissen und über bestehende Branchengrenzen hinweg, wird zu einem der stärksten Design-Prinzipien für zukünftiges Wachstum.

DIMENSION	EXPLOIT	EXPLORE
Fokussierung	Effizienz und Wachstum	Erkundung von Neuem und Radikalität
Ungewissheit	niedrig	hoch
Sicht auf die Finanzen	Sicherer Hafen mit stetigen Renditen und Dividenden	Risikofreudiger Venture-Capital-Style; mit exponentiellen Gewinnerwartungen
Kultur und Prozesse	Lineare Ausführung, planbar und vorhersehbar und geringe Risiken in Bezug auf Versagen	Schnelles und iteratives Vorgehen, mit schnellen Lernzyklen und Anpassungen aus Misserfolgen
Leadership, Workflow und Fähigkeiten	Management mit einer starken Ausrichtung auf Organisation und Planung, Fokus auf effiziente Prozesse zur Einsparung von Zeit und Ressourcen	Management, das auf Neugierde fokussiert und Unsicherheit als Chance sieht mit der Fähigkeit, Patterns zu erkennen und zwischen grossen Bildern und Details elegant ihre Teams zu navigieren

Tabelle in Anlehnung an Osterwalder, A. et al. (2020), The invincible Company

Warum müssen Business Ökosysteme gestaltet werden?

Das vorrausgeschickt, viele Ökosysteme entstehen, ohne dass jemand diese bewusst plant. Typisches Beispiel hierfür sind Start-up Ökosysteme (siehe Innovationsökosysteme Seite 56), die aufgrund von veränderten Marktbedürfnissen und Technologien entstehen. Meist siedeln sich ähnliche Start-ups an Orten an, die optimale Rahmenbedingungen bieten. Bekannte Beispiele sind das FinTech Cluster in Singapur oder Security Firmen in Tel Aviv. Sobald sich erste Anzeichen von solchen Systemen zeigen, findet automatisch ein Wissenstransfer mit Universitäten und ansässigen Unternehmen statt. Regionen oder Länder fördern diese Gegebenheiten in der Regel.

Die in diesem Buch im Fokus stehenden Business Ökosysteme werden in der Regel bewusst gestaltet und in den definierten Regeln dynamisch weiterentwickelt. Die Auswahl und das Zusammenspiel der Akteure trägt bewusst zum Erreichen eines gemeinsamen Ziels oder zum Schaffen von etwas Neuem bei. Viele Business Ökosysteme integrieren hierbei Akteure aus der eigenen Branche, branchenfremde Unternehmen und auch Start-ups und Technologiepartner mit den unterschiedlichsten Ausprägungen und verschiedenen Rollen. Primäres Ziel ist, gemeinsam eine herausragende Value Proposition zu erzeugen und für den Kunden eine einmalige Erfahrung zu gestalten. Meist werden für die Umsetzung auch Akteure oder Plattformen bestehender Ökosysteme miteinbezogen.

Für das aktive Design von Business Ökosystemen bedarf es einer Öffnung aller beteiligten Akteure in Form von einer kollaborativen Zusammenarbeit und Transparenz. Business Ökosystem Design benötigt ein neues Mindset, Methoden, Modelle und Vorgehensweisen, die dieses Ziel bestmöglich unterstützen. Die Fähigkeiten und Denkhaltungen gehen weit über die Beherrschung von neuen Technologien hinaus.

Auf den Punkt gebracht!

Öffnung nach aussen

In der Interaktion mit anderen Akteuren müssen die Burgmauern gesenkt werden. Nur so können Interaktion und Zusammenarbeit stattfinden.

Schaffe Transparenz über Fähigkeiten und Werte

Ein gut funktionierendes Ökosystem kennt den Nutzen der anderen Akteure für Innovation und die nachhaltige Realisierung der Value Proposition.

Akzeptiere neue Marktrollen in bestehenden oder neuen Systemen

Es wird in den meisten Fällen nicht möglich sein, selbst der Initiator des Systems zu sein. Insbesondere bei dezentralen Business Ökosystemen wird es zunehmend wichtig sein, auch andere Marktrollen in einem Ökosystem einzunehmen. Oberstes Ziel ist, mit einem einzigartigen Wertversprechen ein WOW beim Kunden zu erzeugen.

Warum Business Ökosystem Initiatoren ambitioniert sind, eine Black-Ocean-Strategie zu realisieren

Differenzierung ist gut – eine einzigartige Value Proposition und Konfiguration eines Business Ökosystems, die kein anderes System oder Unternehmen kopieren kann, ist noch besser. Das ist die zentrale Ambition eines Black-Ocean-Play, also Systeme zu gestalten, die meist nur drei oder noch weniger wahrzunehmende Wettbewerber in Form von Unternehmen oder anderen Business Ökosystemen haben. Unternehmen, die in dieser League spielen, sind typischerweise Amazon und Alibaba im Bereich eCommerce; Uber und Didi im Bereich Mobilität oder auch Google und Apple bei den Betriebssystemen von mobilen Endgeräten. Die Beispiele von Alipay und WeChat Pay als dominierende Systeme mit „Black Ocean" Charakter sind von Seite 288 – 294 beschrieben.
Die Entwicklung von diesen Unternehmen über die Zeit zeigt aber auch, wie schwer es ist, den „Black Ocean" für eine bestimmte Value Proposition nachhaltig zu besetzen. So hatte zum Beispiel Uber zeitweise über 80% der Marktfläche (=Black Ocean), verlor jedoch deutlich im Hauptmarktsegment, was in 2020 zu einer Marktfläche von ca. 50% führte. Es zeigt, wie entscheidend es über die Zeit ist, eine kontinuierliche Weiterentwicklung der Value Proposition zu orchestrieren und im Rahmen von Business Ökosystem Leadership die richtigen Weichen zu stellen. Uber hat inzwischen einige neue Subsegmente im Markt eingeführt, die darauf abzielen, die neuen Kundenbedürfnisse in vielfacher Hinsicht zu nutzen. So sind in den letzten 10 Jahren Services wie UberX, UberPool, Uber Eats und UberMoto hinzugekommen. Ebenfalls wird massiv in neue Technologien investiert, die teilweise das aktuelle Geschäftsmodell komplett disruptieren würden, wie zum Beispiel selbstfahrende Autos.

Dies passiert in vielerlei Hinsicht in Form von Co-Creation, durch Innovationen und Ideen von Akteuren im System und durch enge Kooperationen mit Fahrzeugherstellern und anderen Technologie-Plattformen im Fall von Uber. Zusätzlich braucht eine Black-Ocean-Strategie durchdachte Systeme, die den verschiedenen Akteuren multiple Anreize geben, mit dem Business Ökosystem zu kooperieren. Die chinesische Konkurrenz Didi bietet als Mobilitätsdienstleister ihren Akteuren im System zum Beispiel viele Dienstleistungen rund um ihr Auto. Diese reichen von Vergünstigungen für Benzin bis hin zu Ermässigungen beim Kauf von neuen Fahrzeugen.

In der Tabelle unten sind die bekannten Wettbewerbsstrategien für die Entwicklung von Geschäftsmodellen in Form einer Red- und Blue-Ocean-Strategie von W. Chan Kim und Renée Mauborgne der Black-Ocean-Strategie gegenübergestellt.

RED OCEAN	BLUE OCEAN	BLACK OCEAN
Wettbewerb im vorhandenen Markt	Schaffung neuer Märkte	Schaffung von komplett neuen Marktflächen
Die Konkurrenz schlagen	Der Konkurrenz ausweichen	Zusammen mit anderen Akteuren (auch Wettbewerber) eine einzigartige Value Proposition realisieren
Die existierende Nachfrage nutzen	Neue Nachfrage erschliessen	Bislang nicht adressierte Kundenprobleme und -bedürfnisse lösen
Direkter Zusammenhang zwischen Nutzen und Kosten	Aushebeln des direkten Zusammenhangs zwischen Nutzen und Kosten	Etablierung von neuen Wertströmen, Geschäftsmodellen und Wachstumsmöglichkeiten
Ausrichtung des Gesamtsystems der Unternehmensaktivitäten an der strategischen Entscheidung für Differenzierung oder niedrige Kosten	Ausrichtung des Gesamtsystems der Unternehmensaktivitäten auf Differenzierung und niedrige Kosten	Ausrichtung des Gesamtsystems auf Co-Creation, Koevolution und Win-Win-Situationen für die Akteure im Business Ökosystem

Was ist ein Business Ökosystem nicht?

Der Begriff des Ökosystems hat in vielerlei Hinsicht einen inflationären Charakter und es scheint, als ob alle Initiativen, bei denen zwei Unternehmen kooperieren, als Business Ökosystem bezeichnet werden. Das Gleiche gilt für die unzähligen Plattformen und Marktplätze, die in den letzten zwei Jahrzehnten entstanden sind. Auch dies sind in vielen Fällen zentrale Instanzen, die von einer Firma, dem Initiator, gesteuert werden. Wie zuvor beschrieben braucht die nächste Generation an Business Ökosystemen eine Öffnung nach aussen, Transparenz über Fähigkeiten und Werte und, besonders wichtig, die Bereitschaft zur Akzeptanz von neuen Marktrollen in bestehenden oder neuen Systemen.
Verschiedene Studien zeigen, dass ein Grossteil der Unternehmen, die sich auf die Suche nach neuen Wachstumspfaden machen, gerne die Rolle des Initiators und Orchestrators einnehmen möchten. Dieses Phänomen ist sehr gut bei Versicherungen und Banken zu beobachten, die zum Beispiel fast alle Ökosysteme zum Thema „Wohnen“ initialisieren. Banken möchten zudem ihre Kunden im „Wealth Management Segment“ mit Ökosystem-Ansätzen rund um das Thema „Vermögen und Sicherheit“ bedienen, um schliesslich die Kundenschnittstelle nicht an andere Player zu verlieren. All diese Themenfelder sind vollkommen valide und haben Potenzial für erfolgreiche Ökosysteme, jedoch in einer Koevolution, Symbiose und bestmöglich als Co-Competition mit dem Ziel, das beste Angebot, das beste Erlebnis und die einfachste Interaktion für den Kunden bereitzustellen.

Ökosystem-Design beruht auf Co-Creation nicht nur mit den potenziellen Kunden, sondern auch zusammen mit den anderen Akteuren im System. Dies bedeutet aber auch, die Rollen nach den Fähigkeiten im System aufzuteilen, eine Governance für Innovation und Wachstum zu etablieren und schliesslich den zuvor erwähnten Kunden und seine Bedürfnisse nicht aus den Augen zu verlieren.

Die initialen Überlegungen zu einem Business Ökosystem entstehen meistens aufgrund von Kundenproblemen, die im Rahmen von Design Thinking gelöst werden. Oft wird auch von den Design-Teams in der Lösungsfindung und in der Umsetzung des MVP erkannt, dass es für die angestrebte Vision weitere Akteure benötigt. Zudem ist zu beobachten, dass Unternehmen bereits im Rahmen der Co-Creation für eine erste Lösung das Potenzial einer kollaborativen Zusammenarbeit erkennen. Vorherrschend sind jedoch immer noch klassische Überlegungen und Wettbewerbsanalysen zu Business Ökosystemen, die im Rahmen der Ausarbeitung von strategischen Optionen erstellt werden. In einer ersten Phase laufen die Vorhaben meist im kleinen Kreis der eigenen Unternehmung. Die Öffnung erfolgt meist erst zu einer späteren Phase, also mit dem eigentlichen Design des Business Ökosystems.

Nicht jede Zusammenarbeit, Partnerschaft und Sourcing von Teilleistungen sollte als Ökosystem bezeichnet werden, auch wenn es modern und innovativ klingt!

Traditionelle Branchen und Angebote gehen in neuen Wertangeboten für Kunden auf.

Auf den Punkt gebracht!

Die ultimative Herausforderung für die neue Generation von Unternehmenslenkern besteht nicht darin, isolierte Produkte zu entwerfen, sondern einzigartige Business Ökosysteme mitzugestalten, in denen verschiedene Akteure, Fähigkeiten, Technologien und Plattformen über die bestehenden Industriegrenzen hinweg eine einzigartige Erfahrung für den Kunden auf eine einfache, begeisternde und ganzheitliche Weise zur Verfügung gestellt wird.

Die Generation Business Ökosystem Design ist bereit, diese neue Denkweise anzuwenden, die Geschäftsmodelle zu verändern und die Hebel für exponentielles Wachstum zu nutzen.

DEFINITION

BUSINESS ÖKOSYSTEM DESIGN ALS INTEGRIERTE DISZIPLIN

Evolution von Design im Business-Kontext

Bevor auf die verschieden Arten von Ökosystemen näher eingegangen wird, soll das Wort „Design" im Zusammenhang von Business Ökosystemen erläutert werden. Der Begriff „Design" wurde in diesem Zusammenhang nicht ohne Grund gewählt. Business Ökosystem Design ist der logische nächste Schritt in der Evolution von Design Thinking, Systems Thinking und der Gestaltung von Geschäftsmodellen.

Nicht zuletzt weil Business Ökosysteme sich nicht von selbst erschaffen. Die Akteure solcher Systeme verbinden sich nicht automatisch und fangen einfach an, radikal zusammenzuarbeiten. In der Realität muss genau verstanden werden, wer potenzielle Ökosystem-Partner sind, welche Rollen sie einnehmen, welche Fähigkeiten sie einbringen und wie mit einer potenziellen Co-Competition umgegangen wird.

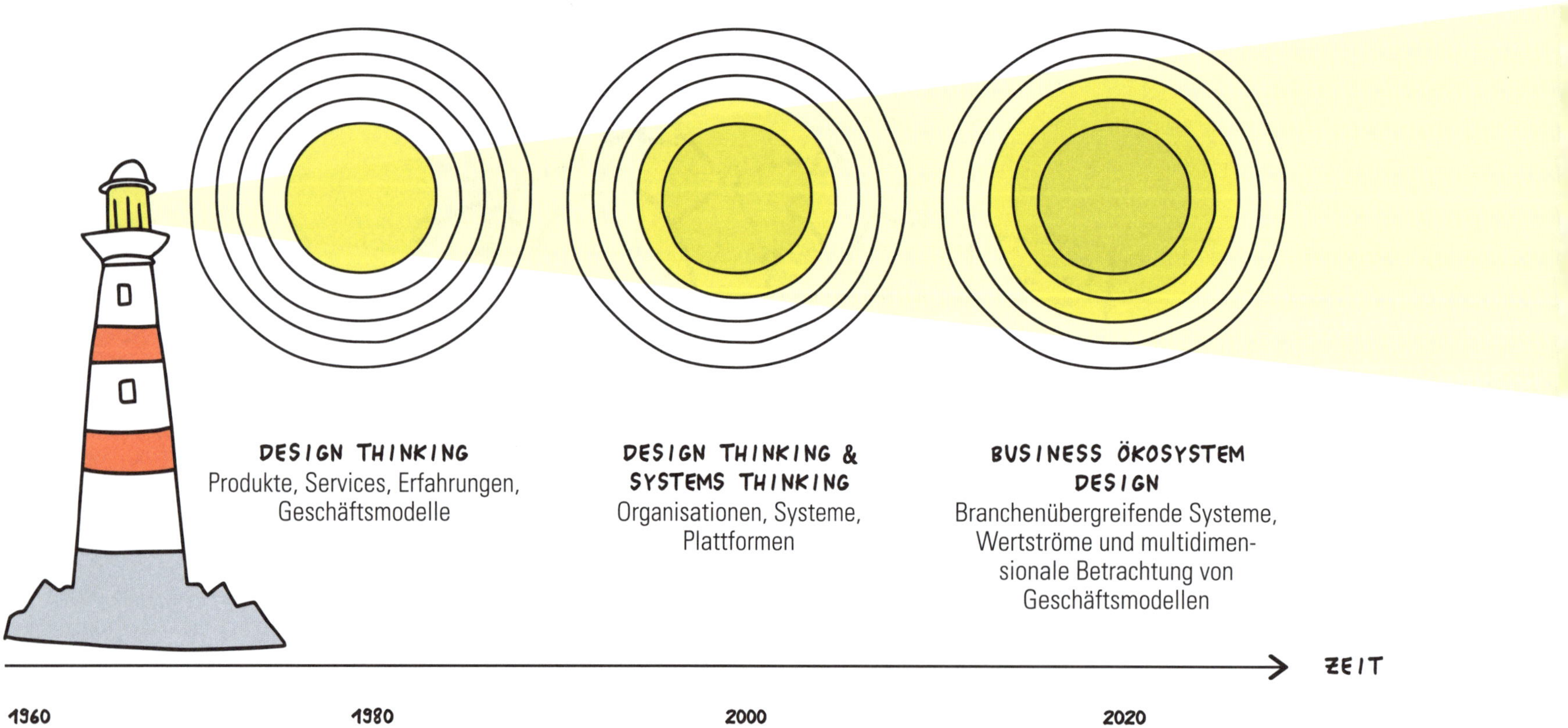

Basis für die Definition von Strategie- und Technologieentscheiden

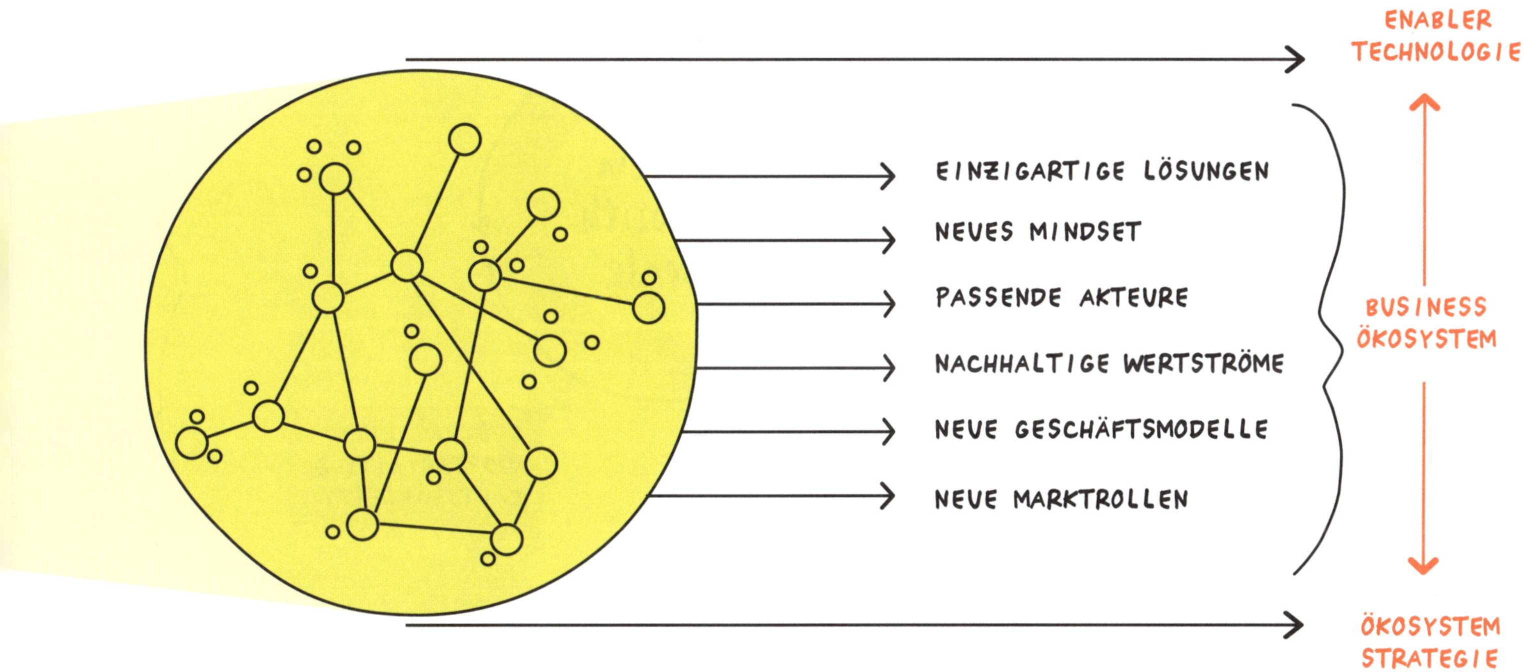

Die Auseinandersetzung mit dem Business Ökosystem hat in vielen Fällen einen Einfluss auf die Unternehmensstrategie und beeinflusst zudem die aktuellen und zukünftigen Technologieentscheide.

Business Ökosystem Design erweitert die bekannten Methoden, Werkzeuge und Denkhaltungen, welche heute vorwiegend im Kontext von Design Thinking und Systems Thinking angewandt werden. Business Ökosystem Design wie auch viele andere Design-Philosophien spiegeln die Absicht wider, dieses Mindset nicht auf die Gestaltung von Produkten und Dienstleistungen zu beschränken, sondern ebenso Probleme zu lösen, die Einfluss auf bestehende Systeme haben. Hierzu zählen z.B. auch Initiativen, die das Ziel haben, mit Design Thinking politische Systeme, Gemeinschaften und die aktuellen Probleme zu lösen, unter denen unsere Welt leidet. Business Ökosystem Design hinterfragt ebenfalls bestehende Systeme und gestaltet über mehrere Design-Loops Systeme, die die bestehenden und bekannten Grenzen verlassen. Wichtig bleiben hierbei vor allem die im Design Thinking verankerte „Design Lense", das Design Thinking und Systems Thinking Mindset und der Fokus auf den Kunden und seine Bedürfnisse. Der Kunde bleibt immer im Mittelpunkt, auch wenn die Betrachtung sich über den Design-Zyklus verändert und es zum Beispiel im Design des Ökosystems eine stärkere Auseinandersetzung mit den anderen Akteuren im System gibt. Für die Skalierung ist neben der Erhöhung der Frequenz an Kundeninteraktionen der Fokus auf der Nutzung von Netzwerkeffekten entscheidend.

Anwendung von drei variierenden „Design Lenses" von der Problemlösung über die Gestaltung eines Business Ökosystems bis hin zu Methoden zur Realisierung von exponentiellem Wachstum werden von Seite 156–270 im Detail vorgestellt.

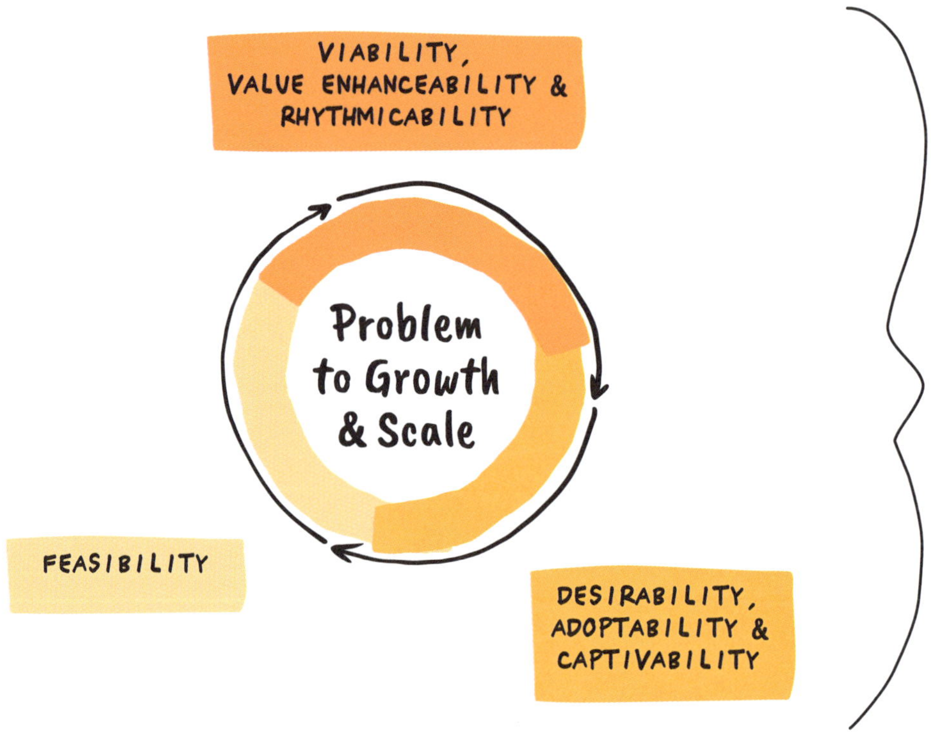

! Es ist an dieser Stelle wichtig, darauf hinzuweisen, dass die Übergänge der Design Lenses oftmals fliessend sind und eine messerscharfe Abgrenzung nicht möglich ist. Je nach Auflösungsgrad von Prototypen, MVPs und MVEs können Schritte beschleunigt oder ausgelassen werden.

Start ↘

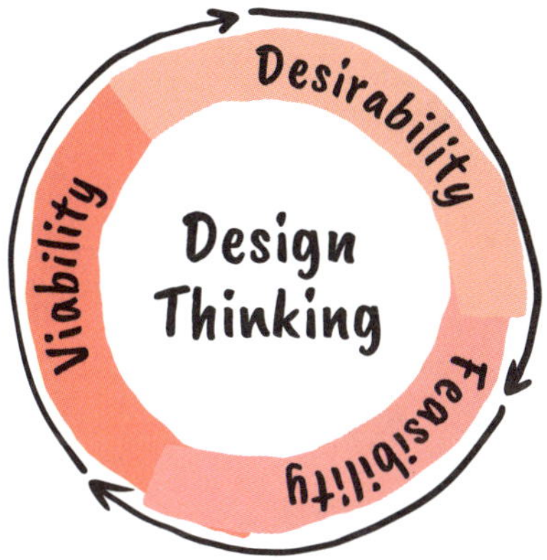

- **Desirability** – Fokussierung auf den Kunden und seine Bedürfnisse
- **Viability** – Schaffung eines innovativen und nachhaltigen Geschäftsmodells
- **Feasibility** – Verwendung von modernen, effektiven und anwendbaren Enabler Technologien

↓

VISION/ FINAL PROTOTYPE

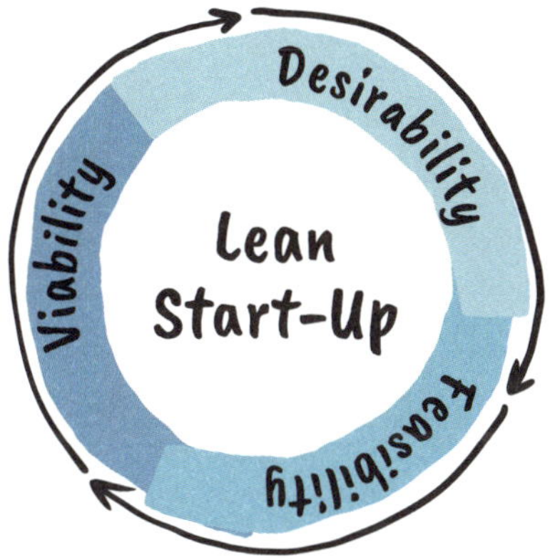

- **Desirability** – Validierung der Kundenbedürfnisse anhand von einzelnen Funktionen und Erfahrungen
- **Viability** – Validierung des Geschäftsmodells und Wert des Angebots
- **Feasibility** – Test und Validierung von ausgewählten Technologiekomponenten

↓

MVP

- **Adoptability** – Fokussierung auf die Bedürfnisse der Akteure und ihre Fähigkeit, zusammen eine Value Proposition zu tragen
- **Value Enhanceability** – Gestaltung von nachhaltigen Wertströmen und Vorteilen für alle Akteure im System
- **Feasibility** – Konkretisierung von Technologiekomponenten und Schnittstellen zur Realisierung eines Ökosystem-Ansatzes

↓

MVE

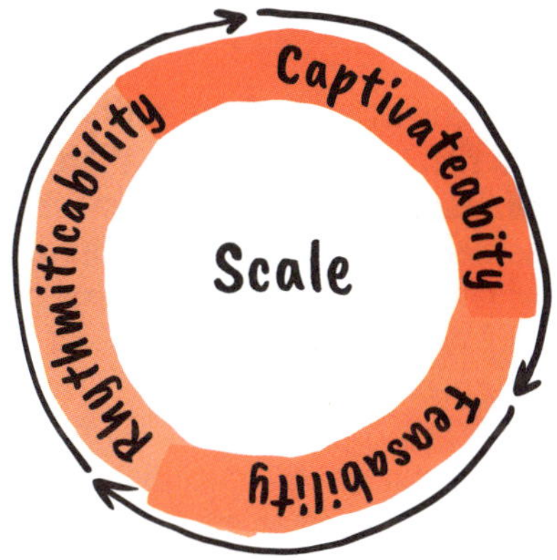

- **Captivability** – Fokussierung auf die Erhöhung der Frequenz in der Kundeninteraktion, Share of Wallet und Bindung an das System
- **Rhythmicability** – Nutzung von Netzwerkeffekten und Skaleneffekten
- **Feasibility** – Ausbau, Professionalisierung und Leverage der Technologiekomponenten

↓

BLACK OCEAN

Lösungsmaturität im Ökosystem Design

Während sich die **„Feasibility"** durch alle Design Lenses zieht, so erweitern sich **„Desireability + Viability"** hin zu **„Value Enhanceability + Adaptability"** in der Business Ökosystem Design Lense. Für exponentielles Wachstum wird die **„Rhythmicability + Captivatiability"** zentral. In dynamischen Systemen schliesst sich der Kreis wieder im Design Thinking, weil die Kundenbedürfnisse für die Erweiterung der Value Propostion massgebend sind.

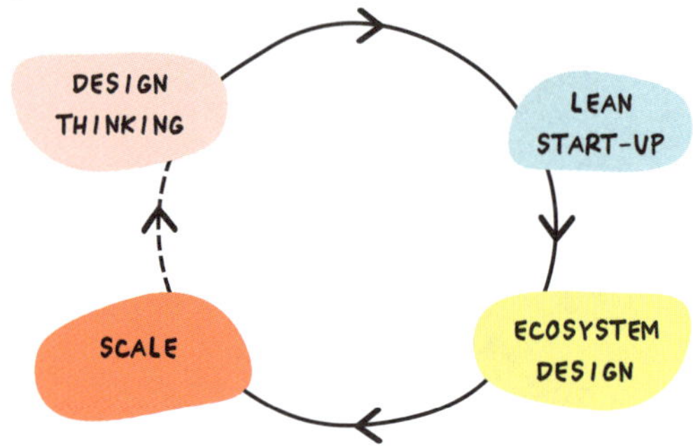

In den meisten Fällen ist die technische Machbarkeit heutzutage kein Problem. Hürden entstehen oftmals aufgrund von gesetzlichen Rahmenbedingungen oder veralteten Kernapplikationen, die mit neuen Technologien nicht kompatibel sind.

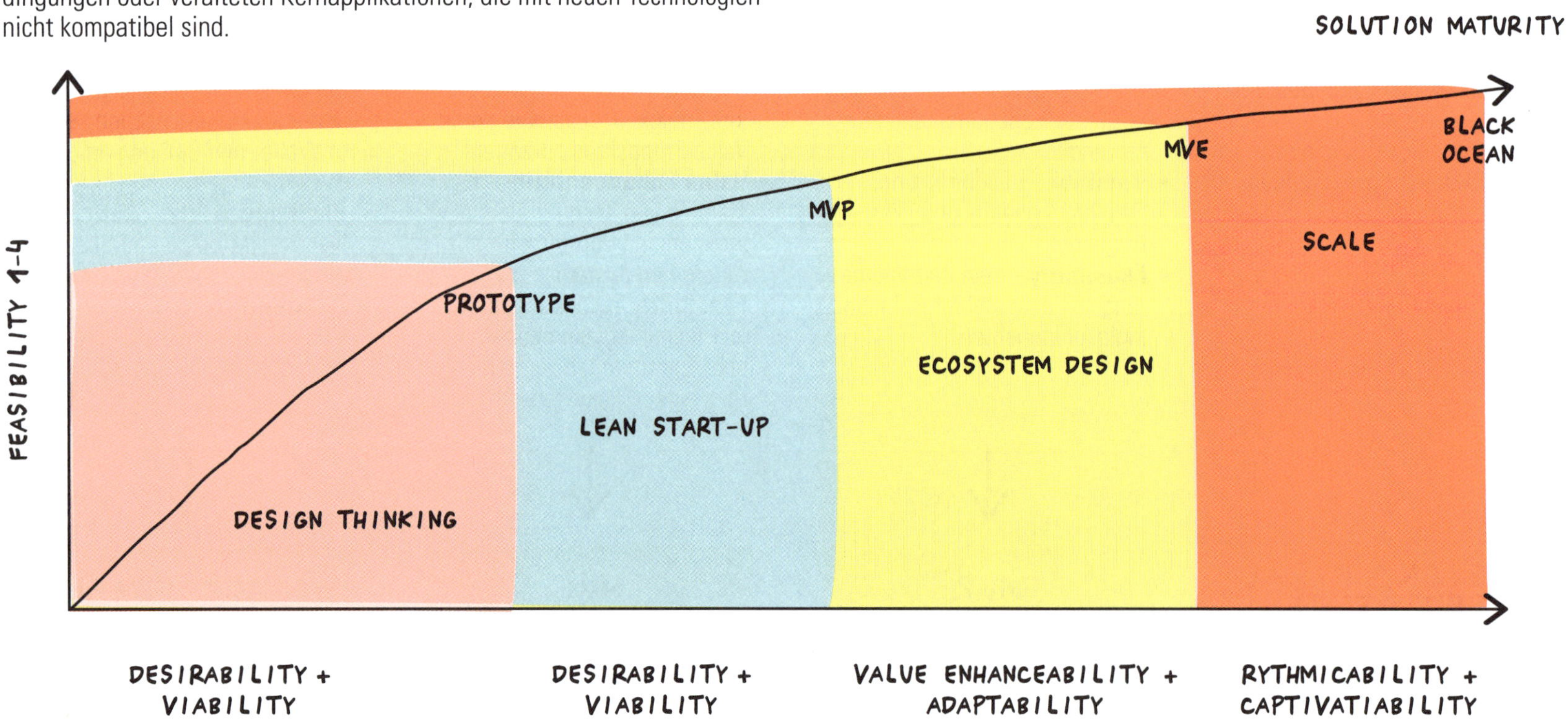

Welche Arten von Ökosystemen gibt es?

Der Begriff „Ökosystem“ wird in vielerlei Hinsicht verwendet und leider gibt es keine einheitliche und auf dem aktuellen Wissensstand basierende Definition, die verwendet werden kann. Deshalb werden drei Formen von Ökosystemen beschrieben, die Teil des Business Ökosystem Designs sind. Die bekannten Definitionen von (Business) Ökosystemen basieren oftmals auf den Überlegungen von Moore (1996) aus den 1990er-Jahren oder Ansätzen aus den 2000er-Jahren zur Internetökonomie (z.B. Stähler, 2002; Zerdick et al. 2001), die sich teilweise in den aktuellen Untersuchungen der Plattformökonomie von z.B. Kapoor & Agarwal (2017) oder Adner (2017) wiederspiegeln.

Die hier vorgestellte Dreiteilung soll als erster Schritt verstanden werden, sich im Begriffs-Wirrwarr von Ökosystemen besser zurechtzufinden. Zudem erleichtert es die Kommunikation im Umgang mit anderen Akteuren, weil auf diese Weise den Systemen eine klare Bezeichnung gegeben werden kann. Im Kontext von diesem Business Ökosystem Design Buch können wir Ökosysteme in **„Innovationsökosysteme“**; **„Wissens- und Informationsökosysteme“**; und **„Transaktions- und Datenökosysteme“** einteilen. Als Schlüsselbegriff wird in diesem Buch Business Ökosystem Design genutzt, das oftmals ein oder mehrere Ausprägungen eines Ökosystems enthält.

Ein durchdachtes Business Ökosystem nutzt die Ressourcen aller zugänglichen und passenden Systeme und/oder relevanten Akteure, um einen Mehrwert für den Kunden und die Ökosystem-Partner zu schaffen.

Innovationsökosysteme: Diese Art von Ökosystemen haben den Zweck, durch Co-Creation zwischen den Akteuren neue Produkte, Dienstleistungen oder Verfahren zu entwickeln. Oftmals clustern sich solche Initiativen, wie zum Beispiel im Fin-Tech-Cluster Singapur oder im Bereich von IT Security in Tel Aviv. Aber auch das Crypto-Valley in der Schweiz oder das Silicon-Valley gehören in diese Kategorie. Diese Ökosysteme werden oft von staatlichen Organisationen unterstützt und verschiedene Investoren, wie Business Angels und Venture Firmen, finanzieren zu unterschiedlichen Zeitpunkten die Initiativen und Vorhaben.

Wissens- und Informationsökosysteme: In diese Kategorie fallen Ökosysteme, die Wissens- und Informationsressourcen nutzen, um einen Wert zu schaffen. Meist handelt es sich um dezentrales Wissen und Informationsquellen, die durch einen Austausch dieser Werte Synergien erzeugen. In diese grosse Gruppe fallen u.a. auch Forschungseinrichtungen, Universitäten und Informationsdienstleister, die zum Beispiel relevante Informationen für automatisierte Ketten von Aktivitäten als vertrauenswürdige und sichere Quelle bereitstellen.

Transaktions- und Datenökosysteme: Transaktionsökosysteme basieren auf technologischen Plattformen, welche die Koordination verschiedener Angebote, technischer Schnittstellen und Technologien übernehmen. Auf diesen Technologie-Stacks basieren die Datenökosysteme, die das Ziel haben, unterschiedliche Daten von Kunden in einem zentralen oder dezentralen System zusammenzuführen, um eine synchronisierte und integrierte 720-Grad-Sicht auf jeden einzelnen Kunden zu ermöglichen. Diese umfassende Sicht auf Daten ermöglicht bessere Preis-, Betriebs- und Marketingentscheidungen. Oftmals ergeben sich hieraus neue Geschäftsmodelle, in denen auch die Zusammenarbeit mit Wettbewerbern und komplett fremden Branchen Synergien heben.

Das Design von Business Ökosystemen zeichnet sich primär dadurch aus, dass zusammen mit anderen Akteuren im System eine Value Proposition gestaltet wird und die Kundenbedürfnisse im Zentrum der Aktivitäten stehen. Das Business Ökosystem nutzt die Ressourcen aus allen zugänglichen und für die Erfüllung der Value Proposition sinnvollen Ökosystemen bzw. den einzelnen Akteuren, um einen Mehrwert zu schaffen.

Das Business Ökosystem bindet bewusst die Akteure in den bereits bekannten Innovationsökosystemen, Wissens-, Informations- und Datenökosystemen mit ein sowie bestehende Lieferanten, Wettbewerber oder branchenfremde Unternehmen. Meist ist ein Unternehmen Initiator von solchen Systemen, die später je nach Ausgestaltung als klassisches Partnernetzwerk, zentralisiertes System oder dezentrales Ökosystem existieren. Oft werden hierfür auch Konsortien, Communities, Genossenschaften oder andere Unternehmensformen gegründet.

Business Ökosysteme haben das Ziel, die jeweiligen Akteure optimal einzubinden, sodass alle Akteure einen Vorteil erhalten. Die Zusammenarbeit erfolgt in einem kollaborativen Ansatz, ohne den Wettbewerb unter den Akteuren in bestimmten Bereichen auszuschliessen. Nachhaltige Business Ökosysteme sind orchestrierte Marktstrukturen, die Flexibilität und Kontrolle in Einklang bringen. Dies erfolgt über eine regelmässige Justierung der Wertströme, Komponenten und einen schrittweisen Ausbau des Angebots.

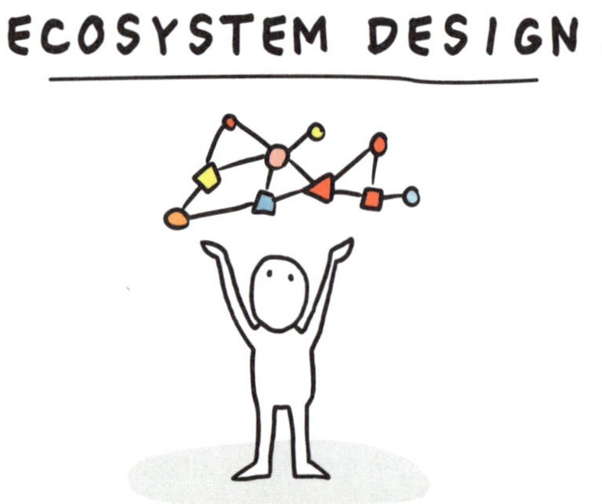

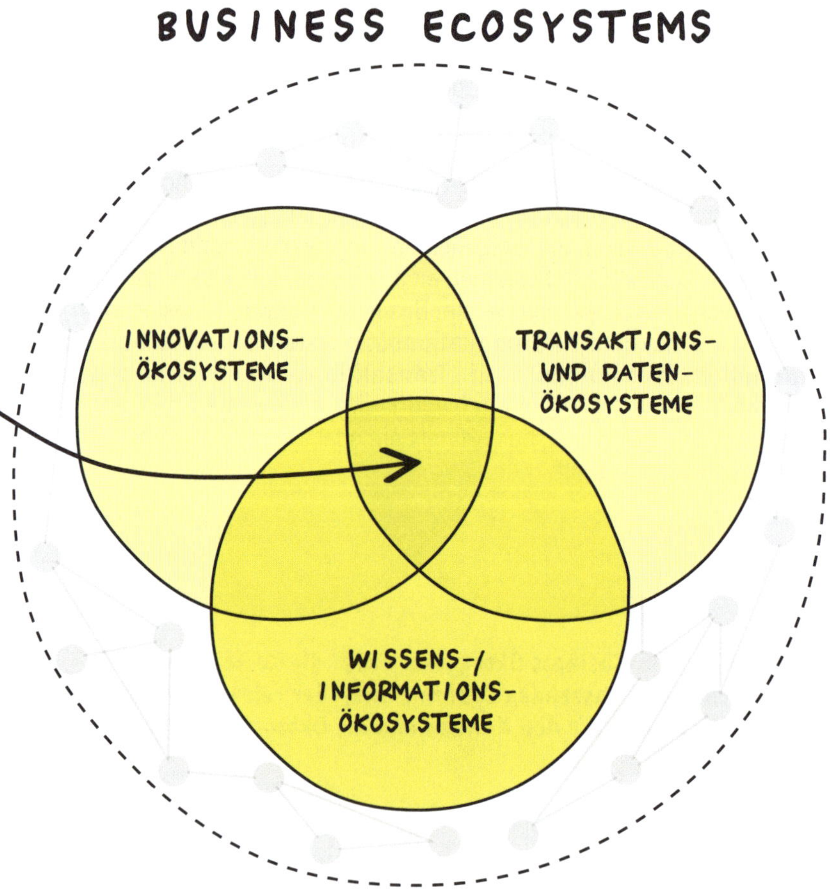

Business Ökosystem Design bewegt sich in der Schnittstelle zwischen den Innovationsökosystemen, Wissens-, und Informationsökosystemen und den Transaktions- und Datenökosystemen. Dieses Buch fokussiert bewusst auf das Design von Business Ökosystemen und nutzt die anderen Ökosystem-Elemente als Design-Bausteine für die Realisierung.

Business Ökosystem Design hat den Anspruch, als integrierte Disziplin das System nach den Bedürfnissen der Kunden auszurichten. Ziel ist, durch Kollaboration und Orchestrierung Systeme zu schaffen, die exponentiell wachsen und dynamisch sind. Sie können als kollaborativ und tendenziell eher dezentralisiert beschrieben werden.

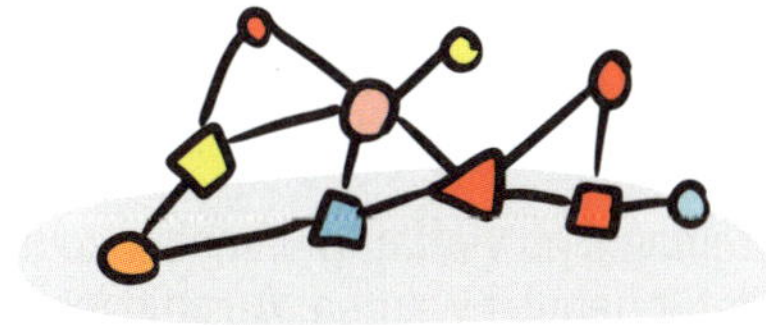

	BESCHREIBUNG VORGEHEN	MANAGEMENT, ORGANISATION, AMBITION	OUTPUT
BUSINESS ÖKOSYSTEME ALS INTEGRIERTE DISZIPLIN	Kollaboration & dezentralisiert	**„initiate & orchestrate"** Ambition: Exponentielles Wachstum	Das Werteversprechen des Ökosystems richtet sich an eine bestimmte Zielgruppe und deren Bedürfnisse. Die Systeme sind dynamisch und reagieren agil auf Veränderungen.
TRANSAKTIONS- UND DATENÖKOSYSTEME	Wert- & datengetrieben	**„build & monetarize"** Ambition: Netzwerkeffekte und Skalierung	Automatisierung und Standardisierung ermöglichen Skalierung von allgemeinen Wertversprechen und die Sammlung von Daten für neue Produkte, Dienstleistungen und Wertversprechen.
INNOVATIONSÖKOSYSTEME	Open Innovation & Business Model Innovation	**„invent & scale"** Ambition: Differenzierung und Technologieführerschaft	Meist in Form von Geschäftsmodellinnovationen oder getrieben durch neue Technologien; Teilweise Clusterbildung rund um Schlüsseltechnologien.
WISSENS- UND INFORMATIONSÖKOSYSTEME	Zusammenarbeit mit qualifizierten Organisationen & Forschungseinrichtungen	**„fund & execute"** Ambition: Intellectuel Property (IP) & Verhandlungsmacht	Neues Wissen, das oft im Rahmen der Forschung entsteht oder auf validierten Informationen von vertrauenswürdigen Instanzen beruht.

Welche Rollen können in Ökosystemen eingenommen werden?

Die Rollen in Ökosystemen sind vielfältig und ebenso die jeweiligen Bezeichnungen, die dafür genutzt werden. Aus diesem Grund wird im Rahmen der Definition von Ökosystemen auf der obersten Ebene eine grobe und einfach zu verstehende Einteilung der Rollen vorgenommen. Zentrales Element ist der KUNDE und seine Bedürfnisse. Meistens gibt es einen INITIATOR für ein Business Ökosystem, der eine Marktopportunität sieht oder aufgrund von neuen oder veränderten Kundenbedürfnissen diese entwickeln möchte. Oft erlauben neue Technologien wie zum Beispiel Cloud Computing, IoT und Blockchain, solche Überlegungen anzustellen. Die Rolle des ORCHESTRATORS ist heute noch in vielen Ökosystemen zentral organisiert, kann aber je nach System auch dezentral organisiert sein. Oft ist zu beobachten, dass der Initiator diese Rolle oder ein Akteur, der sich z.B. kapitalmässig am System beteiligt und bessere Fähigkeiten, Reichweite und Möglichkeiten hat, diese Rolle übernimmt. Die anderen AKTEURE im System tragen dazu bei, die Value Proposition für den Kunden bereitzustellen, diese im Rahmen der definierten Regeln weiterzuentwickeln und mit direktem oder indirektem Kundenzugang bereitzustellen. Wichtig ist, dass alle Akteure im System Vorteile haben, in diesem System zu wirken und sich einzubringen. Eine ebenso wichtige Rolle spielen die jeweiligen LIEFERANTEN für Fähigkeiten in der Umsetzung und im Betrieb des Systems. Sie haben keinen direkten Einfluss auf die Erbringung der Value Proposition und sind somit die Enabler für das Ökosystem bzw. die dafür notwendigen technischen Plattformen oder dezentralen Systeme. ANDERE PLAYER können je nach Ökosystem verschiedene Aufgaben übernehmen. Oft gehören hier auch öffentliche Stellen dazu, die zum Beispiel Informationen erhalten oder Transaktionen validieren.

Wie im Grid rechts dargestellt, haben die jeweiligen Rollen einen direkten oder indirekten Nutzen aus der Tatsache, ein Teil vom Business Ökosystem zu sein. Sie sind entweder unmittelbar für die Erstellung der Value Proposition verantwortlich oder liefern lediglich die Enabler-Technologien für das System.

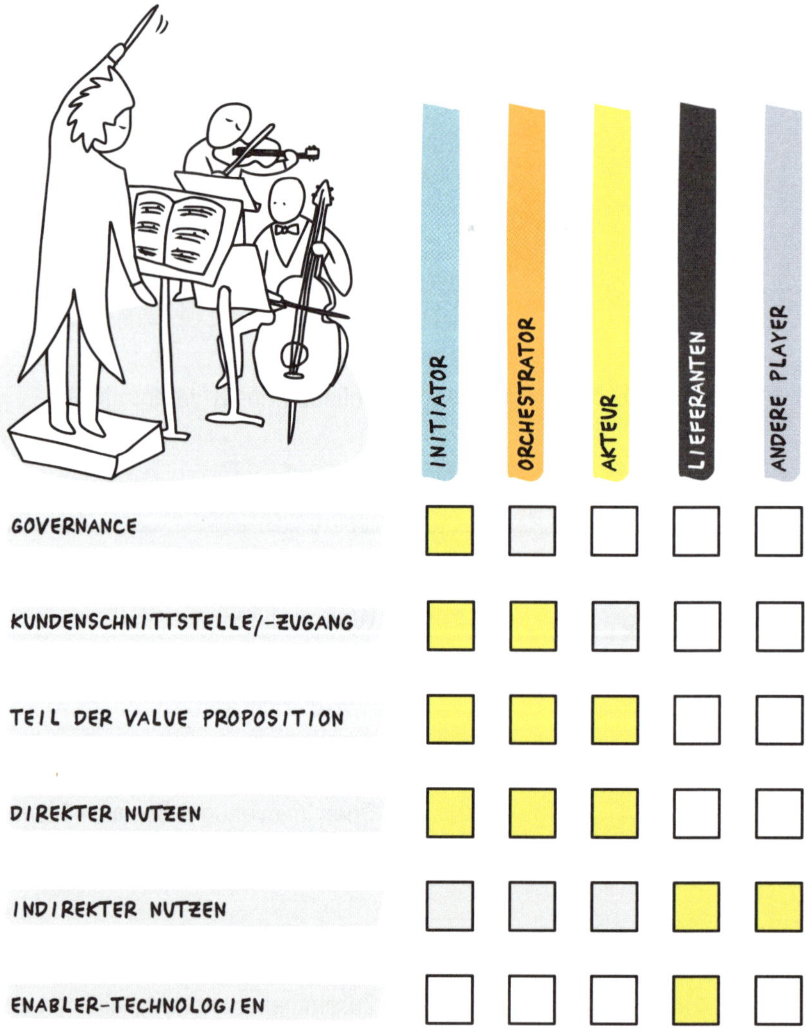

KUNDE

- Bezieht Leistung
- Interagiert wiederkehrend mit dem Ökosystem
- Teilt Daten über sein Verhalten und Transaktionen
- Erhält einen (un)mittelbaren Mehrwert

INITIATOR

- Erkennt Kundenbedürfnis und Marktopportunität
- Startet Initialisierung von Aktivitäten
- Stellt Budget für erste Prototypen und MVP bereit
- Wechselt oft in Orchestrator-Rolle oder wird zum Akteur

ORCHESTRATOR

- Koordiniert die Aktivitäten
- Stellt Prinzipien und Regeln auf
- Definiert Rahmenbedingungen für Wachstum
- Realisiert nachhaltige Governance

AKTEUR

- Hat Fähigkeiten oder Angebote, die integriert werden
- Erbringt Leistungen oder Teilleistungen der Value Proposition
- Innoviert im Rahmen der Prinzipien und Regeln
- Verbindet Teile seiner Aktivitäten entlang des Vorhabens

LIEFERANT

- Liefert Technologie oder Technologiekomponenten
- Stellt Software oder Integrationslayer zur Verfügung
- Liefert Infrastruktur und stellt Anbindung sicher
- Keine Kundenbeziehung

ANDERE PLAYER

- Oftmals Empfänger von Informationen
- Dienen als Orakel zur Validierung von Daten in automatisierten Abläufen
- Meist keine direkte Kundenschnittstelle

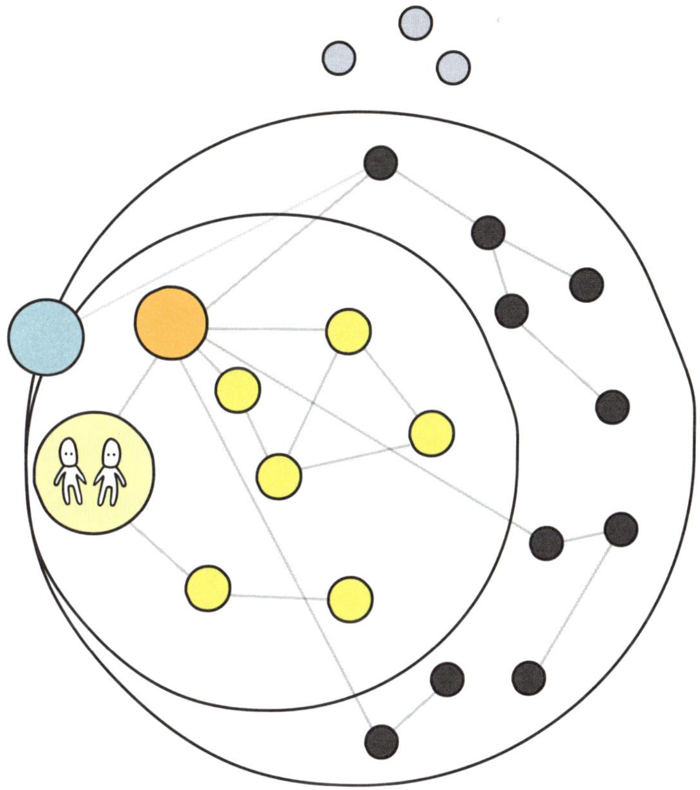

Meist reichen initial 5-6 Rollen für die Definition eines Business Ökosystems. Diese Rollen haben i.d.R. unterschiedliche Aufgaben, Funktionen und Nähe zur erbringenden Value Proposition.

Wie funktioniert eine Value Proposition?

Zentrales Element für ein Business Ökosystem ist die Value Proposition. Sie ist die Voraussetzung für eine werthaltige Kundeninteraktion und muss von den Akteuren im System gemeinsam getragen und weiterentwickelt werden. Eine Value Proposition ist in die jeweiligen Wertströme eingebettet, die massgeblich zur Leistungsbereitstellung beitragen. Dies erfolgt wiederum im Austausch von Wertschöpfung und -gewinnung der einzelnen Akteure. In komplexen und dynamischen Systemen kommen zudem verschiedene Risiken hinzu, die das Ökosystem als Ganzes und jeder einzelne Akteur entsprechend eingeht, sobald er Teil des Systems wird.

RISIKEN

Risiken, die ein Akteur oder ein ganzes Ökosystem eingeht, wenn diese für ein bestimmtes Wertversprechen verantwortlich sind. Wie zum Beispiel Risiken der Leistungsgarantie, Risiken der Auslagerung und Einhaltung von Regulationen. **Risikotypen:** operationell, leistungsbezogen, finanziell, Aktivitäten von anderen Akteuren aufgrund von Anreizen oder in Bezug auf das System selbst oder dessen Dynamiken.

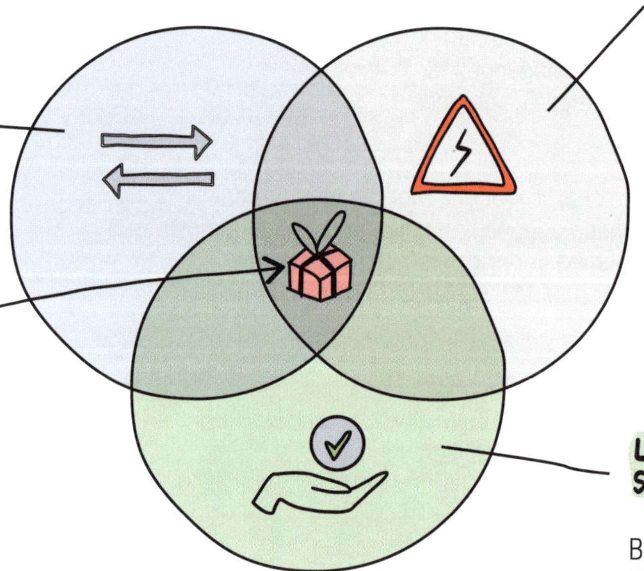

WERTSTRÖME

Die Wertströme zwischen den Akteuren können in Form von Geld, Information, Daten, Innovation/IP oder auch immateriellen Werten existieren.

VALUE PROPOSITION

Das Wertversprechen besteht aus Produkten, Dienstleistungen, Angeboten und Erfahrungen.

LEISTUNGSBEREITSTELLUNG

Bereitstellung in Form von Aktivitäten, Ressourcen und Fähigkeiten, die erforderlich sind, um die Value Proposition zu erfüllen und zu liefern.

Wie spielen die Wertströme, Wertschöpfung und -gewinnung zusammen?

Die Wertschöpfungsnetzwerke in Business Ökosystemen bestehen aus den zuvor beschriebenen Akteuren. Diese haben zum einen komplementäre Angebote, stehen aber auch oft im Wettbewerb zueinander. Zusammen liefern sie die dargestellte Value Proposition.

Die Beziehungen der einzelnen Akteure und ihre Wertströme zu verstehen ist für die Ausgestaltung solcher Systeme enorm wichtig. Meist überleben und wachsen nur die Business Ökosysteme, welche für die Akteure wiederkehrende oder nachhaltige Werte schaffen. Diese Art von „Value Design“ ist Teil der Definition eines MVE und eine der komplexesten Aufgaben in der Gestaltung von Business Ökosystemen.

Business Ökosysteme sind Verbindungen von Akteuren mit Wertströmen. Die Akteure erbringen ihre Wertschöpfung in einer selbst entwickelten und orchestrierten Koexistenz.

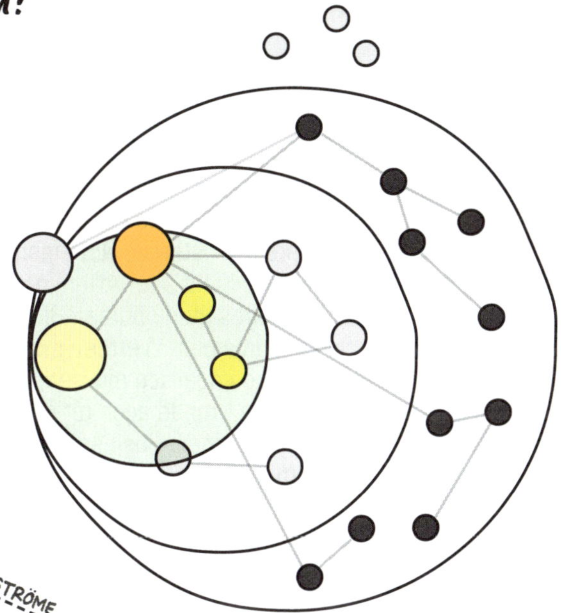

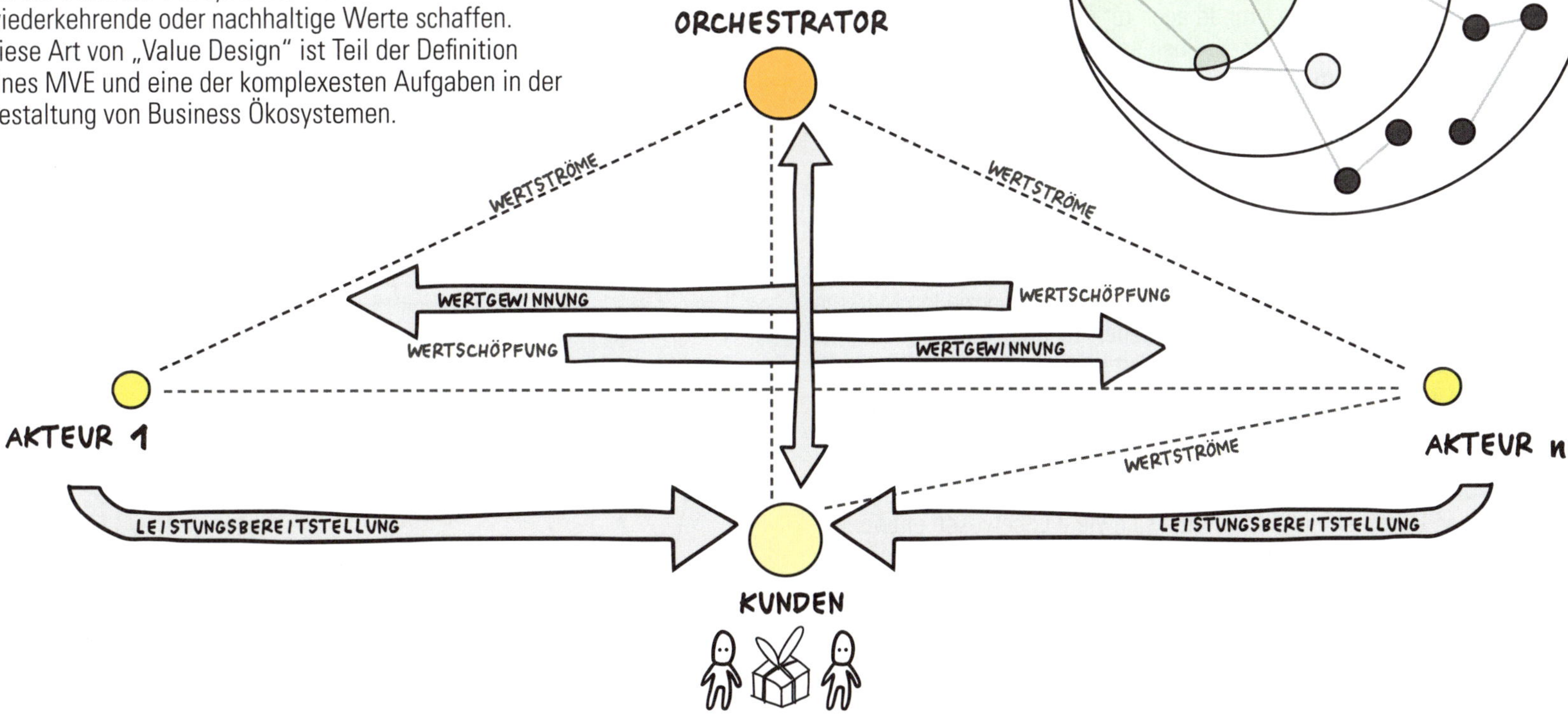

Biologische vs. von Menschenhand erschaffene Ökosysteme

Die von Menschenhand erschaffenen Business Ökosysteme nutzen zwar als Analogie die biologischen Ökosysteme (Symbiose, Koevolution, Kooperation), aber ihr Charakter ist in manchen Aspekten anders. Ein biologisches Ökosystem hat meist einen oder mehrere Zustände des Gleichgewichts, in denen relativ stabile Bedingungen herrschen und der Populations- und Nährstoffaustausch auf einem bestimmten Niveau gehalten wird. Jedoch ist aus Sicht aller Arten in einem biologischen Ökosystem das Gleichgewicht selten optimal. Biologische Ökosysteme agieren in Kooperation und in einem Wettbewerb. Sie haben zur Folge, dass sich Arten entsprechend anpassen müssen, um langfristig lebensfähig zu bleiben. Dies trifft im Grunde auch für Business Ökosysteme zu, jedoch hat die Partizipation in einem Business Ökosystem eine gewisse Freiwilligkeit, d.h., Marktteilnehmer werden nur dann an einem Business Ökosystem teilnehmen, wenn es aus ihrer Sicht einen Vorteil bringt, sie entsprechend gefördert werden oder durch Disruption ihnen keine andere Wahl bleibt, als sich zu verändern. Im Design von Business Ökosystemen wird diesem positiven Grundsatz von Co-Creation, Wertgenerierung für alle Akteure und einer gemeinsam getragenen Value Proposition gefolgt. Viele integrierte Unternehmen mit starren Lieferketten sehen bislang keine Notwendigkeit, sich zu verändern. Sie agieren in speziellen Märkten und erleben aktuell keine Bedrohung von neuen Technologien und disruptiven Angeboten. Dies ist vergleichbar mit biologischen Ökosystemen, die z.B. auf Inseln vorherrschen. Hier können Arten ihre Rolle leben (z.B. Vögel, die nicht mehr fliegen), da keine Gefahr von Raubtieren besteht, vor denen sie fliehen müssen. Ähnlich wie bei biologischen Ökosystemen ist jedoch die Veränderungs- und Anpassungsgeschwindigkeit abhängig von der Grösse von Unternehmen. So können sich viele Lebewesen entweder schneller oder langsamer neuen Umständen wie z.B. einer Klimaerwärmung anpassen.

"A business ecosystem is just like the natural ecosystem; first, needs to be understood, then, needs to be well planned, and also needs to be thoughtfully renewed as well."
– Pearl Zhu, Autorin der "Digital Master" Buchreihe

Die Frage für Lebewesen wie auch Unternehmen ist: Wie schnell kann eine Transformation durchgeführt werden und reicht die Zeit, um zu überleben?

Vor allem grosse und langsam wachsende Arten mit einer langen Lebensdauer brauchen in biologischen Ökosystemen länger, um sich den neuen Bedingungen anzupassen. Die Analogie zum eigenen Unternehmen ist schnell hergestellt.

Die Ökologie und Biologie als Blueprint

Das Denken und Handeln in Business Ökosystemen fällt meist schwer, da bereits bei den ersten Überlegungen zu einer Partizipation oder dem Aufbau eines Business Ökosystems die Muster aus der Vergangenheit angewandt wurden. In der Vergangenheit waren Unternehmen zwangsläufig zentralisiert und hierarchisch organisiert. Heute, dank neuer Technologien und vernetzter Kommunikation, gibt es die Möglichkeit, neue und eher dezentrale Systeme zu realisieren.

So geben die Ökologie und Biologie verschiedene „Blueprints", die sich für die Gestaltung von Business Ökosystemen als nützlich erweisen und zugleich einige der initial beschriebenen Mindshifts begründen. Schlüsselbegriffe wie Symbiose und Koevolution sind insofern zentral, als dass die Managementliteratur und Unternehmen sie zunehmend beherrschen müssen, um erfolgreich zu sein.

Co-Creation heisst nichts anderes als die gemeinsame Nutzung von Ressourcen und die gegenseitige „Befruchtung" von Ideen in den „intertidalen Zonen". Die gemeinsame Arbeit von verschiedenen Akteuren am System ist der Nährboden für die Realisierung von einzigartigen Wertversprechen und Innovation.

Ein Beispiel für die Symbiose und Co-Evolution ist die Zusammenarbeit von Apple und Goldman Sachs. Beide Unternehmen haben ihre Aktivitäten für das Marktsegment Affluent schrittweise erweitert. Die Zielgruppe Affluent ist besonders begehrt, es handelt sich um die Zielgruppe, die je nach Land und Bank ein Finanzvermögen zwischen 250'000 Euro und 1 Mio. Euro verfügt. Die Zusammenarbeit könnte die Basis für ein grösseres Ökosystem sein, das das Segment der Wohlhabenden und andere Zielgruppen bedient. Es braucht nicht viel Vorstellungskraft, um zu sehen, wie die einzelnen Elemente von Apple und Goldman Sachs in einem Ökosystem eine Symbiose ergeben und wie daraus über die Zeit ein einmaliges Kundenerlebnis für wohlhabende Bankkunden entsteht.

Wie in jedem biologischen System können auch Unternehmen koevolvieren.

Koevolution von Apple und Goldman Sachs

Neue Business Ökosysteme entstehen oft zwischen Akteuren, die auf den ersten Blick keine Beziehung haben, sich aber entsprechend ergänzen und zusammen weiterentwickeln. An diesen Stellen passiert oft Koevolution.

Die Firma Goldman Sachs steht für Private Banking und für die Abwicklung von grossen Deals an der Wallstreet, während Apple den Markt für Lifestyle Smartphones, Tablets und Computer, inklusive einem eigenen Business Ökosystem für Applikationen, Musik und viele weitere digitale Inhalte orchestriert. Diese gehören zu den wichtigen zukünftigen Wertströmen im Apple Business Ökosystem. Apple baut diese Services schrittweise an den Kundenbedürfnissen aus und setzt bewusst einen Anker für Apple-Kunden, die über die Zeit dieses Ökosystem nur schwer verlassen können. Ein weiterer Anker ist die Apple Card, welche die digitalen Bezahlmöglichkeiten (Apple Pay) integriert.

Goldman Sachs hat einen grossen Namen an der Wall Street, war jedoch bis vor wenigen Jahren nicht im Kreditkartengeschäft tätig. Das Vertrauen von Goldman Sachs und der Technologie-Lifestyle-Ansatz Apple ermöglichen, neue Marktflächen mit geringem Risiko zu erobern. Während Goldman Sachs im Hintergrund die Abwicklung macht, ergeben sich neue Kundenkontakte für die Marcus-Bank von Goldman Sachs. Apple-Kunden haben zudem zusätzliche Benefits wie die Rückerstattung von bis zu 3% der Einkaufssumme von Transaktionen im Apple Store für digitale und für physische Güter und Dienstleistungen. Die Daten werden bislang (nach Aussage von Apple) nicht ausgewertet und für Werbung genutzt.

David Solomon, CEO von Goldman Sachs, nannte die Einführung der Apple Card durch seine Bank „die erfolgreichste Kreditkarteneinführung aller Zeiten".

Beispiel

EIN TRADITIONELLES INVESTMENTBANKING INSTITUT

Goldman Sachs ist ein Investmentbanking- und Wertpapierhandelsunternehmen mit Sitz in New York. Zu Kunden von Goldmann Sachs zählen grosse Unternehmen und Staaten sowie High Net Worth Individuals (HNWI), die bislang hauptsächlich Beratungsdienstleistungen bei Mergers and Acquisitions, Underwriting, Asset Management und Brokerage in Anspruch genommen haben.
Seit 2018 bietet die Marcus-Bank von Goldman Sachs gebührenfreie Privatkredite, verzinsliches Online-Sparkonto und Einlagenzertifikate.

+

EIN TECHNOLOGIEKONZERN

Apple ist ein Technologiekonzern mit Hard- und Softwareentwickler, der Computer, Smartphones und Unterhaltungselektronik sowie eigene Betriebssysteme und Anwendungssoftware entwickelt und ihrem Ökosystem bereitstellt. Zudem betreibt Apple Musik, Filme und andere digitale Inhalte. Die 2019 lancierte Apple Card ist für die Verwendung mit Apple Pay auf Apple-Geräten wie iPhone, iPad, Apple Watch oder Mac entwickelt worden.

= KOEVOLUTION

Beispiel Koevolution

APPLE PAY – 2014

- Mobiles Contact-Payment-System und digitaler Wallet-Service
- Produkte und Dienstleistungen über Near Field Communication am POS bezahlen (persönlich, über iOS Apps oder Internet)

MARCUS – 2016

- Online-Plattform für Blanko-Kredite und Sparkonten für Privatkunden
- Gebührenfreie, festverzinsliche Privatkredite, hochverzinsliche Online-Sparkonten und Zertifikate
- Marcus ist ein Baustein von einem integralen und digitalen Wealth-Produkt, das derzeit in das Investment Management integriert wird

APPLE SIGN IN – 2019

- Sichere Identifikation für Web Services
- Disposable-E-Mail-Adressen erlauben es Dritten nicht, die Apple ID zu lesen
- Schutz der Benutzerdaten
- Möglichkeit zum anonymen Surfen im Internet

APPLE CARD – 2019

- Physische und in der Wallet-App integrierte Kreditkarte
- Keine Benutzergebühren
- 1–3% tägliche Rückerstattung des Cash-Back durch Auszahlung auf die Apple Cash Karte (in der Wallet App)
- Echtzeit-Zinsschätzung
- Real-time Schutz gegen Betrug
- Interaktive Funktionen wie farblich gekennzeichnete Ausgaben-übersichten in der Wallet-App

US-VERMÖGENSVERWALTUNG FÜR DEN MASS-AFFLUENT-MARKT – 2019

- Übernahme des „Vermögensverwalters United Capital"
- Entwicklung einer Anlageplattform, die via Marcus die digitalen Interaktionen mit Kunden realisiert

BETEILIGUNG AN ELINVAR – 2019

- Deutsches Startup, das von Ex-Deutsche-Bank-Bankern gegründet wurde
- Digitale Plattform, die traditionellen Kreditgebern hilft, ihre Dienstleistungen online anzubieten.
- „Goldman" hält 13,9 % der Anteile an dem Start-up

APPLE CRYPTO-KIT – 2019

- Swift API kryptographisches Entwicklertool zur Erstellung von mehr Sicherheitsfunktionen für Anwendungen mit verbesserter Unterstützung und Benutzerfreundlichkeit
- Optionen für Hashing, öffentliche und private Schlüsselerzeugung und -austausch sowie Integration der Verschlüsselung in iOS-Anwendungen

BETEILIGUNG AN NUTMEG – 2019

- Sichere Identifikation für Web Services
- Disposable-E-Mail-Adressen erlauben es Dritten nicht, die Apple ID zu lesen
- Schutz der Benutzerdaten
- Möglichkeit zum anonymen Surfen im Internet

Welche Komplexitätsgrade von Business-Systemen sind bekannt?

Einleitend wurde bereits zwischen zwei Zuständen unterschieden, statische und agile Systeme (siehe Seite 30), die sich zum einen zum Beispiel in integrierten Unternehmen mit meist statischen Kunden-Lieferanten-Ketten wiederfinden, zum anderen als eher offene kapitalwirtschaftliche Märkte ohne staatliche Regulation, in denen Kunden nach ihren Bedürfnissen verschiedene Produkte und Dienstleistungen zusammenstellen und konsumieren. Dazwischen befinden sich unterschiedliche Partner- und Business-Netzwerke, die bis zu dezentralisierten Ökosystemen reichen.

Innerhalb dieser Business-Systeme können verschiedene Ausprägungen beobachtet werden, die zugleich eine unterschiedliche Komplexität besitzen. Für die Initiierung und Partizipation braucht es zudem unterschiedliche bzw. neue Fähigkeiten. Die Evolution von Business Ökosystemen wurde massgeblich durch neue Technologien über die letzten Jahrzehnte getrieben. Schlüsseltechnologien waren hier z.B. das Internet, Blockchain, Big Data Analytics: also eine Evolution von einfachen zu komplexen Strukturen. In Bezug auf die Komplexität von Business Ökosystemen kann in „Fokussierte Partnernetzwerke", „Zentralisierte Businessnetzwerke" und „Dezentralisierte Ökosysteme" unterschieden werden.

Die fokussierten Partnernetzwerke sind eher der Kategorie Partnerschaften und Wertschöpfungsketten zuzuordnen, als dass sie den Charakter eines echten Business Ökosystems besitzen. Dennoch werden sie kurz beschrieben mit dem Ziel, die jeweiligen Unterschiede aufzuzeigen.

Ein Business Ökosystem geht über die klassischen Kunden- Lieferranten-Beziehungen hinaus. Es umfasst alle Akteure, die mittel- oder unmittelbar Strategie, Vertrieb, Produkte oder Fähigkeiten beeinflussen können.

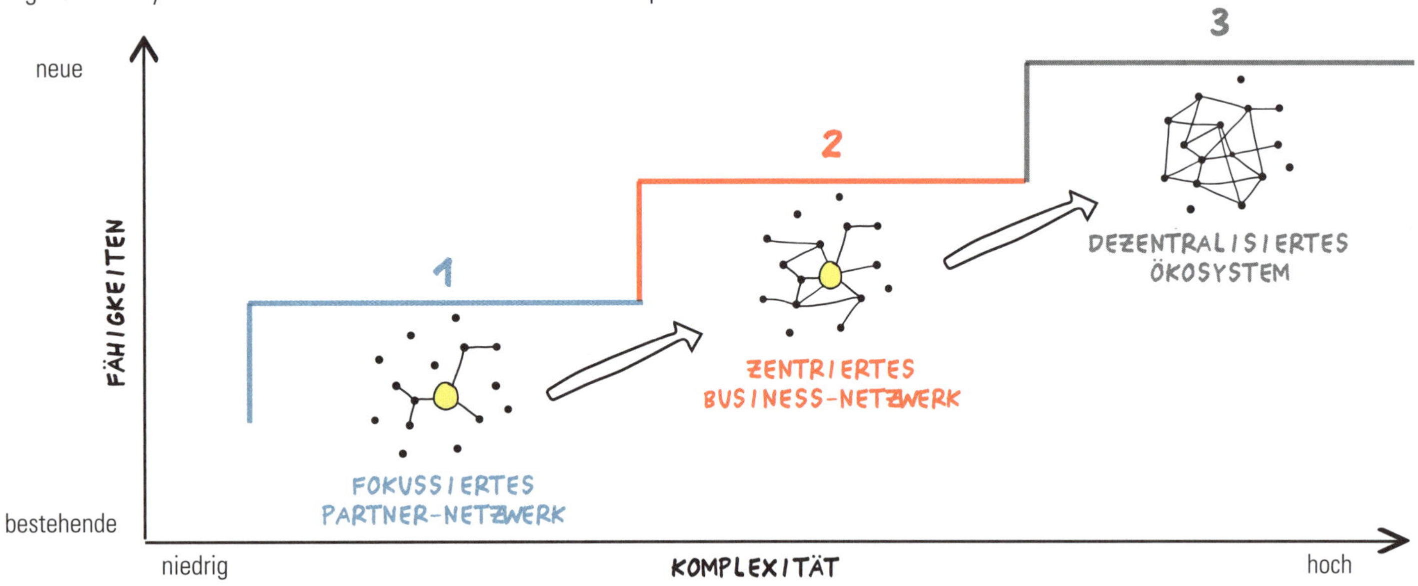

1 **Fokussierte Partner-Netzwerke:** Die einfachste Form eines Business-Systems sind Wertschöpfungsketten, die ihre Blütezeit erstmalig zur Zeit der zweiten industriellen Revolution erfuhren. Einzelne Marktteilnehmer konzentrieren sich auf ihre Kernfähigkeiten und über eine Wertschöpfungskette wurden vermehrt Produkte produziert. Später (in der dritten Stufe der industriellen Revolution) wurden solche Aktivitäten auch auf erfolgskritische Elemente in Unternehmen ausgeweitet. Typisches Beispiel hierfür ist das IT Outsourcing, bei dem der Betrieb von IT Infrastruktur ausgelagert wird. Daraus entstanden standardisierte Infrastruktur as a Service (Iaas) -Angebote oder auch Software as a Service (Saas) -Angebote. In der Regel erfolgt die Zusammenarbeit mit definierten SLAs-Verträgen. Die Preise für die Leistungen errechnen sich aufgrund der Machtverhältnisse der Sourcing Partner.

2 **Zentralisierte Business-Netzwerke:** Diese Systeme gewannen im Zeitalter des Internets an Bedeutung. Die sog. Plattform Economy wurde von Netzwerkeffekten, Skalierung, APIs geprägt. Neue Geschäftsmodelle, welche zum Beispiel auf Daten basieren, wurden durch die Marktteilnehmer in der Interaktion auf den Plattformen realisiert und monetarisiert. Diese Form der Zusammenarbeit hat eine mittlere Komplexität und die meisten Unternehmen kennen die gängigen Marktplätze oder Initiativen, in welche sie sich einbringen können. Meist funktionieren diese zentralisierten Business-Netzwerke auf den bestehenden Machtverhältnissen und sie basieren auf bekannten Geschäftsmodellen. Als Initiator eines zentralisierten Business-Netzwerks bedarf es jedoch auch Überlegungen, wie die anderen Akteure mit eingebunden werden können, welche Vorteile diese besitzen und durch welche Geschäftsmodelle sie mit der Teilnahme im System Geld verdienen können. Das heisst, die multidimensionale Betrachtung der Geschäftsmodelle wurde mit der Plattform-Economy zu einem entscheidenden Erfolgsfaktor für die jeweiligen Systeme. Erfolgreiche Unternehmen der Plattform Economy, wie zum Beispiel Amazon, Apple, Uber, Spotify, setzen auf diese Hebel. Zudem wird in solchen Unternehmen ein Mindset gelebt, das sich sehr stark an den Denkweisen und Arbeitsweisen des Design Thinking orientiert.

3 **Business Ökosysteme mit einem dezentralen Charakter:** Aktuell ist eine Transition in vermehrt dezentralisierte Systeme zu beobachten, die meist einen Orchestrator haben und mit neuen Wertversprechen den veränderten Kundenbedürfnissen nachkommen. Diese Systeme sind sehr komplex und benötigen neue Fähigkeiten in Bezug auf das Design des Business Ökosystems, die Orchestrierung, Governance inkl. neuer Leadership-Fähigkeiten. Die multidimensionale Betrachtung der Geschäftsmodelle wird zu einem erfolgskritischen Design-Element, das es ermöglicht, Ökosysteme zu realisieren, die allen Akteuren im System die notwendigen Vorteile verschaffen. Zudem ergeben sich in diesen Überlegungen Potenziale für exponentielles Wachstum.

Transition und Evolution zu den neuen Geschäftsmodellen und Wachstumspotenzialen

Neben den Fähigkeiten und der Komplexität der Systeme lassen sich diese auch auf einer Zeitachse verorten. Die Transition in zunehmend dezentrale Business Ökosysteme ist aktuell an den zahlreichen Initiativen zu erkennen, in denen solche Ansätze entweder bereits realisiert sind oder für neue Wertversprechen experimentell erprobt werden.

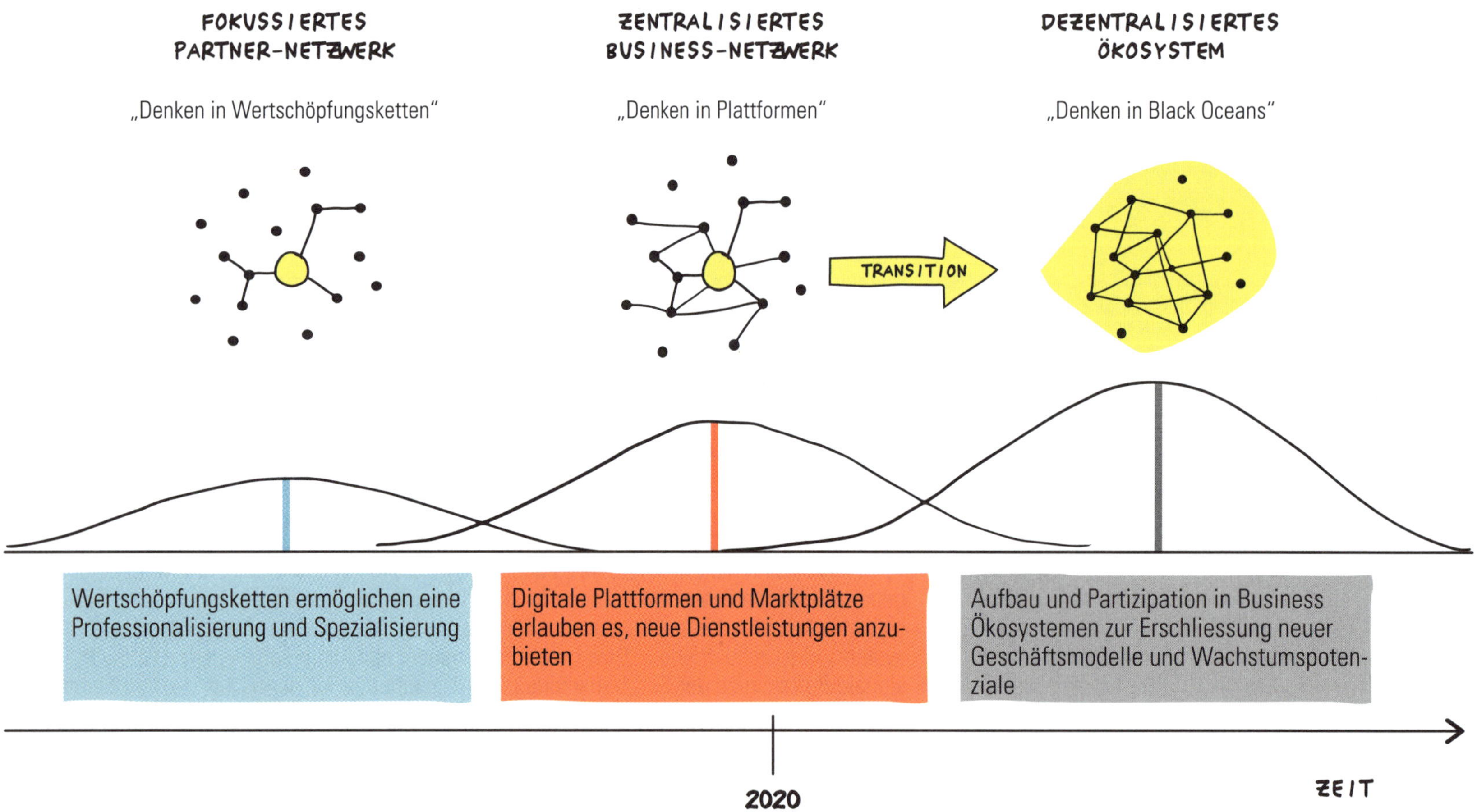

Einbindung in die strategische Ausrichtung

Für viele Unternehmen ist ein Engagement in einem Business Ökosystem nur dann von Wert, wenn diese Ambition Teil der Unternehmensstrategie wird und eine Verknüpfung zum Kerngeschäft stattfindet. Dies ist oftmals eine Gratwanderung, da sich eine Ökosystem-Strategie fundamental von einer traditionellen Sichtweise auf die Strategie unterscheidet. Erfolgreiche Ökosystem-Strategien versuchen, Unternehmenswerte zu verbinden, statt diese zu schützen; sie mindern die Schwelle der Eintrittsbarrieren für andere Akteure in das System, um sie hoch zu halten, und schliesslich erbringen sie gemeinsam mit anderen Akteuren ein Wertversprechen, um sich mit ihren Dienstleistungen und Produkten von anderen zu differenzieren.

Vor diesem Hintergrund wird von Seite 88 bis 154 das Thema Strategie und Ökosysteme vertieft und die Brücke zum Business Ökosystem Design geschlagen.

Die zentralen Fragen sind:

- Was soll mit der Partizipation oder Initialisierung eines Business Ökosystems erreicht werden?
- Wie kann ein ausgewogenes Portfolio realisiert werden, das beides, „EXPLOIT“ und „EXPLORE“, nutzt?
- Wie können bestehende Fähigkeiten, Partnerschaften bis hin zu Kundenzugang in einem Ökosystem-Play eingebracht werden?
- Welche Fähigkeiten und Leadership-Ansätze müssen neu aufgebaut werden, um verschiedene Rollen in einem Ökosystem wahrzunehmen?
- Wie soll die Governance organisiert werden?
- Welche Möglichkeiten der Skalierung und der Realisierung von exponentiellem Wachstum sind vorhanden?

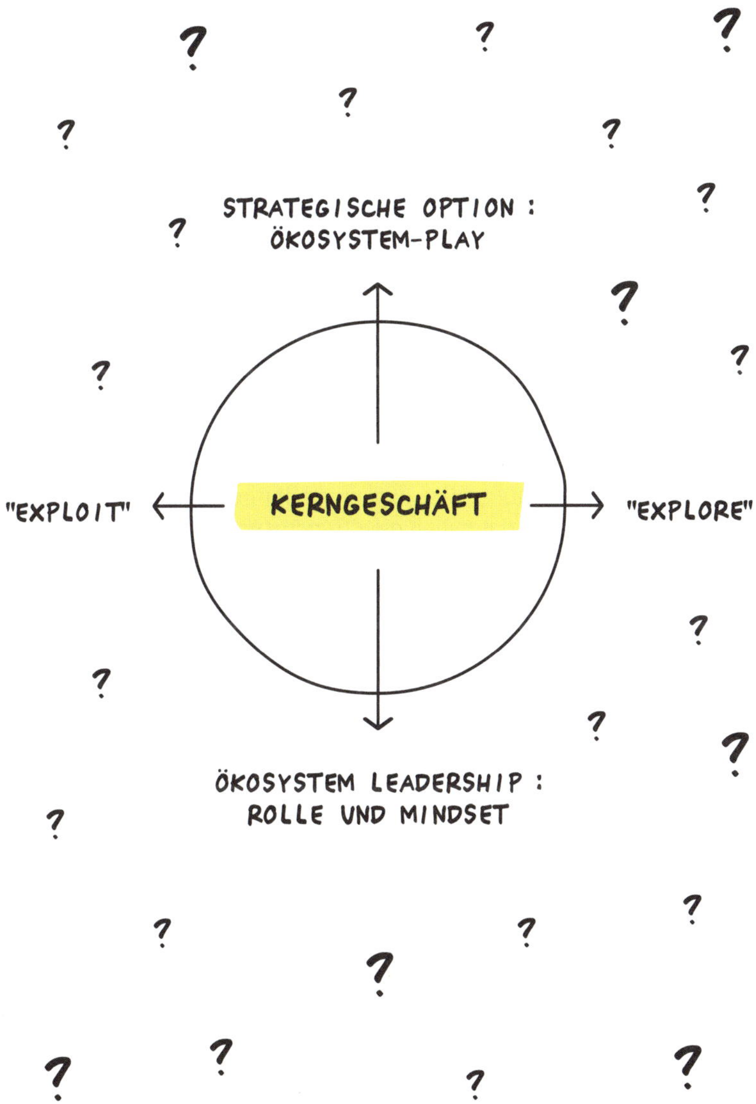

Lernen von den erfolgreichen Unternehmen

Unternehmen, die bereits in der Phase der Plattform-Economy eine Ökosystem-Denkweise angewandt haben, nutzen bestimmte Prinzipien, die Teil von ihrem heutigen und zukünftigen Erfolg sind. Exemplarisch zeigen die Werte und Leadership-Prinzipien bestimmte wiederkehrende Muster und Aussagen bei Apple, Amazon, Google, Tencent und Alibaba. Viele dieser Aussagen sind Analogien zum Design Thinking und Systems Thinking Mindset, welche die Grundlage für das Design von Business Ökosystemen sind.

Das wichtigste Element bei den gewählten Unternehmensbeispielen ist die Kundenorientierung. Bei Amazon steht der Kunde mit „100% Kundenorientierung" ganz oben. Der Wertekatalog von Google setzt den Nutzer ebenfalls an die erste Stelle.

Unternehmen wie Tencent stellen explizit die Initialisierung von Business Ökosystemen ins Zentrum. So ist zum einen die offenen Zusammenarbeit mit anderen Akteuren zentral und zum anderen die Realisierung von Vorteilen für alle Akteure im System, die durch eine multidimensionale Betrachtung der Geschäftsmodelle realisiert wird. Tencent sieht zudem die Grundlage für die erfolgreiche Umsetzung von solchen Business Systemen in einer Kooperationen mit anderen Akteuren, welche das Ziel haben, eine Win-win-Situation und exponentielles Wachstum zu ermöglichen. Bei Alibaba steht hinter der Mission „102 Jahre", langfristig zu denken und eine dauerhafte Beziehung zu anderen Teilnehmern im Business Ökosystem aufzubauen. Alibaba unterstützt zum Beispiel Konkurrenten und andere Innovatoren beim Markteintritt, die alleine nicht in der Lage wären, ihre Produkte global anzubieten.

DIE 7 LEADERSHIP-PRINZIPIEN VON APPLE

- **Great Products:** Grossartige Produkte gestalten, die die Welt verändern werden.
- **Simple, not complex:** Einfachheit ist besser als Komplexität.
- **Excellence:** Beteiligung an Märkten, an denen ein bedeutender Beitrag geleistet werden kann.
- **Say No:** Nein zu Tausenden von Projekten, mit Fokus auf wenige, die wirklich wichtig und sinnvoll sind.
- **Collaboration:** Enge Zusammenarbeit, gegenseitige Inspiration, um auf eine einzigartige Art und Weise innovativ zu sein.
- **Accept Mistakes:** Exzellenz im ganzen Unternehmen und ein ehrlicher Umgang mit Fehlern und Mut zur Veränderung.
- **Ecosystems:** Besitz und Kontrolle der primären Technologien, die hinter den Produkten und Dienstleistungen stehen.

Quelle: Apple's Core Values According to its CEO Tim Cookhttps://thinkmarketingmagazine.com/apple-core-values/

DIE 14 LEADERSHIP PRINCIPLES VON AMAZON

- 100 Prozent kundenorientiert
- Eigentümerdenken
- Erfinden und vereinfachen
- Die richtige Entscheidung treffen, fast immer
- Die besten Mitarbeiter einstellen und entwickeln
- Immer höchste Massstäbe anlegen
- In grossen Dimensionen denken
- Im Zweifel: handeln
- Sparsamkeit
- Laut Selbstkritik üben
- Vertrauen entwickeln und verdienen
- Dingen auf den Grund gehen
- Rückgrat zeigen: Uneinigkeit kommunizieren und dennoch Entscheidungen unterstützen
- Ergebnisse liefern

Quelle: https://www.amazon.jobs/principles

DER WERTEKATALOG VON GOOGLE

- Der Nutzer steht an erster Stelle, alles Weitere folgt von selbst.
- Es ist am besten, eine Sache richtig gut zu machen.
- Schnell ist besser als langsam.
- Demokratie im Internet funktioniert.
- Man sitzt nicht immer am Schreibtisch, wenn man eine Antwort benötigt.
- Geld verdienen, ohne jemandem damit zu schaden.
- Irgendwo gibt es immer noch mehr Informationen.
- Informationen werden über alle Grenzen hinweg benötigt.
- Seriös sein, ohne einen Anzug zu tragen.
- Gut ist nicht gut genug.

Quelle: https://www.google.com/about

DIE KULTUR VON TENCENT

- **Der Kunde steht im Mittelpunkt:** Dem Kunden zuhören, seine Bedürfnisse erfüllen und seine Erwartungen übertreffen.
- **Alle Mitarbeiter sind angehalten, die Unternehmensreputation kontinuierlich zu verbessern:** Die Mitarbeitenden sollen stolz sein, bei Tencent beschäftigt zu sein.
- **Nachhaltig wachsen und ein anerkannter Player in der Digitalwirtschaft sein:** Die Grundlage für diesen Erfolg sind auf Win-win ausgelegte Kooperationen mit anderen Akteuren im Business Ökosystem.
- **Agieren als verantwortungsbewusster Corporate Citizenship:** Einen aktiven Beitrag zur Entwicklung der Gesellschaft leisten.
- **Internet ist wie Strom:** Bereitstellen von grundlegenden Services, die zuverlässig sind und das Leben der Kunden/Nutzer einfacher und angenehmer machen.
- **Adressieren von unterschiedlichen Bedürfnissen der verschiedenen Regionen und Verbraucher:** Angebot von einzigartigen und auf die Bedürfnisse zugeschnittenen Produkten und Dienstleistungen.
- **Ein intaktes Business Ökosystem auf der Grundlage einer offenen Zusammenarbeit mit Partnern aufbauen:** Der Grundgedanke ist, immer eine Win-win-Situation für alle Akteure anzustreben.
- **Business Philosophie:** „Users' needs are our first priority."

Quelle: https://www.tencent.com/en-us/about.html

DIE VISION, MISSION UND WERTE VON ALIBABA

- Es den Kunden so einfach wie möglich zu machen, ihr Geschäft zu jeder Zeit und an jedem Ort zu erledigen.
- Die erste Wahl bei Plattformen zu sein, auf denen Daten geteilt werden.
- Ein Unternehmen zu sein, das die glücklichsten Mitarbeitenden hat.
- Für mindestens 102 Jahre bestehen.

Quelle: https://www.alibabagroup.com/en/about/overview

- **Zuerst der Kunde:** Die erste Priorität haben die Interessen der Nutzer und zahlenden Kunden.
- **Im Team arbeiten:** Mitarbeitende sollen in Teams arbeiten, in die Entscheidungsfindung einbezogen werden und sich für die Ziele des Teams engagieren.
- **An Veränderungen antizipieren:** Die Branche entwickelt sich dynamisch. Mitarbeiter sollen flexibel, innovativ und anpassungsfähig sein.
- **Integrität beweisen:** Vertrauen ist ein wesentliches Element eines Ökosystems und die Mitarbeitenden halten die höchsten Integritätsstandards und Verpflichtungen ein.
- **Leidenschaftlich sein:** Ob im Dienste der Kunden oder bei der Entwicklung neuer Dienstleistungen und Produkte, die Mitarbeitenden werden ermutigt, mit Leidenschaft zu handeln.
- **Hingabe zeigen:** Viel Engagement, um die Bedürfnisse chinesischer und globaler Kunden und KMUs zu verstehen und zu erfüllen.

Auf den Punkt gebracht!

Bezogen auf den Vergleich mit der Biologie, bezeichnet ein Ökosystem ein adaptives, widerstandsfähiges und reichhaltiges Geflecht von Organismen. Diese stehen in diversen Wechselbeziehungen – von Symbiose über Kollaboration bis hin zu Wettbewerb.

Auf den Geschäftskontext übertragen sind Business Ökosysteme verhältnismässig freie Kooperationen mehrerer Unternehmensakteure, die über die bekannten Branchengrenzen hinaus zusammenarbeiten. Es kann sich hierbei um physisch reale oder virtuelle Unternehmensnetzwerke handeln.

In der Gestaltung solcher Systeme helfen verschiedene „Design Lenses“, die auf dem Design Thinking, Lean Start-up, Systems Thinking und Scale Mindset beruhen.

Unternehmen aus der Plattform Economy und bestehende Marktplätze bieten Hinweise, welche Werte, Leadership-Prinzipien und Visionen zum Erfolg von komplexen Systemen beitragen.

ÜBUNG

STARTE, IN ÖKOSYSTEMEN ZU DENKEN. JETZT!

Eine Einführung ins Design von Ökosystemen in 60 min

Übung

Das Grundprinzip von Business Ökosystem Design ist am besten zu verstehen, wenn es erlebt wird. Die folgende Übung zeigt ausgewählte Schritte in Überlegungen zu einem Business Ökosystem. Für die Übung könnte die Ausgangslage nicht besser sein, da ein Team aus Experten bereits gute Vorarbeit geleistet und ein Kundenproblem gelöst hat. Zudem wurde die Lösung von verschiedenen Optionen ausgewählt und der Problem-Market Fit durch ein MVP (Minimum Viable Product) getestet. Jetzt kommst du (mit deinem Ökosystem Design Team) ins Spiel, denn die Aufgabe ist, ein passendes Ökosystem zu gestalten, welches in Form von einem MVE (Minium Viable Ecosystem) im Markt getestet werden kann. Wie aus dem Auszug einer Mitteilung aus der Apothekerzeitung entnommen werden kann, ist die ausgewählte Design Challenge aus dem Gesundheitssektor. Ebenso hätte eine Challenge aus dem Bereich Medien, Financial Services, Agrarwirtschaft oder Pharma als Beispiel gewählt werden können, da Business Ökosystem Design in vielen Branchen und Industrien aktuell ein Bedürfnis in der Lösung von Kundenproblemen und effizienten Systemen ist.

Die folgende Übung soll ein Gefühl für das Design von Business Ökosystemen vermitteln und erlaubt, ein einfaches Business Ökosystem in 60 Minuten zu erarbeiten. Die jeweiligen Schritte haben zusätzlich eine Zeitangabe, um die Übung in der angegeben Zeit, timeboxed, durchzuführen. Da wenig Platz im Buch zum Schreiben ist, am besten einen Block, Stift und ein paar Post-its hinzunehmen, um mit der Übung zu starten. Unterhalb von den Freiflächen sind zudem Lösungsideen skizziert. Diese sind auf keinen Fall als Musterlösungen zu verstehen, da es unzählige Möglichkeiten gibt, diese Ökosystem Challenge zu lösen.

Ein Business Ökosystem geht über die klassischen Kunden- Lieferanten-Beziehungen hinaus. Es umfasst alle Akteure, die mittel- oder unmittelbar Strategie, Vertrieb, Produkte oder Fähigkeiten beeinflussen können.

Obwohl es noch gar keinen festen Einführungstermin für die flächendeckende Anwendung digitaler Verordnungen gibt, wirft das eRezept jetzt schon seine Schatten voraus. Apotheken brauchen neue Hard- und Software, der Markt der Patienten-Apps boomt bereits, Softwarehäuser und Rechenzentren müssen ihre Prozesse und Produkte ändern.

Quelle: DAZ Online (www.deutsche-apotheker-zeitung.de)
Foto: imago images / Westend 61

Die ursprüngliche Design Challenge

Übung

6 MIN

Start: Lies diese Doppelseite

„Wie könnte eine bessere digitale Erfahrung im Gesundheitswesen für Patienten gestaltet werden, die zugleich eine Kostenreduktion im Gesundheitssystem zulässt?"

Nach verschiedenen Iterationen, Tiefeninterviews und Nutzerinteraktionen ist herausgekommen, dass Patienten sich eine einfache Handhabung von Verordnungen (Rezepte) wünschen. Die Persona (Nutzerprofil) gibt Aufschluss über die Pains, Gains und die zu erfüllenden Aufgaben (Jobs to be done). Die Bedürfnisse der Patienten waren die Basis für die Entwicklung von verschiedenen Prototypen und für den Bau von einem Minimum Viable Product (MVP), das auf der gegenüberliegenden Seite abgebildet ist.

Persona: Aktuelle Situation eines typischen Patienten (Nutzerprofil)

JOBS TO BE DONE

Wenn der Patient beim Arzt ist, möchte er wissen, ob die verschriebenen Medikamente eine Unverträglichkeit mit anderen Wirkstoffen haben, sodass er mit gutem Gewissen die Medikation einnehmen kann.

Wenn der Patient mit seinem Rezept die Arztpraxis verlässt, möchte er die Medikamente am liebsten bei der nächsten Apotheke beziehen, um eine schnelle Linderung der Schmerzen/Heilung zu erhalten.

Wenn der Patient ein Jahresrezept hat, möchte er seine Medikamente auch in den Ferien oder von unterwegs beziehen.

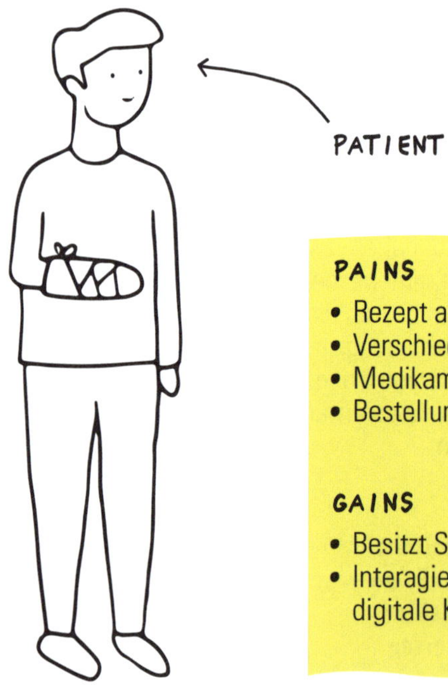

PAINS

- Rezept auf Papier
- Verschiedene Ärzte und Behandlungen
- Medikamente unterwegs und in den Ferien beziehen
- Bestellung und Verfügbarkeit von Medikamenten

GAINS

- Besitzt Smartphone
- Interagiert mit seiner Krankenversicherung über digitale Kanäle

Critical Items Diagram: Der Vision Prototype und das getestete MVP für ein elektronisches Rezept, basierend auf den kritischen Erfahrungen und Funktionen für einen Patienten/Nutzer:

Übung

Value Proposition: Das elektronische Rezept ermöglicht dem Patienten, seine Medikamente jederzeit bei einer beliebigen Apotheke einzulösen und eine Erinnerung für die richtige Dosierung zu erhalten. Zudem sollen die Informationen helfen, Unverträglichkeiten mit anderen Medikamenten zu vermeiden.

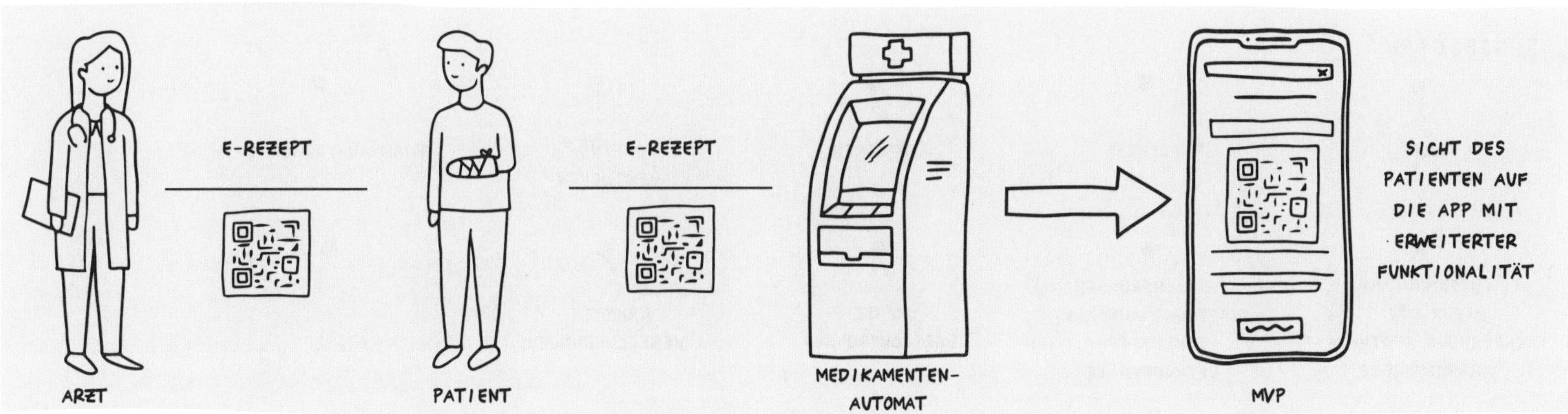

1. Brainstorming: Starte die Business Ökosystem Überlegungen mit einem Brainstorming: Welche Akteure sind aktuell bei einem herkömmlichen Rezept involviert?

Übung

Betrachte die gesamte Ecosystem-Journey des Patienten und überlege darüber hinaus, welche Akteure mit dem Rezept zum Einlösen, Clearing und zur Abrechnung in Berührung kommen. Beziehe offensichtliche Interaktionen und Interaktionen, die im Hintergrund laufen, mit ein.

5 MIN

LÖSUNGSIDEEN:

- ÄRZTE
- PATIENTEN
- APOTHEKEN
- ONLINE-APOTHEKEN
- PHARMAUNTERNEHMEN
- INTERMEDIÄRE FÜR DIE ABRECHNUNG APOTHEKE KRANKENKASSE
- VERSICHERUNGEN APOTHEKENAUSFALL ZAHLUNGEN BETRUGSFÄLLE
- UNFALL-VERSICHERUNGEN
- KRANKEN-VERSICHERUNGEN
- ...

2. Visualisiere: Erstelle eine Skizze vom aktuellen System = IST-Zustand

Übung

Zeige auf, wie das Rezept seinen Weg zu und von den Akteuren geht. Hebe hervor, wo das aktuelle System heute Schwächen hat.

8 MIN

LÖSUNGSIDEEN:

- Anfällig für Betrug & hohe Transaktionskosten
- Lange Abwicklungszeiten wegen Intermediären
- Dateninkonsistenz & -diskrepanz, isolierte Technologieplattformen
- Kein oder ineffizienter Informationszugang für Patienten
- ...
- ...

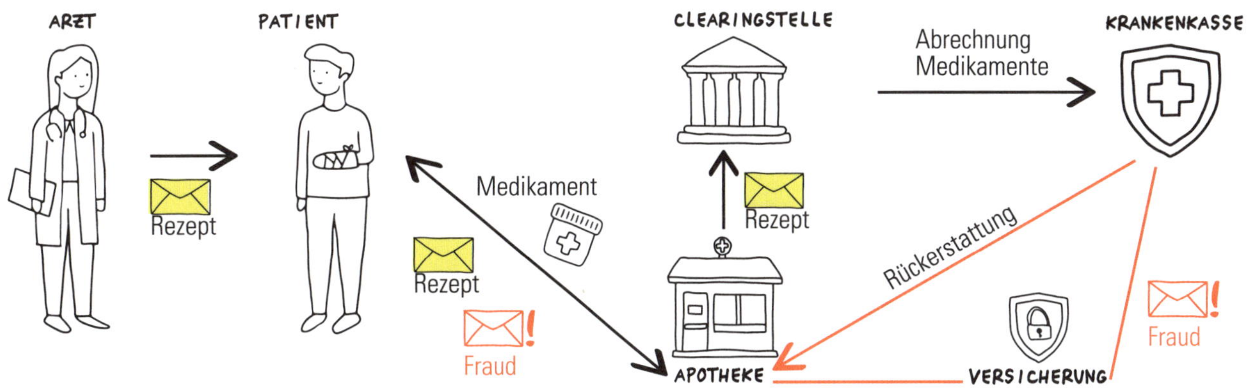

3. (Re-)Design: Business Ökosystem

Übung

Wie könnte ein Business Ökosystem aussehen, das dem aktuellen System überlegen ist und es ermöglicht, das vorgestellte MVP zu realisieren?

3.1 Gestalte 1-2 Varianten von einem Business Ökosystem und trage jeweils die Wertströme (Daten, Geld, Informationen) ein.

6 MIN

DESIGN

RE-DESIGN

- Welche Akteure fehlen?
- Welche könnten durch neue Technologien eliminiert werden?
- Ist das System nachhaltig?
- Haben alle Akteure Vorteile?
- Welche Akteure sind zwingend notwendig?
- Welches könnten ihre Bedenken sein?

LÖSUNGSIDEEN:

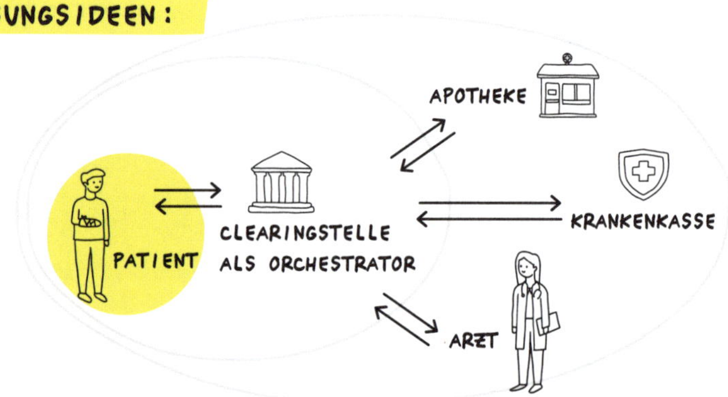

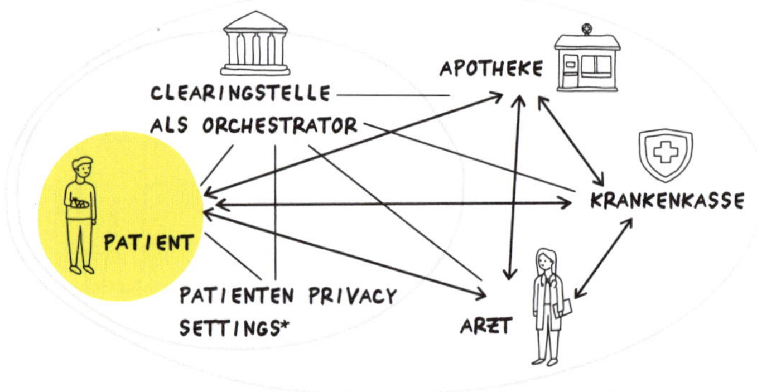

*(Datenhoheit via Blockchain)

Übung

3.2 Überlege jeweils, welche Vorteile jeder Akteur im Ökosystem (präferierte Variante) hat und was ihn bewegt, ein Teil dieses Systems zu werden.

VORTEILE:

6 MIN

LÖSUNGSIDEEN:

PATIENTEN
- Rezepte immer aktuell und immer dabei
- Schnelle Vorbestellung bei Apotheke
- Schneller Apotheken-Finder
- Anzeige, wo welche Medikamente vorrätig sind
- Einfachere Handhabung

KRANKENKASSEN
- Verhinderung von Mehrfach-Abrechnungen -> Einsparung

ARZT
- Papierloses Rezept
- Fälschungssicheres Rezept
- Transparenter Überblick Medikamente mit vielfältigen Analysemöglichkeiten

APOTHEKEN
- Kein Aufwand bei Abrechnung
- Keine Gebühren-Abrechnungsstelle
- Verbesserte Liquidität
- Loyalitätsprogramme und Apotheken-Finder in Patienten-App integrieren

BETRUGSVERMEIDUNG BEIM ARZT
- Durch eine z.B. Zwei-Faktor-Authentisierung kann verhindert werden, dass Rezepte durch Dritte erstellt werden (z.B. von der Arzthelferin)
- Unberechtigt erstellte Rezepte können vom Arzt erkannt bzw. ausgewertet werden (Datum, Patient, Medikament)

BETRUGSVERMEIDUNG ARZT – APOTHEKE
- Betrug wird vor allem bei teuren Medikamenten, insbesondere Chemotherapeutika und Sucht- bzw. Schmerzmitteln, beobachtet
- Keine mehrfach Abrechnung von Rezepten möglich

BETRUGSVERMEIDUNG ARZT APOTHEKE – PHARMAINDUSTRIE
- Geheime Absprachen, welche Medikamente bei der Verschreibung favorisiert werden sollen, können analysiert und erkannt werden

4. Multidimensionale Sicht auf die Geschäftsmodelle: Betrachte die möglichen Geschäftsmodelle im System und die der Akteure im System.

4.1 Kern

Wie sieht das Geschäftsmodell des Gesamtsystems aus? Wodurch werden seine Aufbaukosten und der Unterhalt finanziert?

GESCHÄFTSMODELL VON GESAMTSYSTEM

8 MIN

LÖSUNGSIDEEN:

POTENZIELLE EINNAHMEN

- Werbung von Apotheken
- Bereitstellung, Anbindung Krankenkassen
- Finanzielle Beteiligung der Kranken- und Unfallversicherungen
- Einbindung von Pharma-Unternehmen (rechtlich problematisch)
- Transaktionsgebühr von Apotheken

POTENZIELLE AUSGABEN

- Incentivierung von Ärzten zur Teilnahme am System
- Betrieb Blockchain, Patienten-APP
- Einbindung in Praxissoftware
- Marketingkosten für Awareness bei Akteuren
- Marketing-Endkonsument (Patient)
- Weiterentwicklung neuer Mehrwertservices für Patient

4.2. Akteure

Welche Geschäftsmodelle können zusätzlich von welchen Akteuren im System realisiert werden? Welche Akteure im System müssen ggf. mit anderen Anreizen überzeugt werden, da sie für den Erfolg des Systems notwendig sind?

GESCHÄFTSMODELL VON AKTEUREN UND ANDERE ANREIZE 8 MIN

LÖSUNGSIDEEN:

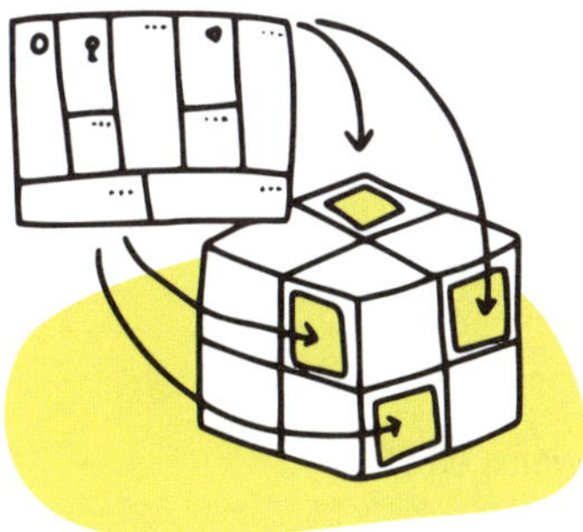

MÖGLICHE ANREIZE FÜR ÄRZTE

- Kostenlose webbasierte Praxissoftware für einfache und schnelle Erfassung von eRezepten
- Vorschläge für Behandlungen und Hinweise bei Unverträglichkeiten
- Realtime-Sicht auf Kostenübernahme bei verschiedenen Medikamenten

ANREIZE FÜR KRANKENKASSEN UND UNFALLVERSICHERUNGEN

- Bessere Behandlung von Patienten/schnellere Genesung aufgrund von optimierter Verschreibung
- Kosteneinsparungen für Prüfung von Kostenübernahmen und bei der Abrechnung
- Potenzial für weitere Services für Patienten

ANREIZE FÜR KRANKENHÄUSER

- Aktuelle Sicht auf Rezepte und Dosierung von Patienten (falls Patient dies z.B. sichtbar macht)
- ...
- ...
- ...

5. MVE-Anforderungen: Überlege, wie die Akteure in einer „Minimalausführung" miteinander interagieren und welche Technologien zum Einsatz kommen könnten.

Übung

Welches sind die Anforderungen, um den MVE zu realisieren? Welche Technologien sind die jeweiligen Enabler, um das gewünschte ÖKOSYSTEM zu realisieren?

6 MIN

LÖSUNGSIDEEN:

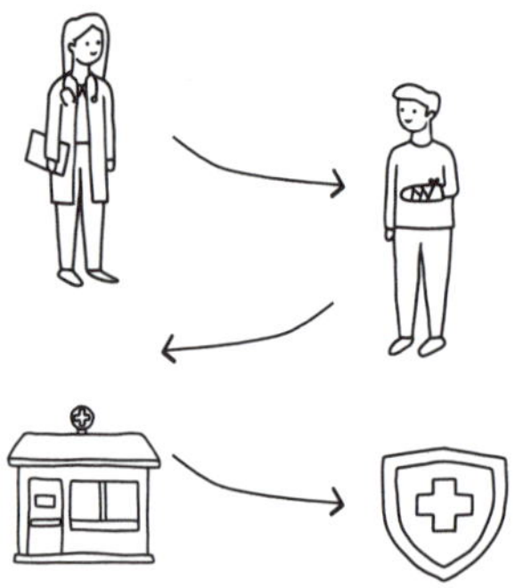

- **Arzt** schreibt ein Rezept bzw. jede Rezeptur auf die Blockchain mit der ID des Patienten.
- **Patient** erhält einen QR auf seine Mobile Applikation und geht zur Apotheke, um die Medikamente abzuholen.
- **Apotheke** händigt dem Patienten die Medikamente nach Verifizierung der Patienten ID und QR Auslesung aus.
- **Krankenkasse und Unfallversicherung:** Die Abrechnung des Rezepts wird direkt übermittelt und bezahlt bzw. Hinweise zur Kostenübernahme werden direkt auf der Blockchain hinterlegt.

→ Zentralisierte Abrechnungs- und Clearingstellen können durch Blockchain schrittweise ersetzt werden.

6. Storytelling: Warum sollen die Akteure ein Teil vom Ökosystem werden?

Übung

Wie sollen die Akteure im System überzeugt werden, zu partizipieren und Teil der zu erbringenden Value Proposition zu sein?

6 MIN

- Welche individuellen Vorteile je Akteur müssen hervorgehoben werden?
- Welche Bedürfnisse der Kunden/Nutzer und der Akteure werden befriedigt?

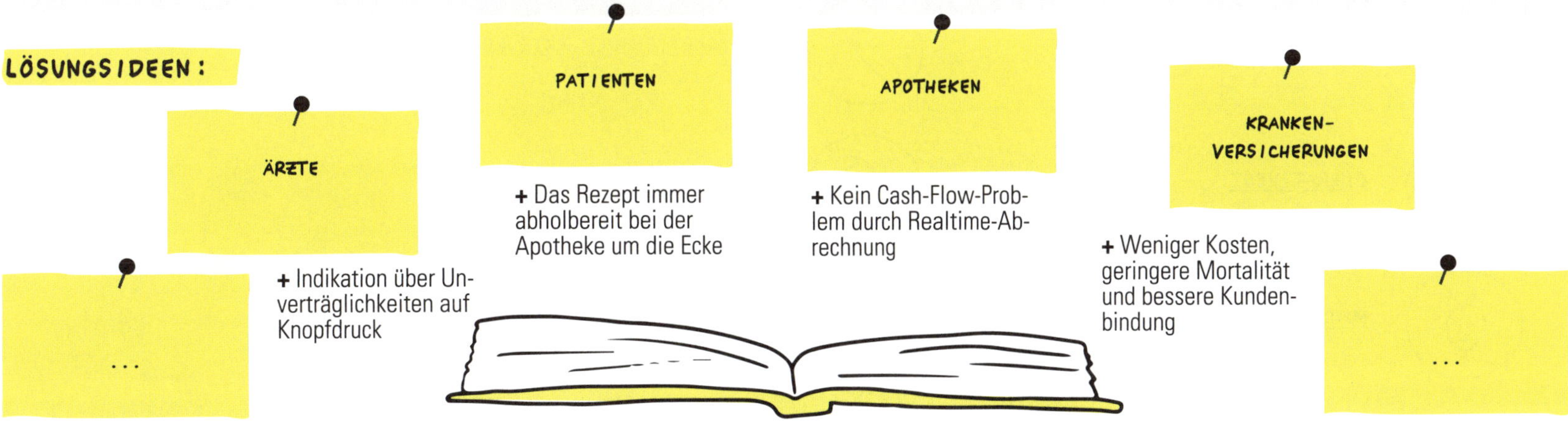

Welches sind die Learnings aus der Übung?

Übung

Eine anschliessende Reflexion hilft, die konkreten Learnings aus dem „Dry Run" mitzunehmen und in den Kontext von ähnlich gelagerten Business Ökosystem Challenges zu setzten.

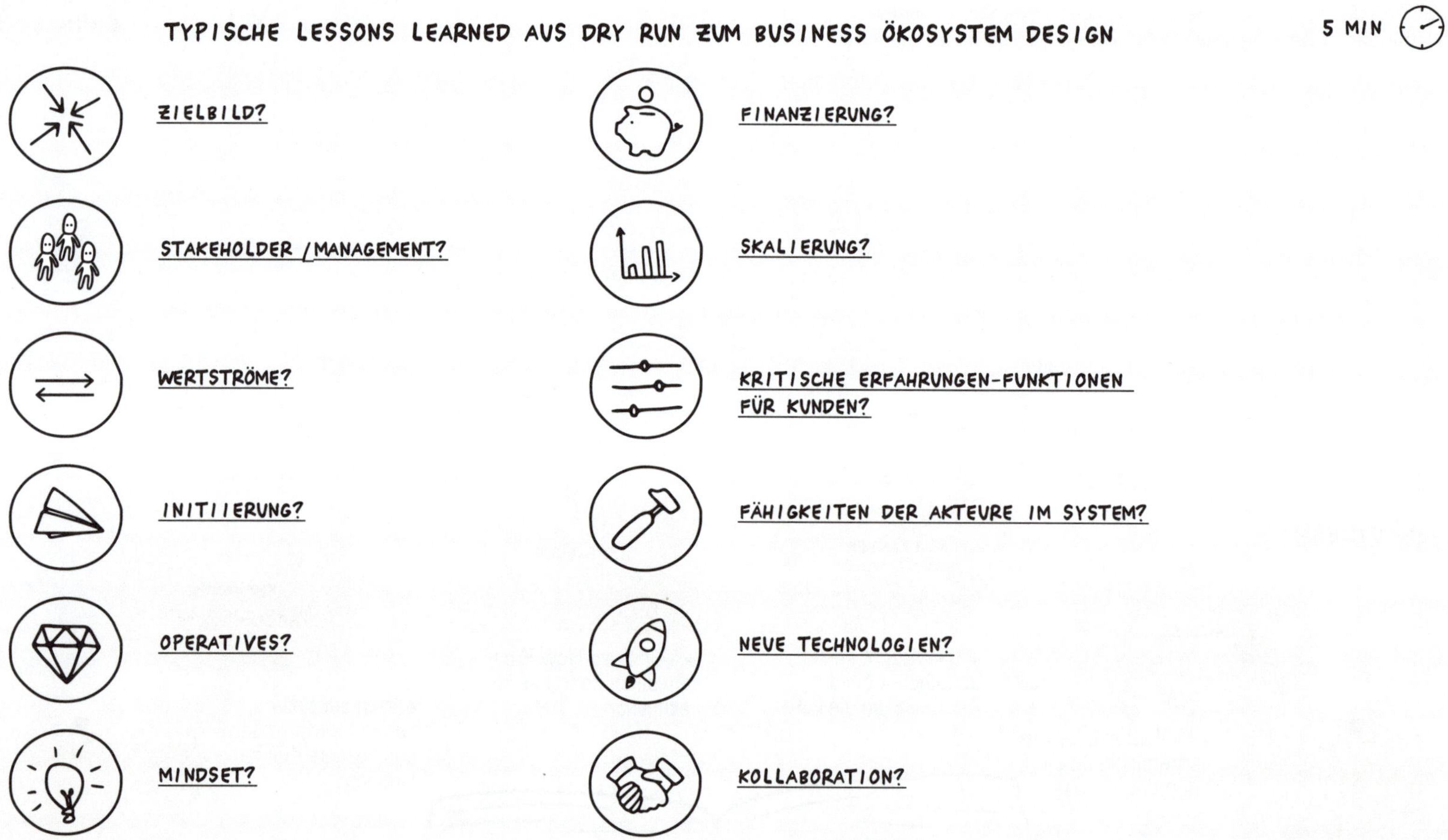

LÖSUNGSIDEEN:

„Ein klares Zielbild des Ökosystems hilft in der Kommunikation mit den potenziellen Akteuren im System."

„Ökosysteme funktionieren nur, wenn alle Akteure im System Benefits haben."

„Das Skizzieren von Wertströmen hilft, das Gesamtsystem zu verstehen."

„Buy-in von allen Akteuren ist wichtig, um das Ökosystem aufzubauen."

„Try, fail fast and learn" vom ersten Prototyp, über das MVP bis zum MVE ist das Arbeitsmotto."

„Business Ökosystem Design braucht ein neues Mindset, das bewusst traditionelle Denkweisen verlässt."

„Aufbau und Orchestrierung eines Ökosystems braucht finanzielle Mittel."

„Gut gestaltete Ökosysteme können schneller skaliert werden."

„Konzentration auf einzelne zentrale Erfahrungen und Funktionen, basierend auf den Kundenbedürfnissen, hilft, die Erfolgswahrscheinlichkeit zu erhöhen."

„Neue Ideen und Ansätze entstehen, sobald man die Fähigkeiten der Akteure kennt und einen Dialog startet."

„Neue Technologien (wie z.B. Cloud, AI und Blockchain) helfen, effiziente Systeme zu gestalten."

„Kollaboration zwischen Business & Technologie ist essentiell."

Anwendung der Dry-Run-Übung zu „Business Ökosystem Design" im Rahmen der Design Thinking, Strategic Design und Ecosystem Design Ausbildung.

Die Realisierung eines Business Ökosystems als MVE folgt den Grundgedanken eines MVPs, das heisst, dass mit geringen Mitteln und einer sehr begrenzten Anzahl an Akteuren (z.B. einer pro Rolle) das System getestet und so lange optimiert wird, bis das erfolgversprechendste System validiert wurde.

Die vorgestellte Übung eignet sich insbesondere auch in der Business Ökosystem Design Ausbildung und als Beispiel für die Transition von einem MVP zu einem MVE.

Nutzung von Design Thinking Tools (wie zum Beispiel Critical Items Diagram) in der Definition der kritischen Funktionen und Erfahrungen.

Iteratives Vorgehen vom IST zum SOLL Ökosystem

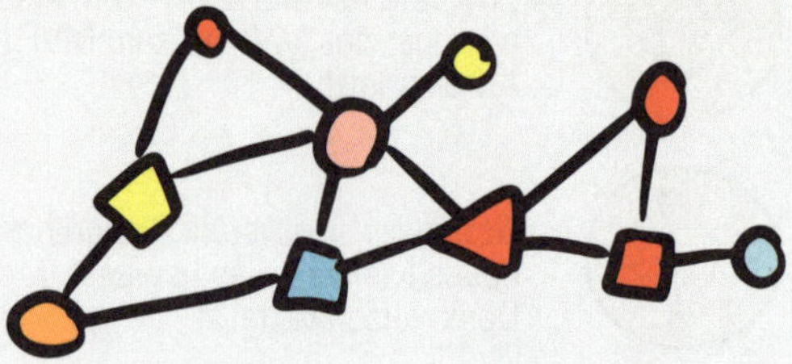

Diskussion zur Optimierung des Systems mit einer multidimensionalen Betrachtung der Geschäftsmodelle

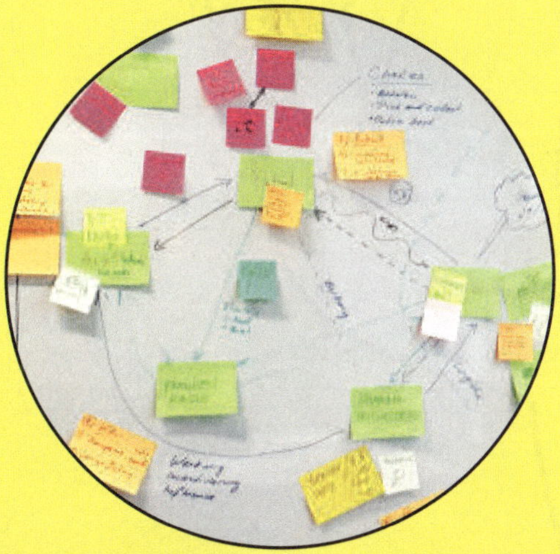

Visualisierung von Wertströmen und Netzwerkstrukturen

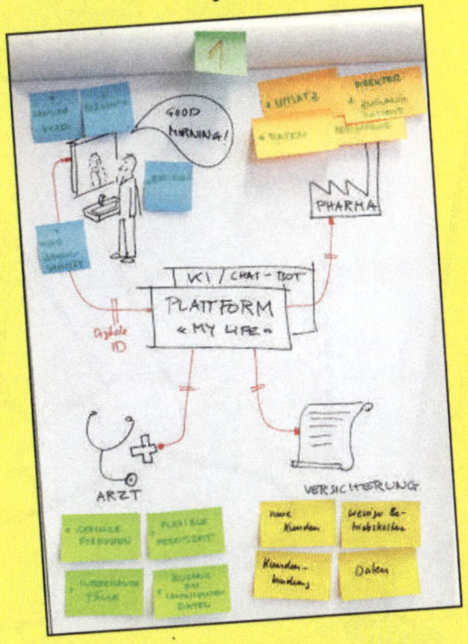

Erarbeitung von verschiedenen Ökosystem-Varianten.

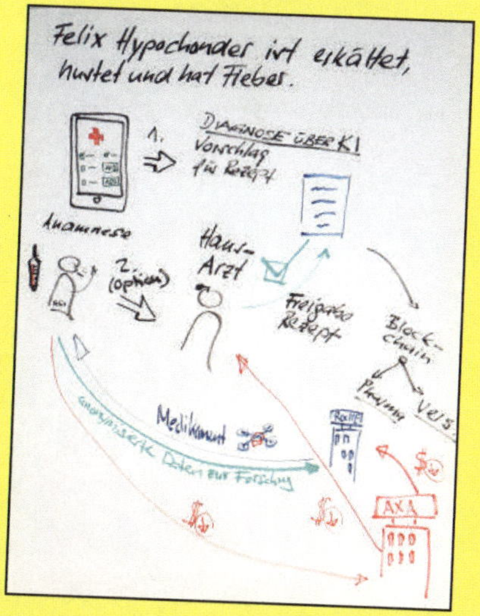

BUSINESS ÖKOSYSTEME ALS STRATEGISCHE OPTION

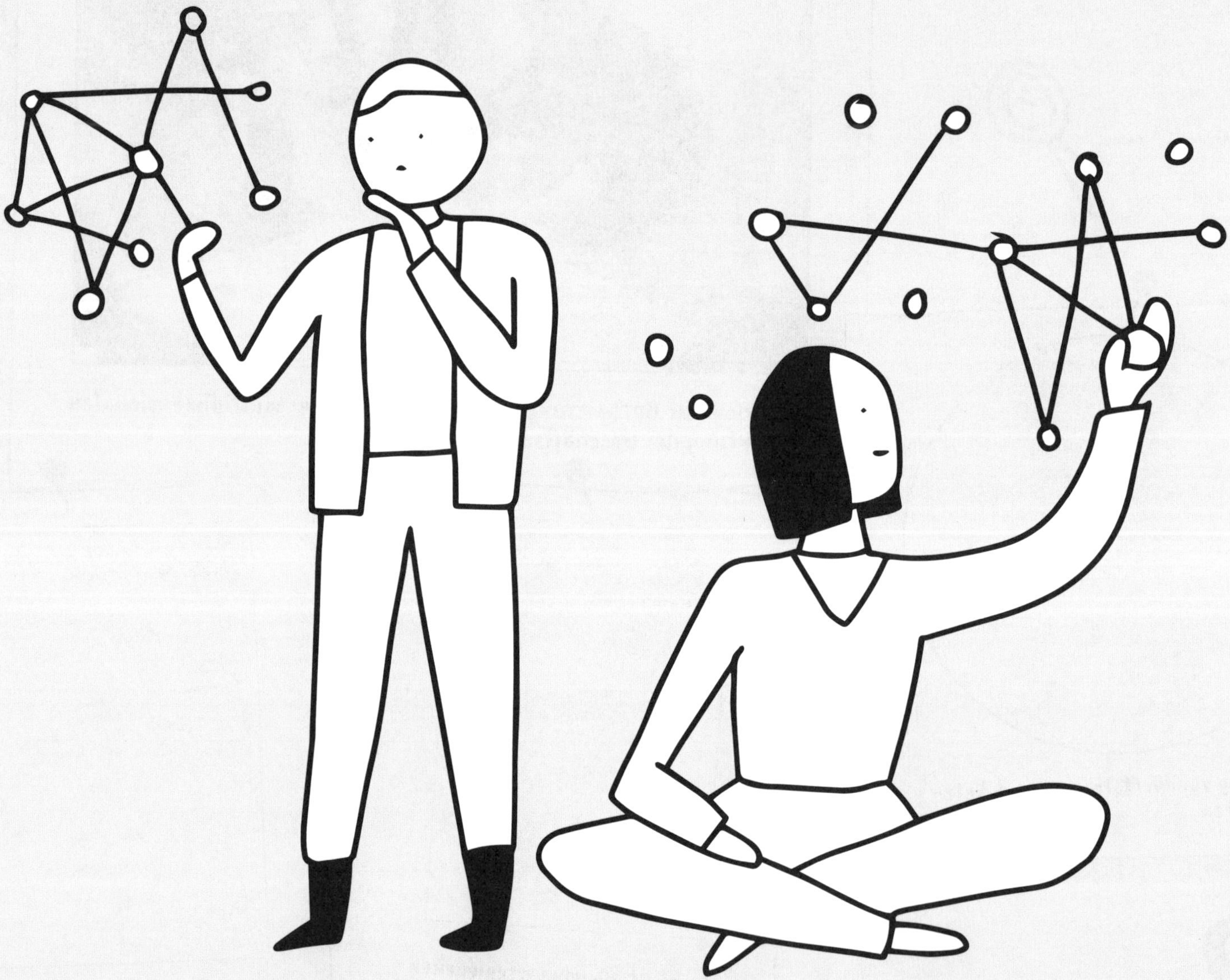

ÖKOSYSTEM-STRATEGIE

Awareness für Ökosysteme als strategische Option

Viele der Unternehmen, welche die Mechanismen eines Business Ökosystem Play verstanden haben, richten ihre Sichtweise uneingeschränkt auf die Gestaltung einer einzigartigen Value Proposition für den Kunden aus und überlegen sich Strategien, die es erlauben, die traditionellen Industriesilos zu durchbrechen.

In einem Ökosystem-Play war es für Unternehmen noch nie einfacher, in Handlungsfelder ausserhalb ihrer Domäne vorzudringen. Die Gründe, warum dies aktuell eher möglich ist als in der Vergangenheit, liegen auf der Hand: Cloud Computing und die damit verbundenen Technologien erlauben, eine grosse Anzahl an interaktiven Plattformen und einst isolierten Marktteilnehmern zusammenzubringen und Kundenprobleme ganzheitlich zu lösen. Big Data Analytics, Künstliche Intelligenz und Distributed Ledger Technologien erlauben zudem End-to-end-Automatisierung und zugleich individuelle Angebote für Kunden im Rahmen von Mass-Customization anzubieten.

Zudem hat sich eine kollektive Fähigkeit etabliert, die es erlaubt, einfach auf externe Ressourcen und Fähigkeiten zurückzugreifen. Vereinfacht ausgedrückt verschwinden die traditionellen Grenzen zwischen den Industrien und signalisieren eine Verschmelzung von Branchen und Angeboten, die zuvor keinen Bezug zueinander hatten.

Infolgedessen werden Dienstleistungen, Produkte und Marken von einstmals isolierten Einheiten von Akteuren zu umfassenden Business Ökosystemen. Viele Unternehmen, selbst diejenigen, die in ihrer Branche führend sind, werden sich mit diesem globalen Phänomen konfrontiert sehen. Über kurz oder lang wird ihnen nichts anderes übrig bleiben, als neue Wege zu finden, die mit dem beschriebenen Paradigmenwechsel einhergehen. Andernfalls besteht die Gefahr, dass auch ihr Kerngeschäft von der „neuen" Konkurrenz gestört wird.

Viele Entscheidungsträger stellen sich deshalb die Frage:

Welche Fähigkeiten, Produkte und Kundenschnittstellen besitzt das Unternehmen und wie können diese ausserhalb der bekannten Branchengrenzen und Strukturen genutzt werden?

Kurz gefasst: Wer sind wir und welche Rolle kann das Unternehmen in einem Ökosystem-Play einnehmen?

Für die meisten Entscheidungsträger wird das Denken im Ökosystem Neuland sein. Bisher konzentrierten sie sich zu sehr auf das, was sie in der Vergangenheit taten, und nicht auf das, was die Kunden, die sie bedienen, wirklich brauchen werden. Das Kundenerlebnis beschränkte sich meist auf die Funktion des Produkts.

Heute verschmelzen Angebote und ganze Plattformen zu grösseren Ökosystemen. Digitale Anbieter von Zahlungslösungen bieten Mitfahrgelegenheiten an; Kaufhäuser öffnen ihre Türen für E-Commerce-Giganten und Versicherungen kümmern sich branchenübergreifend nicht nur um die Financial Wellness, sondern auch um die mentale Fitness. Aber auch Automobil-Unternehmen werden zu Orchestratoren für Fahrgemeinschaften und Anbietern von Mikromobilität. Was eindeutig daraus hervorgeht, ist, dass alle Akteure zunehmend nach Marktopportunitäten über die Branchengrenzen hinweg suchen, um auf die neuen oder veränderten Kundenbedürfnisse einzugehen.

Die fortschrittlichen Marktakteure haben erkannt, dass hier grosse Chancen und Wachstumsmöglichkeiten liegen, es aber auch eine Öffnung und kooperative Zusammenarbeit bedingt, um neue Werte für die Kunden zu schaffen.

Einbindung von Business Ökosystem Initiativen in die Unternehmensstrategie

Die Ausgestaltung der Unternehmensstrategie hat in den letzten 70 Jahren verschiedene Epochen durchlaufen. Diese reichen von klassischen „Plan & Execute“-Ansätzen bis hin zu Einflüssen von der „Blue Ocean-“ und „Value Migration“-Bewegungen. Ihre Gemeinsamkeit besteht in einer linearen Erarbeitung der Strategie, basierend auf einer Ambition, umfassenden Markt- und Wettbewerberanalysen, die dann von den einzelnen Geschäftseinheiten detailliert und im Rahmen eines Umsetzungsplans mit Massnahmen versehen werden. Wer vornehmlich diesen Prozess und Planungszyklus auf die Definition einer Business Ökosystem Strategie anwendet, wird schnell an seine Grenzen kommen, da die Geschwindigkeit, Koevolution und Rahmenbedingungen dynamischer sind. Die Erfahrung zeigt, dass diese Faktoren schnell traditionelle Pläne überflüssig machen.

Für die Erarbeitung von einem Zielbild für ein Ökosystem braucht es ein experimentelles Vorgehen, welches u.a. zulässt, mit anderen Akteuren im Ökosystem das Wertversprechen weiterzuentwickeln, datengetrieben zu innovieren oder die Value Streams nach den Bedürfnissen der Akteure zu adjustieren. Der Strategieprozess fungiert eher als Enabler, um Co-Creation zu fördern, die nötigen Mittel für Experimente zur Verfügung zu stellen und schliesslich zusammen mit den anderen Akteuren das Umfeld zu formen.

Als Basis für ein Business Ökosystem dienen oft erste hochauflösende Prototypen, die vor allem aus iterativen und agilen Ansätzen hervorgehen. Ausgehend von einem Kundenbedürfnis werden über Iterationen erste Prototypen ausgearbeitet, getestet und schrittweise verbessert. Der Vision Prototyp zielt zum Beispiel auf die Vorstellungskraft des Business Ökosystem Design Teams, eine visionäre Dienstleistungs-, Produkt- oder Geschäftsmodell-Opportunität zu realisieren, bevor die Anforderungen für ein MVP (Minimum Viable Product) definiert werden.

Mit den traditionellen Ansätzen bleibt es nicht aus, dass die Betätigungsfelder für einen Ökosystem-Ansatz aus den Wettbewerberanalysen gewonnen wurden. Der Erfolg bleibt jedoch meist aus, da weder die Kundenbedürfnisse berücksichtigt wurden noch mit anderen Akteuren im System zusammen an einer gemeinsam getragenen Value Proposition gearbeitet wurde.

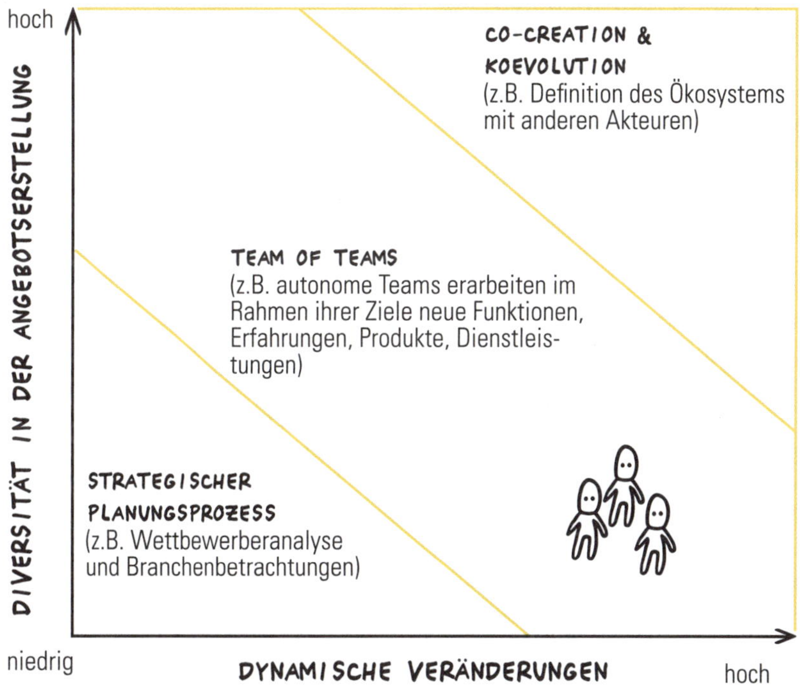

Die wichtigste Frage in Bezug auf ein Business Ökosystem

Da jede Ausgangssituation in der Definition einer Strategie in Zusammenhang mit einem Business Ökosystem anders ist, sollte die Hauptprämisse sein:

„WAS MÖCHTE DER KUNDE?“

- **Welches sind die tiefen Bedürfnisse und Wünsche der Kunden?**
- **Welches Kundenproblem kann gelöst werden?**
- **Welche Aufgaben möchten die Kunden erledigen?**

Wenn die „Strategiearbeit“ vom Kunden aus startet, braucht es vor den eigentlichen Überlegungen zum Business Ökosystem ein tiefes Verständnis über den potenziellen Kunden. Hierfür eignet sich das Design Thinking Mindset, das hilft, in Iterationen Lösungen zu erlangen, die den Bedürfnissen der Kunden entsprechen.

Die finalen Prototypen und Critical Items aus dem Design Thinking dienen als Anforderungen für MVPs. Ein oder mehrere MVPs sind meist die Basis für die Gestaltung eines Business Ökosystems. Je nach Problemstellung ist abzuwägen, ob bereits mit potenziellen Partnern im Co-Creation-Modus ein erster Prototyp erarbeitet wird oder ob eine Öffnung nach aussen erst mit der Definition der MVP-Anforderungen bzw. noch später im Vorhaben mit dem ersten MVP für die Ökosystem-Überlegungen involviert werden.

In der Unternehmenspraxis wird oft in den ersten Phasen nur mit sehr ausgewählten Partnern zusammengearbeitet. Die Öffnung erfolgt meist nach dem MVP, da dieses mehr Sicherheit aufgrund einer höheren Maturität über die potenzielle Lösung für Entscheidungsträger und die Design Teams gibt.

Das iterative Vorgehen über die verschiedenen „Design Lenses“ und mit den typischen Fragen pro Phase wird ab Seite 156 vertieft.

Dieser Exkurs zur Einbindung in die Unternehmensstrategie ist sinnvoll, da oft klassische Fragestellungen in der Auswahl von strategischen Optionen aufkommen. Zudem konkurriert die Option **„Ökosystem-Play“** mit anderen strategischen Optionen. Die Anwendung des **„Problem to Scale & Growth Framework“** liefert die Inhalte für das **„Ecosystem Play-Win Configuration Framework“**. Das Ziel, die iterativen Vorgehensweisen mit bekannten Strategie-Instrumenten zu kombinieren. Ökosystem Design Profis reicht meist die Arbeit mit den Design Lenses, da ihr Ziel darauf beruht, ein superiores System zu gestalten, das über die bekannten Vorstellungen von adressierbaren Märkten hinausgeht.

THINK FROM THE CUSTOMERS POINT OF VIEW

„Problems to Growth & Scale Framework“

Neue Mindsets, Arbeitsweisen und agile Werkzeuge helfen, von einer Problemstellung über die Aufnahme von Kundenanforderungen erste Prototypen und MVP zu realisieren, die es später im Rahmen von Ökosystem Design Überlegungen erlauben, einzigartige Wertversprechen für die Kunden zum Leben zu erwecken.

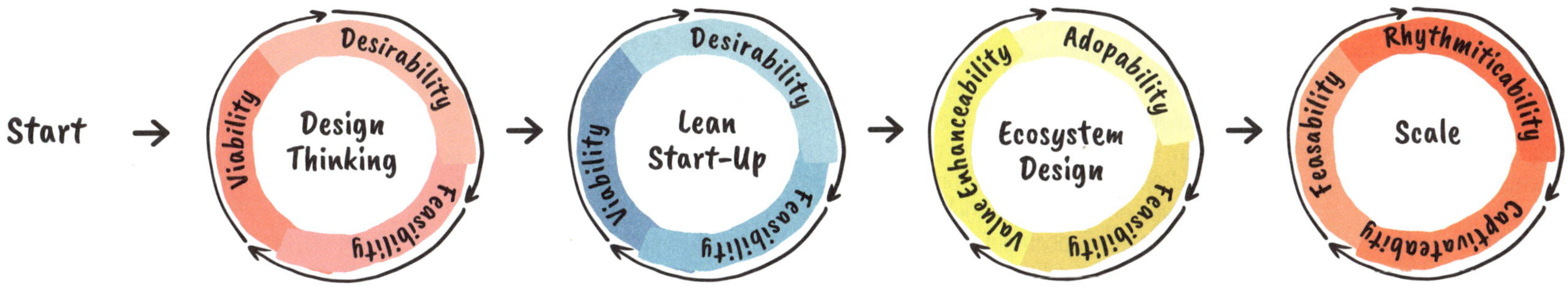

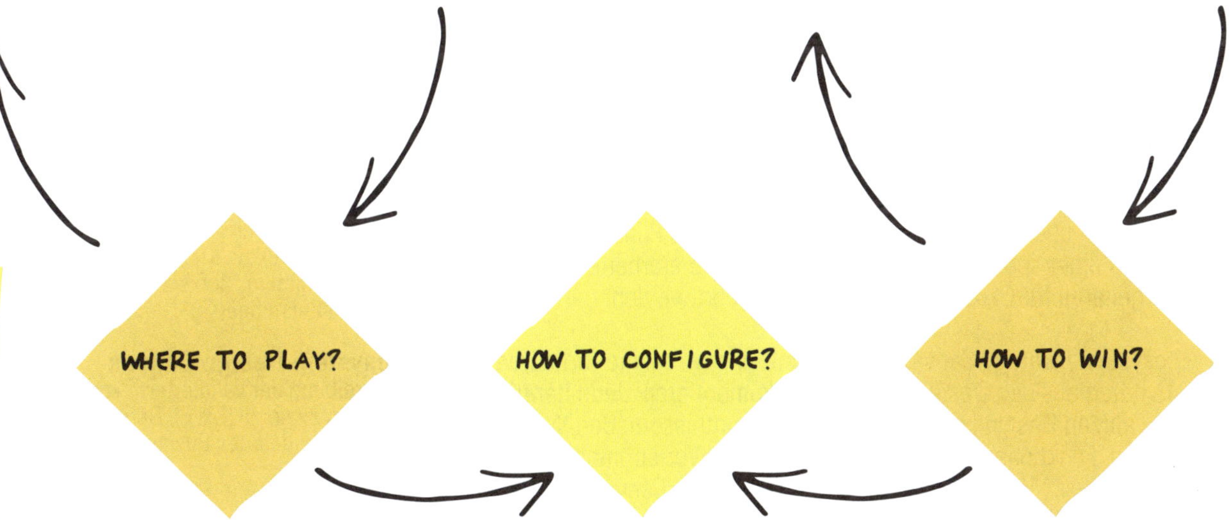

„Ecosystem Play-Win Configuration Framework“

Die iterativ erarbeiteten Erkenntnisse können in klassischen Strategieinstrumenten kontextualisiert werden und mit den nötigen Marktdaten angereichert werden.

Strategie-Dokumentation

Für die fortlaufende Dokumentation der Ergebnisse aus den Design Lenses und den allgemeinen strategischen Fragestellungen bietet es sich an, den „Ecosystem Strategy Canvas" zu nutzen, der die zentralen Fragen nach „Where to play?", „How to configure?" und „How to win?" aufnimmt. Der Canvas hilft, die notwendigen Elemente von den Kundenbedürfnissen über die Governance bis hin zu Aktivitäten der Skalierung festzuhalten.

Ein guter Startpunkt ist, die vorhandenen Ressourcen und Werkzeuge für die interne und externe Analyse zu nutzen. Hierbei liegt der Fokus hauptsächlich darauf, IST-Analysen zu erstellen, Themenfelder grob zu definieren und im Rahmen einer PESTLE-Analyse den weiteren Kontext zu erfassen. Diese Vorarbeiten sind wertvoll, ersetzen jedoch auf keinen Fall die erste Design Lense Design Thinking. Die durchzuführenden Recherchen sind eher als ergänzendes Element zu betrachten, die es erlauben, das Problem und die Situation ganzheitlich zu verstehen und erste Annahmen, über die noch keine Klarheit besteht, zu validieren. Zudem schadet es für die Strategie- und Design-Arbeit nicht, in einer frühen Phase die Design-Prinzipien als Team, zusammen mit den Projektsponsoren, zu erarbeiten und zu fixieren. Die Design-Prinzipien dienen als Leitplanken für die jeweiligen Teams, die eine schnelle Orientierung bei offenen Fragen und Entscheidungen über die nächsten Schritte liefern. Die Prinzipien können auf der Basis einer spezifischen Ökosystem-Initiative erarbeitet werden und/oder generell für Ökosystem-Vorhaben definiert werden.

Der «Ecosystem Strategy Canvas» dient somit primär, um die fortlaufenden Aktivitäten aus den Design Lenses zu dokumentieren. Jede Iteration in den jeweiligen Design Lenses wird neue Erkenntnisse zu den Kundenbedürfnissen, Funktionen, Geschäftsmodellen und Wertströmen hervorbringen. Auf diese Weise wird sich auch der Strategie Canvas dynamisch und evolutionär füllen und weiterentwickeln. Aber auch nach der Realisierung werden sich Elemente verändern, wobei es dann umso wichtiger ist, das grössere Zielbild des Ökosystems nicht aus dem Blick zu verlieren.

Typische Aktivitäten

Passende Methoden & Tools

Ecosystem Strategy Canvas **96**
- Design-Prinzipien **98**
- Initiatives – Industry Matrix **103**
- Cooperations – Industry Matrix **104**
- Themenfelder Landkarte (Topic Areas) **106**
- Kundenzentrierte Ökosystem-Themenfeld-Analyse **108**
- PESTLE **110**
- Ecosystem Play-Win-Configuration Framework **121**
- Ecosystem-Configuration-Raster **123**

Design Thinking Canvas **174**
Dokumentation der Kundenbedürfnisse, zu erfüllende Aufgaben, erste Prototypen, Anforderungen MVP.

Lean Start-up Canvas **196**
Dokumentation der Value Proposition, neue Fähigkeiten in Bezug auf IT, Daten, Infrastruktur, KI; Ausgestaltung der Minimum Viable Products (MVPs), Minimum Marketable Features (MMFs), Backlog an Produkten und Dienstleistungen.

Ecosystem Design Canvas **232**
Beschreibung der validierten Ökosystem-Vision, basierend auf Minimum Viable Ecosystems (MVE), Definition der Rollen im Business Ökosystem, Geschäftsmodell des Business Ökosystems und Modelle der jeweiligen Akteure.

Growth & Scale Canvas **258**
Ausgestaltung von Netzwerkeffekten und Betrachtung von neuen Partnerschaften, Initiativen, Technologien und Strategien zur Realisierung von exponentiellem Wachstum.

Key Questions Strategic Design

Value Proposition

- Welche Produkte, Dienstleistungen oder Erfahrungen werden angeboten?
- Wer ist der Zielkunde?
- Wie profitiert der Kunde von den Produkten, Dienstleistungen oder Erfahrungen?
- Was macht das Angebot einzigartig?

HOW TO CONFIGURE?

- Welche Rolle soll im Business Ökosystem eingenommen werden?
- Welche Fähigkeiten in Bezug auf IT, Daten, Infrastruktur, KI bis hin zu APIs werden benötigt?
- Welche MVPs, MMFs sollen verifiziert werden?
- Wie sieht der Blacklog an Produkten und Dienstleistungen aus?
- Wie wird die Governance organisiert?
- Welches organisatorische Set-up wird für den Aufbau und das Wachstum des Business Ökosystems gewählt?

WHERE TO PLAY

- Welches Kundenproblem wird gelöst? Welches Themenfeld umfasst das Business Ökosystem?
- Welche Reichweite (regional, national, international) hat das Ziel-Ökosystem?
- Welche bestehenden Fähigkeiten, Technologien, Produkte und Dienstleistungen werden für das Business Ökosystem genutzt?

HOW TO WIN?

- Welches ist die Vision des Business Ökosystems?
- Welches ist das Geschäftsmodell des Ökosystems?
- Welche Möglichkeiten haben andere Akteure in Bezug auf die Realisierung ihrer bekannten oder neuen Geschäftsmodelle?
- Wie kann das System exponentiell wachsen?
- Welche neuen Fähigkeiten, Technologien, Produkte und Dienstleistungen sind für das zukünftige Wachstum notwendig?

ECOSYSTEM STRATEGY CANVAS

WHERE TO PLAY?	HOW TO CONFIGURE?		HOW TO WIN?
THEMENFELD- UND UMFELDANALYSE Wie kann das Themenfeld bezeichnet werden? Welches sind Umweltfaktoren, die das Themenfeld beeinflussen?	**VALUE PROPOSITION** Welchen Wert hat das Angebot für den Kunden? Welches Produkt, welche Dienstleistung oder Erfahrung erhalten die Kunden? Was können die anderen Akteure für die Erbringung der Value Proposition beitragen?		**ÖKOSYSTEM-VISION** Was ist die Vision? Wie soll das Ziel erreicht werden?
KUNDENBEDÜRFNISSE/-PROBLEM Wo ist das Problem? Wie wurde es bislang gelöst? Wer hat das Bedürfnis?	**FÄHIGKEITEN IN BEZUG AUF IT, DATEN, INFRASTRUKTUR, KI** Welche Fähigkeiten sind vorhanden? Welche Fähigkeiten müssen erweitert werden? Welche Fähigkeiten werden von anderen Akteuren und Lieferanten für das Business Ökosystem erbracht?	**ROLLEN IM BUSINESS ÖKOSYSTEM** Welche Rollen gibt es im System? Welche Akteure übernehmen welche Rolle?	**GESCHÄFTSMODELL DES ÖKOSYSTEMS** Wie verdient das Ökosystem Geld? - - - - - **MULTIPLE BETRACHTUNG DER GESCHÄFTSMODELLE** Wie verdienen die anderen Akteure im Ökosystem Geld?
KUNDENSCHNITTSTELLE, -BEZIEHUNGEN Über welchen Kanal soll der Kunde bedient werden? (Z.B. Multi-Channel, Opti-Channel) Wie ist die Beziehung zum Kunden? (Z.B. persönlich, digital, automatisiert)	**MINIMUM VIABLE PRODUCTS, MINIMUM MARKETABLE FEATURES, BACKLOG AN PRODUKTEN UND DIENSTLEISTUNGEN** Mit welcher Funktion und Erfahrung soll gestartet werden? Mit welchen Produkten, Dienstleistungen und Erfahrungen wird die Value Proposition über die Zeit vervollständigt und ergänzt?	**ORGANISATIONSDESIGN, GOVERNANCE** Wie wird der Aufbau, Betrieb und das Wachstum organisatorisch verankert? Wie und durch wen erfolgt die Governance?	**WACHSTUM UND SKALIERUNG** Wie soll die Skalierung realisiert werden? Welche neuen Fähigkeiten sind notwendig? Wie wird das Wachstum finanziert?

BESTEHENDE PARTNERSCHAFTEN, INITIATIVEN, TECHNOLOGIEN UND STRATEGIEN — EXPLOIT
Welche bestehenden Partnerschaften können genutzt werden?
Welche bestehenden Technologien können genutzt werden?
Welche bekannten und offensichtlichen Marktopportunitäten bestehen?

EXPLORE — **NEUE PARTNERSCHAFTEN, INITIATIVEN, TECHNOLOGIEN UND STRATEGIEN**
Welche neuen Partnerschaften braucht es?
Welche neuen Technologien werden benötigt?
Welche unbekannten Marktopportunitäten können erkundet werden?

INPUTS VON DEN DESIGN LENSES:

Template Download

ECOSYSTEM DESIGN CANVAS

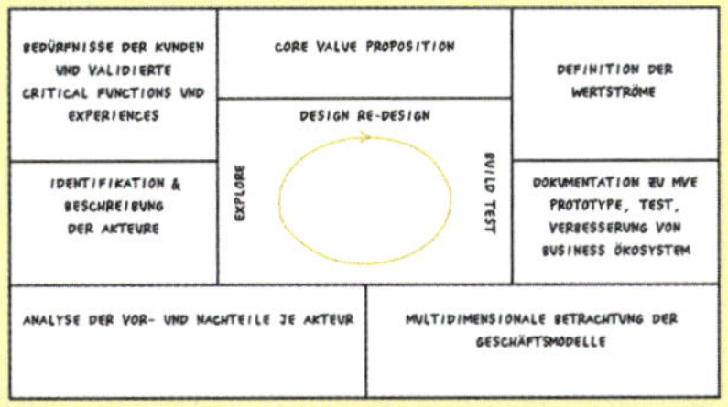

SEITE 232

DESIGN THINKING CANVAS

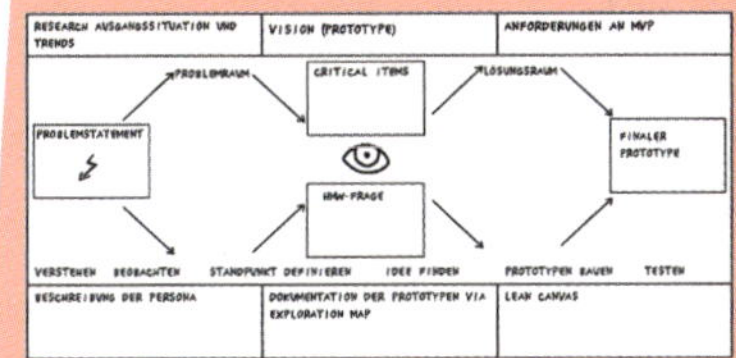

SEITE 174

WHERE TO PLAY?	HOW TO CONFIGURE?		HOW TO WIN?
Themenfeld	Value Proposition		Ökosystem-Vision
Kundenbedürfnisse/-problem	Fahigkeiten in Bezug auf IT, Daten, Infrastruktur, KI	Rollen im Business Ökosystem	Geschäftsmodell des Ökosystems Multiple Betrachtung der Geschäftsmodelle
Kundenschnittstelle, -beziehungen	Minimum Viable products, Minimum Marketable Features, Backlog an Produkten und Dienstleistungen	Organisationsdesign, Governace	Wachstum und Skalierung
Bestehende Partnerschaften, Initiativen, Technologien und Strategien EXPLOIT		Neue Partnerschaften, Initiativen, Technologien und Strategien EXPLORE	

EXPONENTIAL GROWTH AND SCALE CANVAS

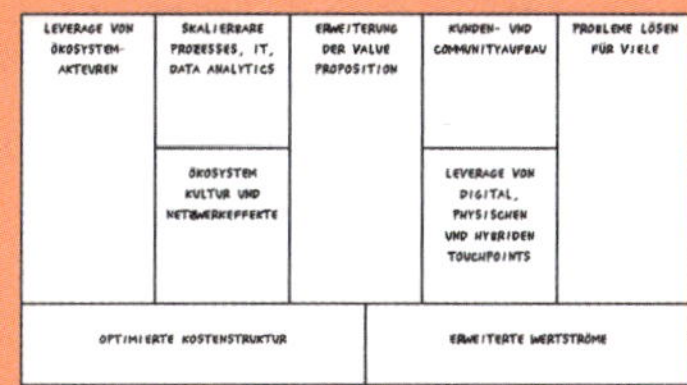

SEITE 258

LEAN START-UP MVP CANVAS

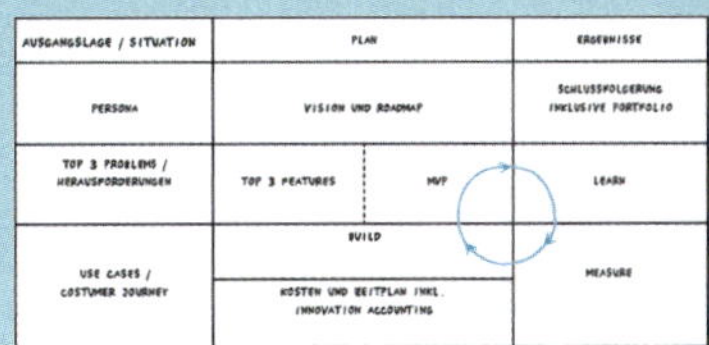

SEITE 196

Der Ecosystem Strategy Canvas hilft, in der Dokumentation der einzelnen strategischen Analysen und die Ergebnisse der Design Lenses festzuhalten.

TOOL ZUM DOWNLOAD
www.business-ecosystem-design.com/strategy

Nutzung von Design-Prinzipien in der Gestaltung von Ökosystemen

Design-Prinzipien helfen den Business Ökosystem Design Teams, für ein bestimmtes Ökosystem-Vorhaben die entsprechenden Leitplanken im Rahmen von eindeutigen Aussagen zu erhalten. Besonders wenn über die Unternehmensgrenzen hinaus im Rahmen von Co-Creation zusammengearbeitet wird, macht es Sinn, solche Prinzipien gemeinsam zu erstellen und als unternehmensübergreifendes Team anzunehmen. Die Prinzipien sollten für den jeweiligen Zweck erstellt und auf das Projekt abgestimmt werden. Besonders helfen solche Prinzipien, wenn Strategien für moderne, komplexe und vernetzte Systeme erarbeitet werden.

Die Design-Prinzipien helfen dem Business Ökosystem Design Team:

- Bereits bei Projektstart einen klaren Fokus auf ein bestimmtes Mindset oder Anforderungen an das Ökosystem oder ein Themenfeld zu legen.
- Dem Team ein einheitliches Verständnis über den Auftrag zu geben, sodass alle das gleiche Verständnis haben.
- Eine Orientierungshilfe zu geben, sodass Entscheidungen im Business Ökosystem Design Team schneller getroffen werden können.
- Übergreifende Merkmale zu definieren, die mit einer höheren Priorität behandelt werden sollen.
- Eine Leitlinie zu entwickeln, die sicherstellt, dass zukünftige Ökosystem-Vorhaben auf den gleichen übergreifenden Prinzipien erstellt werden.

Vorgehen und Template Design-Prinzipien

1. Fordere alle Teilnehmer auf, Design-Prinzipien auf Post-its zu schreiben und diese auf dem „Basket" zu platzieren.
2. Sobald der „Basket" voll ist, sortiere die Design-Prinzipien auf einer Pyramide, zum Beispiel mit einer Dreiteilung. Die Sortierung erfolgt nach der Regel: je weiter oben auf der Pyramide, desto projektspezifischer. Allgemeine Gestaltungsprinzipien für Business Ökosysteme sind am Boden der Pyramide zu verorten.
3. Wenn die Zuordnung der Design-Prinzipien abgeschlossen ist, kann eine Abstimmung zum Beispiel mit Klebepunkten erfolgen. Ziel ist, auf maximal drei ausgewählte Design-Prinzipien pro Abschnitt zu reduzieren, also maximal 9 pro Pyramide.
4. Platziere die selektierten und verabschiedeten Design-Prinzipien am besten an einem Ort, wo das Business Ökosystem Team häufig damit konfrontiert wird und es schnell Zugang dazu hat.

1

2

3

4

TOOL ZUM DOWNLOAD
www.business-ecosystem-design.com/design-principles

Auf den Punkt gebracht!

Primär sollte der Fokus in der Entwicklung von Business Ökosystemen auf Basis der jeweiligen Design Lenses durchgeführt werden.

Für die Einbettung in traditionelle Frameworks der Strategieentwicklung empfiehlt es sich, die jeweiligen Methoden und Vorgehensmodelle an die Bedürfnisse eines kundenzentrierten Business Ökosystem Designs anzupassen.

In der Kombination der iterativen Entwicklung der Systeme zusammen mit der Kontextualisierung in klassischen Strategie-Frameworks können Business Ökosysteme als strategische Option kommuniziert und bewertet werden.

WHERE TO PLAY?

Ökosystem: Typische Fragestellungen in Bezug auf das Unternehmen und das Umfeld

Da für viele Unternehmen die Auseinandersetzung mit Business Ökosystemen etwas Neues ist, wird oft im Rahmen von Ökosystem-Überlegungen erst mal mit einer Bestandsaufnahme der bestehenden Strategien, Fähigkeiten und Partnerschaften begonnen (Fragen in Bezug auf das eigene Unternehmen und das Umfeld). Diese IST-Aufnahme kann durchaus empfehlenswert sein, da sie hilft, spätere Zielbilder von einem oder mehreren Ökosystemen mit den bestehenden Initiativen oder Partnerschaften in Einklang zu bringen.

Zudem wird es immer verschiedene Möglichkeiten in Bezug auf die Themenfelder und die Konfiguration eines Business Ökosystems geben. Die meisten Unternehmen werden in Zukunft in verschiedenen Business Ökosystemen mit unterschiedlichen Rollen, zum Beispiel als Initiator, Orchestrator oder teilnehmender Akteur, agieren. Klassische Strategieinstrumente wie die PESTLE-Analyse oder „Right to play/How to win" helfen, die strategischen Optionen für Business Ökosystem Vorhaben zu kontextualisieren und so Entscheidungsträgern und Gremien zugänglich zu machen.

Typische Fragen in Bezug auf das eigene Unternehmen

- Wo liegen die Stärken und Schwächen des Unternehmens (SWOT-Analyse)?
- Was ist heute das Kerngeschäft?
- Welche Fähigkeiten sind im Unternehmen vorhanden?
- Welches ist die aktuelle Marktrolle? Welche Marktrolle kann übernommen werden, ohne das eigene Geschäft zu supplementieren? Welche Marktrollen sind für das Unternehmen zukünftig vorstellbar?
- Wie hoch ist der Wert von Kunden- und Transaktionsdaten?
- Welche Art von Daten kann das Unternehmen bereitstellen und welche benötigt das Unternehmen für eine umfassende Kundensicht?
- Inwieweit ist das Mindset bei den Entscheidungsträgern offen für die Partizipation in einem Business Ökosystem?
- Haben die Mitarbeitenden die Fähigkeit, in Business Ökosystem Strukturen, Geschäftsmodellen und Wertströmen zu denken?
- Mit welchen anderen Unternehmen bestehen bereits Geschäftsbeziehungen, Partnerschaften und gemeinsame Netzwerke, die genutzt werden können?
- Welche Funktionen, Ausprägungen und Initiativen sind vorhanden bzw. in Planung, die in ein bestimmtes Ökosystem-Themenfeld einzahlen könnten?

Der Aufbau oder die Teilnahme an einem Business Ökosystem ist eine strategische Option und ein wichtiges Element, welches das Geschäftsmodell und meist auch die zukünftigen Technolgieentscheide beeinflussen wird.

Die notwendigen Fähigkeiten von der Entscheidung für ein Ökosystem-Play bis zur Realisierung von (exponentiellem) Wachstum

Die nötigen Fähigkeiten für die Gestaltung eines Business Ökosystems sind sehr breit und benötigen neben dem Verständnis der Kundenanforderungen die Fähigkeit, mit anderen Unternehmen zusammen erste Prototypen zu realisieren und diese in MVEs zu testen.

Die Partizipation als Akteur an einem Ökosystem benötigt ebenfalls die Fähigkeit, in Business Ökosystemen zu denken, neue Rollen in einem System einzunehmen und die technischen Voraussetzungen zu schaffen, sich mit den anderen Akteuren zu verknüpfen.

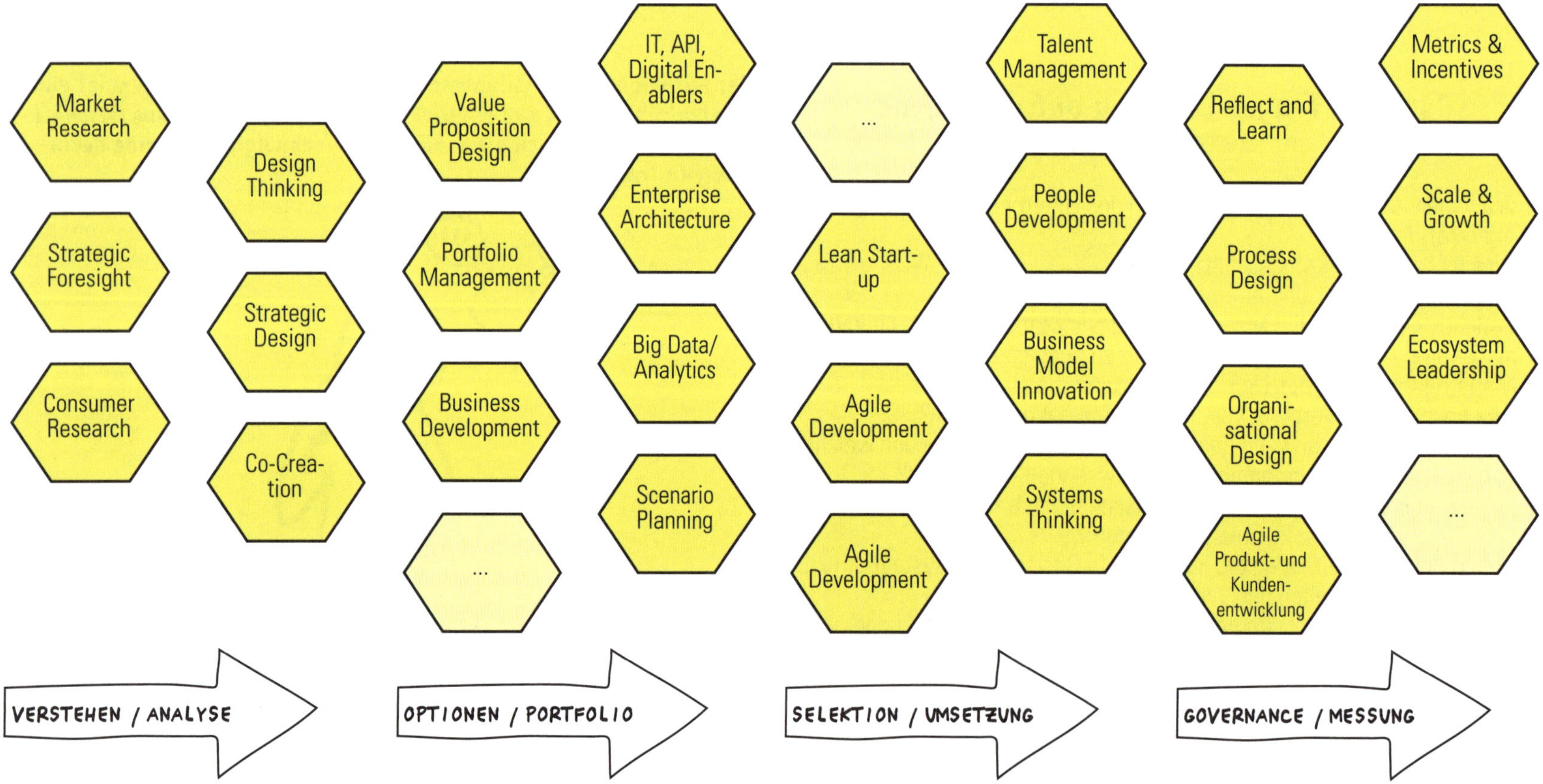

Initiatives-Industry Matrix

Da die Auseinandersetzung mit Business Ökosystemen komplex ist, bietet es sich an, erst einmal eine Bestandsaufnahme der aktuell im Unternehmen durchgeführten und geplanten Initiativen zu machen. So kann der Startpunkt für Ökosystem-Überlegungen eine Sicht auf die bestehenden internen Initiativen oder Ressourcen sein. Die Initiatives-Industry Matrix hilft, die bestehenden Aktivitäten einzuordnen und ein besseres Verständnis der IST-Situation zu erhalten.

Die Initiatives-Industry Matrix hilft dem Business Ökosystem Design Team:

- Zu skizzieren, welche weiteren strategischen Initiativen für die Zukunft geplant sind.
- In die Überlegungen mit einzubeziehen, welche neuen Produkte und Dienstleistungen lanciert werden.
- Zu erkennen, welche Programme, Produkte oder Initiativen in einzelnen Teilmärkten, anderen Regionen oder Ländern in Planung sind.

Vorgehen und Template Design Prinzipien

1. Initial können alle Initiativen über das gesamte Unternehmen in Form einer Liste oder im Rahmen eines Workshops von den Verantwortlichen oder Workshopteilnehmenden aus den verschiedenen Bereichen aufgeschrieben werden.
2. Anschliessend werden die Initiativen auf der Matrix verortet. Die Achsen können je nach Unternehmen und Ausrichtung variieren. Eine allgemeine Beschriftung nutzt die X-Achse (Funktion, Ausprägung/Initiative) und unterteilt die Reichweite in eigene Industrie oder Cross-Industrie.

Besonders interessant sind die Initiativen, die bereits einen vernetzten und industrieübergreifenden Charakter haben.

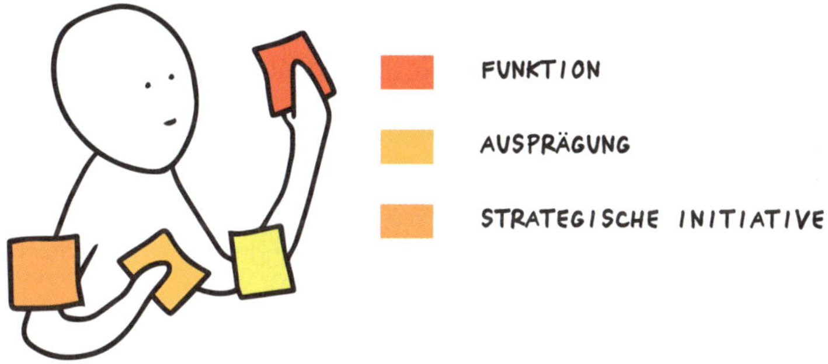

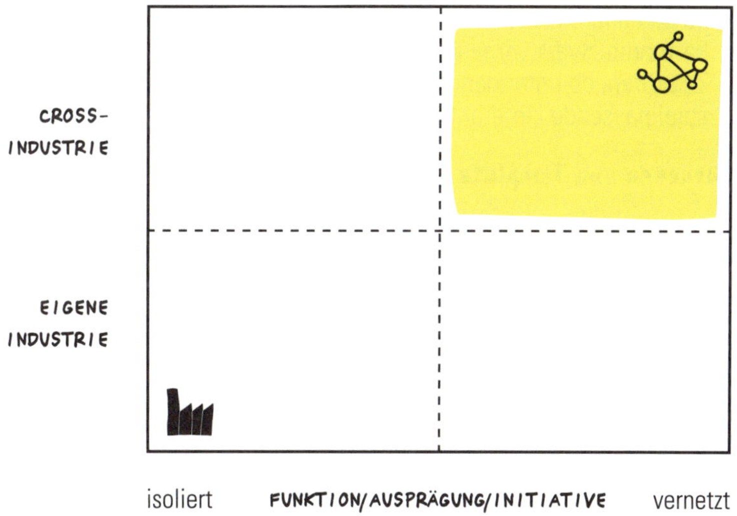

TOOL ZUM DOWNLOAD
www.business-ecosystem-design.com/initiatives

Cooperations-Industry Matrix

Ein weiterer oft gewählter Startpunkt ist, die vorhandenen Partnerschaften und bereits existierenden Kooperationen zu verorten. In vielen Fällen ist Unternehmen gar nicht bewusst, wo bereits langjährige Kooperationen existieren, die für die Gestaltung von Business Ökosystemen einen schnellen Kundenzugang, Daten oder Technologie bereitstellen können.

Die Cooperations-Industry Matrix hilft dem Business Ökosystem Design Team:

- Zu analysieren, welche Partnerschaften und Verbindungen bereits zu anderen Unternehmen bestehen.
- Zu sehen, ob diese Verbindungen mit Unternehmen aus der gleichen Branche, branchennah oder branchenfremd sind.
- Zu erkennen, welche Fähigkeiten ggf. bereits in einem bestehenden Partnernetzwerk vorhanden sind.
- Zu prüfen, ob unter den Partnern und Geschäftsbeziehungen zum Beispiel passende Lieferanten für das Vorhaben sind.

Vorgehen und Template

1. Initial können alle Kooperationen, Lieferantenbeziehungen und Partnerschaften in Form einer Liste oder im Rahmen eines Workshops von den Verantwortlichen oder Workshopteilnehmenden aus den verschiedenen Bereichen aufgeschrieben werden.
2. Anschliessend werden die Verbindungen zu anderen Unternehmen auf der Matrix verortet. Die Achsen können je nach Unternehmen und Ausrichtung variieren. Eine allgemeine Beschriftung nutzt die X-Achse (Fokussierung/Diversifikation) und unterteilt die Reichweite (wie im Tool auf der vorherigen Seite) in eigene Industrie oder Cross-Industrie.

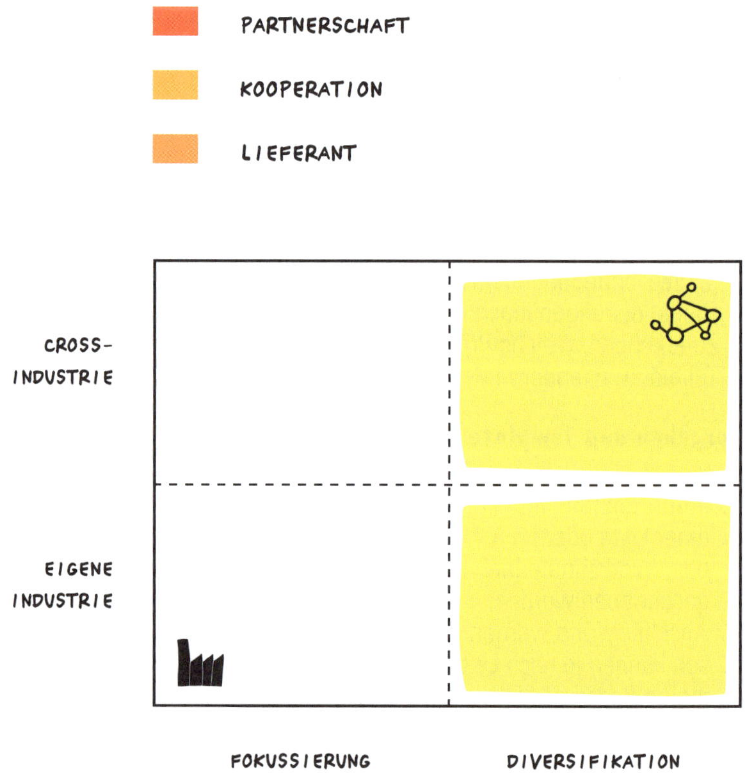

Einige Partnerschaften und Kooperationen werden eher im Rahmen von Exploit eingesetzt (linke Seite der Matrix), während andere eher darauf ausgelegt sind, Diversifikation in Bezug auf die Branche und die zu erbringenden Leistungen zu forcieren.

TOOL ZUM DOWNLOAD
www.business-ecosystem-design.com/cooperations

Ökosystem: Typische Fragestellungen in Bezug auf das Unternehmen und das Umfeld

Viele der Fragen in Bezug auf das Unternehmensumfeld werden in der Regel im Rahmen der fortlaufenden Definition der Unternehmensstrategie erhoben und bewertet. Da klassische Strategieübungen jedoch meist starr und nur im Rahmen der bekannten Dimensionen der eigenen Branche denken, ist es zu empfehlen, bei der Erarbeitung konsequent auf alle Erkenntnisse der Design Lenses zusätzlich zurückzugreifen und diese als Inputs für die Strategie zu nutzen. Auf diese Weise kann vermieden werden, dass die Überlegungen sich auf Unternehmensallianzen oder einzelne Unternehmensakquisitionen für die Zielerreichung beschränken.

Typische Fragen im Bezug auf das Umfeld

- Welche Business Ökosysteme entstehen lokal und global?
- Wie entwickeln sich einzelne Branchen und wo entsteht neue Wertschöpfung in branchenübergreifenden Strukturen?
- Was machen andere Branchen in Bezug auf Business Ökosysteme und wie könnten die vom Unternehmen erbrachten Leistungen, Produkte oder Daten im jeweiligen System einen Mehrwert stiften?
- Wie gross ist die eigene Industrie/Branche in den jeweiligen Ökosystemen und wie hoch ist die Durchdringungsrate der integrierten Netzwerkökonomie?
- Wie gross sind die Wachstumspotenziale in den einzelnen Systemen?
- In welchem Ausmass haben lokale und internationale Wettbewerber selbst begonnen, Business Ökosysteme zu initialisieren oder daran zu partizipieren?

Für die Nutzung von Werkzeugen wie zum Beispiel die PESTLE Analyse ist es zu empfehlen, die Fragestellungen an die Anforderungen von Business Ökosystemen anzupassen. Generell haben Unternehmen verschiedene Möglichkeiten, sich in entstehenden Ökosystemen zu positionieren, jedoch ist abzuraten, in die alten Fahrwasser eines konstanten Strebens nach Verhandlungsmacht zu geraten. Im Mittelpunkt sollten die Kundenbedürfnisse, die vorhandenen Fähigkeiten und der Appetit nach neuen disruptiven Geschäftsmodellen stehen. Zudem sollte im Rahmen von Ökosystem-Überlegungen auch bestehende Leitplanken auf Regionen und Länder überdacht werden, da viele Leistungen und Erfahrungen, die einen digitalen Charakter haben, solche künstlichen Grenzen nicht kennen.

Der Aufbau oder die Teilnahme an einem Business Ökosystem ist eine strategische Option und ein wichtiges Element, welches das Geschäftsmodell und meist auch die zukünftigen Technolgieentscheide beeinflussen wird.

Ökosystem-Themenfelder-Landkarte

Eine Landkarte mit den unterschiedlichen Themenfeldern von Business Ökosystemen kann zum einen genutzt werden, um zum Beispiel die Ökosysteme einer bestimmten Region aufzuzeigen, inkl. der Firmen, die daran partizipieren, bzw. um eine Bestandsaufnahme durchzuführen, um herauszufinden, wer als Initiator oder Orchestrator fungiert. Zudem helfen solche Landkarten mit Themenfeldern, inklusive dem Bezug zu den jeweiligen Akteuren, zu einem späteren Zeitpunkt, verschiedene Optionen von Ökosystemen zu diskutieren. Meist werden die Landkarten genutzt, um entlang der Kundenbedürfnisse die einzelnen Branchen, Fähigkeiten und Ökosystem-Sphären darzustellen. Bei der Nutzung von diesem Visualisierungstool sollten jedoch die Dimensionen jeweils der Zielsetzung und den strategischen Überlegungen des Ökosystems angepasst werden, da die Landkarten sonst sehr schnell unübersichtlich werden.

Die Ökosystem-Themenfelder-Landkarte hilft dem Business Ökosystem Design Team:

- Die aktuelle Situation eines Business Ökosystems in einem Thema von bestimmten Initiatoren oder Wettbewerbern zu visualisieren.
- Die Zusammenhänge und jeweilige Partizipation von Akteuren an einem oder mehreren Business Ökosystemen zu erkunden.
- Eine geplante Value Proposition über die verschiedenen Dimensionen und potenziellen Akteure darzustellen und zu diskutieren.

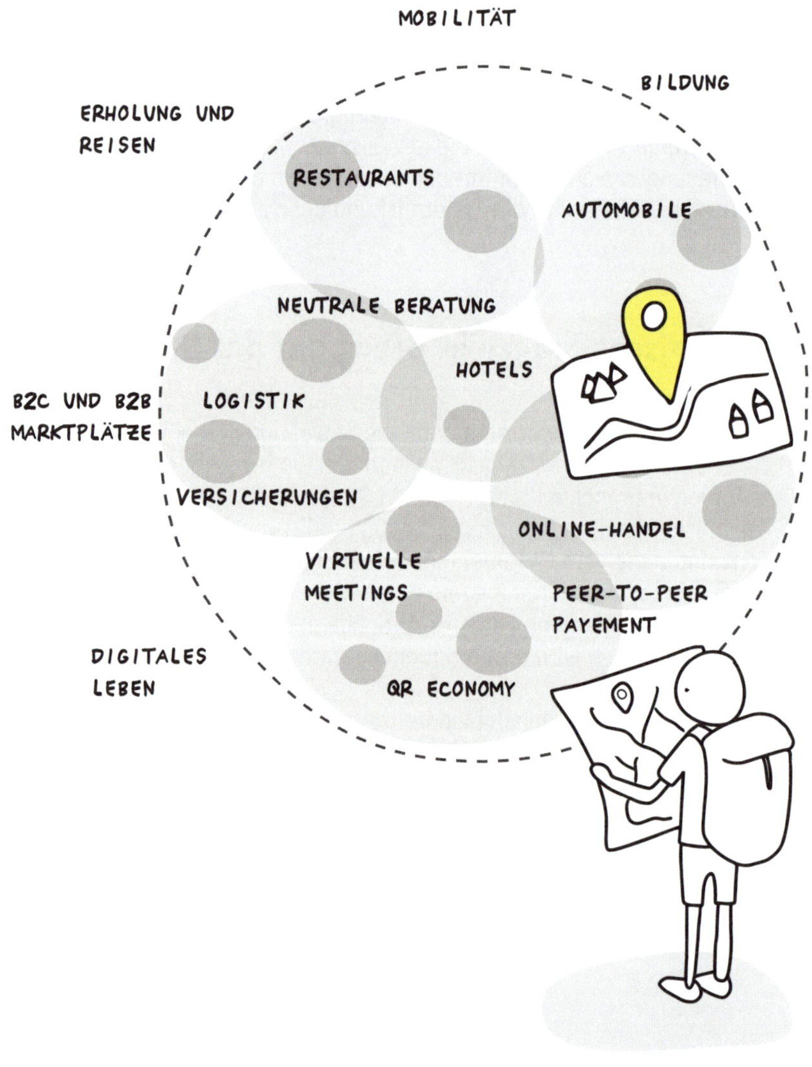

Vorgehen und Template Design Prinzipien

1. Initial kann mit den Firmen begonnen werden, die als Initiatoren von solchen Systemen auftreten und ihre Aktivitäten, Themen und auf diese Weise Verbindungen zu anderen Akteuren darstellen.
2. Eine andere Variante ist, für ein bestimmtes Themenfeld zu schauen, welche Fähigkeiten und Kompetenzen benötigt werden, die dann auf der Landkarte eingetragen werden. Oft ergeben sich weitere Inputs für die Landkarte aus der Erkundung der Kundenbedürfnisse oder bei der Durchführung des (Re-)Designs eines Business Ökosystems.

Einordnung verschiedener Ökosystem-Optionen in Themenfelder

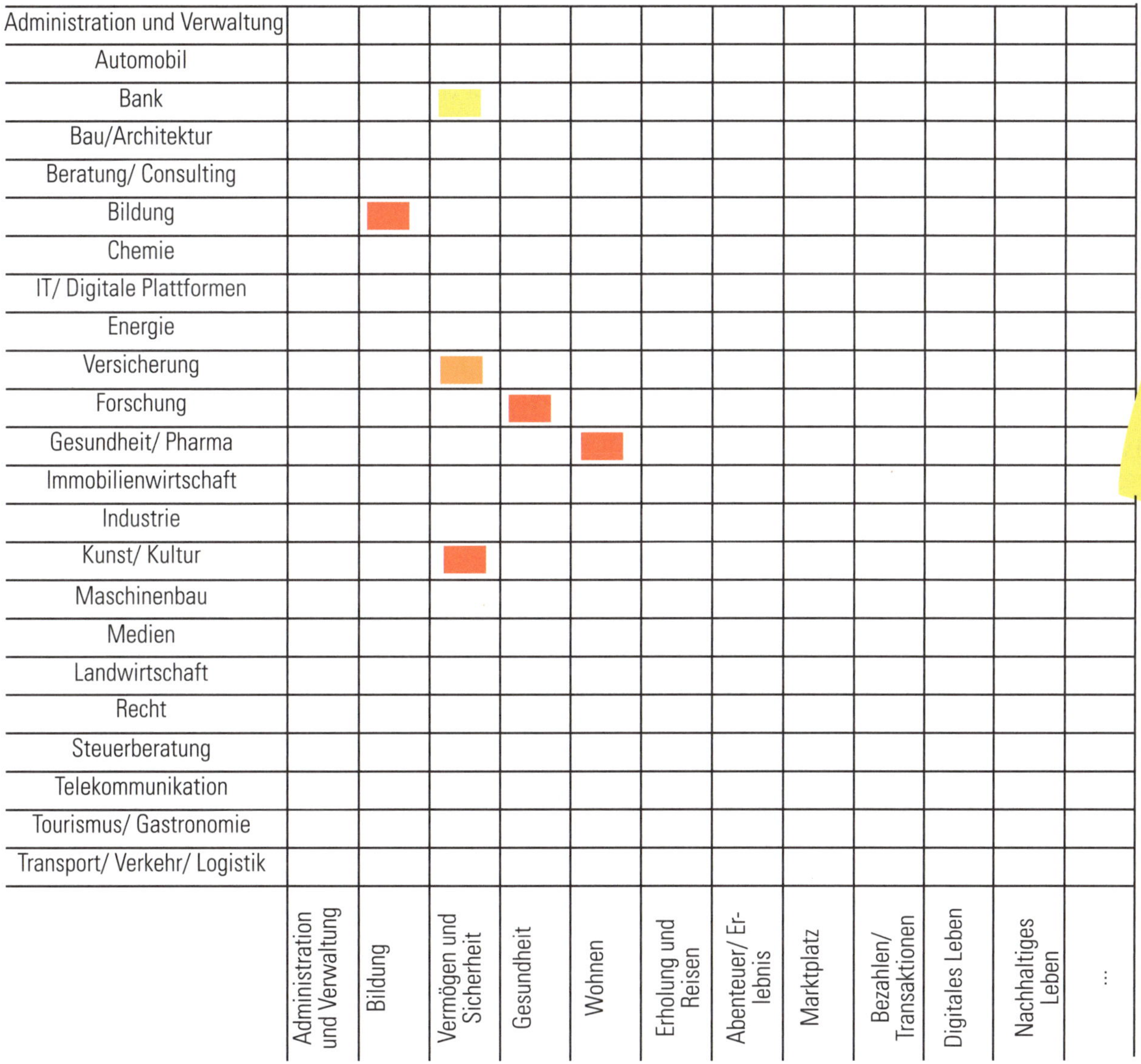

Tool

TOPIC AREAS MATRIX

INITIATOR

ORCHESTRATOR

STRATEGISCHE INITIATIVE

TOOL ZUM DOWNLOAD
www.business-ecosystem-design.com/topic-area

Kundenzentrierte Ökosystem-Themenfeld-Analyse

Falls bereits ein guter Überblick über die bestehenden Ökosystem-Initiativen besteht oder erkannt wurde, dass der Kunde mit seinen neuen oder veränderten Bedürfnissen wichtig ist, kann die Themenfeld-Exploration mit einer „Was wäre wenn…"-Frage starten. Die grösste Marktopportunität besteht darin, ein Ökosystem zu gestalten und umzusetzen, das sich auf die Fähigkeiten des eigenen Unternehmens, Co-Creation und die Bedürfnisse von einer grossen Anzahl an potenziellen Kunden und Nutzer richtet. Die möglichen Startpunkte für die Exploration reichen von den Grundbedürfnissen wie Energie, Nahrung und Wasser bis hin zu komplexeren Bedürfnissen wie die Zugehörigkeit zu einer Community oder die Ausschöpfung des eigenen Potenzials. Was wäre, wenn solche Erfahrungen, Funktionen oder Produkte durch eine Kombination von Akteuren und Fähigkeiten ermöglicht würden? Welche Systeme würden hieraus entstehen?

Die Ökosystem Themenfelder Landkarte hilft dem Business Ökosystem Design Team:

- Basierend auf den Grundbedürfnissen neue Themenfelder grob zu umreissen.
- Die bestehenden Industriegrenzen zu verlassen.
- Den kreativen Prozess in Rahmen einer ersten Ideenfindung zu starten.
- In ganzheitlichen Lösungsansätzen zu denken, anstatt sich auf einzelne Funktionen, Produkte oder Dienstleistungen zu konzentrieren.
- Neue Themenfelder zu kreieren, die bislang durch die reine Analyse von bestehenden Ökosystemen nicht erkannt wurden.

Vorgehen und Template

1. **Schritt: Welches sind aktuelle Bedürfnisse?**
   Die erste der Fragen ist „Welches sind aktuelle Bedürfnisse?", die den Status quo, die gegenwärtige Realität untersucht. Basis für die „Was wäre, wenn..."-Frage ist eine gute Einschätzung und ein empathisches Verständnis dessen, was heute geschieht, bevor mit der Erkundung potenzieller Themenfelder gestartet wird.
2. **Schritt: Was wäre, wenn?**
   Mit der Frage nach „Was wäre, wenn?" werden automatisch Ideen generiert. Es führt direkt zu potenziellen Themenfeldern für Business Ökosysteme. Diese Fragetechnik hilft, bewusst über den Tellerrand hinaus zu denken.
3. **Schritt: Wo könnte ein „Wow" für den Kunden entstehen?**
   Basierend auf den ersten Ideen für Themen können entsprechende Annahmen getroffen werden, die später im Rahmen des Design Thinking überprüft werden können.
4. **Schritt: Was funktioniert?**
   Die letzte Frage wird in der Regel in einem iterativen Prozess über die Design Lenses #1-3 beantwortet und durch Kundenfeedback validiert.

Tool

WAS WÄRE, WENN UNSERE POTENZIELLEN KUNDEN/NUTZER ...

KUNDENZENTRIERTE ÖKOSYSTEM-THEMENFELD-ANALYSE

- **RESSOURCEN** – ... Nahrung und saubere Luft, Wasser und Energie hätten?
- **WELLNESS** – ... Gesund und fit wären?
- **RAUM** – ... einen sicheren Ort/ Zuhause hätten?
- **WERTSCHÄTZUNG** – ... alle die gleichen Chancen hätten?
- **MOBILITÄT** – ... überall zu jederzeit unkompliziert von A nach B kommen könnten?
- **...**
- **FREIZEIT** – ... sich bei Lust und Laune beschäftigen und vergnügen könnten?
- **COMMUNITY** – ... irgendwo dazugehören würden, wo sie willkommen sind?
- **MACHER** – ... einzigartige Dinge erschaffen könnten oder sich Wünsche erfüllen?
- **PERSÖNLICHES WACHSTUM** – ... ihre persönlichen Potenziale ausschöpfen könnten?

PESTLE mit Fragen für Ökosysteme

Tool

Das Ergebnis einer PESTLE-Analyse wird häufig als Input für andere betriebswirtschaftliche Werkzeuge wie SWOT-Analyse, SOAR-Analyse, Risikobewertung für die Gestaltung von Geschäftsmodellen oder, wie hier im Buch, als Basis für die Kontextualisierung einer Business Ökosystem Strategie verwendet.

Es gibt viele Variationen dieses Frameworks, die verschiedene Kombinationen von externen Faktoren untersuchen, die für bestimmte Branchen spezifisch sind. Beispiele sind: PEST, STEEPLE, STEER und STEEP. Als Grundlage für allgemeine Business Ökosystem Überlegungen wurde eine Standard-PESTLE verwendet und adaptiert.

POLITICS

Politisch oder politisch motivierte Faktoren, die das Vorhaben beeinflussen könnten.

Beispiele sind:
Regierungspolitik, politische Stabilität oder Instabilität, Bürokratie, Korruption, Aussenhandelspolitik, Steuerpolitik, Handelsbeschränkungen, Arbeits-/Umwelt-/Urheberrecht-/Verbraucherschutzgesetze, Wettbewerbsregulierung, Finanzierungszuschüsse und -initiativen.

Typische Fragen:
- Welche Regierungspolitik oder politischen Gruppen könnten für den Erfolg des Ökosystems förderlich oder abträglich sein?
- Ist das politische Umfeld stabil oder wird es sich wahrscheinlich ändern?

ECONOMIC

Gesamtwirtschaftliche Kräfte, die das Vorhaben beeinflussen könnten.

Beispiele sind:
Wirtschaftliche Trends, Wachstumsraten, Branchenwachstum, saisonale Faktoren, Besteuerung, Inflation, Zinssätze, internationale Wechselkurse, internationaler Handel, Arbeitskosten, verfügbares Einkommen der Verbraucher, Arbeitslosenrate, Verfügbarkeit von Krediten, Geldpolitik, Rohstoffkosten.

Typische Fragen:
- Welche wirtschaftlichen Faktoren werden sich auf unser weiteres Vorgehen auswirken?
- Wird das Ökosystem von der aktuellen Wirtschaftsleistung beeinflusst?
- Wie wirkt sich die Veränderung von ähnlichen Branchen hin zu Ökosystemen auf die Preise, Einnahmen und Kosten aus?

SOCIAL

Soziale Aspekte, Einstellungen und Trends die das eigene Unternehmen oder das Business Ökosystem und Ihren Zielmarkt beeinflussen.

Beispiele sind:
Einstellungen und gemeinsame Überzeugungen zu einer Reihe von Faktoren wie Gesundheit, Arbeit, Freizeit, Geld, Kundenservice, Importe, Religion, kulturelle Tabus, Umwelt; Bevölkerungswachstum und Demografie, Familiengrösse/-struktur, Einwanderung/Auswanderung, Lifestyle-Trends.

Typische Fragen:
- Wie wirken sich die Werte und Überzeugungen der Konsumenten auf ihr Kaufverhalten aus?
- Wie spielen menschliches Verhalten oder kulturelle Trends eine Rolle für das Business Ökosystem?
- Wie verändern sich die Kundenbedürfnisse?

Die PESTLE-Analyse hilft dem Business Ökosystem Team:

- Die Markt- und Geschäftsposition der eigenen Unternehmensakteure besser zu verstehen, strategisch zu planen und Marktforschung durchzuführen.
- Ein Themenfeld oder eine Ökosystem-Strategie zu bewerten und Wege zur Gestaltung des Ökosystems zu finden.
- Einen Überblick über externe Einflüsse zu erhalten, die potenziell auf eine Ökosystem-Initiative wirken könnten.
- Entscheidungsfreudigere und sachkundigere Entscheidungen zu treffen.
- Eine Entscheidungsunterlage für Gremien abzubilden.

Vorgehen

- Entlang der einzelnen Dimensionen wird auf die typischen Fragen in Bezug auf Politics, Economic, Social, Technological, Legal und Environmental eingegangen.
- Die Antworten helfen, eventuelle Risiken und Chancen in einer frühen Projektphase zu erkunden.
- Die Ergebnisse der PESTLE sollten allen Teams, die im Design des Ökosystems und in die Definition der Ökosystem-Strategie involviert sind, zugänglich gemacht werden.

TECHNOLOGICAL

Technologie, die einen Einfluss darauf hat, wie Produkte und Dienstleistungen hergestellt, vertrieben, skaliert und kommuniziert werden.

Beispiele sind:
Technologie- und Kommunikationsinfrastruktur, Zugang der Verbraucher zur Technologie, aufkommende Technologien, Automatisierung, Gesetzgebung rund um Technologie, Forschung und Innovation, Regulierung des geistigen Eigentums, Technologie und Entwicklung von Wettbewerbern.

Typische Fragen:
- Welche Innovationen und technologischen Fortschritte sind verfügbar oder werden in Zukunft verfügbar sein?
- Wie könnten sie sich auf die Gestaltung, Governance und Skalierung des Ökosystems auswirken?

LEGAL

Aktuelle und zukünftige gesetzliche und regulatorische Anforderungen, die sich auf das Ökosystem auswirken.

Beispiele sind:
Gesetze in den Bereichen Verbraucherschutz, Arbeit, Gesundheit und Sicherheit, Kartellrecht, geistiges Eigentum, Datenschutz, Steuern und Diskriminierung; internationale und nationale Handelsbestimmungen/-beschränkungen, Werberichtlinien, Produktkennzeichnung und Sicherheitsstandards.

Typische Fragen:
- Welche Vorschriften und Gesetze gelten für die angestrebte Value Proposition und neuen Geschäftsmodelle (z.B. mit Daten)?
- Helfen oder behindern sie das Vorhaben?
- Werden die Gesetze und Bestimmungen in all ihren Dimensionen verstanden, in denen das Business Ökosystem agieren wird?

ENVIRONMENTAL

Umwelteinflüsse, die sich auf das Ökosystem, die erbrachten Leistungen, die Umgebung und die genutzten natürlichen Ressourcen auswirken.

Beispiele sind:
Wetter, Klimawandel, Kohlenstoff-Fussabdruck, Umweltvorschriften, Umweltgesetze und -ziele, Recycling- und Abfallentsorgungsrichtlinien, gefährdete Arten, Unterstützung für erneuerbare Energien.

Typische Fragen:
- Wie wirkt sich unsere physische Umwelt auf das Ökosystem aus – und umgekehrt?
- Wie sind die Auswirkungen von Klima, Wetter oder geografischer Lage?

TOOL ZUM DOWNLOAD
www.business-ecosystem-design.com/pestle

Die Umweltanalyse 2.0, denke in Ökosystemen!

THINK OUTSIDE – YOUR OWN – INDUSTRY

APPLY ECOSYSTEMS THINKING

Beim Einsatz von Tools aus den traditionellen Methoden der Strategiearbeit ist in einigen Dimensionen ein Umdenken notwendig und ein adaptiertes Modell anzuwenden.
Insbesondere die Beziehung zwischen einem Unternehmen und seiner Umwelt verhält sich anders, da Business Ökosysteme gestaltet werden können. Ebenso ist die Vielfalt der Leistungserstellung nicht auf die branchenüblichen Elemente beschränkt. Business Ökosysteme sind offener, vielfältiger und mehrdimensionaler als die bekannten Umfeld-, Branchen- und Wettbewerbsanalysen.

DIMENSION	TRADITIONELLER ANSATZ ZUR ANALYSE DER UMFELDFAKTOREN	AUF DAS ÖKOSYSTEM DESIGN ADAPTIERTES MODELL ZUR ANALYSE DER UMFELDFAKTOREN
ROLLE DER UMFELDANALYSE	Analyse als Basis für strategische Entscheide	Basis für Design-Prinzipien zur Realisierung neuer Werteangebote und -ströme
NATUR DER UMFELDANALYSE	Gegeben	Durchgeführt im Rahmen der Exploration über verschiedene Design Lenses (z.B. Minimum Viable Ecosystem)
BEZIEHUNG ZWISCHEN UNTERNEHMEN, ÖKOSYSTEM UND UMFELD	Das Unternehmen sucht nach den passenden Anpassungen an die Umweltfaktoren	Ein Initiatior/Orchestrator wählt oder gestaltet die Umwelt, auf die es letztlich ankommt: das Business Ökosystem
SCHLÜSSELELEMENT ZUR STRUKTURIERUNG DER ANALYSE	Sektor/Industrie-Sicht	Ökosystem-Denken
VIELFALT DER LEISTUNGSERSTELLUNG	Branchenfokussiert	Zusammen mit anderen Akteuren, egal ob sie derselben Branche angehören oder nicht

Auf den Punkt gebracht!

Grundlegende IST-Analysen über das eigene Unternehmen, bereits bestehende Ökosysteme, über andere Unternehmen mit ihren Initiativen und bereits bestehende Partnerschaften helfen, das Umfeld und die eigenen Fähigkeiten besser zu verstehen.

Insbesondere die Beziehung zwischen einem Unternehmen und seinem Umfeld verhält sich anders, da Business Ökosysteme gestaltet werden können und das Umfeld nicht als gegeben angenommen werden muss.

Die reine Analyse, ohne die iterative Erkundung von Kundenbedürfnissen, Taktiken und Strategien, wird jedoch nicht zum Erfolg führen.

Für ein gut konfiguriertes Ökosystem braucht es beide Dimensionen, eine klare Aussage, wo sich das Spielfeld befindet, und wie es bespielt werden soll, um schliesslich erfolgreich zu sein.

WHERE TO PLAY? HOW TO CONFIGURE? HOW TO WIN?

HOW TO WIN AND CONFIGURE?

Grosses Spielfeld für Business Ökosysteme

Die Unternehmensrealität zeigt, dass heutzutage meistens beides, also ein Mix aus „EXPLOIT" und „EXPLORE" in Bezug auf Business Ökosystem Initiativen genutzt wird. Das heisst, dass Unternehmen zum Beispiel auf die bestehenden Fähigkeiten sowie Aktivitäten rund um das Kerngeschäft und bestehenden Geschäftsmodellüberlegungen bauen und diese als teilnehmende Akteure in ein Ökosystem einbringen können. Meist können dadurch neue Revenue Streams realisiert oder eine grössere Marktfläche adressiert werden. Schliesslich hilft es Unternehmen, ihre Wettbewerbsfähigkeit auf breitere Säulen zu stellen und bestehende Geschäftsmodelle zu leveragen. Meist führen diese Überlegungen bei der Initialisierung von Ökosystemen aber nur zu linearem Wachstum, weil nicht das Ökosystem und die Multiplikatoren mit den anderen Akteuren im Zentrum stehen, sondern die Adaption des eigenen Geschäftsmodells auf ein Business Ökosystem.

Alternativ können Unternehmen neue Systeme erschaffen, die durch eine einzigartige Value Proposition und neue Konfigurationen von Geschäftsmodellen, aber auch der Geschäftsmodelle der Partner, einen explorativen Charakter aufweisen. Diese Ökosysteme haben bei der richtigen Konfiguration das Potenzial, zu einer erfolgreich umgesetzten „Black Ocean"-Strategie zu werden. Die Überlegenheit entsteht zum Beispiel in Form der Gestaltung des Geschäftsmodells, die es für jeden gewünschten Akteur attraktiv macht, teilzunehmen. Das grundlegende Geschäftsmodell und die Attraktivität aller Geschäftsmodelle zusammen, die von den Akteuren im System genutzt werden, übertreffen die bekannten Differenzierungen über Preis, Technologie, Kundenzugang oder den Einfluss einer im Markt bekannten Marke. Solche Ökosysteme entstehen meist als „Greenfield-Ansatz", weit weg von traditionellen Unternehmensstrukturen und -denkweisen. Unternehmen die „EXPLORE" für die Initialisierung eines neuen Business Ökosystems nutzen, haben die Chance auf exponentielles Wachstum, da das Ökosystem matchentscheidend ist und nicht die etablierten Produkte, Dienstleistungen und Geschäftsmodelle. Die Erfahrungen aus verschiedenen Initiativen helfen, über die Zeit „Spielzüge" in einem „Playbook" zu dokumentieren, die besonders gut funktioniert haben. Diese können entsprechend wiederholt werden, wenn sie gut funktionieren und für die neue Situation passen. Wenn es nicht funktioniert, dann improvisieren! Das Scheitern vergangener Züge treibt das Wechselspiel von geplanten Spielzügen und Improvisation an. Ein solches Muster kann auch auf das Business Ökosystem Design angewandt werden.

Es gibt unzählige Möglichkeiten, bestehende Fähigkeiten in ein Ökosystem einzubringen oder entsprechend radikal andere Wertversprechen in einem neu gestalteten Business Ökosystem zu skalieren und zu monetarisieren.

Where to Play-How to Win-Matrix

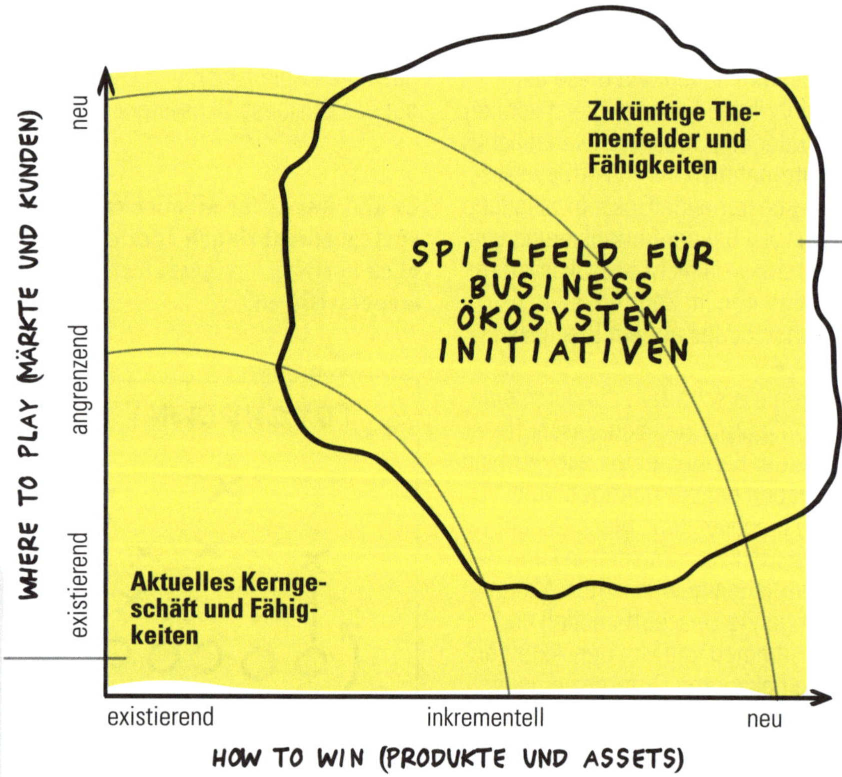

EXPLORE

BISLANG UNBEKANNTE MARKT-OPPORTUNITÄTEN...
die entweder aufgrund von Kundenbedürfnissen erkundet werden oder mit anderen Akteuren entwickelt werden müssen

- Design von neuen Ökosystemen
- Chance für exponentielles Wachstum
- Risikobehaftet

EXPLOIT

BEKANNTE UND OFFENSICHTLICHE MARKTOPPORTUNITÄTEN...
die geplant und angegangen werden können

- Nutzung von bekannten Fähigkeiten
- Sicherheitsbedacht
- Vorhersehbar

Unternehmen, die auf „EXPLOIT“ setzen und die bestehende Ausrichtung beibehalten, haben es meist schwer, exponentielles Wachstum zu generieren. Ihr Wachstum durch ein Ökosystem wird sich maximal um den Faktor 2 erhöhen lassen. Traditionelle Unternehmen haben oft einen sehr hohen Anteil an Sachkapital und Humankapital. Beides erlaubt es nicht, grössere Sprünge bei den Margen zu realisieren und neue Wachstumschancen zu nutzen. Unternehmen, die hingegen die Wichtigkeit des Ökosystem-Kapitals, bestehend aus der Interaktion der Akteure, erkannt haben und über eine multidimensionale Betrachtung der Geschäftsmodelle Win-win-Situationen erzeugen, haben entsprechende Möglichkeiten, exponentielles Wachstum zu realisieren. Simon Torrance (2018) hat in seinen Untersuchungen herausgefunden, dass ihre Kapitalrendite bei meist über 20% liegt, bei Margen von jenseits der 40%, wobei das Kurs-Umsatz-Verhältnis (KUV) meist bei 10x liegt. Traditionelle Branchen, mit Ausnahme von Industrien mit einem hohen Anteil an Geistkapital (z.B. Biotech oder Softwareanbieter), liegen weit unter diesen Werten. Banken liegen zum Beispiel i.d.R bei Kapitalrenditen, um 1.5%; Margen von 7–8 % und einem KUV von 1,5x. Bei Versicherungen sieht es ähnlich aus, während der traditionelle Einzelhandel sich mit Margen von 5–6%, einer Kapitalrendite von weniger als 3% und mit einem KUV von 1x begnügen muss.

Ökosystem-Player wie Amazon nutzen zunehmend den Ökosystem-Kapitalhebel als Ergänzung zum bestehenden Mix an Geschäftsmodellen. Aber auch Unternehmen wie Ping An (ursprünglich traditionelles Versicherungsunternehmen) hat es in 10 Jahren geschafft, sich evolutionär zu einem Ökosystem-Orchestrator auszurichten. Viele der aktuell erfolgreichen Ökosystem Akteure verfolgen ein ausgewogenes Portfolio aus „EXPLORE“ and „EXPLOIT“, wobei eine stetige Evolution und der Ausbau im Bereich des geistigen und Ökosystem-Kapitals zu beobachten ist, wie die Wachstumsgrafik von Ping An eindrucksvoll verdeutlich. Siehe auch Beispiel Seite: 291.

Beispiel

Konfiguration traditionelle Firmen vs. Ökosystem Orchestratoren (Kapital/Geschäftsmodell)

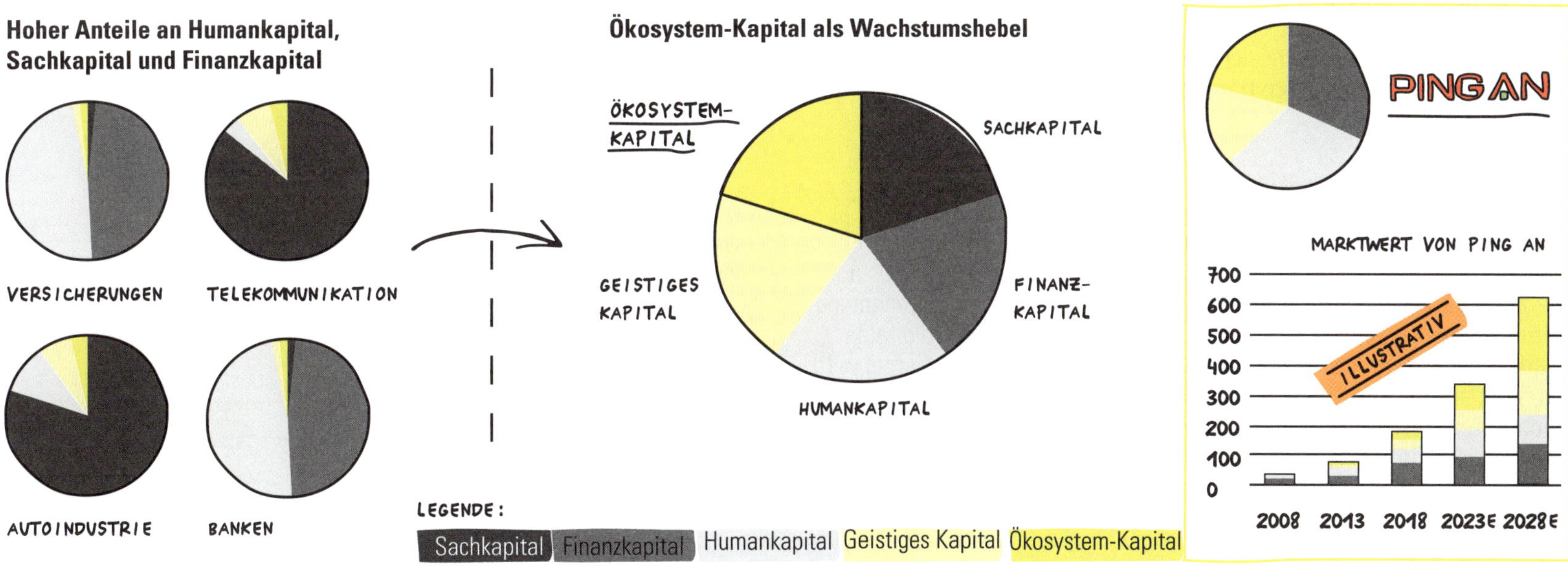

S-förmige Entwicklungen: Mögliche Evolutionen in einem Ökosystem-Play

Für die Einordung von Business Ökosystem Strategien gibt es kein etabliertes oder standardisiertes Raster. Aus der Erarbeitung und Beobachtung von verschiedenen Initiativen konnten jedoch verschiedene Muster abgeleitet werden, die in ausgewählten Dimensionen dargestellt werden können. Auf dieser Basis lassen sich strategische Ausprägungen von Ökosystemen typisieren, wie zum Beispiel **„Engaged Participant"**, **„Focused Challenger"** oder **„Lifecycle Approach"**. Diese Ausprägungen sind ab Seite 135ff. ausführlich beschrieben.

Ebenfalls interessant ist, zu reflektieren, wo Unternehmen aktuell stehen und wie ihre S-förmige Entwicklung hin zu einem Akteur, Integrator oder Orchestrator von Ökosystemen stattfindet. Viele Unternehmen sind aktuell noch damit beschäftigt, die digitale Transformation zu meistern, auch wenn es in den letzten Jahren eine Beschleunigung dieser Ambition gegeben hat. Unternehmen haben bereits im Rahmen dieser Transformation verschiedene Massnahmen lanciert, um die digitalen Kundenschnittstellen zu verbessern, Big/Data Analytics gewinnbringend einzusetzen und die Zusammenarbeit zum Beispiel mit Technologie-Start-ups zu intensivieren. Dies ist oftmals die Basis, um sich via APIs in digitalen Marktplätzen zu etablieren oder umfassendere Daten über Kunden (auch von externen Providern) zu integrieren.

Die Zusammenarbeit mit Technologie-Start-ups wird zum Beispiel als Feld zum Experimentieren und Lernen wahrgenommen. Oft ist zu beobachten, dass der nächste Schritt eine Rolle als Solution Integrator/ Bundler in einem „Life Cycle Approach" eröffnet. Hier liegt der Fokus auf der Aggregation oder Integration von Dienstleistungen von Unternehmenspartnern, was aktuell meist in Form einer Bereitstellung eines digitalen Marktplatzes/Plattform für das jeweilige Angebot stattfindet. Hierbei wird verstärkt auf „EXPLOIT" gesetzt. Aufbauend auf diesen Erfahrungen ist zu beobachten, dass Unternehmen sich in komplett neue Ökosystem-Initiativen wagen. Ein solcher „Greenfield"-Ansatz hat den Vorteil, dass meist konsequent an einer neuen Value Proposition gearbeitet wird und bestehende Geschäftsmodelle, Produkte und Services im Hintergrund bleiben.

Alternativ beschreiten Unternehmen einen direkten Pfad zu einem Initiator oder Orchestrator von einem Business Ökosystem. Ein solch radikaler Schritt wird jedoch meist nur von Unternehmen und Unternehmenslenkern und -lenkerinnen gewagt, die mental alle Mindshifts vollzogen und verinnerlicht haben.

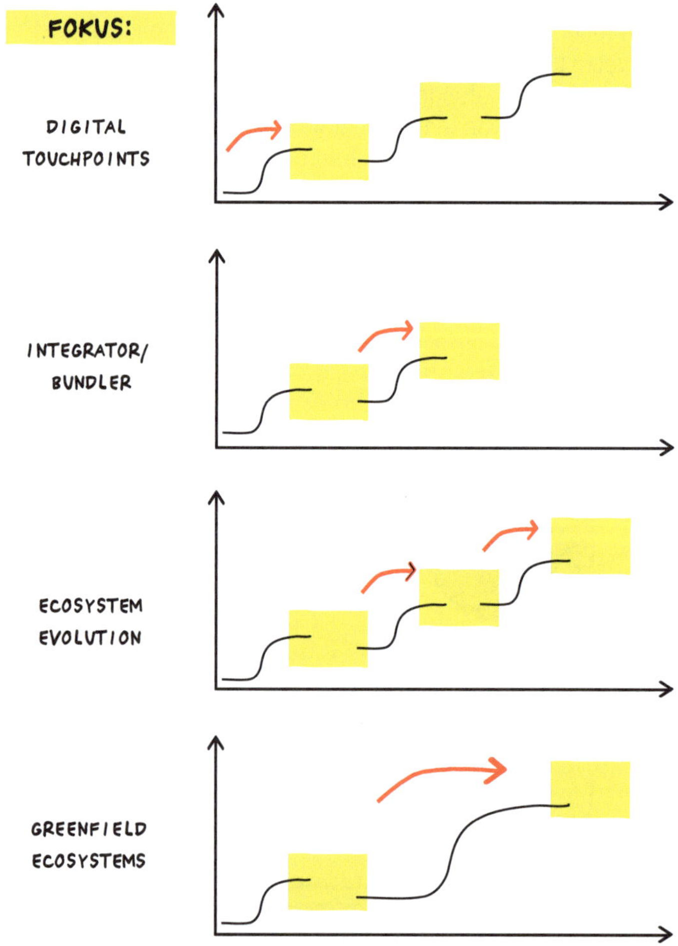

Beispiel

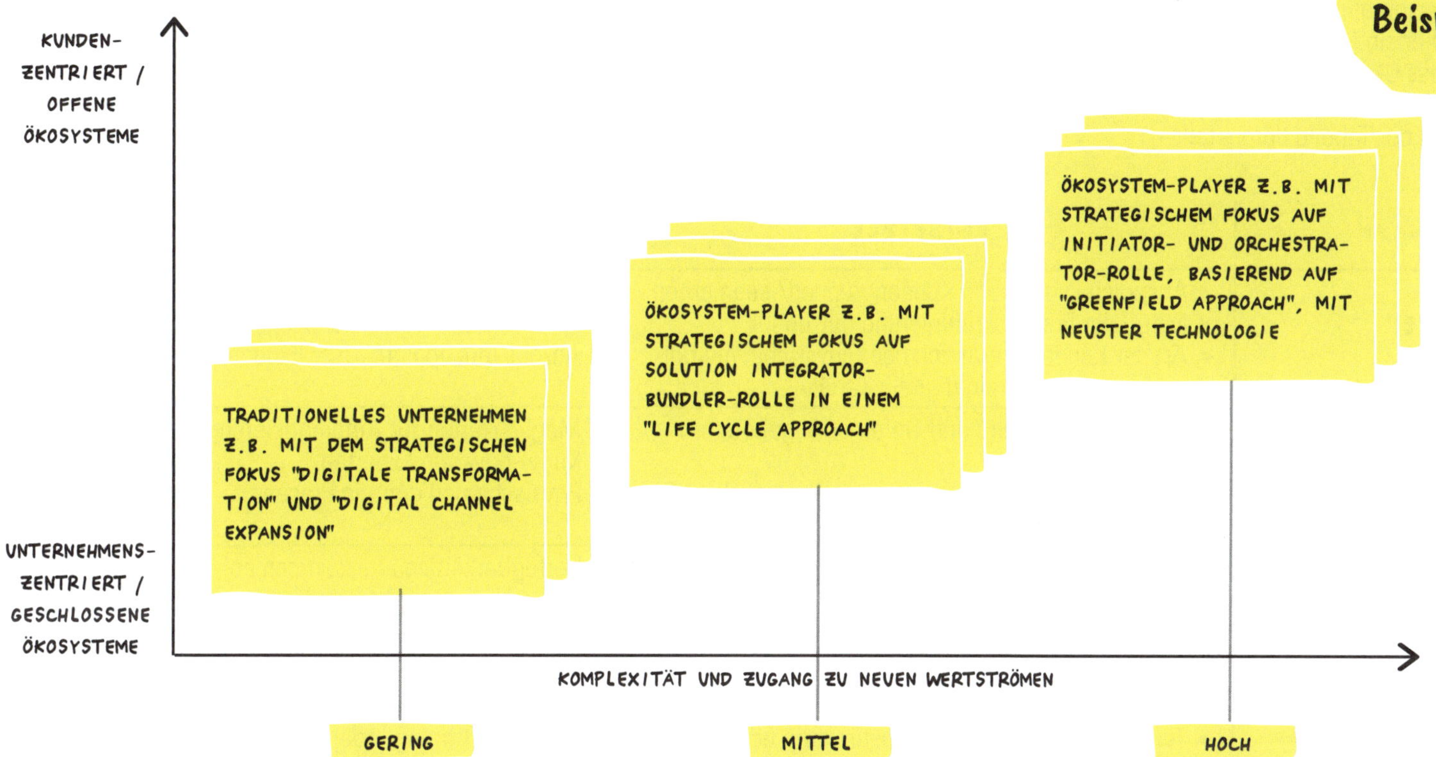

Gering

- Fokus auf Verbesserung der digitalen Kundenschnittstellen
- Erste Initiativen im Bereich Big Data/Analytics
- Sponsoring und Interaktion mit Innovationsökosystemen (z.B. Start-up-Initiativen)

Mittel

- Fokus auf die Aggregation oder Integration von Dienstleistungen von Unternehmenspartnern
- Bereitstellung eines digitalen Marktplatzes/Plattform für das Angebot
- Nutzung von neuen Geschäftsmodellen mit neuen direkten und indirekten Wertströmen

Hoch

- Aktive Rolle als Business Ökosystem-Orchestrator
- Nutzung von moderner Informationstechnologie
- Definition von multiplen Wertströmen und Geschäftsmodelloptionen
- Datengetriebene Dienstleistungs- und Produktentwicklung mit weiterführenden Optionen der Monetarisierung von Daten

Die jeweilige Öffnung und Pfade zu den Ökosystem-Rollen haben eine Auswirkung auf das jeweilige Geschäftsmodell und entsprechende Konsequenzen. Auch hier sind die Möglichkeiten und Ausprägungen vielfältig und je nach Business Ökosystem sehr unterschiedlich. Bespielhaft sind die Konsequenzen in Bezug auf Ressourcen, Fähigkeiten, Organisation und Value Proposition in der Tabelle dargestellt.

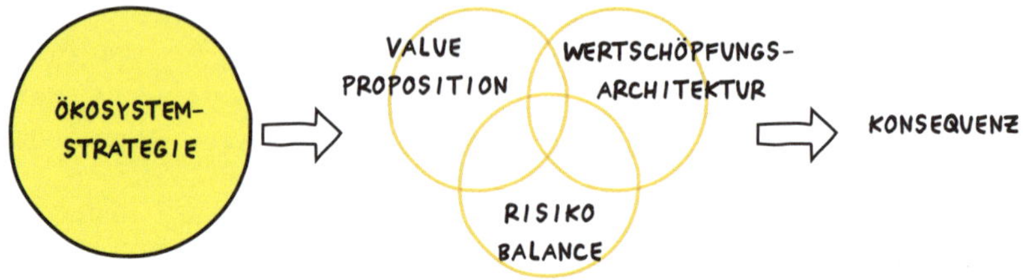

AUSWAHL AN ...	BEISPIELE	MÖGLICHE KONSEQUENZEN
KUNDEN-INTERAKTIONEN	• Ansprache von neuen Kundengruppen/-segmenten • Mittel der Preisdiskriminierung nutzen • Art der Kundeninteraktion über physische, multidimensionale oder rein digitale Kanäle	• Intensität des Wettbewerbs • Art und Typen der Kundensegmente • Anzahl Touchpoints, User Experience Design
KUNDENSCHNITTSTELLEN, -BEZIEHUNGEN	• Definition der Breite und Tiefe der Angebote pro Segment • Dezentrale, Hub-and-Spoke- oder Point-to-Point-Betreuung und Beziehungen zum Kunden	• Möglichkeiten zur Automatisierung • Know-how von Experten • Physische und digitale Präsenz
FÄHIGKEITEN IN BEZUG AUF IT, DATEN, INFRASTRUKTUR, KI	• Nutzung von Ressourcen mit einer geringen strategischen Bedeutung • Entwicklung von eigener Technologie	• Verfügbarkeit von Ressourcen auf dem Arbeitsmarkt • Keine Notwendigkeit für Partner zur Technologieentwicklung
ROLLEN IM BUSINESS ÖKOSYSTEM	• Funktion als Initiator • Rolle des Orchestrators • Teilnehmender Akteur mit bestimmten oder allgemeinen Aufgaben	• Höhe der Vorinvestitionen für Prototypen und MVPs • Grad der Verantwortung für Wachstum • Grad der Öffnung, Adaption und Bereitstellung von Fähigkeiten
PRODUKT- UND DIENSTLEISTUNGSPORTFOLIO-ELEMENTE	• Full-Service mit hoher Breite und Tiefe im Angebot • Spezifische Angebote oder Erweiterungen von bestehenden Angeboten	• Anzahl an unterschiedlichen Akteuren im System • Komplexität der Orchestrierung • Befriedigung einzelner oder einer Vielzahl an Kundenbedürfnissen
ORGANISATIONSDESIGN MERKMALE	• Interaktion/Co-Creation mit neuen Akteuren • Direktvertrieb/Bundling	• Verhandlungsmacht der Stakeholder • Kein Bedarf an Distributoren
WETTBEWERBSSTRATEGIEN (OCEAN)	• Fortführung einer Red-Ocean-Strategie • Starke Differenzierung via Blue-Ocean-Strategie • Realisierung einer Black-Ocean-Strategie mit einzigartiger Value Proposition	• Grad der Differenzierung • Chancen auf Wachstum • Radikalität der aktuellen und zukünftigen Innovationen

Kontextualisierung der strategischen Optionen im „Ecosystem Play-Win-Configuration Framework"

Wie einleitend in diesem Kapitel beschrieben, können Fragen und sogenannte Choice-Kaskaden aus der Strategiearbeit als Basis der Kontextualisierung von Optionen genutzt werden, um so die Evaluierung von verschiedenen Handlungsfeldern in Bezug auf Ökosysteme für Entscheidungsträger und Gremien besser zugänglich zu machen. Ein bekanntes Werkzeug ist die Strategiemethodologie „Playing to Win" von AG Lafley und Roger Martin, das für einen solchen Zweck genutzt werden kann. Das Framework basiert auf einer Reihe von Fragen, die miteinander verbunden sind und für Ökosystem-Initiativen, wie hier im Beispiel, adaptiert werden können.

Die Strategie ist ein koordinierter und integrierter Ansatz von verschiedenen Möglichkeiten:

A winning aspiration:
Der Zweck des Ökosystems, das motivierende Bestreben aller Akteure, erfolgreich zu sein.

Where to play:
Ein Themenfeld, auf dem das Ziel erreicht werden kann.

How to win:
Die Art und Weise, wie auf dem gewählten Themenfeld gewonnen werden kann.

Core capabilities:
Die Fähigkeiten und Fachkenntnisse, die erforderlich sind, um das gewählte Zielbild zu erreichen.

Management Systems:
Die Governance, die ermöglicht, bestehende Fähigkeiten zu erweitern, neue Fähigkeiten aufzubauen und das priorisierte Zielbild zu erreichen.

How to configure:
Schärfung des Rollenverständnisses im Ökosystem, inkl. der Ausgestaltung von Kundeninteraktionen und Angeboten.

ECOSYSTEM PLAY–WIN-CONFIGURATION FRAMEWORK

Tool

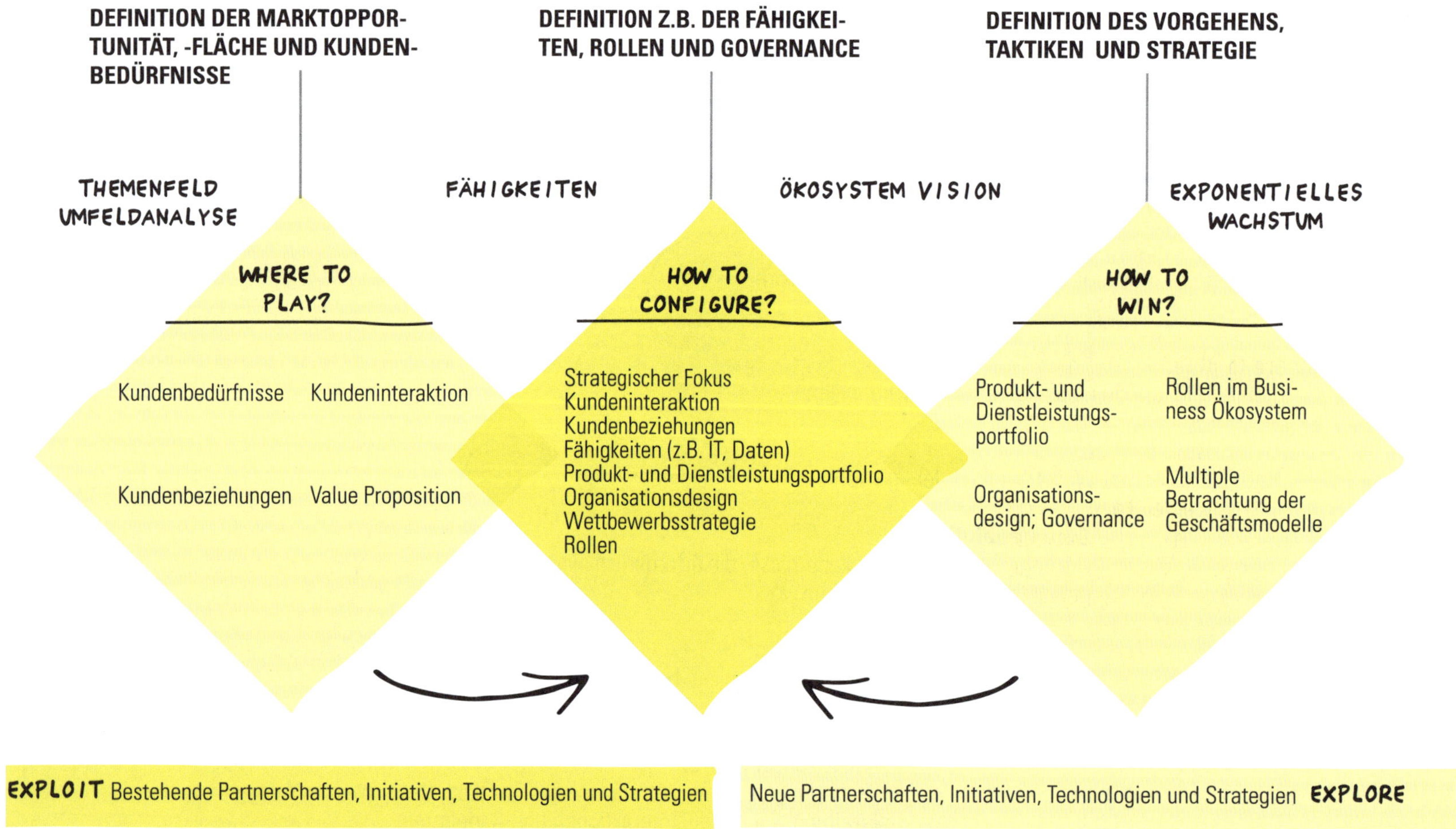

Tool

Ecosystem-Configuration-Raster

Von „where to play“ zu „how to win & configure“

Die einzelnen Dimensionen für „How to configure“ sollten für jede Ökosystem-Initiative individuell erarbeitet werden. Die auf den nächsten Seiten vorgestellten Ausprägungen haben einen illustrativen Charakter und dienen somit als Beispiel. Konfigurationen von Business Ökosystemen aus Sicht eines Unternehmens, mit den dargestellten Kriterien, sind auf Seite 132 bis 135 zu finden.

Das Ecosystem-Configuration-Raster hilft dem Business Ecosystem Design Team:

- Die für das Business Ökosystem entscheidenden Konfigurationen vorzunehmen.
- Eine für die Initiative und Rolle passende Konfiguration zu erarbeiten (z.B. Initiator oder Active Participant).
- Auf die erfolgskritischen Elemente vom strategischen Fokus über die Kundeninteraktion bis hin zum Organisationsdesign einzugehen.
- Elemente der Konfiguration genau zu beschreiben, um Klarheit über die Absicht und Zielerreichung zu erhalten.

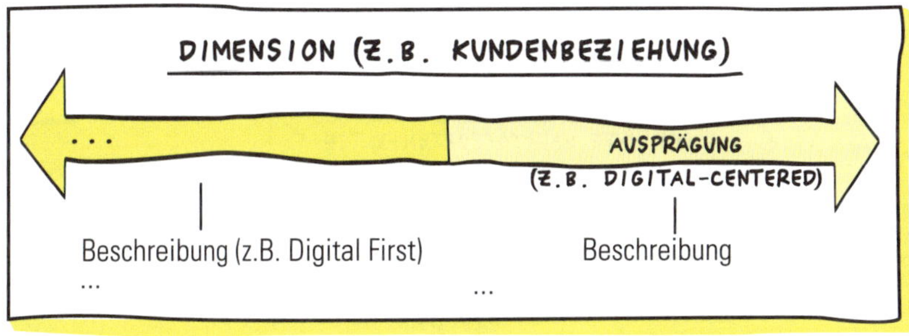

Vorgehen und Template Ecosystem-Configuration-Raster

1. Für die Ausgestaltung der Konfiguration helfen die Resultate aus der Definition der Marktopportunität,-fläche und den jeweiligen Kundenbedürfnissen (Where to play).
2. Die Konfiguration ist eng an die eigentliche Definition des Vorhabens, die gewählten Taktiken und Strategien geknüpft (How to win).
3. Die Konfiguration soll schliesslich die Bausteine enthalten, die notwendig sind, um eine Ökosystem-Vision in Etappen zu realisieren, wobei die Dimensionen und Ausprägungen je nach Initiative passend ausgewählt und beschrieben werden sollten.

Je nach Fokus eines Business Ökosystems sollten die passenden Dimensionen und Ausprägungen gewählt werden.

TOOL ZUM DOWNLOAD
www.business-ecosystem-design.com/win-configure

How to win & configure: Strategischer Fokus

Beispiel

Viele etablierte Unternehmen haben eine ausgewogene Strategie zwischen „EXPLOIT“ und „EXPLORE“ und agieren in diesen Dimensionen für die Partizipation oder Initialisierung von Business Ökosystemen. Der Weg über „EXPLOIT“ entspricht jedoch eher dem Ansatz und der Denkweise für den Aufbau von neuen Ökosystemen mit einzigartigen Wertversprechen, während Ökosystem-Initiativen und Partizipation mit „Exploit“-Charakter oftmals eher das Ziel verfolgen, die eigenen Produkte und Services über einen weiteren Kanal oder auf einem Marktplatz zu vertreiben. Eine Gegenüberstellung von Exploit und Explore ist in der Tabelle auf Seite 40 zu finden.

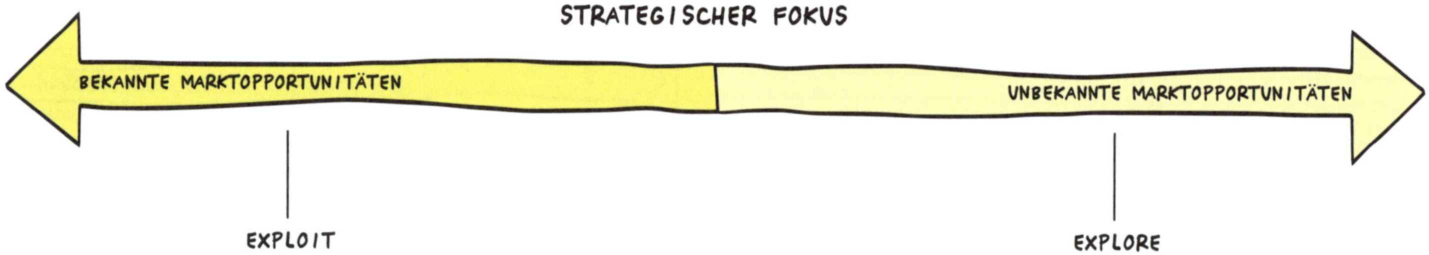

Zum Beispiel Fokus auf die bestehenden Fähigkeiten, Produkte, Kundenschnittstellen und Märkte oder Erweiterung von bestehenden Geschäftsmodellen in ein Ökosystem.

Zum Beispiel Fokus auf neu einstehende Kundenbedürfnisse, neue Verhaltensweisen, Märkte sowie Produkt- und Dienstleistungsbundles oder Einnehmen von neuen Rollen und Geschäftsmodellen, die ein Ökosystem bieten.

How to win & configure: Kundeninteraktion

Beispiel

Die Auswahl der passenden Kundeninteraktion ist eine weitere oft genutzte Charakteristik von Business Ökosystemen. Die Dimensionen der Kundeninteraktionen sind vielfältig und die hier vorgestellte Auswahl unterscheidet in „Human-Centered" und „Digital Centered". So brauchen viele Dienstleistungen und Produkte einen persönlichen physischen Ansprechpartner, während andere Dienstleistungen und Produkte unbedenklich zu 100% digital bezogen werden können. Viele Ökosysteme starten mit einer Fokussierung auf Digital-First und bauen später zur Ergänzung wieder physische Touchpoints wie „Experience Center" oder „Repräsentationen" zum Bezug von Produkten oder Dienstleistungen auf. Andere Ökosystem-Initiativen lernen von den physischen Touchpoints und ergänzen zunehmend mit der digitalen Interaktion.

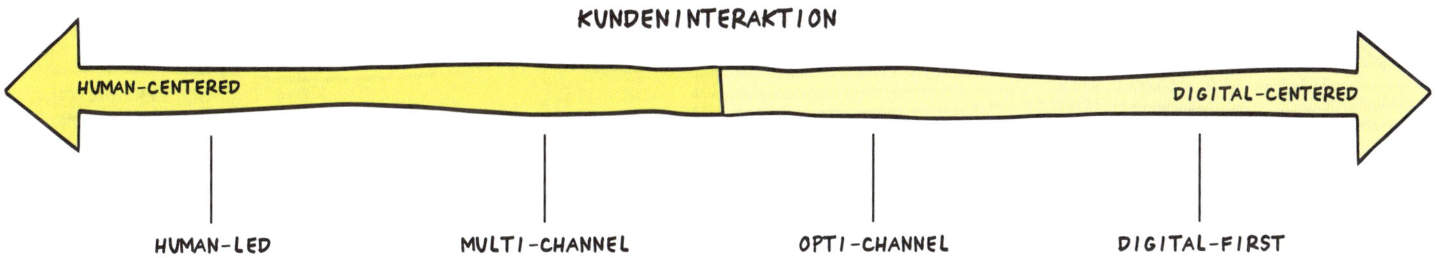

Zum Beispiel Fokus auf die physische Interaktion mit Kunden über alle Transaktionstypen und Segmente.

Zum Beispiel Fokus auf einen Multi-Channel-Ansatz mit digital unterstützter oder voll automatisierter Kundeninteraktion über alle Transaktionstypen und Segmente.

Zum Beispiel Fokus auf ein optimiertes Servicemodell mit spezifisch zugeschnittenen Interaktionen in Bezug auf die jeweiligen Bedürfnisse von jedem einzelnen Kunden.

Zum Beispiel Fokus auf ein digitales Interaktionsmodell, das die physische Interaktion minimiert, es sei denn, die physische Interaktion ist Teil der erbrachten Value Proposition.

How to win & configure: Kundenschnittstelle, -beziehung

Beispiel

Neben der Kundeninteraktion können Business Ökosysteme unterschiedliche Formen der Kundenbeziehung etablieren und leben. Hier kann zum Beispiel in konträren Ausprägungen „Digital & Automatisiert" vs. „Digital & Persönlich" gedacht werden. Auch hier sind wieder unzählige Ausprägungen möglich, die je nach Ökosystem und Value Proposition sehr unterschiedlich sind. Point-to-Point-Beziehungen nutzen zum Beispiel eine persönliche Kundeninteraktion für bestimmte Belange, bei denen es Sinn macht, Experten hinzuzunehmen. Für automatisierte Interaktionen werden zum Beispiel eher dezentralisierte Ansätze unter Einsatz von intelligenten Voice-Bots und Chat-Bots genutzt.

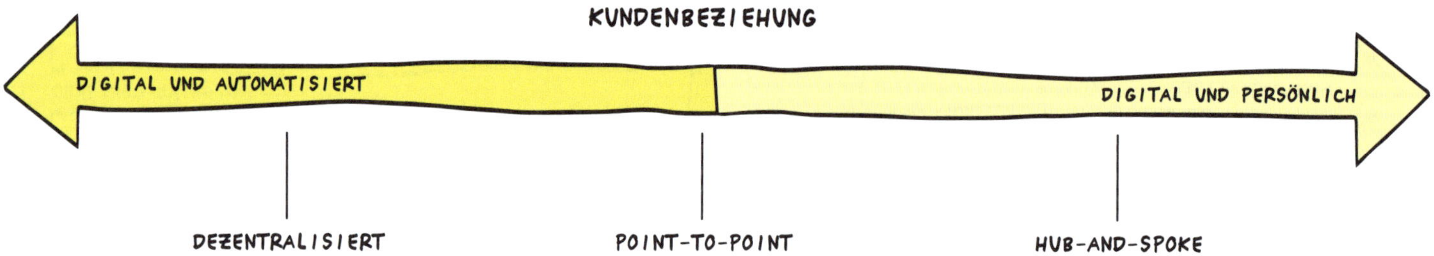

Zum Beispiel Fokus auf einheitliche digitale Kundenschnittstelle ohne einen persönlichen Ansprechpartner, der für die Kundenbeziehung verantwortlich ist.

Zum Beispiel Fokus auf gezielte persönliche Kundeninteraktion für bestimmte Belange durch Subject Matter Experts (SMEs).

Zum Beispiel individuelles Servicemodell mit spezifischen Ansprechpartnern für bestimme Zielgruppen, Belange oder Transaktionstypen.

How to win & configure: IT, Daten, Infrastruktur, KI

Beispiel

Der Umgang mit den Fähigkeiten in Bezug auf IT, Daten, Infrastruktur bis hin zur Künstlichen Intelligenz werden oft bereits durch die strategischen Dimensionen „EXPLOIT" und „EXPLORE" getrieben. So neigen Unternehmen, die sich auf „EXPLOIT" konzentrieren, oftmals auch dazu, die Fähigkeiten in Bezug auf IT und Daten eher langsam und schrittweise auszubauen. Im Kontrast dazu stehen „Greenfield"-Ansätze, die auf neuen Technologieplattformen ihre Initiativen realisieren und das volle Potenzial der Digitalisierung nutzen. Jede Art von Legacy-Systemen oder das Fehlen von APIs bis hin zu Data-Analytics-Fähigkeiten führen zu einer Verlangsamung in der Umsetzung und verringern die Skalierungsmöglichkeiten.

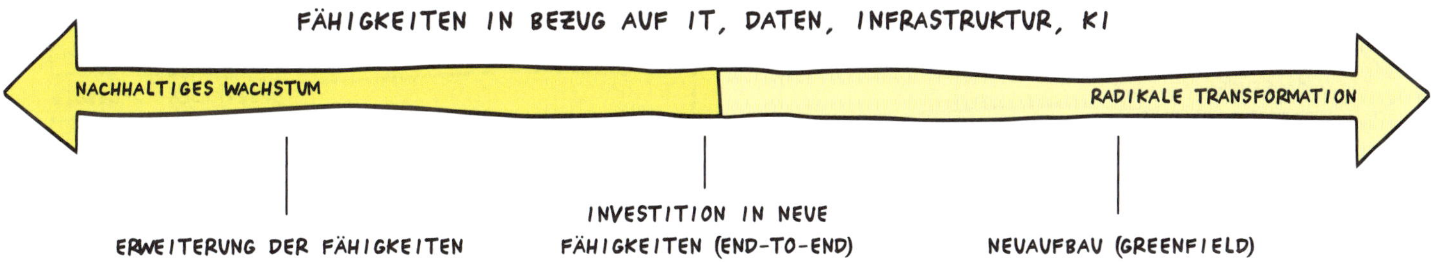

Zum Beispiel Investitionen in die Digitalisierung oder Ersatz von kritischen Fähigkeiten zum Design neuer Funktionen und Kundenerlebnisse, bis hin zu neuen Wertangeboten.

Zum Beispiel im Rahmen einer umfassenden Transformation der Fähigkeiten über weite Teile der Wertschöpfungskette mit moderner und innovativer Technologie.

Zum Beispiel Bau einer komplett neuen Technologieplattform auf der „Grünen Wiese", die als separate Firma oder Geschäftseinheit fungiert und das volle Potenzial von neuen digitalen Fähigkeiten nutzt.

How to win & configure: Produkt- und Dienstleistungsportfolio

Die Dimensionen der Produkte und Dienstleistungen, die im Ökosystem angeboten werden, richten sich zum einen nach dem Wertversprechen und zum anderen nach den geplanten Schritten und Etappen im Aufbau des Business Ökosystems. Oft werden zum Start sogenannte „Killer-“ Erfahrungen und Funktionen verwendet, die das Ziel haben, den Kunden an das System zu binden und seine Bedürfnisse bestmöglich zu bedienen. Die Angebote im Aufbau bis hin zum Zielbild können auch hier wieder die unterschiedlichsten Ausprägungen annehmen. Beispiele für das Produkt- und Dienstleistungsportfolio reichen von Full-Service-Angeboten bis hin zu Bundles und Angeboten, die auf den Lebenszyklus von Kunden und Unternehmen ausgerichtet sind.

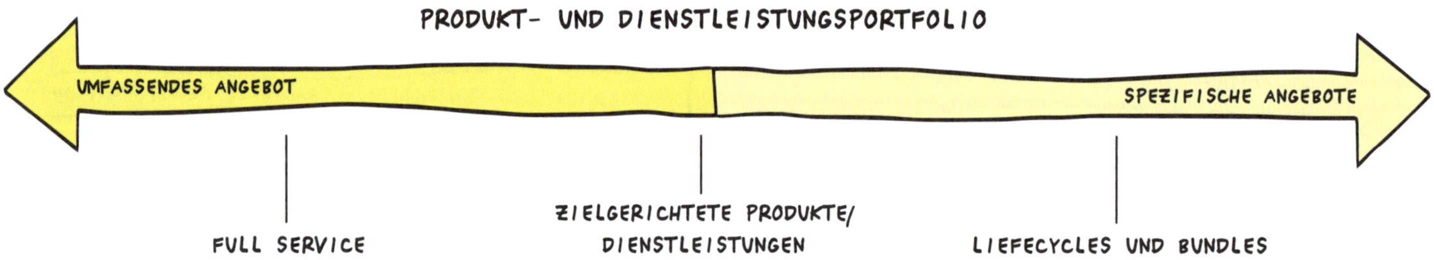

Zum Beispiel im Rahmen eines sehr breiten und tiefen Angebots an Produkten und Dienstleistungen, die vom eigenen Unternehmen und anderen Akteuren im Ökosystem erbracht werden.

Zum Beispiel die Entwicklung von spezifischen Angeboten, die für bestimmte Kundenbedürfnisse und Teilsegmente zugeschnitten sind, entweder als komplett neue Angebote oder Erweiterung von bestehenden Angebotskomponenten.

Zum Beispiel Gestaltung von verschiedenen Dienstleistungen und Produkten, die jeweils auf die Bedürfnisse der Kunden in verschiedenen Lebensphasen (Geburt bis Ableben) ausgerichtet sind.

How to win & configure: Organisationsdesign

Beispiel

Das Design der Organisation ist in der Regel sehr stark von der gewählten Governance und Art und Weise geprägt, wie die neuen Fähigkeiten zum Beispiel in Bezug auf IT, Daten usw. aufgebaut und genutzt werden. Die Charakteristika reichen auch hier von kundenzentrierten Ansätzen mit transversalen Teams bis hin zu klassischen Ansätzen, die sich in die bekannten Strukturen von Geschäftsbereichen eingliedern. Für die erfolgreiche Realisierung einer Business Ökosystem Initiative sollte erfahrungsgemäss eher ein kundenzentriertes Modell gewählt und die Organisation dahingehend ausgerichtet werden.

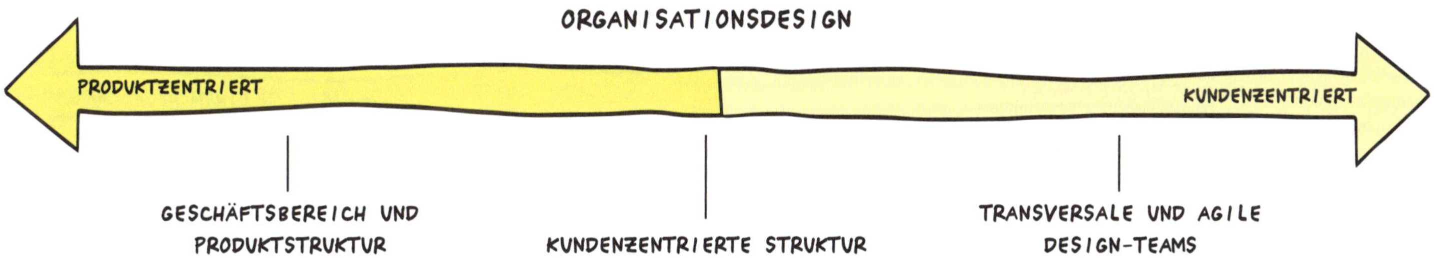

Die Organisationsstruktur für die Partizipation in Ökosystemen ist zum Beispiel nach den bekannten Produkt- und Geschäftsbereichen einer Unternehmung organisiert.

Die Strukturen und Abläufe sind zum Beispiel dahingehend ausgerichtet, dass sich weite Teile der Organisation darauf konzentrieren, ein einzigartiges Kundenerlebnis zu gestalten, einschliesslich der digitalen Kanäle und neuen Incentivierungen, als „Anker“ in der widerkehrenden Kundeninteraktion.

Die Struktur der Organisation ist zum Beispiel durch eine transversale Zusammenarbeit von verschiedenen Design-Teams geprägt, die eine grössere organisatorische Agilität zulässt, um so besser auf Kundenbedürfnisse und Marktanforderungen eingehen und reagieren zu können.

How to win & configure: Wettbewerbsstrategie

Beispiel

Red, Blue und Black-Ocean-Strategien sind Sichtweisen auf die Gestaltung von Wettbewerbsstrategien. Grundgedanke ist, dass es drei unterschiedliche Wege gibt, Wachstum und nachhaltigen Unternehmenserfolg zu realisieren. Red Ocean beschreibt eine eher traditionelle Sichtweise, während „Blue Ocean" das Ziel hat, neue Märkte zu entwickeln, welche der breiten Masse der Kunden bzw. Nicht-Kunden wirklich differenzierende und relevante Nutzen stiften. „Black Ocean"-Strategien basieren auf einem noch radikaleren Weg. Diese Strategie zielt darauf, Business Ökosysteme zu etablieren, die aufgrund ihrer Konfiguration, beteiligten Akteuren und Bereitstellung einer einzigartigen Value Proposition dem Wettbewerb wenig Möglichkeiten gibt zu konkurrieren.

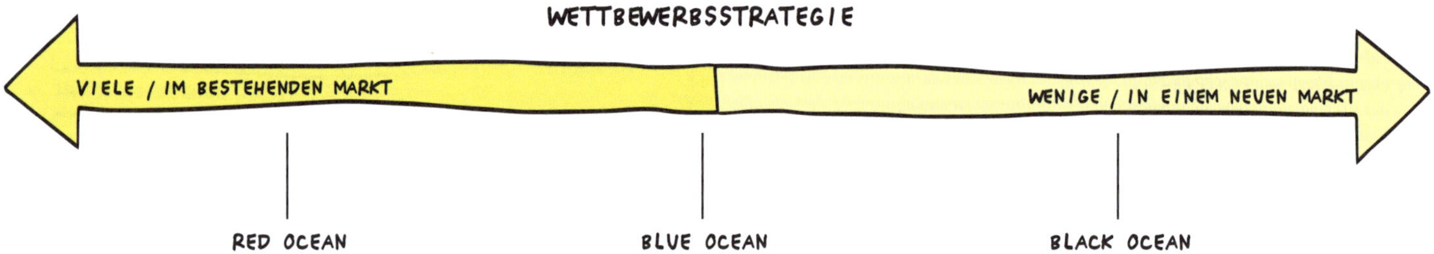

Zum Beispiel Fokus auf den Wettbewerb in einem vorhandenen Markt, Nutzung der existierenden Nachfrage mit dem Ziel, die Konkurrenz zu schlagen.

Zum Beispiel Fokus auf die Etablierung eines neuen Marktes, Erschliessung von neuer Nachfrage mit dem Ziel, der Konkurrenz auszuweichen.

Zum Beispiel Fokus auf eine einzigartige Value Proposition, die als einzelnes Unternehmen nicht erbracht werden könnte. Befriedigung von neuen Kundenbedürfnissen mit dem Ziel, ein Ökosystem zu generieren, das in Co-Competition und Koevolution mit anderen Akteuren besteht.

How to win & configure: Rollen im Business Ökosystem

Beispiel

Die Rollen im Business Ökosystem reichen vom Initiator über den Orchestrator bis hin zum Akteur im System. Oftmals werden noch weitere Rollen definiert, die für ein spezifisches Business Ökosystem von Relevanz sind. In der Regel sind die drei aufgelisteten Rollen von grösster strategischer Bedeutung und sollten entsprechend im Rahmen der Ökosystem-Strategie analysiert und definiert werden. Oftmals haben Unternehmen mehrere Rollen in verschiedenen Ökosystemen. So partizipieren sie in Ökosystemen und bauen parallel in einem anderen Umfeld aktiv ein neues Business Ökosystem auf. Zudem gibt es noch Rollen wie „Zulieferer" und, wie sie hier im Buch bezeichnet werden, „andere Player", die zum Beispiel als Technologie-Enabler oder Validierungsstelle für Informationen fungieren.

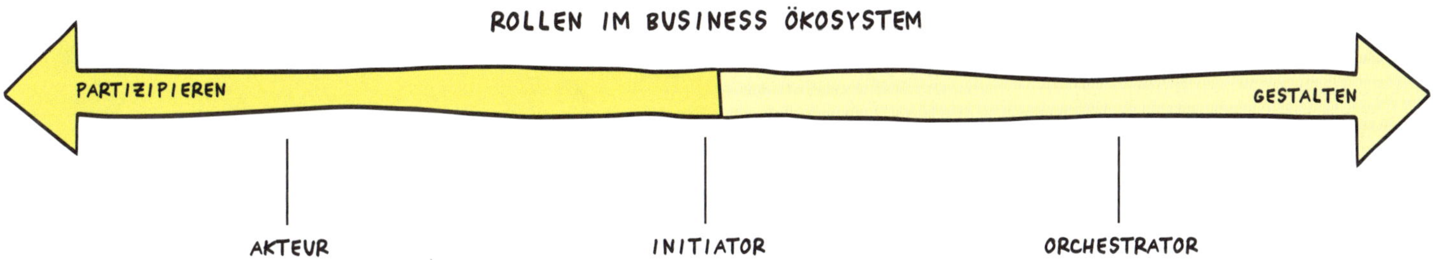

Ein Akteur im Business Ökosystem hat meist Fähigkeiten oder Angebote, die in der Erstellung der Value Proposition integriert werden. Die Akteure haben zudem die Aufgabe, im Rahmen der Prinzipien und Regeln zu innovieren. Sie adjustieren Teile ihrer Aktivitäten, Geschäftsmodelle und Strategien entlang des Vorhabens.

Oft erkennt der Initiator zum Beispiel ein neues Kundenbedürfnis und startet mit der Initialisierung der Aktivitäten. Meist stellt er das Budget für erste Prototypen und MVP bereit. In vielen Fällen wechselt der Initiator in die Rolle des Orchestrators oder wird zum Akteur im eigenen System.

Diese Rolle hat meist die Aufgabe, die Aktivitäten zu koordinieren. Dafür werden Prinzipien und Regeln aufgestellt, und die Rahmenbedingungen für exponentielles Wachstum definiert. Ziel des Orchestrators ist, eine nachhaltige und zielgerichtete Governance zu realisieren.

Beispiele von strategischen Ausprägungen

Jede Konfiguration eines Business Ökosystems ist anders. Im Folgenden sind drei Szenarien als Beispiel skizziert, um zu zeigen, wie diese zu einer unterschiedlichen Konfiguration führen können. Die erste strategische Ausprägung ist die einfachste Konfigurationsform, in einem Business Ökosystem aktiv zu werden. Als teilnehmendes Unternehmen, in der Rolle „Active Participation/Innovator", werden Fähigkeiten in das Ökosystem eingebracht und im Rahmen der Prinzipien und definierten Werte besteht die Möglichkeit, im System zu co-innovieren (siehe Seite 133). Die Teilnahme an einem Business Ökosystem kann alle erdenklichen Formen annehmen. So kann auch ein Initiator die Rolle des teilnehmenden Akteurs nach der Realisierung des Ökosystems übernehmen.

Das zweite Beispiel einer Konfiguration zeigt die eines Initiators eines digitalen Ökosystems, welches von einem etablierten Unternehmen initiiert wird (siehe Seite 134). Dieser Initiator möchte mit dem Business Ökosystem und der damit verbundenen Value Proposition den Markt herausfordern. „Focused Challenger" sind meist Unternehmen, die ein bestimmtes Marktsegment mit sehr zielgerichteten Angeboten in einem Ökosystem-Play bedienen möchten.

Das dritte Beispiel zeigt ein Unternehmen, das eine starke Orchestrierungsrolle im Business Ökosystem übernimmt (siehe Seite 135). Unter der Prämisse „Digital First" wird ein Business Ökosystem rund um einen definierten Lebenszyklus gestaltet. Meist wird die Value Proposition an bestimmten Ereignissen (z.B. Live Events) festgemacht. In solchen Business Ökosystemen wird meist in einem frühen Entwicklungsstadium das jeweilige Potenzial von Big Data Analytics in der Gestaltung der Wertströme und des Ökosystems mit berücksichtigt.

Die Bespiele an Konfigurationen könnten unendlich fortgesetzt werden. Zudem verändern sie sich über die Zeit, da es dynamische Gebilde sind. Die folgenden Beispiele sind somit auch nur Momentaufnahmen von Business Ökosystemen, die gerade am Entstehen sind oder sich bereits am Markt etabliert haben.

ACTIVE PRACTITIONER

FOCUSED CHALLENGER

TRUSTED LIFECYCLE PLAYER

Die dargestellten Beispiele haben einen illustrativen Charakter und sollen lediglich die Vielfalt an Kombinationen verdeutlichen. Ökosysteme sind komplex und entwickeln sich ständig weiter. Aus diesem Grund sind es jeweils nur Momentaufnahmen von „how to win & configure".

Beispiele von strategischer Ausprägung: Active Participation/Innovator

Die Rolle des teilnehmenden Akteurs ist meist dadurch geprägt, dass man als Unternehmen seine eigenen Fähigkeiten in ein Business Ökosystem einbringt. Dies können Kundenkontakte, Produkte bis hin zur Bereitstellung von Kanälen zu den Kunden sein. Als Akteur in einem solchen System hat man im Rahmen der Prinzipien und Regeln meist die Möglichkeit, zu innovieren und zu gestalten.

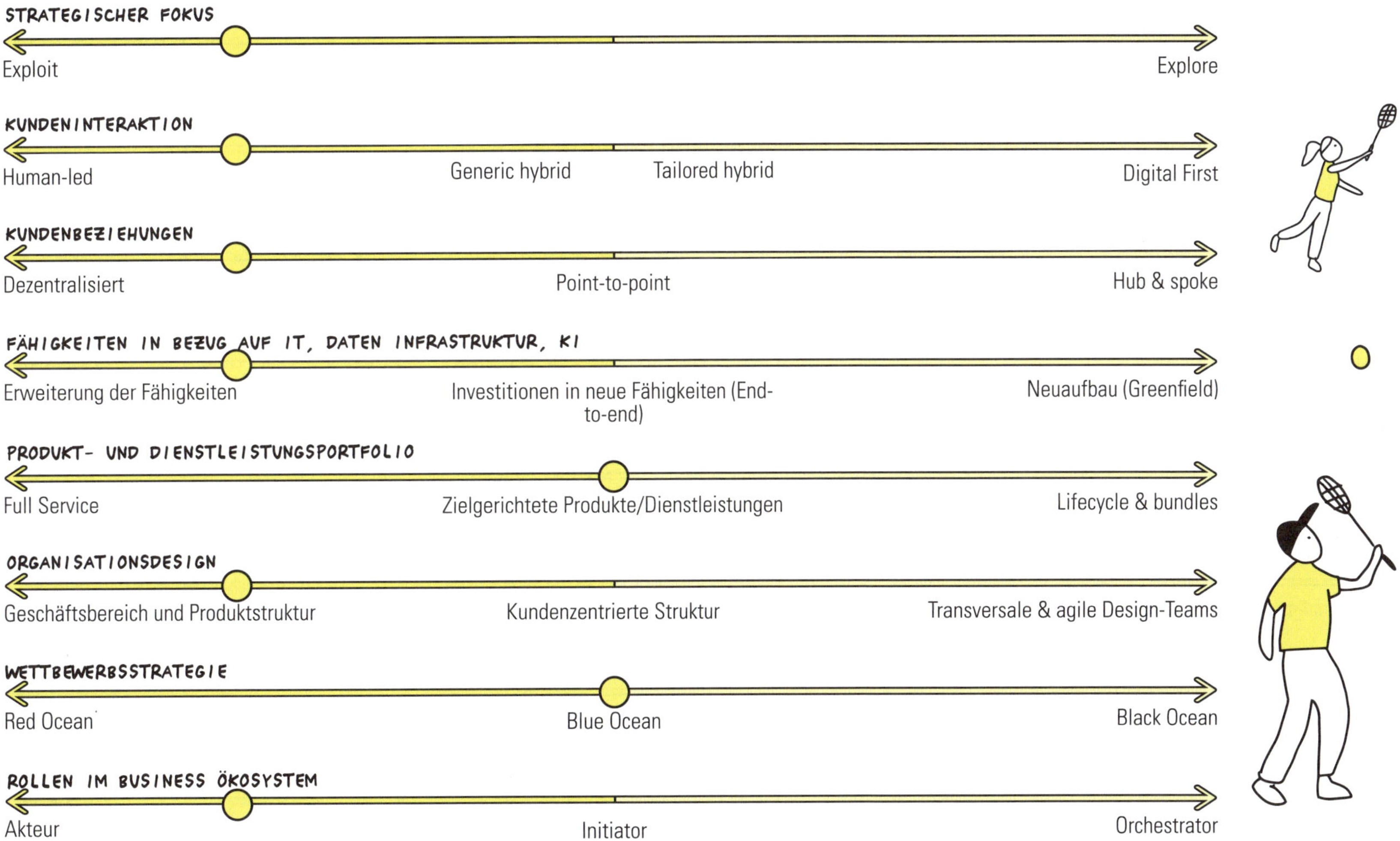

Beispiele von strategischer Ausprägung: Focused Challenger

Design eines digitalen Ökosystems, das von einem etablierten Unternehmen initiiert wird, den Markt mit diesem Angebot herausfordert (Challenger) und ein bestimmtes Marktsegment mit zielgerichteten Produkten bedient. Das Design ist kundenzentriert und die Interaktion bietet eine massgeschneiderte Value Proposition auf der Grundlage von Bedürfnissen zusammen mit der Option, zum Beispiel die Rolle des Orchestrators an einen anderen Akteur zu übertragen.

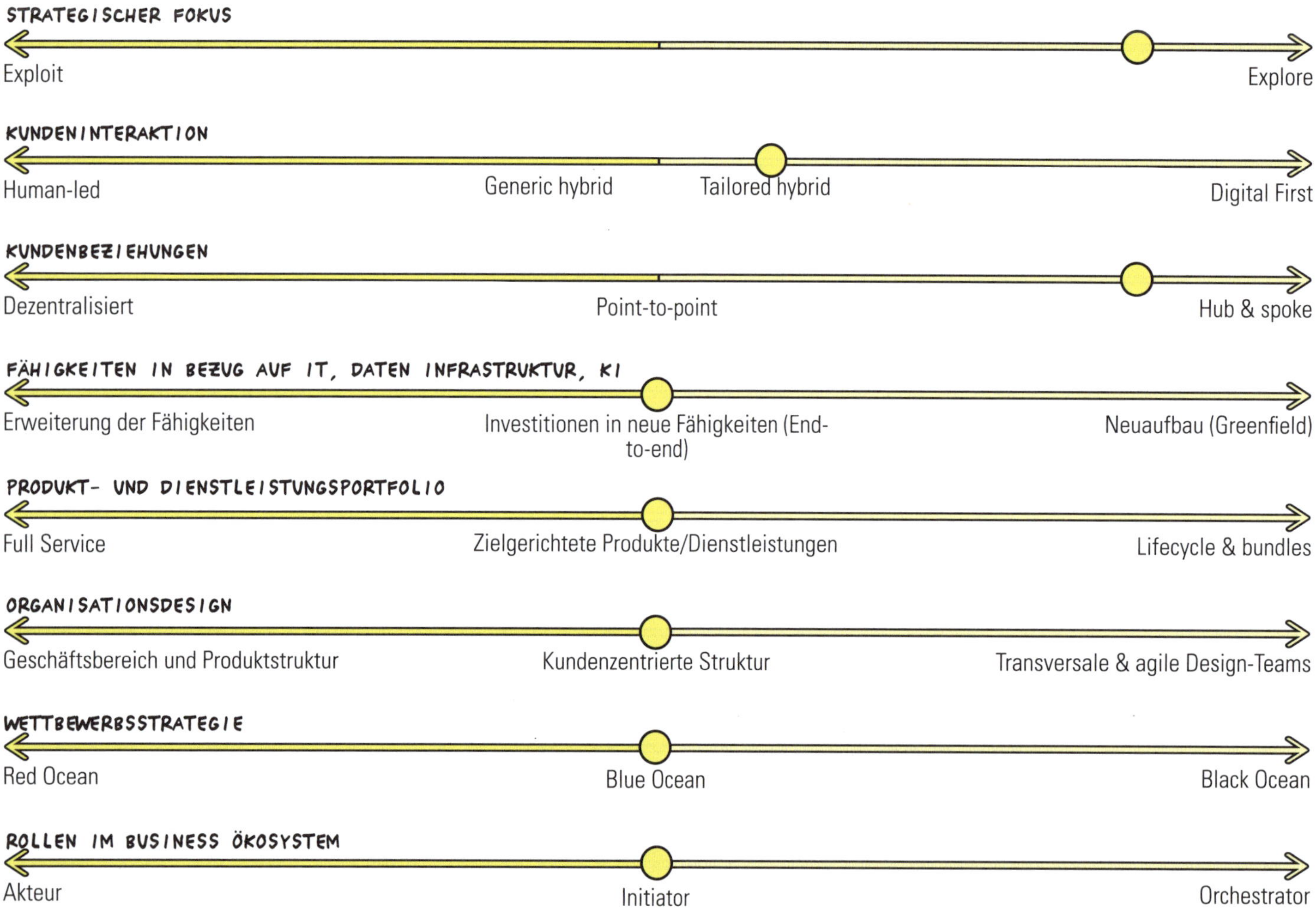

Beispiele von strategischer Ausprägung: Trusted Lifecycle Player

„Greenfield Approach" mit dem Ziel, ein Ökosystem unter der Prämisse „Digital First" in Bezug auf die Kundenbetreuung zu etablieren. Basis hierfür ist zum Beispiel der Lebenszyklus von Kunden oder eine Dienstleistung. Das Ökosystem bietet je nach Bedarf die passende (neutrale) Fachkompetenz, um die Kundenanfragen vertrauenswürdig zu beantworten. Daten und eine agile interne Struktur helfen, um schnell neue und individualisierte Produkte zu entwickeln.

STRATEGISCHER FOKUS

Exploit — Explore

KUNDENINTERAKTION

Human-led — Generic hybrid — Tailored hybrid — Digital First

KUNDENBEZIEHUNGEN

Dezentralisiert — Point-to-point — Hub & spoke

FÄHIGKEITEN IN BEZUG AUF IT, DATEN INFRASTRUKTUR, KI

Erweiterung der Fähigkeiten — Investitionen in neue Fähigkeiten (End-to-end) — Neuaufbau (Greenfield)

PRODUKT- UND DIENSTLEISTUNGSPORTFOLIO

Full Service — Zielgerichtete Produkte/Dienstleistungen — Lifecycle & bundles

ORGANISATIONSDESIGN

Geschäftsbereich und Produktstruktur — Kundenzentrierte Struktur — Transversale & agile Design-Teams

WETTBEWERBSSTRATEGIE

Red Ocean — Blue Ocean — Black Ocean

ROLLEN IM BUSINESS ÖKOSYSTEM

Akteur — Initiator — Orchestrator

Die Ausführungen in diesem Abschnitt, Business Ökosysteme als strategische Option wahrzunehmen, zeigen die Tragweite von Ökosystem-Ansätzen auf die gesamte Unternehmung. Die Komplexität solcher Initiativen benötigt neue Ansätze in der Strategiefindung bis hin zur Governance solcher Wachstumspfade. Zudem hat es Auswirkungen auf die Formen der Zusammenarbeit im Unternehmen und über die Unternehmensgrenzen hinweg. Hinzu kommen noch die zentralen Mindshifts (Seite 20) und Paradigmenwechsel (Seiten 38/39), die damit einhergehen.

Die Governance eines Ökosystems hat zum Beispiel nichts mit den etablierten Ansätzen eines Partnermanagements in Unternehmen gemein. Es geht um die Orchestrierung von Mitarbeitenden und anderen Akteuren im System. Diese müssen in die Lage versetzt werden, innovativ zu sein, sich schnell zu verändern und das volle Potenzial eines Ökosystems für alle Beteiligten zu nutzen. Zudem müssen Unternehmenslenker und -lenkerinnen bereit sein, die Risiken von Veränderungen anzunehmen, Organisationsstrukturen zu verändern und die Parameter für „Future Ways of Working" in die richtige Richtung lenken. Die Kollaboration von Mensch und Technologie als Team ist einer der zentralen Treiber für eine effiziente Nutzung der Ressourcen, um schliesslich entschlossener und reaktionsfähiger zu sein. In einem Business Ökosystem-Play braucht es eine gute Mischung aus verschiedenen Fähigkeiten. Diese reichen von Technologiewissen bis hin zu einer neuen Art von Leadership. Nur so wird es möglich sein, die Zielbilder eines Business Ökosystems zu erreichen und schliesslich exponentielles Wachstum zu erzielen. Auf die Themen Ökosystem-Leadership, Kommunikation von Zielbildern und die Nutzung des Team-of-Teams-Ansatzes wird ab Seite 145 kurz eingegangen. Ebenso wird eine Übersicht ab Seite 149 über „Future Ways of Working" und „Co-Creation"-Ansätze gegeben mit dem Ziel, alle Dimensionen vom Mindset über die Fähigkeiten bis hin zu Teamstrukturen des agilen Arbeitens, die für erfolgreiche Ökosystem-Initiativen notwendig sind, abzudecken. Zudem hat es sich als nützlich erwiesen, die Design-Prinzipen zu definieren, bevor die Teams mit den Aktivitäten in den Lenses starten. Dieses Tool wurde bereits auf Seite 98 in diesem Kapitel vorgestellt.

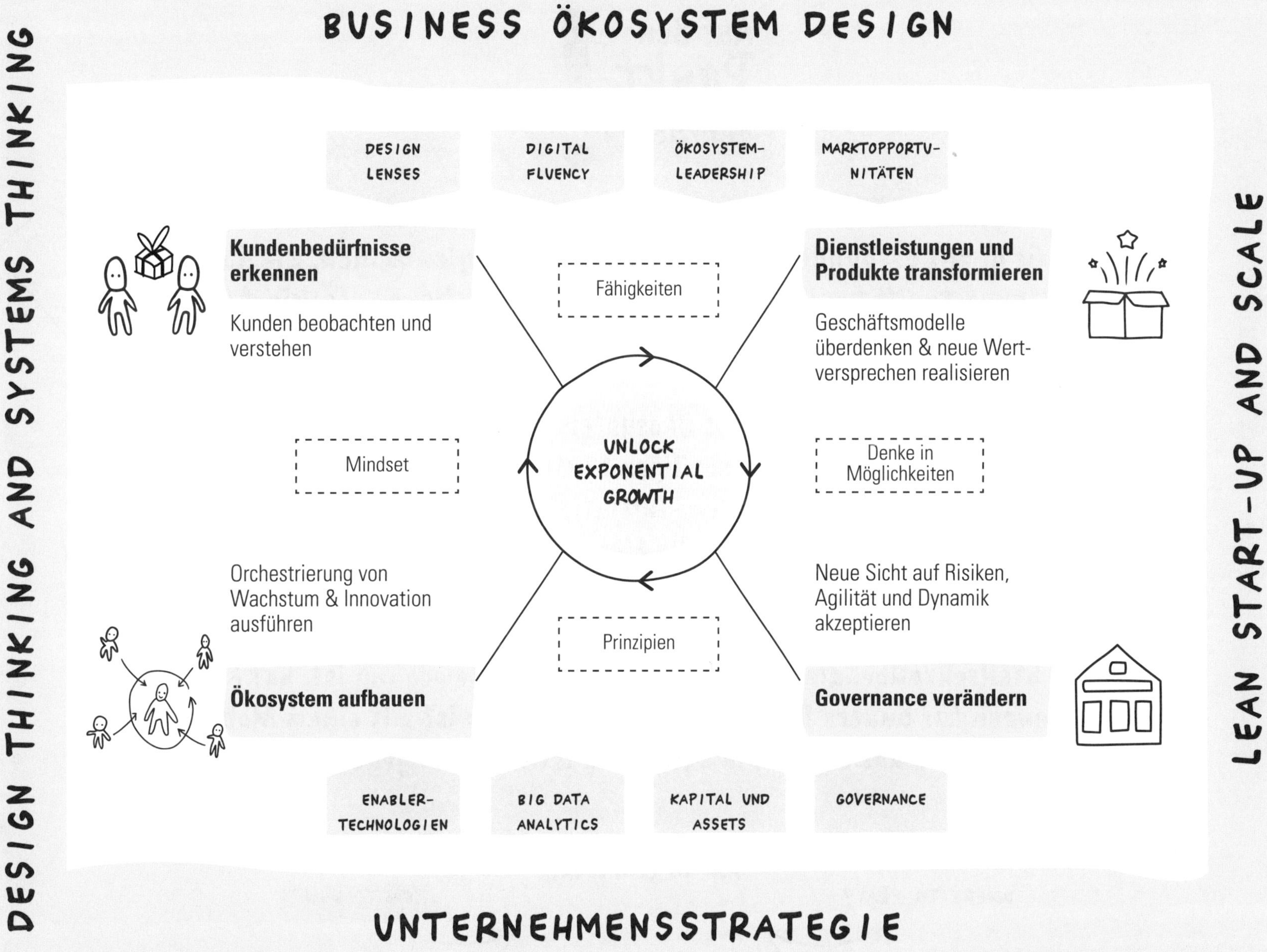
BUSINESS ÖKOSYSTEM DESIGN
DESIGN THINKING AND SYSTEMS THINKING
LEAN START-UP AND SCALE
DESIGN LENSES
DIGITAL FLUENCY
ÖKOSYSTEM-LEADERSHIP
MARKTOPPORTU-NITÄTEN
Kundenbedürfnisse erkennen
Kunden beobachten und verstehen
Fähigkeiten
Dienstleistungen und Produkte transformieren
Geschäftsmodelle überdenken & neue Wert-versprechen realisieren
Mindset
UNLOCK EXPONENTIAL GROWTH
Denke in Möglichkeiten
Orchestrierung von Wachstum & Innovation ausführen
Neue Sicht auf Risiken, Agilität und Dynamik akzeptieren
Prinzipien
Ökosystem aufbauen
Governance verändern
ENABLER-TECHNOLOGIEN
BIG DATA ANALYTICS
KAPITAL UND ASSETS
GOVERNANCE
UNTERNEHMENSSTRATEGIE

Auf den Punkt gebracht!

Das Vorgehen über „Ecosystem Play-Win-Configuration Framework“ und die damit verbundenen Taktiken und Strategien zeigen, wie die Marktopportunitäten in verschiedenen Konfigurationen realisiert werden können.

Die Konfiguration des Business Ökosystems zeigt die Rollen, Fähigkeiten und Governance des jeweiligen Systems. Die Dimensionen der Konfiguration sind je Ökosystem-Initiative passend zu definieren und kontinuierlich anzupassen, da alle Elemente direkt oder indirekt zusammenhängen.

Jede Stellschraube, die in der Konfiguration in Bewegung ist, hat Konsequenzen für andere Dimensionen. Die Dynamik ist mit einem Mobile zu vergleichen, das ständig in Bewegung ist und sich gegenseitig beeinflusst.

ÖKOSYSTEM-LEADERSHIP

Ökosystem-Leadership

Ökosystem-Leadership ist eine zentrale Aufgabe im Design und in der Partizipation von Business Ökosystemen, da die bestehenden Fähigkeiten entweder bestmöglich genutzt oder neu aufgebaut werden müssen. Zudem muss in den meisten Fällen ein neues Mindset über die Unternehmensgrenzen hinaus etabliert werden. Dies bezieht sich nicht nur auf die Erarbeitung einer Ökosystem-Strategie und die Ausformulierung von verschiedenen strategischen Optionen, sondern auch auf die Art, wie Geschäftsmodelle multidimensional betrachtet werden und die Ökosystem Governance des Orchestrators aufgesetzt ist, Kernkompetenzen genutzt, Wertströme zum Vorteil aller Beteiligten definiert, und schliesslich das Organisationsmodell etabliert werden. Der Schlüssel zum Erfolg liegt u.a. in der achtsamen Transformation von Teams, Organisationen und Unternehmen, wie im **„Das Design Thinking Playbook“** beschrieben.

Die Konvergenz von Technologien, Kundenwünschen und Ökosystemen war noch nie schneller als heute. Es ist an der Zeit, die bisherigen Denkhaltungen, Werte und Risikobetrachtungen zu überdenken. Ökosystem-Innovation ist jedoch mehr, als nur neue Geschäftsmodelle zu definieren. Es braucht Prototypen von ganzen Systemen, die als MVE dazu dienen, Schlüsselrisiken zu testen, bevor die jeweils passenden Rollen zum Beispiel des Orchestrators oder die eines Akteurs eingenommen werden.

„Minimum Viable“ bedeutet in Bezug auf Transformation, dass alle wichtigen Elemente für ein funktionierendes Ökosystem unter die Lupe genommen werden. Wobei die Transformation zur Konstanten wird, nicht zuletzt weil sich Business Ökosysteme ständig dynamisch weiterentwickeln.

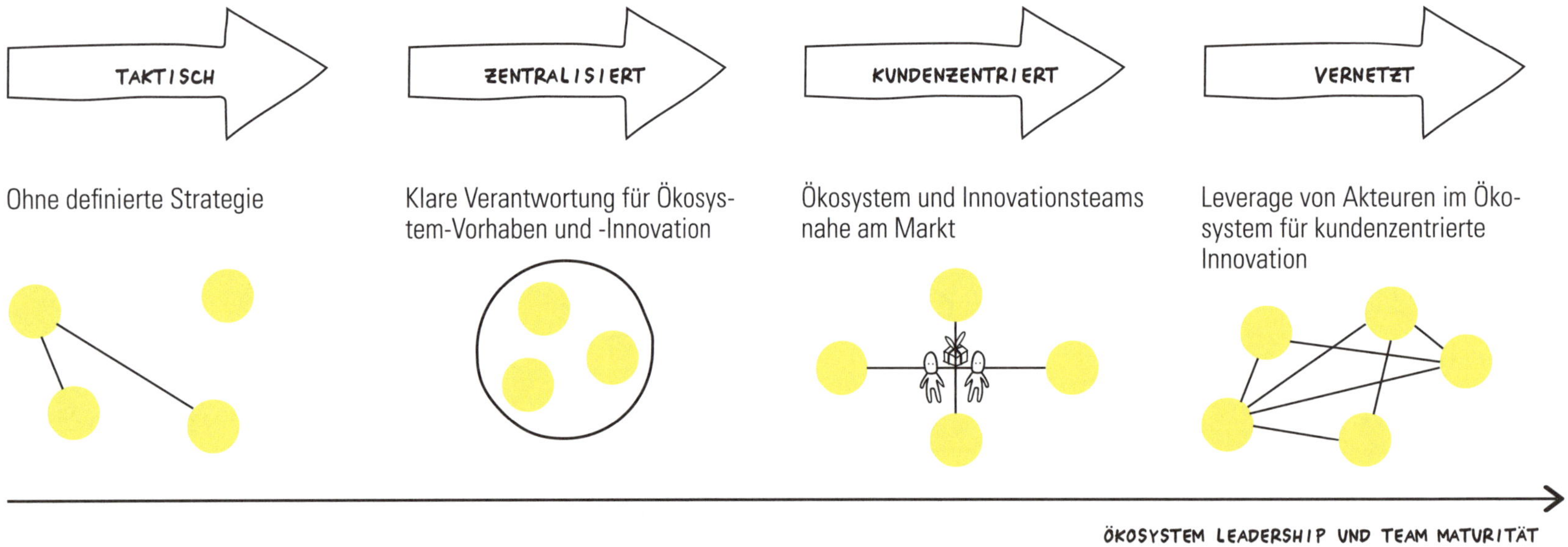

Die Gestaltung von Business Ökosystemen bietet die Möglichkeit, völlig neue Arbeitsweisen (FUTURE OF WORK) anzuwenden und in der Organisation zu etablieren. Durch einen Perspektivenwechsel weg von der traditionellen Mitarbeiterentwicklung hin zu den Möglichkeiten, den Teams das volle Spektrum zur Entwicklung von völlig neuen Wertströmen für das Unternehmen zu eröffnen. Mit erhöhter Agilität und der Fähigkeit, Risiken zu teilen, können Unternehmen unter Nutzung dieser Ansätze neue Marktflächen für sich gewinnen.
Erfolgreiche Leader von Ökosystemen platzieren die Innovationsteams bewusst in der Nähe von wichtigem Markt- und Kundenwissen, sodass sie den Kontext aus erster Hand erfahren und Wissen entsprechend zu den anderen Teams transferieren können. Durch rotierende Teams wird eine achtsame Transformation und ein Austausch über die Abteilungssilos hinaus gewährleistet. So benötigen Softwareentwicklungsteams zum Beispiel ebenfalls Markt- und Kundenwissen für die Validierung von MVPs und die Definition von Use Cases.

Komplexität der Technologie: **gering**
Marktkomplexität: **hoch**

INNOVATIONS-TEAM-MATRIX

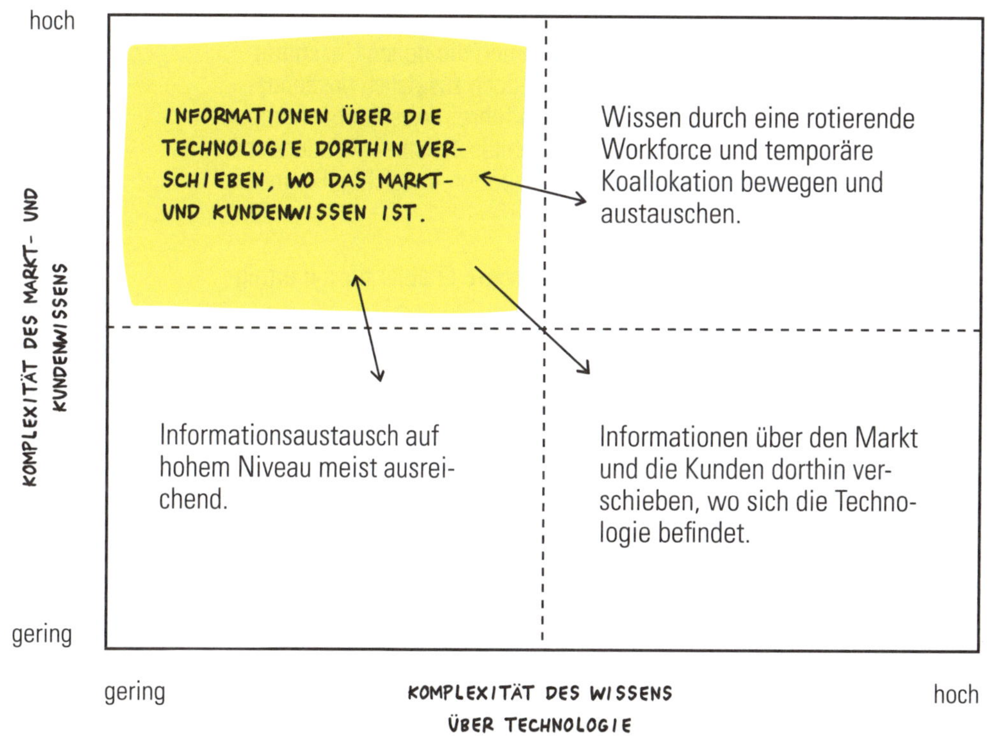

Welche Art von Leadership braucht eine Transformation hin zu einem Ökosystem Play?

Hinsichtlich des Designs von Business Ökosystem wurden bereits verschiedene Perspektiven zu den Mindshifts in diesem Buch eingenommen. Um die neuen Modelle der Strategiedefinition, Co-Creation und den Paradigmenwechsel in Bezug auf Wachstum und die neuen Geschäftsmodelle erfolgreich zu meistern, bedarf es jedoch zusätzlich passender Leadership-Profile, die Ökosystem-Initiativen führen. Aus Beobachtungen verschiedener Business Ökosystem Initiativen lässt sich ein Leadership-Profil ableiten, das die Umsetzung und Partizipation in solchen Business Ökosystemen besonders begünstigt.

Sechs Eigenschaften erweisen sich als besondere Enabler für ein erfolgreiches Leadership im Bereich Ökosysteme:

- **Kundenzentriert**
- **Digital affin**
- **Ambitioniert**
- **Geduldig**
- **Offen für neue Beziehungen**
- **Teamorientiert**

Für die Umsetzung von Business Ökosystem Design Initiativen braucht es Autonomie für die Umsetzungsteams. Offene Gespräche mit verschiedenen potenziellen Akteuren gehören hier ebenso dazu wie eine Macher-Kultur, die den Spirit von einem entrepreneurial Mindset hat. Traditionelle Unternehmen definieren hierfür oftmals sogenannte Venture- oder dedizierte Ökosystem-Einheiten, die helfen, die Umsetzungsgeschwindigkeit zu beschleunigen. Leader, die Teams für Ökosystem-Initiativen zusammenstellen, benötigen Ökosystem Design Teams mit einer stark ausgeprägten Methodenkompetenz aus der Design Thinking und Systems Thinking Toolbox. Zudem braucht es Teammitglieder mit Fähigkeiten im Bereich Big Data/Analytics, UX Design und Fachkompetenz im Bereich IT. Zudem wird die Enterprise Architektur oftmals zum zentralen Thema, da es in vielen Fällen notwendig wird, die Interaktionen aus dem Ökosystem mit der bestehenden Infrastruktur zu alinieren und im Rahmen von Multi- oder Opti-Channel-Strategien den direkten oder indirekten Kundenkontakt durch zunehmend digitale, aber auch analoge Interaktionen zu ermöglichen.

Die neuen Rollen des Ökosystem-Leaders

Ökosystem-Leadership ist die Vernetzung aller an der Wertschöpfung beteiligten Akteure.

Leadership-Aufgabe: Transformation von Geschäftsmodellen und Organisationen

Transformation von traditionellen Geschäftsmodellen hin zu Wertströmen, die Umsätze aus Daten, Produkten, Dienstleistungen und Kombinationen davon ermöglichen.

Aufbau von Ökosystem-Kapital durch Beziehungen der Akteure und Nutzung von Netzwerkeffekten.

Fokussierung auf das Kundenerlebnis, mit neuen Ansätzen in Bezug auf das Branding und die Kundeninteraktion.

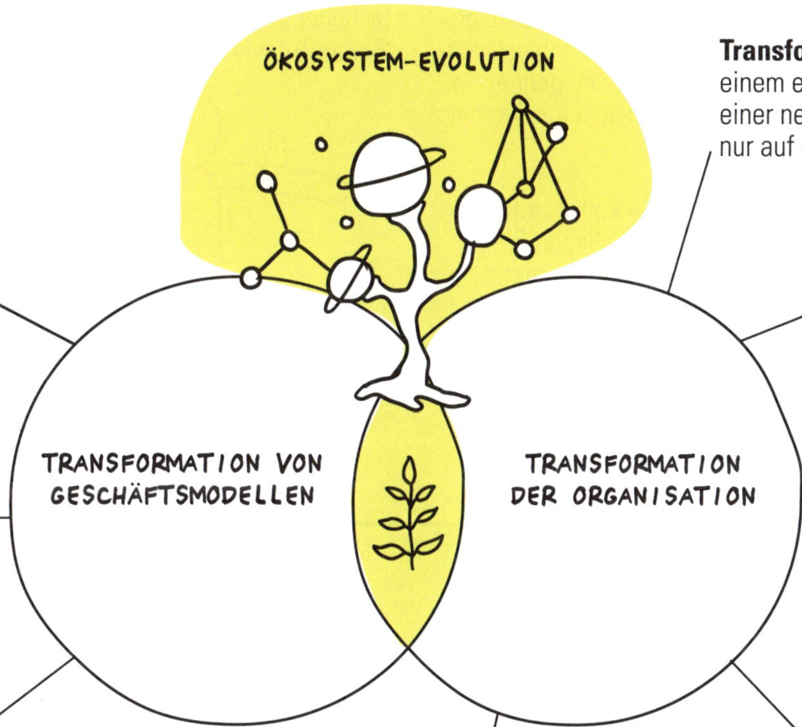

Transformation der Kultur hin zu einem entrepreneurial Mindset mit einer neuen Agilität, die sich nicht nur auf die IT beschränkt.

Aufbau von neuen Fähigkeiten oder Venture-/Ökosystem-Einheiten, die bestehende Modelle zu Partnerschaften/Allianzen überdenken und die **neuen Marktopportunitäten leveragen**.

Förderung von **Fähigkeiten** im Bereich **Design Thinking und Systems Thinking**, die es ermöglichen, MVPs und MVEs in Iterationen zu gestalten.

Digitale Fähigkeiten aufbauen und Lücken im Umgang mit neuen Technologien schliessen, da diese Enabler für die Business Ökosysteme sind.

Etablierung einer **kooperationsorientierten Kultur**, die es erlaubt, **Systeme** zielgerichtet **zu orchestrieren**.

T-Shaped Ökosystem Design Teams

Im Design Thinking und Business Ökosystem Design ist es besonders wichtig, mit interdisziplinären Teams zu arbeiten. Am besten mit Teammitgliedern, die eine starke T-Ausprägung besitzen. Auf der Horizontalen gehören hierzu Kenntnisse und Teammitglieder aus vielen unterschiedlichen Kulturen, vielen Disziplinen und Systemen. Auf der Vertikalen geht es um Fach-Know-how der Teammitglieder, wie Spezialwissen über ein System, eine Branche oder eine Disziplin.

Zudem sind für die Design-Aufgaben Eigenschaften wie Kollaborationsfähigkeit und Schnittstellenkompetenz extrem wichtig: T-Shaped Teammitglieder sind offen, interessiert an anderen Perspektiven, neugierig gegenüber anderen Menschen, der Umwelt und anderen Disziplinen. Die Erfahrung zeigt, je besser das Verständnis für die Denk- und Arbeitsweise der anderen ist, umso schneller und grösser ist der gemeinsame Fortschritt im Business Ökosystem.

Zunehmend werden auch in der Entwicklung von MVPs und der agilen Softwareentwicklung T-Shaped Teams gebildet, die den Bedarf an fachübergreifenden Softwareentwicklern und Testern in den jeweiligen (Scrum-)Teams abdecken sollen.

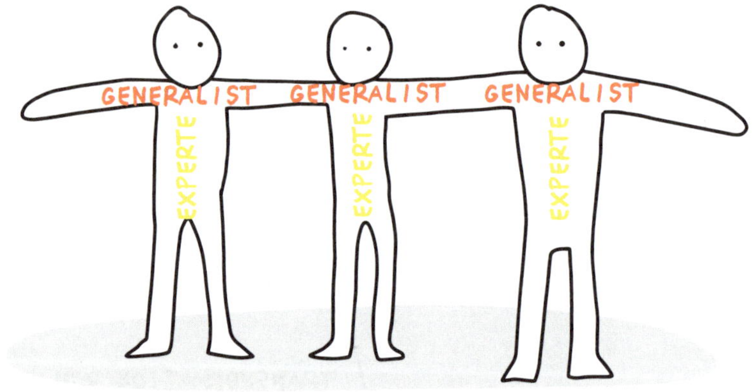

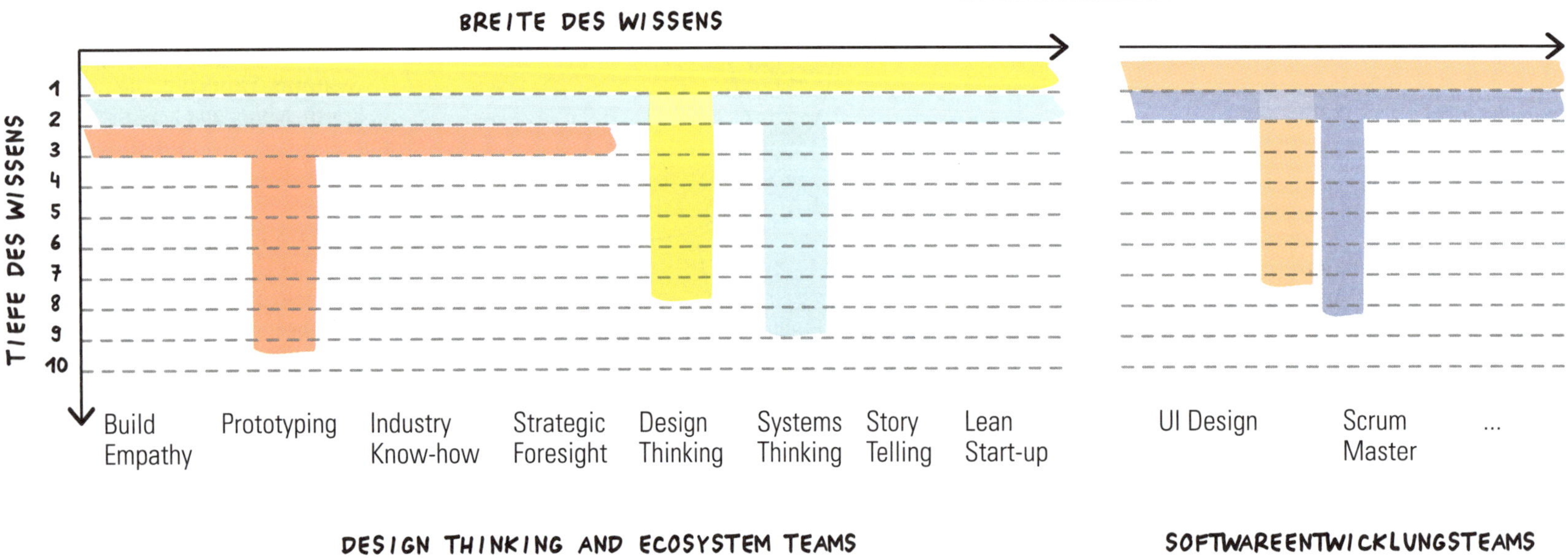

Team-of-Teams-Ansatz

Eine Veränderung der Team- und Managementstrukturen in einem Shift von „scalable efficiency" zu „scaleable adaptability" hilft, um Business Ökosysteme erfolgreich zu lancieren und exponentiell zu wachsen. Traditionell geprägte Organisationen sind darauf ausgelegt, die Dinge richtig zu machen, während ein Business Ökosystem Play es notwendig macht, die richtigen Dinge zu tun, um das Zielbild zu erreichen. Dies ist im Umgang mit Business Ökosystemen besonders wichtig, weil die Systeme dynamisch sind und es deshalb auch eine ständige Anpassung der Teams auf die Situation abverlangt wird. Bei nicht prognostizierbaren Veränderungen wird die Anpassungsfähigkeit der Organisation mit Abstand die wichtigste Fähigkeit. Im Team-of-Teams-Ansatz arbeiten die Einheiten dezentral. Diese Art des Organisationsdesigns ermöglicht eine schnelle Handlungsfähigkeit der Einheiten in unbekannten Situationen. Die dafür notwendige Organisationsform, Governance und das bereits beschriebene Ökosystem-Leadership beruht auf denselben Werten und Handlungsgrundsätzen, die es einerseits ermöglichen zu initialisieren und zugleich zielgerichtet zu orchestrieren.

Fünf zentrale Werte für das Team-of-Teams:

1. Vertrauen in die Fähigkeiten und Entscheidungen der anderen Teams und deren Mitglieder.
2. Transparenz über die Aufgaben, Ziele und Ergebnisse über alle Teams hinweg.
3. Persönliche Beziehungen in den Netzwerkstrukturen (mindestens ein Teammitglied muss ein Teammitglied aus den anderen Teams persönlich kennen).
4. „Empowered execution" als Merkmal für die Dezentralisierung von Verantwortung und Handeln
5. Kollektives Mindset für radikale Zusammenarbeit, Flexibilität und Anpassungsfähigkeit an neue Situationen.

Kommunikation von Ökosystem-Initiativen über Zielbilder, mit konkreten ersten Schritten

Beide Fälle, die Initialisierung oder die Teilnahme an einem bestehenden Business Ökosystem, starten mit einer klaren Vision. Der Initiator hat die Aufgabe, eine überzeugende Value Proposition aufzuzeigen, die es attraktiv macht für andere Unternehmen, an dem Business Ökosystem zu partizipieren. Für einen Akteur, der an einem solchen Ökosystem partizipieren möchte, muss die Vision aufzeigen, wie das Unternehmen bestmöglich von dem System profitieren kann (z.B. Leverage von Fähigkeiten, positiver Impact auf das Kerngeschäft oder gänzlich neue Ertragsquellen) und wie es langfristig mit einer Partizipation am Business Ökosystem vom Wachstum profitieren kann.

Zielbild

Grössere Ambition, neue Wertströme + digitale Enabler in ihrer vollen Wirkung

Beantwortung der Fragen:

- Wie soll das Ziel erreicht werden?
- Wer soll bedient werden?
- Wie lautet die Value Proposition?
- Gibt es einen Ecosystem-/Co-Evolution-Fit?

MVEs

Neue Akteure, Testen von neuer Value Proposition, Design eines funktionierenden Systems

Beantwortung der Fragen:

- Welche Fähigkeiten braucht das System?
- Welche Rollen können von welchen Akteuren übernommen werden?
- Haben alle Akteure im System einen Vorteil, am System teilzunehmen?
- Gibt es einen System-/Actors-Fit?

MVPs

Verbesserungen, ohne die grosse Vision zu verändern

Beantwortung der Fragen:

- Was ist der Kunde bereit zu zahlen?
- Können die Annahmen zu Kunden und Funktionen validiert werden?
- Gibt es einen Product-/Market-Fit?

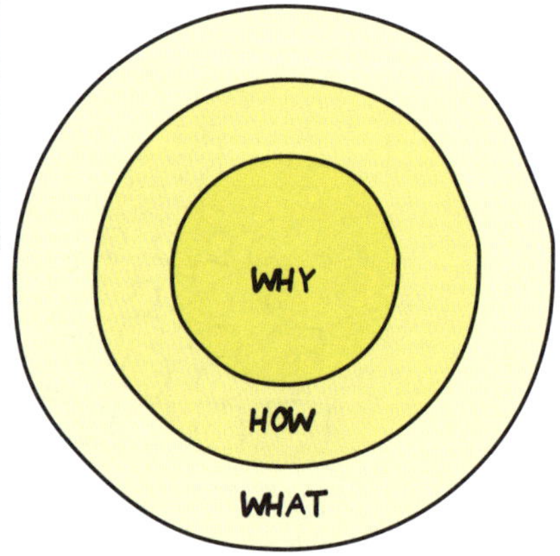

Prototypen

Eine erste Vorstellung von potenziellen Lösungen erhalten

Beantwortung der Fragen:

- Welches sind die Kundenbedürfnisse?
- Welches Kundenproblem soll wie gelöst werden?
- Gibt es einen Problem-/Solution-Fit?

Denken in „Real Options“: Je nach Marktsituation und Kundenbedürfnissen verändern sich die nächsten Schritte, ohne das Zielbild aus den Augen zu verlieren.

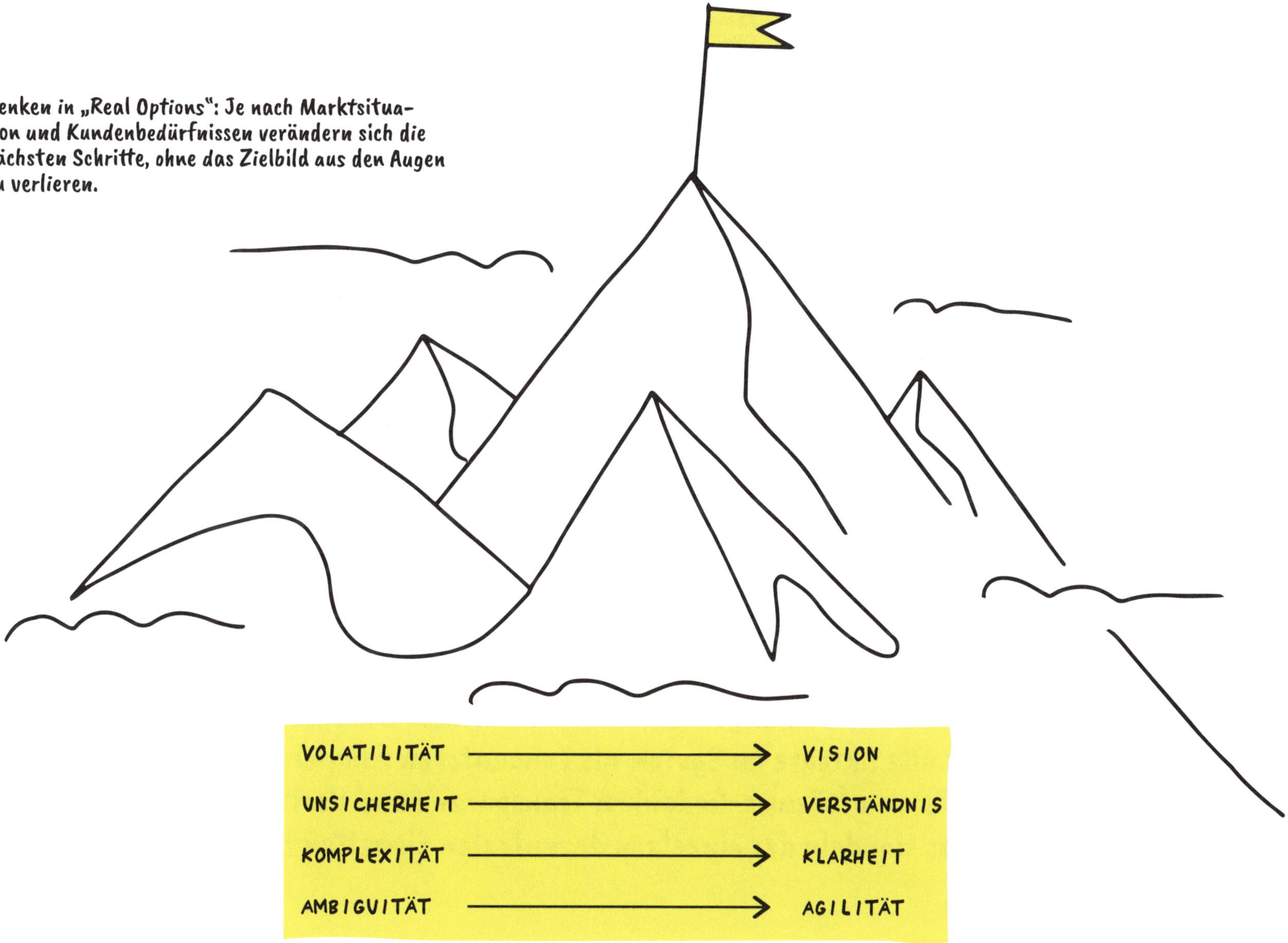

Auf den **Punkt** gebracht!

Ökosystem-Leadership basiert auf der Grundidee, ein funktionierendes System zu initialisieren und dieses mit einem klaren Zielbild zu orchestrieren.

Ökosystem-Leader sind Relationship-Builder, die zudem die Technologien verstehen, die notwendig sind, um solche Ökosysteme zu realisieren.

Von der Erkundung bis hin zur Skalierung braucht es interdisziplinäre Teams, die ihre jeweiligen T-Shaped Profile in die unterschiedlichen Phasen einbringen.

Für die Entwicklung und das Wachstum von Business Ökosystemen ist wichtig, dass alle Akteure im System als Innovatoren fungieren können und dass im Team-of-Teams-Gedanken Transparenz und Vertrauen in Bezug auf das Handeln der einzelnen dezentralen Einheiten besteht.

NEW WAYS OF WORKING

New Ways of Working & Ökosysteme

Die Interaktion mit dem Business Ökosystem bietet neben dem reinen Zweck der gemeinsamen Zielerreichung noch andere Möglichkeiten. Ökosysteme bieten Zugang zu Talent und Fachwissen, unabhängig ob diese bei einem Technologielieferanten, einer Forschungseinrichtung, in einem Start-up oder bei einem vermeintlichen Wettbewerber vorhanden sind. Unternehmen haben beschränkte Ressourcen und können nicht alle (neuen) Fähigkeiten im Unternehmen aufbauen. Durch die Partizipation in Business Ökosystemen können „New Ways of Working"-Konzepte realisiert werden, die darauf ausgelegt sind, in einer kooperativen Arbeitsform neues Wissen zu schaffen, Problemlösungskompetenz zu erhalten und Fähigkeiten im Bereich Technologie zu nutzen.

Die Entscheidung als Unternehmen, ein Business Ökosystem Play einzugehen, hat einen direkten Einfluss auf die notwendigen Fähigkeiten der Belegschaft. Die wichtigste Eigenschaft ist die Fähigkeit der Teams, sich schnell anzupassen, Veränderungen als Chance zu sehen und die Komplexität in der Gestaltung und Partizipation in Business Ökosystemen zu akzeptieren. Wie bereits beschrieben, kommt mit diesem Wandel auch eine Ausweitung der Aufgaben, nicht nur für das Ökosystem-Leadership-Team, sondern auch für jeden Mitarbeitenden, der in diesen agilen Systemen mitwirkt.

Mensch und Technologien wirken am besten zusammen, wenn die jeweiligen Stärken genutzt werden. Und es braucht diese gegenseitige Beziehung, um die neuen Kundenbedürfnisse mit Empathie und Einfühlungsvermögen zu erheben, die menschliche Neugierde und Vorstellungskraft zu nutzen, und die Technologie, die hilft, die Effizienz zu steigern und exponentielles Wachstum zu realisieren. Die Herausforderung liegt darin, die Arbeit so zu gestalten, dass sie den Erfolg von Menschen und Maschinen gewährleistet.

Intelligente, (semi-)autonome Maschinen-Integration mit Menschen und sozialen Systemen

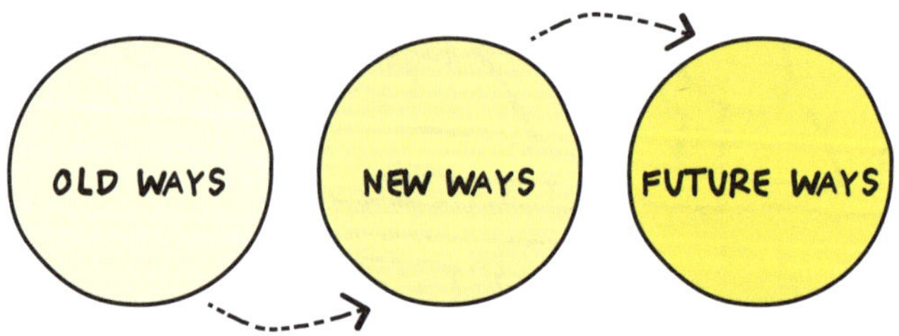

„Future Ways of Working" verlangen eine Kombination von multiplen traditionellen Rollen, die Fähigkeiten im Bereich Technologie, Fachwissen und Sozialkompetenz mit sich bringen

„The Future Way of Working" kombiniert traditionelle Rollen und Funktionen mit Technologien, die erhebliche Produktivitäts- und Effizienzgewinne ausschöpfen.

Transformation Future of Work & VUKA

„Future of work" ist eine grössere Transformation und passiert auf drei Ebenen. Zum einen auf der Ebene der tatsächlich durchgeführten Arbeit (WORK), die von moderner Technologie unterstützt wird, um die gewünschten Ziele zu erreichen und Wert für die auszugestaltende Business Ökosystem Initiative schafft. Zudem auf der Ebene Belegschaft (WORKFORCE), die aus einer Kombination von verschiedenen Fähigkeiten und Talenten zusammengesetzt ist. Hierzu zählen nicht nur die fest angestellten Arbeitnehmer, sondern auch Freelancer, Gig Workers, Crowd Sourcing und interdisziplinäre Teams, die zum Beispiel im Rahmen von Co-Creation in den entsprechenden Business Ökosystem Initiativen zusammenarbeiten. Die dritte Ebene ist der eigentliche Arbeitsplatz (WORKPLACE), also der Ort, an dem die Arbeit erbracht wird und die Teams zusammenarbeiten. Hierzu gehören zum einen der physische Ort und zum anderen auch die Technologien, die für eine digitale Zusammenarbeit genutzt werden. Der Ort und die Art, wie zusammen gearbeitet wird, prägen die Kultur von „Future of Work". Mit dem zunehmenden Einsatz von Robotics, kognitiven und KI-Technologien entstehen neue Formen des Arbeitens, in denen der Mensch mit der Maschine als Team agiert. Die Welt besteht heute aus Disruption, Veränderung und Transformation. Der Begriff hierfür ist VUKA* (Volatilität, Unsicherheit, Komplexität, Ambiguität). In diesem Kontext sucht jede Organisation nach neuen Wegen des Lernens und umgekehrt wird jede Organisation zu einer lernenden Organisation.
Die jeweiligen Design Lenses helfen, die Unsicherheit in den Griff zu bekommen, die Komplexität greifbar und abbildbar zu machen und Annahmen iterativ und agil zu testen.

Kernfragen zu Future of Work

- Wer kann die Arbeit durchführen?
- Welche Arbeitsschritte können automatisiert werden?
- Welche Technologien helfen in der Zusammenarbeit von Menschen und Maschinen als Team?
- Wo wird die Arbeit durchgeführt?

Die verschiedenen Automatisierungstechnologien arbeiten mit den Teams Hand in Hand. Dadurch werden Aufgaben schneller erledigt. Die neue Art der Zusammenarbeit von Mensch und Technologie als Team ermöglicht es, Arbeitsabläufe neu zu definieren.

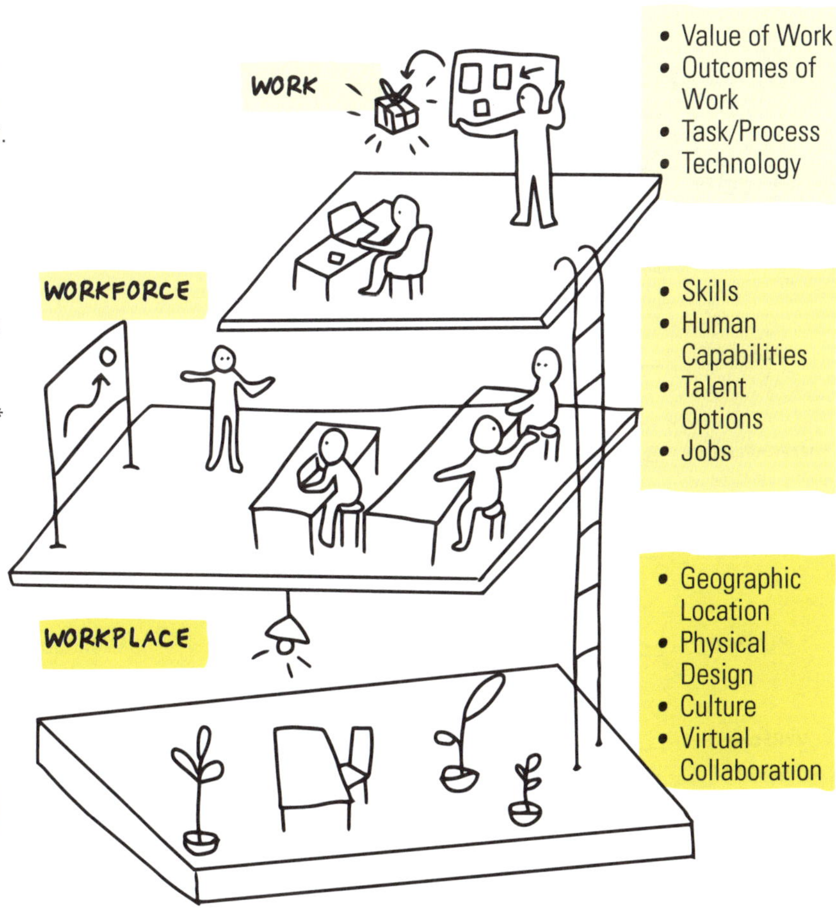

Sicht auf VUKA-Welten

VUKA wird im Kontext von Business Ökosystemen ein zentrales Element, weil das System selten stabil ist. Es ist dynamisch und ändert sich in bestimmten Phasen sehr schnell und unregelmässig. Hinzu kommt eine gewisse Unsicherheit in Bezug auf den Zeitpunkt, wann was passieren wird und welches die Folgen davon sein werden. Da Business Ökosysteme komplex und vernetzt sind, ist eine vollständige und statische Sicht nicht möglich. Zudem wird in einem Business Ökosystem die Situation je nach Akteur/Person und Sichtweise anders beschrieben und bewertet, was Ambiguität hervorruft.

SICHT EINES TYPISCH VERTIKAL INTEGRIERTEN UNTERNEHMENS		VUKA →	SICHT EINES TYPISCHEN BUSINSESS ÖKOSYSTEM-PLAYERS	
PROFIT	Gewinnmaximierung, Mitarbeiter als Kostenfaktor	VOLATILITÄT (Wechsel-/Sprunghaftigkeit)	ZWECK	Sinnhaftigkeit in Vision & Value Proposition, Ökosystem-Orientierung
HIERARCHIEN	Klassisch-autoritäre und direkte Führungsverhältnisse	UNSICHERHEIT (Unklarheit)	NETZWERKE	Team-of-Teams, Human-centric, digitalisiert
KONTROLLE	Bürokratisierung, Standardisierung, Zentralisierung	KOMPLEXITÄT (Wechselwirkungen)	BEFÄHIGUNG	Stärkung von kundennahen Mitarbeitern (Dezentralisierung)
PLANUNG	Effizienz-Optimierung, Budgetierung, strategische Kalkulation		EXPERIMENTE	Agile Methoden, Design von MVPs, MVEs
VERSCHWIEGENHEIT	Informationen als Machtgefälle, Firmengeheimnisse	AMBIGUITÄT (Mehrdeutigkeit)	TRANSPARENZ	Offener Workflow und Wissensaustausch

Zeitpunkte für Kooperation und Öffnung

Co-Creation ist ein zentrales Element in der Lösung von Design-Challenges, dem Bau von ersten Prototypen, MVPs und natürlich in der Ausgestaltung von Business Ökosystemen, bis hin zur Skalierung, da die Akteure im System als Innovatoren gelten, die nah an den jeweiligen Kundenbedürfnissen sind.

Wie bereits kurz beschrieben, sind Startpunkte zur Überlegung für ein Business Ökosystem unterschiedlich. Während manche Unternehmen von der ersten Stunde auf Kooperation und Offenheit setzen, sind andere Unternehmen erst mal damit beschäftig, in den eigenen Reihen das Thema zu diskutieren und erste Prototypen und MVPs zu konzipieren.

Es können vier Ansätze zur „Öffnung" bei Unternehmen beobachtet werden, die jeweils Vor- und Nachteile besitzen:

1. **„The Cooperatives":** Hierbei handelt es sich um Unternehmen, die entweder eine Idee haben, die bereits in einer frühen Phase mit anderen Akteuren diskutiert werden soll, oder die von Anfang an auf eine Zusammenarbeit mit anderen in der Definition eines gemeinsamen Systems setzen.
2. **„The Exploratives":** Diese Unternehmen haben nicht nur eine Strategie, sondern experimentieren mit verschiedenen Ökosystem-Ansätzen und schauen nach Opportunitäten, sich in anderen Ökosystemen einzubringen.
3. **„The Seekers":** Diese Unternehmen haben klare Vorstellungen davon, wo die Marktopportunitäten für sie liegen. Sie suchen aktiv nach anderen Akteuren, um selbst Ökosysteme aufzubauen oder ihre Fähigkeiten in bestimmten Konstellationen einzubringen.
4. **„The Mysterious":** Diese Art von Unternehmen hält sich sehr bedeckt mit ihren Aktivitäten. Die Strategie wird auf höchster Managementstufe diskutiert und die Entwicklungen von Prototypen und MVPs erfolgt hinter verschlossenen Türen. Erst bei der Umsetzung des Business Ökosystems werden Informationen mit potenziellen Akteuren geteilt.

	UNIPOLAR, BIPOLAR	MULTIPOLAR
AUTOKRATISCH, HIERARCHISCH	**THE MYSTERIOUS** + Geringe Gefahr, von anderen Akteuren kopiert zu werden - Späte Value Proposition Validierung	**THE SEEKERS** + Klare Vision über das Zielbild und die Umsetzung - Wenig Spielraum für neue Ideen und veränderte Value Propositions zu einer späteren Phase
EVOLUTIONÄR, KOOPERATIV	**THE EXPLORATIVES** + Möglichkeit ad hoc passende Marktopportunitäten zu nutzen - Hoher Aufwand der Koordination von multiplen Gesprächen mit vielen Akteuren	**THE COOPERATIVES** + Starker Fokus auf Co-Creation und Aufbau von radikal neuen Ökosystemen - Kollaboration und Co-Creation hat eine höhere Komplexität und ist zeitaufwendiger

Co-Creation-Ansätze

Verschiedene Formen der Zusammenarbeit führen zu unterschiedlichen Zielen. Die aufgelisteten Formen der Zusammenarbeit spiegeln das Mindset und die iterativen Vorgehensweisen der Design Lenses wider, die als Basis für eine offene und radikale Zusammenarbeit dienen. Co-Creation kann zum Beispiel einen mit dem Kunden/User und später in der Gestaltung von Business Ökosystemen mit den anderen Akteuren im System durchgeführt werden.

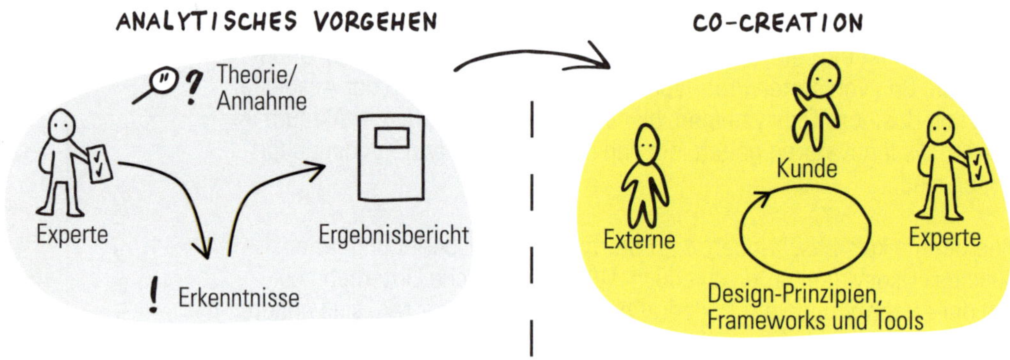

FORM DER ZUSAMMENARBEIT	ZIEL	VERHALTEN
RECHERCHIEREND	Lernen und verstehen	Neugierig sein, beobachten und Bedürfnisse von Kunden verstehen. Sachverhalte durch Nachfragen erkunden und mit W-Fragen tiefer graben.
OFFEN	Weiterentwickeln und wachsen	Annahmen und Vorurteile über Board werfen, bewusste Suche nach anderen Erfahrungen und neuen Perspektiven. Hohe Bereitschaft, die Meinung aufgrund von neuen Insights zu ändern.
INTEGRATIV	Anerkennen und lösungsorientiert handeln	Vermeiden von unausgewogenen Kompromissen, auf der Suche nach Win-win-Situationen für alle Akteure, kreatives Re-Framing und Nutzung von verschiedenen Weltanschauungen als Vorteil für eine Veränderungsdynamik.
KOLLABORATIV	Teamwork und Team-of-Teams	Aktiv zuhören und auf Ideen von anderen aufbauen, Zusammenarbeit, die darauf ausgelegt ist, den sozialen Zusammenhalt zu stärken.
REFLEKTIERT	Umsicht und spiralförmig weiterentwickeln	Handeln und Wirksamkeit reflektieren, Herausforderungen und Problemstellungen in einem grösseren Kontext betrachten, vermitteln in Situationen, in denen extrem unterschiedliche Anschauungen zusammengebracht werden müssen.

Auf den **Punkt** gebracht!

Für das Design und die Teilnahme an Business Ökosystemen sind bestimmte Werte, Denkhaltungen und Vorstellungen sowie offene und transparente Zusammenarbeit mit anderen Akteuren wichtig.

Traditionell geführte Unternehmen stehen vor der Herausforderung, die neuen kollaborativen Arbeitsformen zuzulassen und zugleich die Kontextualisierung in klassischen Strategiewerkzeugen abzubilden.

Die Mitarbeitenden werden auch in Zukunft der entscheidende Faktor für die Arbeit bleiben, da sie immer komplexere Aufgaben übernehmen und sich wiederholende alltägliche Aufgaben den Maschinen und der Automatisierung überlassen.

Die Anwendung von iterativen Frameworks über die verschiedenen „Design Lenses" und adaptierten Strategiemethoden helfen in der Ausarbeitung und Kontextualisierung der Ökosystem-Strategie.

Ökosystem-Leadership bedeutet im Kern der Aufgabe die Vernetzung aller an der Wertschöpfung beteiligten „Akteure".

KERNFRAGEN UND AUSGEWÄHLTE TOOLS VON DER PROBLEMSTELLUNG BIS ZUR SKALIERUNG

DESIGN LENSES

TOOLBOX

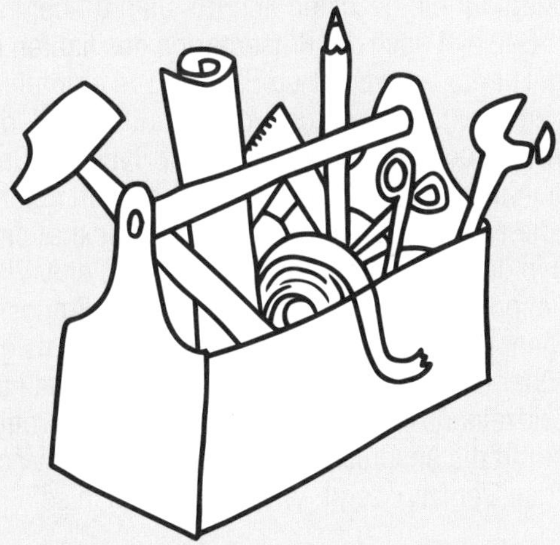

Projektphasen und Planungshorizonte im Business Ökosystem Design

Da jede Ökosystem-Initiative etwas anders gelagert ist und unterschiedliche Fähigkeiten bei den Initiatoren vorhanden sind, lässt sich kein allgemeingültiger Projektplan definieren. Im besten Fall wird mit der Research-Phase begonnen, die zum einen die Kundenbedürfnisse abholt, aber auch die eigenen Fähigkeiten beleuchtet, um auf diese Weise mehr Sicherheit und Bewusstsein für potenzielle Themenfelder zu erhalten. Zudem gibt es die Möglichkeit, auf Ökosystem-Initiativen aufmerksam gemacht zu werden, die bereits im Markt existieren. Wie lange die jeweiligen Sprint-, Projekt- und Umsetzungsphasen dauern, kommt auch sehr auf die Teams, die Agilität und die Budgets an. In einem Design Thinking Sprint können in 6 Wochen gute Ergebnisse erzielt werden, es braucht aber meist länger, mehrere Iterationen und Kundenfeedbacks, bis sinnvolle Vision Prototypes und Prototypen für Funktionen und Erfahrungen realisiert sind. Zudem kommen verschiedene Entscheidungsgremien hinzu, die im traditionellen Setting, mit den jeweiligen Gates, zu starren Zeitpunkten auf die Initiativen wirken. Im optimalen Fall geben die Entscheidungsträger die jeweiligen Budgets für die nächsten Schritte unmittelbar nach der Realisierung frei, zum Beispiel nach der Präsentation des finalen Prototyps im Design Thinking. Für die Lean Start-up-Phase ist zu empfehlen, sich über die Annahmen bewusst zu werden, die zu prüfen sind, da es ohne Marktvalidierung meist bei den Annahmen bleibt. Typische Beispiele für Annahmen bestehen hinsichtlich der Zahlungsbereitschaft von Kunden (Willingness to Pay), die es zu prüfen gilt. Je nach Komplexität sind MVPs in 4–10 Wochen in der Regel für erste Tests bereit. Der MVP wird zum Aushängeschild, um potenzielle Akteure von der Value Proposition und der Vision zu überzeugen. Das Design des Business Ökosystems gibt zusätzlich Aufschluss über die Wertströme, das Geschäftsmodell des Ökosystems und wie die einzelnen Akteure von einer Teilnahme profitieren. Diese Design-Phase ist mit die anspruchsvollste und braucht zwischen 12 – 16 Wochen oder länger. Der MVE zeigt, wie das System in seiner kleinsten Ausprägung funktioniert. Die anschliessende Umsetzung und Operationalisierung braucht je nach Komplexität und Abhängigkeiten entsprechend mehr oder weniger Zeit. Einige Ökosysteme erreichen die Schwelle zum exponentiellen Wachstum schneller als andere. Während einige Initiativen diese Schwelle bereits nach einem Jahr erreichen, brauchen andere mehrere Jahre für diesen Meilenstein. Ebenso gibt es viele Ökosystem-Initiativen, die es nicht schaffen, durch Netzwerkeffekte und sinnvolle Erweiterungen der Value Proposition zu wachsen. Wichtig ist, die ständige Adjustierung der Systeme und die Innovationskraft der anderen Akteure zu nutzen, um erfolgreich zu sein. Die Governance und die Orchestrierung sind angehalten, mit den Kunden- und Marktdynamiken Schritt zu halten. Hierzu gehört vor allem auch die Erweiterung der Value Proposition, um zum Beispiel die Marktfläche zu vergrössern, die Marktposition zu festigen und auf neue Kundenbedürfnisse einzugehen.

DESIGN, CONFIGURE, BUILD

Planungshorizonte einer Business Ökosystem Initiative

Beispiel

	RESEARCH	DESIGN THINKING	LEAN START-UP	ECOSYSTEM DESIGN	IMPLEMENT AND RUN	SCALE
OUTPUT	• Themenfeld/Kundenbedürfnisse • Bestehende Fähigkeiten/Beziehungen	• Finaler Prototyp • Vision Prototype • Anforderungen an MVP	• MVP • Willingness to pay • Validierung von Annahmen	• MVE • Wertströme • Geschäftsmodell • Akteure im System	• Realisierungsplan • Produktportfolio • Schnelle Lern- und Adaptionszyklen	• Erweiterung der Value Proposition • Innovation von Akteuren • Skalierung IT
BESCHREIBUNG	• Merkmale und Rahmenbedingungen der Lösung definieren • Definition der Design-Prinzipien	• Prototyp visualisieren und Aufzeigen von Erfahrungen, Funktionen des Produkts oder der Dienstleistung	• Freigabe des möglichen Funktionsumfangs • Fokus auf kritische Funktionen und Erfahrungen • Messung und Iterationen	• Validierung der Value Proposition • Definition der Akteure und ihrer Rollen • Definition von Wertströmen	• Umsetzung der Ökosystem-Initiative auf der Ebene Kultur, Fähigkeiten, IT, Governance, Leadership usw. • Etablierung einer Roadmap	• Erweiterung der Value Proposition • Adjustierung der Ökosystem-Strategie • Skalierung, IT • Orchestierung
TEAM	• Internes Team • Strategieexperten • Multidisziplinär • Unternehmensübergreifend	• Business Ökosystem/Design Team • User/Testgruppen • Co-Creation mit ersten potenziellen Partnern/Ökosystem-Akteuren	• UX Designer • SW-Entwickler • Potenzielle Partner/Ökosystem-Akteure	• Business Ecosystem Design-Team • Co-Creation mit anderen Akteuren • Test mit Kunden und den potenziellen Partnern	• Orchestrator • Implementierungspartner und Zulieferer • Akteure	• Design Thinking-, Ökosystem Design- and Growth-Hack-Teams • IT, SW-Entwickler • Partner, Akteure und Lieferanten
FUNKTION/MARKTREIFE	Ideen, Anregungen, Foresight **~6 Wochen**	Vision Prototype mit Critical Functions & Experiences **~6-10 Wochen**	MVPs, MMF, Backlog **~10-12 Wochen**	Teil der Value Proposition **~12-16 Wochen**	Realisierung der Value Proposition **> 16 Wochen**	Erweiterung Value Proposition **Open End**

Typische Verläufe von Ökosystem-Initiativen

Da Business Ökosysteme einem stetigen Wandel unterzogen sind, braucht es iterative und agile Werkzeuge, welche die Gestaltung, Umsetzung und Skalierung unterstützen. Leider gibt es für Business Ökosysteme keinen Blueprint für die jeweiligen Themenfelder oder für eine bestimmte Branche eines Initiators. Auch wenn solche Blueprints ein häufig geäusserter Wunsch von Entscheidungsträgern und Entscheidungsträgerinnen ist.

Auch eine Analyse der Vergangenheit, wie sie im Jahr 2019 vom BCG Henderson Institute über den Aufbau von Business Ökosystemen durchgeführt wurde, stellt sich als schwierig heraus. Dies liegt nicht zuletzt am Mangel von strukturierten Daten. So liegt es nahe, dass es bei so wenig quantitativer Analyse verlockend ist, die bekanntesten aktuellen Beispiele (z.B. WeChat, Amazon, Alibaba) zu betrachten und zu glauben, dass Business Ökosysteme immer erfolgreich sind, aber das würde die viel grössere Zahl von Initiatoren, Orchestratoren und Akteuren übersehen, die sich nicht durchsetzen konnten. Das höchste der Gefühle ist, von solchen Unternehmen und Initiativen zu lernen und für das eigene Vorhaben zu nutzen (siehe Ökosystem-Beispiele ab Seite 282.)

Aus diesem Grund wird in diesem Abschnitt über vier Design Lenses der Fokus auf die kritischen Fragestellungen und die Methoden und Tools im Design von Business Ökosystemen gelegt. Entscheidungsträger und Entscheidungsträgerinnen müssen sich bewusst sein, dass auch erfolgreich initialisierte Ökosysteme aufgrund ihrer hohen Dynamik, im Falle von unzureichender Governance und Leadership nicht dauerhaft erfolgreich sind. Darüber hinaus sollte die zugrunde liegende Strategie ständig neu bewertet werden. Im Zuge der kontinuierlichen Entwicklung eines Business Ökosystems kommen ständig neue Akteure hinzu, während andere für die Erstellung der Value Proposition keine Relevanz mehr haben. Zudem ist zu beobachten, dass Initiatoren von Business Ökosystemen über die Zeit sich zum Beispiel an anderen Akteuren finanziell beteiligen oder die Partner ganz oder mehrheitlich übernommen werden. Dies geschieht meist aus der Überlegung heraus, Kundenschnittstellen oder Datenpunkte zu besitzen und diese langfristig zu nutzen.

OPPORTUNITÄT	HANDLUNGSPRINZIPIEN	ERFOLGSQUOTE*
FINALER PROTOTYP	• Gestalte erste Prototypen • Erstelle Vision Prototypes • Beschreibe die potenzielle Value Proposition, basierend auf den Kundenanforderungen	**Hoch**
MVP	• Nutze „First-Mover" Advantage • Behalte Kundenzentriertheit bei • Baue Killer „Funktionen oder Erfahrungen"	**Mittel**
MVE	• Investiere in den Aufbau des Ökosystems • Wähle die passenden Akteure aus • Stimme einem gemeinsamen Wertesystem und Zusammenarbeitsmodell zu	**Mittel**
UMSETZUNG	• Nutze die Fähigkeiten der Akteure im System • Gehe in kleinen Schritten bei der Umsetzung vor • Agiere in einem Team-of-Teams-Ansatz in der definierten Governance	**Niedrig/ Mittel**
SCALE	• Skaliere schnell • Erweitere den Scope des Ökosystems • Erhöhe das Engagement	**Niedrig**

*) Erfolgsquote in Anlehnung an BCG Henderson Institute (2019)

Business Ökosysteme sind dynamisch und typischerweise verlaufen sie in einer der dargestellten Bahnen und Abzweigungen, was ihre Fähigkeit betrifft, Marktanteile zu erobern und zu behalten. Dargestellt als U-Bahn-Linien ist es zentral, an verschiedenen Stellen die richtigen Weichen für Wachstum und Skalierung zu stellen.

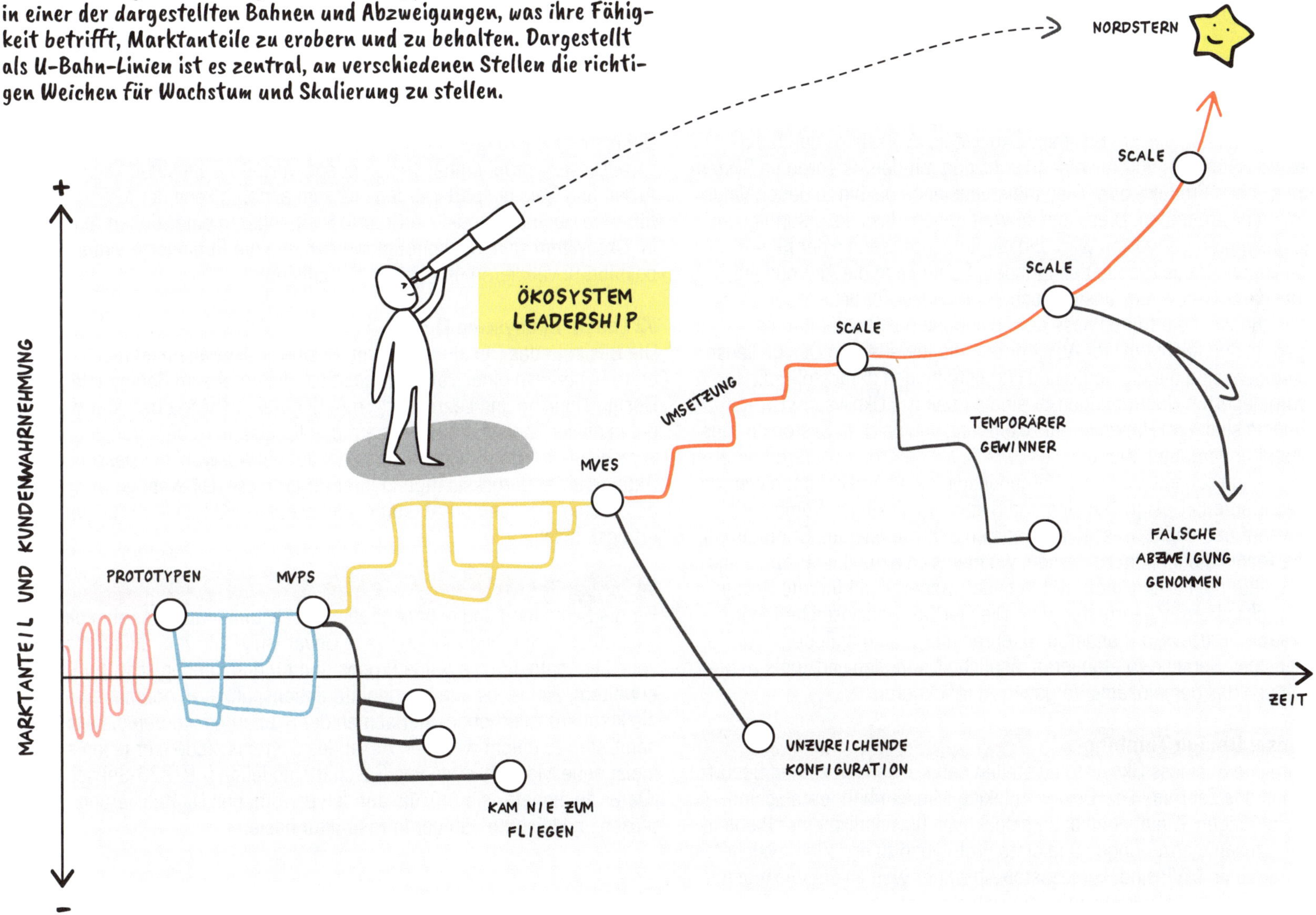

Simplified „Problem 2 Growth & Scale Framework"

Aus der Vogelperspektive wird das Design von Business Ökosystemen in vielen Fällen erst nach der Realisierung des MVP (Minimum Viable Product) erfolgen, also mit einer hohen Lösungsmaturität. Wobei oftmals zu beobachten ist, dass in Business Ökosystem Workshops durch die intensive Erkundung und Auseinandersetzung mit den Akteuren im System komplett neue Produkt- oder Dienstleistungsideen bis hin zu neuen Value Propositions entstehen. Dies kann so weit gehen, dass die ursprüngliche Lösung komplett verworfen wird und die Erkenntnisse in einer neuen gemeinsamen Value Proposition münden. Somit kann die Anwendung von Business Ökosystem Design auch der Auslöser für neue Ideen sein, die uns zurück in die frühe Phase der Erkundung des Problemraums bringen. In den nächsten vier Abschnitten, die jeweils eine Design Lense beschreiben, sind die Elemente und Fragestellungen dargestellt, die für die vorgelagerten Überlegungen zu einem Business Ökosystem Design notwendig sind, und Hinweise zur Skalierung von solchen Systemen. Das vorgestellte Vorgehen über die vier Lenses, als geführter und strukturierter Prozess, kann schnell als starre Vorgehensweise wahrgenommen werden. Wer aber bereits Design Thinking und Systems Thinking in Kombination angewandt hat, weiss, dass die jeweiligen Schritte eher als Orientierung für die Teams dienen, um zu wissen, wo man sich aktuell im Prozess und in Bezug auf die Lösungsmaturität befindet. Generell gilt für alle Design Lenses, dass iterativ gearbeitet wird. Die vier Design Lenses helfen im Co-Creation-Prozess, mit anderen Akteuren und Teammitgliedern eine gemeinsame Sprache zu etablieren, ähnliche Methoden und Tools zu benutzen und das gemeinsame Vorgehen zu reflektieren.

#1 Lense: Design Thinking

Erfolgreiche Business Ökosysteme stellen den Kunden mit seinen Bedürfnissen in das Zentrum. Das Design Thinking Mindset hilft, unterschiedliche Erfahrungen, Meinungen und Perspektiven hinsichtlich einer Problemstellung zusammenzubringen und erste Prototypen zu erstellen, welche die Basis für einen MVP sind. Im nächsten Abschnitt werden die wichtigsten Design Thinking Tools vorgestellt, die sich als nützliche Basis für die weiteren Schritte im Design von Business Ökosystemen manifestiert haben.

#2 Lense: Lean Start-up

Das Lean Start-up Mindset hilft in der Umsetzung von ersten Lösungen und sich auf die nötigsten Funktionen und Erfahrungen zu konzentrieren. Die ersten Erfahrungen am Markt helfen, den MVP iterativ zu versbessern. Dieses Vorgehen hat verschiedene Vorteile. Zum einen kann so Zeit, Arbeit und Geld gespart werden und zum anderen kann der MVP die Basis für erste Gespräche oder Co-Creation mit anderen potenziellen Akteuren im Ökosystem sein, die benötigt werden, um die formulierte Value Proposition zu validieren und später zu realisieren.

#3 Lense: Ecosystem Design

Die Basis für das Design von einem Business Ökosystem ist meist eine erste Hypothese einer Value Proposition, die bereits im Rahmen der Design Thinking und Lean-Start-up Aktivitäten im Markt getestet wurde. In dieser Phase ist die Sicht auf den Kunden beizubehalten, jedoch verschiebt sich der Betrachtungsfokus auf die Auswahl der passenden Akteure unter Berücksichtigung ihrer Bedürfnisse. Die Konfiguration des Systems mit seinen Akteuren, Fähigkeiten und Kundenzugängen ist erfolgskritisch.

#4 Lense: Scale

Für die Skalierung und exponentielles Wachstum braucht es zum einen eine durchdachte und zielgerichtete Governance und zum anderen sinnvolle Elemente, um die Value Proposition für den Kunden schrittweise zu erweitern. Ziel ist es, die Kundeninteraktionspunkte zu optimieren und die Frequenz zu erhöhen. Im Rahmen der Skalierung werden die erhobenen Daten zu einem weiteren Asset des Systems. Zudem ergeben sich meist neue Möglichkeiten von Geschäftsmodellen (z.B. B2B-Services oder -Daten zu monetarisieren), die auf den erworbenen Digitalisierungskompetenzen und leistungsfähiger Infrastruktur basieren.

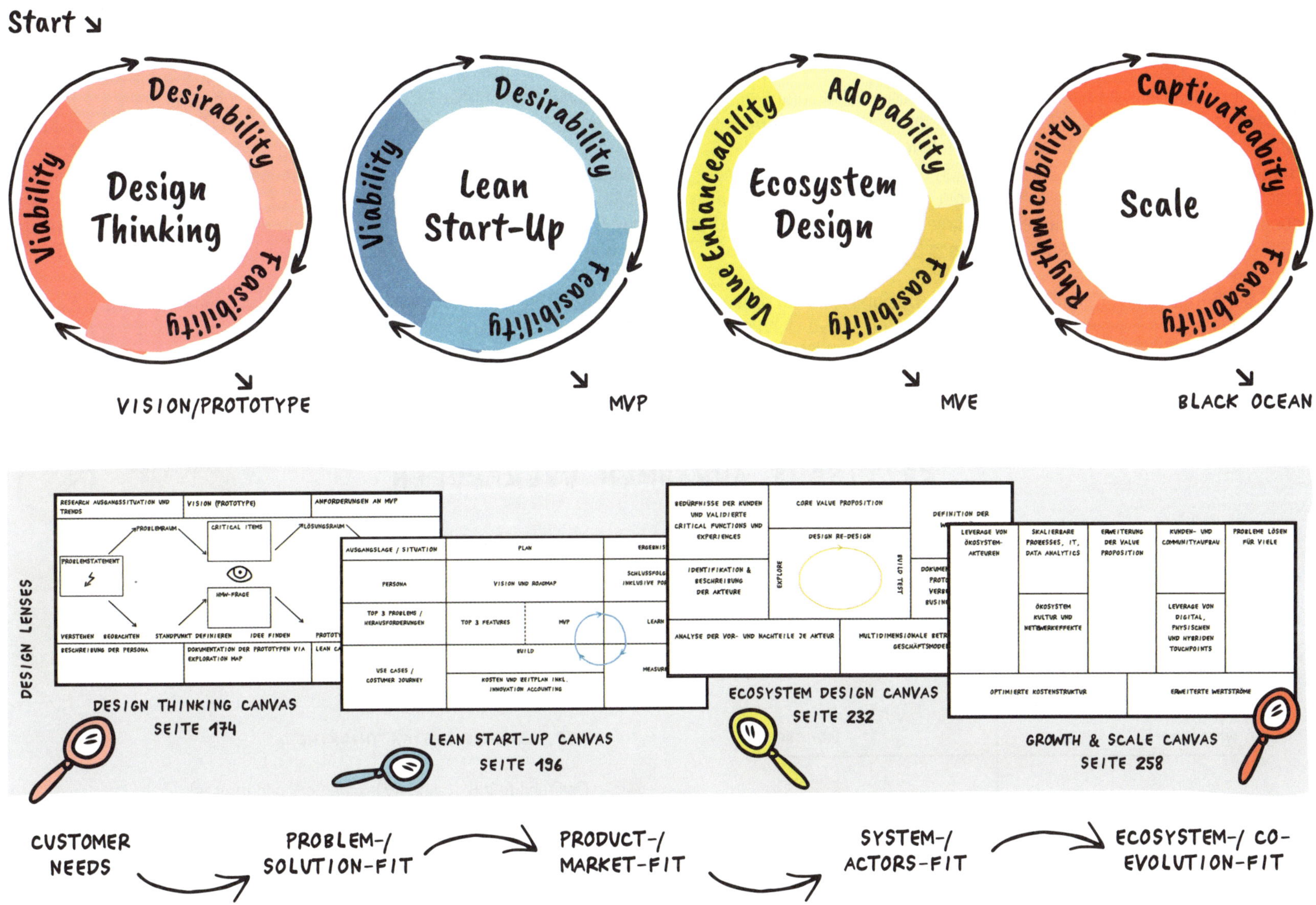

Start
Desirability
Viability
Feasibility
Design Thinking
Lean Start-Up
Adopability
Value Enhanceability
Ecosystem Design
Captivateability
Rhythmicability
Feasability
Scale
VISION/PROTOTYPE
MVP
MVE
BLACK OCEAN
DESIGN LENSES
DESIGN THINKING CANVAS
SEITE 174
LEAN START-UP CANVAS
SEITE 196
ECOSYSTEM DESIGN CANVAS
SEITE 232
GROWTH & SCALE CANVAS
SEITE 258
CUSTOMER NEEDS
PROBLEM-/ SOLUTION-FIT
PRODUCT-/ MARKET-FIT
SYSTEM-/ ACTORS-FIT
ECOSYSTEM-/ CO-EVOLUTION-FIT

Kritische vs. nicht so kritische Annahmen

In den einzelnen Design Lenses werden verschiedene Annahmen hinsichtlich der Kunden, Akteure bis hin zu den einzelnen Wertströmen jeweils hinterfragt und erste Erkenntnisse validiert. Wichtig und erfolgsentscheidend ist, zu wissen, welche Annahmen für den zukünftigen Erfolg entscheidend sind und welche eine weniger hohe Bedeutung haben, also nebensächlich sind. Zudem wird es Annahmen geben, die bereits validiert wurden, und andere, bei denen eine gewisse Unsicherheit besteht.

In einigen Bereichen wird durch die jeweilige Design Lense ein besseres Verständnis erlangt, wie zum Beispiel durch die Nutzung von MVPs zur Validierung des Problem-/Solution-Fit. Über die Zeit verändert sich der Betrachtungsfokus und es kommen naturgemäss neue Annahmen hinzu, insbesondere Annahmen über Akteure, die Teil von dem System werden könnten oder welche Vorteile die Akteure aus den Ökosystemen erhalten könnten. Das Gleiche gilt für die Skalierung, auch hier müssen die Annahmen getestet werden, bevor sie operativ im Ökosystem ihren Beitrag leisten. Dann schliesst sich der Kreis wieder, spätestens bei der Erweiterung der Value Proposition, bei der erneut im Rahmen von Design Thinking die Annahmen überprüft werden.

Eine gute Möglichkeit ist, die einzelnen Annahmen in einer Matrix zu verorten, im Team zu diskutieren und die Annahmen intensiv zu prüfen, die sich im Quadranten rechts oben wiederfinden.

Beispiel

KRITISCHE ANNAHMEN ÜBERPRÜFEN

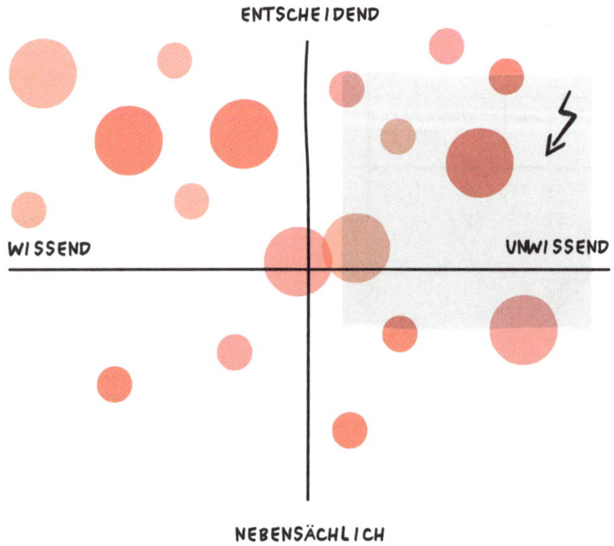

- **Wann sind wir das letzte Mal in den „Schuhen unserer Kunden" gegangen?**
- **Was löst einen echten WOW-Effekt bei den Kunden aus?**
- **Wann und wo nutzt der Kunde ein Angebot?**

BSP. LEGENDE DESIGN THINKING

- Desirability (z.B. Kundenwünsche und -bedürfnisse)
- Viability (z.B. Kosten für physische und digitale Touchpoints)
- Feasibilty (z.B. Standardisierung im Bereich Voice-Interaktion bis hin zu speziellen Algorithmen für Interaktionen)

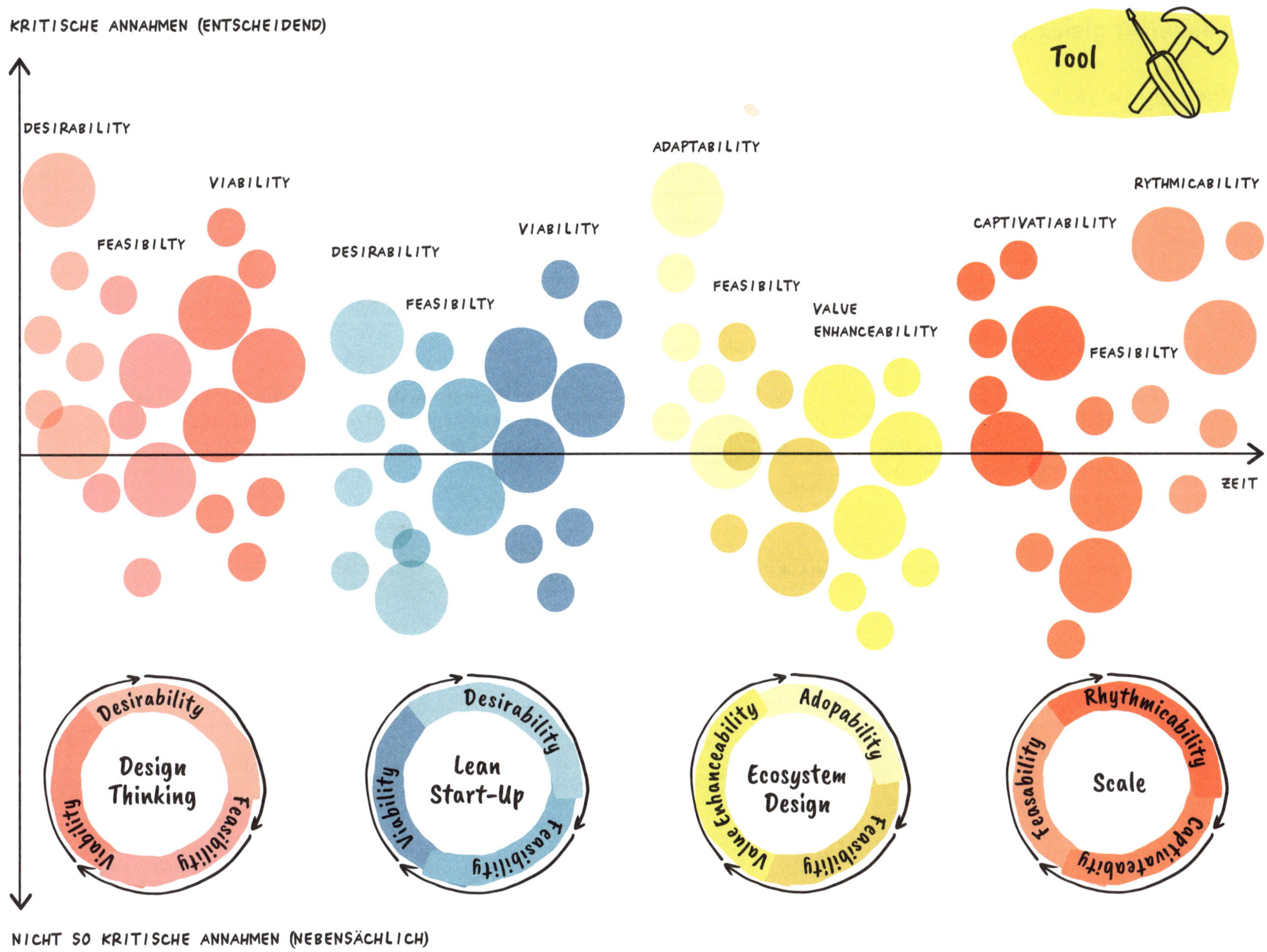

Tool
KRITISCHE ANNAHMEN (ENTSCHEIDEND)
DESIRABILITY
FEASIBILTY
VIABILITY
DESIRABILITY
FEASIBILTY
VIABILITY
ADAPTABILITY
FEASIBILTY
VALUE ENHANCEABILITY
CAPTIVATIABILITY
FEASIBILTY
RYTHMICABILITY
ZEIT
Design Thinking
Desirability
Feasibility
Viability
Lean Start-Up
Desirability
Feasibility
Viability
Ecosystem Design
Adopability
Feasibility
Value Enhanceability
Scale
Rhythmicability
Captivateability
Feasability
NICHT SO KRITISCHE ANNAHMEN (NEBENSÄCHLICH)

Warum nicht gleich mit dem Design des Ökosystems starten?

Die Praxis zeigt, dass es in den meisten Fällen notwendig ist, die vorgehenden Design Lenses nochmals zu durchlaufen, bevor die Gestaltung des eigentlichen Ökosystems in Angriff genommen werden kann. In den Fällen, in denen die vorhergehenden Schritte ausgelassen, werden ist zu beobachten, dass Unternehmen oft dazu tendieren, den Kunden als einen Akteur im System zu betrachten und ihn nicht ins Zentrum der Aktivitäten/ Value Propositionen stellen.

Aus diesem Grund werden in diesem Abschnitt zusätzlich die wichtigsten Werkzeuge und Techniken aus der Design Thinking Toolbox, wie Persona Konzepte, Critical Items Diagram, Brainstorming, bis hin zum finalen Prototyp ausgeführt. Zudem wird der Lean Start-up-Ansatz vorgestellt, der hilft, Konzepte zu validieren und die Zahlungsbereitschaft (Willingness to pay) für ausgewählte Funktionen und Erfahrungen zu prüfen. Beide Denkhaltungen unterstützen in der Lösungsfindung und bilden in vielen Fällen die Basis in der Gestaltung eines Business Ökosystems.

Das vorgestellte Vorgehen hat sich in der Praxis bewährt, da es den Kunden/Nutzer automatisch in den Mittelpunkt aller Überlegungen stellt. Dadurch wird zudem verhindert, dass die Überlegungen zu einen Ökosystem sich zu stark auf das eigene Unternehmen konzentrieren und der Fokus stärker auf EXPLORE als EXPLOIT liegt.

Business Ökosystem Teams, die bereits erfolgreich die Kundenbedürfnisse abgeholt haben und durch einen MVP die notwendigen Validierungen durchgeführt haben, können direkt im Abschnitt #3 Ecosystem Design (Seite 212ff.) starten.

Erfolgreiche Business Ökosystem Initiativen stellen den Kunden und die Value Proposition ins Zentrum der Überlegungen und nicht das eigene Unternehmen.

DENKE NICHT AUS SICHT DES UNTERNEHMENS, SONDERN AUS SICHT DES KUNDEN!

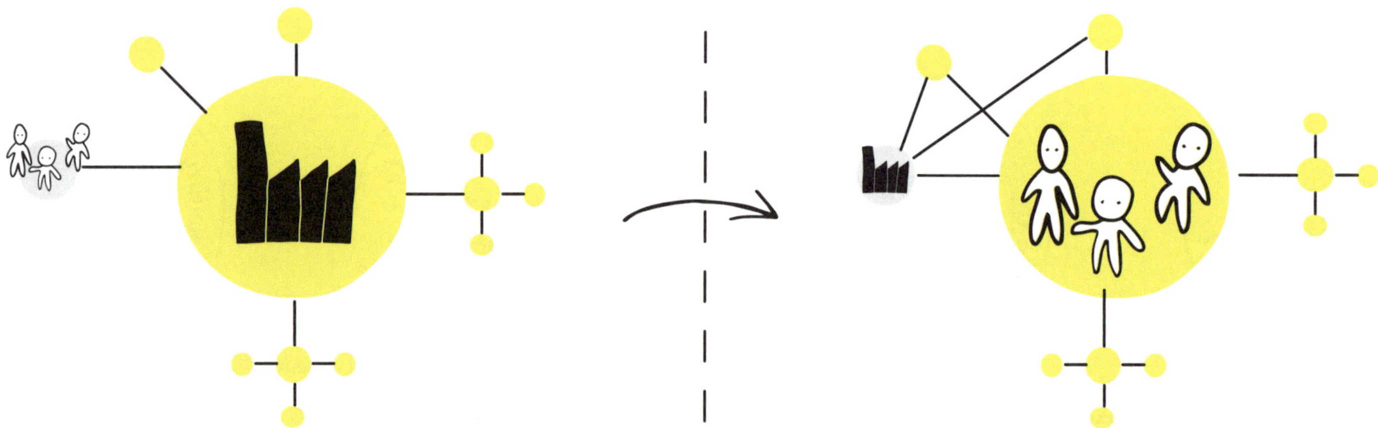

Starte beim Kunden, validiere die Annahmen und baue darauf das Ökosystem auf!

Wie bereits beschrieben, ist der Kunde die zentrale Ausgangslage für erfolgreiche Business Ökosysteme. Durch die initiale Erkundung der Kundenbedürfnisse und zu erfüllenden Aufgaben können in der Erstellung des Minimum Viable Product (MVP) ausgewählte Funktionen und Erfahrungen getestet werden. Die Minimum Marketable Features (MMF) sind meist auch die Testumgebung für das Minimum Viable Ecosystem (MVE), welches das Ziel hat, die Wertströme und das Zusammenspiel der Akteure in der Erstellung einer gemeinsamen Value Proposition zu validieren, bevor das Business Ökosystem umgesetzt und mit den richtigen Mechanismen skaliert wird.

DIMENSION	RELEVANTE ANSÄTZE	ERFOLGSKRITISCHE AKTIONEN
KUNDENBEDÜRFNISSE	Design Thinking	• Bedürfnisse erkunden • Zu erfüllende Aufgaben ableiten • Kritische Funktionen und Erfahrungen nutzen
PROTOTYPEN (MVPS, MMFS, MVES)	Lean Start-up Ecosystem Design	• Validieren der Funktionen, Erfahrungen etc. • Iterative Erarbeitung von Zielsystemen • Betrachten der Geschäftsmodelle (multidimensional)
LEADERSHIP	Future Ways of Working Ökosystem Leadership	• Etablieren eines neuen Mindsets • Management von vielseitigen Interessen • Ständige Weiterentwicklung der differenzierenden Faktoren (Value Proposition)
SKALIERUNG	Scale Agile Development	• Nutzen des First Mover Advantage für radikale Disruption • Schnelle Skalierung • Ständiges and nachhaltiges investieren in den Ökosystem-Aufbau
DYNAMISCHE WEITERENTWICKLUNG	Co-Creation	• Erweiterung des Ökosystems basierend auf Kunden-bedürfnissen • Erhöhen des Engagements für das System • Daten für Innovation und Validierung nutzen

Feasibility 4 – Ausbau, Professionalisierung und Leverage der Technologie-komponenten.

Feasibility 3 – Konkretisierung von Technologiekomponenten und Schnittstellen zur Realisierung eines Ökosystem-Ansatzes.

Feasibility 2 – Test und Validierung von ausgewählten Technologiekomponenten.

Feasibility 1 – Verwendung von modernen, effektiven und anwendbaren Enabler-Technologien.

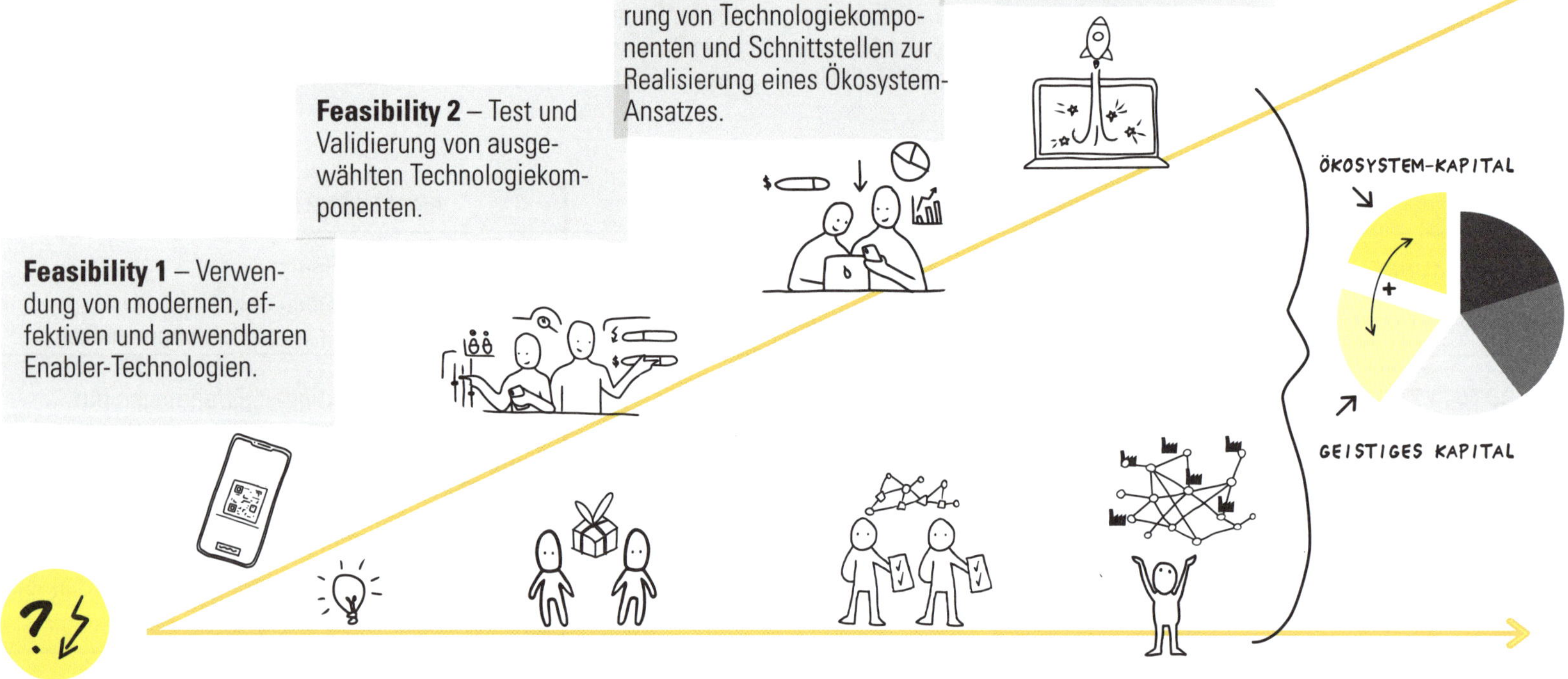

- **Desirability** – Fokussierung auf den Kunden und seine Bedürfnisse.
- **Viability** – Schaffung eines innovativen und nachhaltigen Geschäftsmodells.

- **Desirability** – Validierung der Kundenbedürfnisse anhand von einzelnen Funktionen und Erfahrungen.
- **Viability** – Validerung des Geschäftsmodells und Wert des Angebots.

- **Adoptability** – Fokussierung auf die Bedürfnisse der Akteure und ihre Fähigkeit, zusammen eine Value Proposition zu tragen.
- **Value Enhanceability** – Gestaltung von nachhaltigen Wertströmen und Vorteilen für alle Akteure im System.

- **Captivability** – Fokussierung auf die Erhöhung der Frequenz in der Kundeninteraktion, Share of Wallet und Bindung an das System.
- **Rhythmicability** – Nutzung von Netzwerkeffekten und Skaleneffekten.

Auf den Punkt gebracht!

Von der Identifikation der Kundenbedürfnisse bis hin zu einer Lösung, die von mehreren Akteuren erbracht wird, scheitert der grösste Teil der Initiatoren in der Umsetzung.

Erfolgskritisch sind zum einen jeweils die Übergänge zwischen den Design Lenses, aber auch das Mindset und das Management der oftmals vielseitigen Interessen der Akteure.

Vielen Ökosystem-Initiativen fehlt es an Governance und Fähigkeiten, die benötigt werden, um eine Lösung schnell zu skalieren.
Die ständige Adaption des Systems auf neue und veränderte Kundenbedürfnisse und die damit verbundene Weiterentwicklung benötigen Freiräume für die beteiligten Akteure und einen integrativen Ansatz des Orchestrators.

Schliesslich ist das für das Vorhaben passende Mindset aller beteiligten Akteure für den Erfolg massgebend.

#1 LENSE

DESIGN THINKING

Design Thinking

Das Design Thinking Mindset ist ein zentrales Element in der Gestaltung von Business Ökosystemen. Der Kunde und seine Bedürfnisse stehen im Mittelpunkt der Überlegungen und sollten von der Definition der Problemstellung hin bis zur Skalierung nicht ausser Acht gelassen werden. Insbesondere in den ersten beiden Design Lenses (Design Thinking und Lean Start-up) steht der Kunde im Zentrum. In diesen Phasen sollte nach Möglichkeit das vorhandene Experten- und Branchenwissen erst mal zweitrangig sein. Die Überlegung, wie das Kundenproblem zu lösen ist, sollte frei von Vorurteilen sein, insbesondere wenn es bereits klare Vorstellungen darüber gibt, wie es heute funktioniert oder eine Lösung in Zukunft funktionieren könnte. In beiden Fällen ist den Business Ökosystem Teams anzuraten, erst mal alles ergebnisoffen zu betrachten. Zudem ist es wichtig, den Dingen auf den Grund zu gehen, dies erfolgt im Design Thinking mit viel Neugierde und Empathie für die potenziellen Kunden. Zudem kann die Interaktion und Beobachtung von Extreme und Lead User als Quelle der Inspiration oder zur Definition von Lösungsansätzen dienen. Die Arbeit mit Personas hilft zudem, die klassischen Kundensegmentierungen zu verlassen und die echten Bedürfnisse und zu erfüllenden Aufgaben von potenziellen Kunden zu erkunden. Sog. HMW-Fragen helfen, die Erkenntnisse aus den Phasen Verstehen und Beobachten in einen Standpunkt zu überführen. Für den kreativen Teil eignen sich verschiedene Arten des Brainstormings. Besonders wertvoll ist zum Beispiel in einer frühen Phase der Problemlösung die Arbeit mit dem „Critical Items Diagram“. Es ist zum einen ein wertvolles Instrument, um die wichtigsten Funktionen und Erfahrungen der Kunden nicht ausser Acht zu lassen, und zugleich kann es als Backlog in der Lean Start-up-Phase für weitere Features dienen, um MVPs oder die gesamte Value Proposition für das Angebot im Ökosystem zu erweitern. Die Phasen Standpunkt formulieren, Prototypen entwickeln und testen sind als eine Einheit zu verstehen. Durch Iterationen werden die Prototypen über die Zeit höher auflösend. Der finale Prototyp ist Basis für die Spezifikationen eines oder mehrerer MVPs, die im Rahmen eines MVE und später mit der Umsetzung des Ökosystems realisiert werden sollen.

Typische Aktivitäten

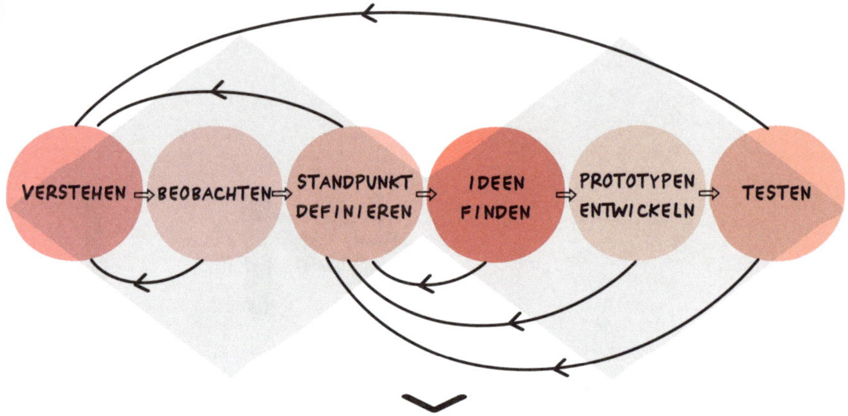

Der finale Prototyp glänzt durch Eleganz in den aufgewendeten Gedanken und in der Realisierung. Der Vision Prototype beschreibt eine mögliche Zukunft zum Beispiel eines ganzen Systems.

Passende Methoden & Tools

Key Questions Design Thinking

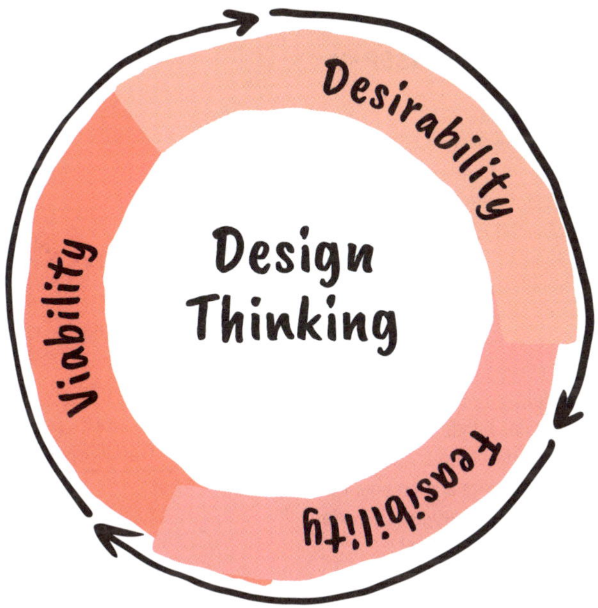

DESIRABILITY

- Wer hat das Problem?
- Wie wird es heute gelöst?
- Welche Aufgaben der Kunden (Jobs to be done) sollen gelöst werden?
- Welche Pains und Gains der Kunden sind bekannt?
- Welche Kundenbedürfnisse und -emotionen sind relevant?
- Welche kritischen Funktionen und Erfahrungen für den Kunden soll die Lösung beinhalten?
- Wie unterscheidet sich der Lösungsansatz von bekannten Lösungen?
- Inwieweit stimmt der Kundennutzen mit den Werten der Leistungserbringung überein?

FEASIBILITY

- Welches sind wichtige Komponenten für die Umsetzung?
- Welche Art von Technologie wird dafür benötigt?
- Welche Fähigkeiten werden für das Design, den Bau und den Betrieb benötigt?
- Welche Systeme sind davon betroffen?
- Welche Arbeitsabläufe sind notwendig?
- Welche Annahmen sind am riskantesten und entsprechend zu testen?
- Wie kann "fail fast, fail often" gelebt werden, ohne die Marktopportunität zunichte zu machen?
- Wie wird der Erfolg definiert, gemessen und die Stakeholdern kommuniziert?

VIABILITY

- Wie soll mit der Lösung Geld verdient werden?
- Alternativ: Wie können damit Kosten gespart werden?
- Wo entstehen Mehrwerte für die eigene Unternehmung?
- Wie können die Investitionen gerechtfertigt werden?

DESIGN THINKING CANVAS

RESEARCH AUSGANGSSITUATION UND TRENDS
- Wie wurde das Problem bisher gelöst?
- Welche Trends und Mega-Trends zeichnen sich ab?
- Wie kann durch Strategic Foresight die Zukunft beschrieben werden?

VISION (PROTOTYP)
- Wie sieht das Zielbild aus?
- Welche Bedürfnisse werden befriedigt?
- Welches sind die Benefits für die beteiligten Unternehmen (in einem Ökosystem) und den Kunden?

ANFORDERUNGEN AN MVP
- Welche Prototypen sollen als MVP umgesetzt werden?
- Welche Erfahrungen, Funktionen sollen zuerst getestet und validiert werden?
- Wie sieht der Backlog an Funktionen aus?

PROBLEMSTATEMENT
- Wo ist das Problem?

PROBLEMRAUM

DIVERGIEREN

KONVERGIEREN

- Welche tieferen Bedürfnisse hat der Kunde?
- Was treibt ihn an?
- Welche Annahmen über den Kunden bestätigen sich oder sind zu verwerfen?

- Welche tieferen Bedürfnisse hat der Kunde?
- Was treibt ihn an?
- Welche Annahmen über den Kunden bestätigen sich oder sind zu verwerfen?

CRITICAL ITEMS
- Welche kritischen Erfahrungen und Funktionen sind für den Kunden von grosser Bedeutung?
- Welche sollten zukünftig Bestandteil einer potenziellen Lösung sein?

HMW-FRAGE
- Wie lautet der Standpunkt, der aus den Erkenntnissen der vorherigen Phasen abgeleitet werden kann?

LÖSUNGSRAUM

DIVERGIEREN

KONVERGIEREN

- Welche tieferen Bedürfnisse hat der Kunde?
- Was treibt ihn an?
- Welche Annahmen über den Kunden bestätigen sich oder sind zu verwerfen?

- Welche tieferen Bedürfnisse hat der Kunde?
- Was treibt ihn an?
- Welche Annahmen über den Kunden bestätigen sich oder sind zu verwerfen?

FINALER PROTOTYP
- Gibt es einen Problem/-Solution-Fit?
- Entspricht die Lösung den Kundenbedürfnissen?
- Ist die Lösung umsetzbar?
- Wird die Lösung wirtschaftlich erfolgreich sein?

VERSTEHEN | BEOBACHTEN | STANDPUNKT DEFINIEREN | IDEE FINDEN | PROTOTYPEN BAUEN | TESTEN

BESCHREIBUNG DER PERSONA
- Wer hat das Problem?
- Welches sind die Pains/Gains der Kunden, zu erfüllende Aufgaben (Jobs-to-be-done) und Use Cases?
- Welches sind die heutigen und die zukünftigen Kundenbedürfnisse?

DOKUMENTATION DER PROTOTYPEN VIA EXPLORATION MAP
- Was hat funktioniert? Was hat nicht funktioniert?
- Konnte der jeweilige Prototyp, einzelne Erfahrungen und Funktionen der Kundenbedürfnisse befriedigen?

LEAN CANVAS
- Wie kann das Kurzkonzept beschrieben werden?
- Wie sehen die Vorbereitungen für die nächste Design Lense aus, inkl. erste Ideen zu den Kennzahlen, Kundensegmenten, Early Adopters?

Template Download

DESIGN THINKING CANVAS

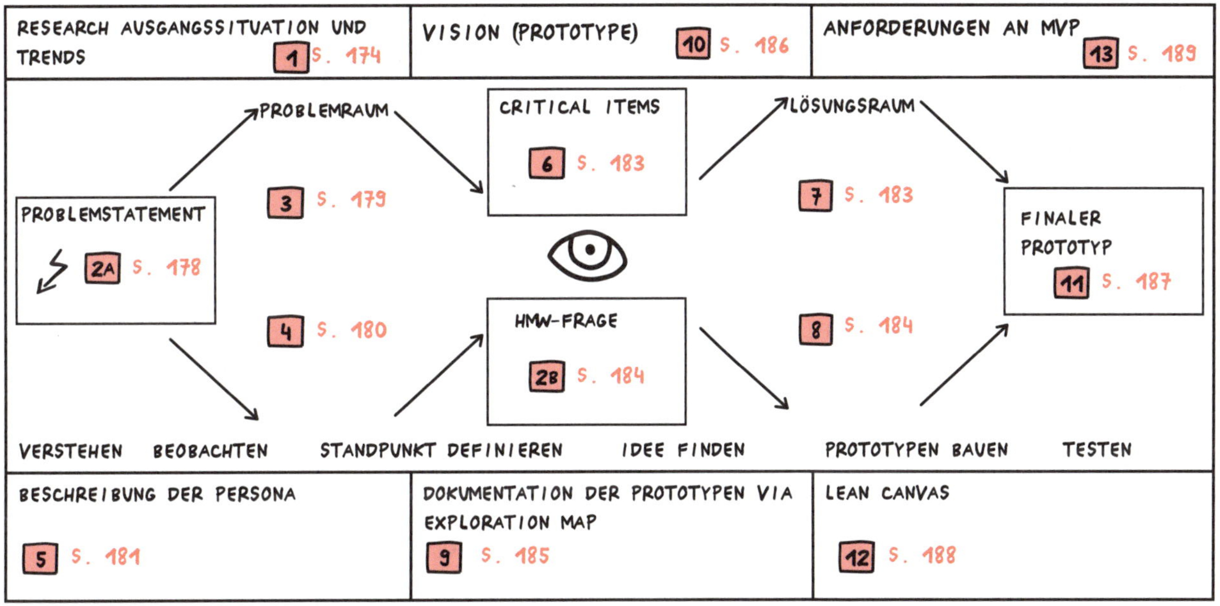

METHODEN & TOOLS LEGENDE

1. Research/Trends/Foresight
2. a) Problem Statement
2. b) HMW-Frage
3. Interview for Empathy mit Journey Map
4. Extreme/Lead User
5. Persona
6. Critical Items Diagram
7. Brainstorming
8. Prototype to test
9. Dokumentation der Prototypen via Exploration Map
10. Vision Prototype
11. Finaler Prototyp
12. Lean Canvas
13. Anforderungen an den MVP

Der Design Thinking Canvas hilft in der Dokumentation der einzelnen Schritte und die Ergebnisse aus den angewandten Tools und Methoden festzuhalten.

TOOL ZUM DOWNLOAD
www.business-ecosystem-design.com/design-thinking

Research/Trends/Foresight in Form von Progression Curve

Ein eher generelles, aber dennoch hilfreiches Vorgehen ist, sich als Design-Team mit den relevanten Trends, demografischen Veränderungen und globalen Aktivitäten im Umfeld der Problemstellung zu beschäftigen. Hierfür gibt es unzählige Methoden und Tools, die entsprechend Anwendung finden können. Eine gute Möglichkeit, sich mit der Zukunft zu beschäftigen, ist die Nutzung einer „Progression Curve", die zum Beispiel auf den Ebenen von Zukunftsszenarien, evolutionären Gedanken zu Geschäftsmodellen und sog. Innovation Accelerators hilft, Mikro-; Makro und Megatrends besser fassbar zu machen.

Eine Progression Curve hilft dem Business Ökosystem Design Team:

- Ereignisse, Lebenszyklen und andere Entwicklungen in den richtigen Kontext zu setzen.
- In der späteren Validierung eines Vision Prototyps oder des entsprechenden zukünftigen Zielbildes eines Business Ökosystems.
- Die Vision und die zukünftigen Kundenbedürfnisse zu schärfen.
- Bei der Konzipierung und auch bei der Auswahl (Filterung) wichtiger Themen über den gesamten Design-Zyklus.
- Herauszufinden, wie Probleme in Zukunft gelöst werden können.

Vorgehen

1. Zum einen können auf der Progression Curve verschiedene Themen, die im Zusammenhang stehen, geclustert werden (siehe Bsp. Seite 177).
2. Für ein bestimmtes Thema kann in der Kombination von Strategic Foresight, den identifizierten Trends und Design Thinking eine Themenlandkarte entstehen (siehe Bsp. „Zukunft der Mobilität").
3. Die jeweiligen Trends können zudem auf unterschiedliche Ebenen gebracht werden, um ihre Wirkung und Relevanz für das Vorhaben besser diskutieren und bewerten zu können.
4. Die Basis für Progression Curves bieten entsprechende Reports von Zukunftsinstituten und Trendforschern.

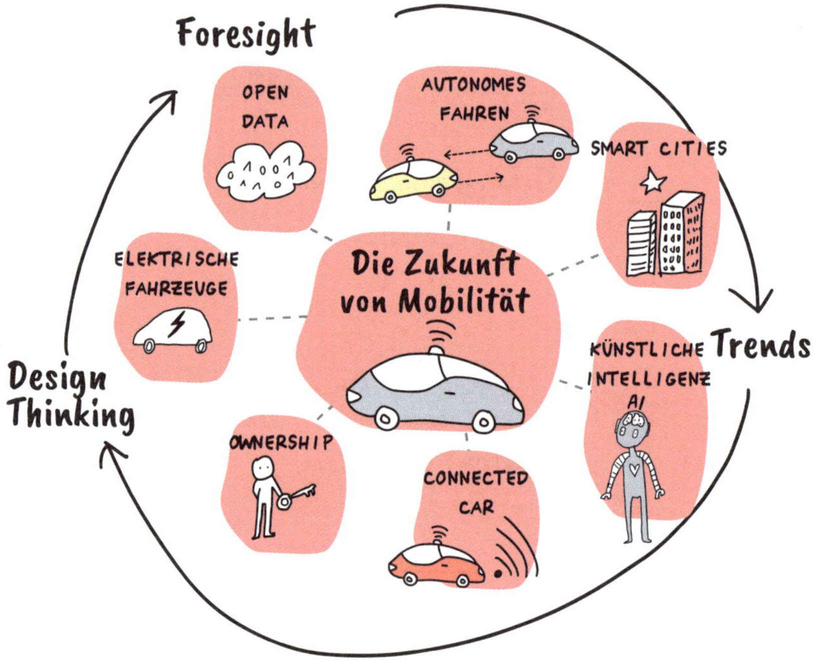

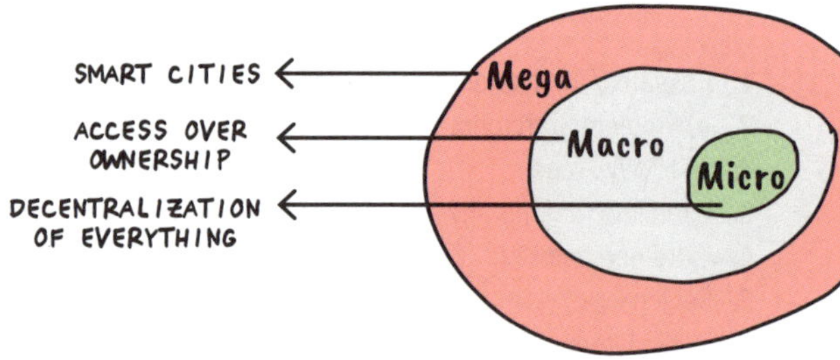

PROGRESSION CURVE

Beispiele für Szenarien rund um Digitalisierung, Technologien und Geschäftsmodelle. Durch die Kombination von mehreren Trends der Progression Curve lassen sich neue, innovative Ideen konstruieren.

Beispiel

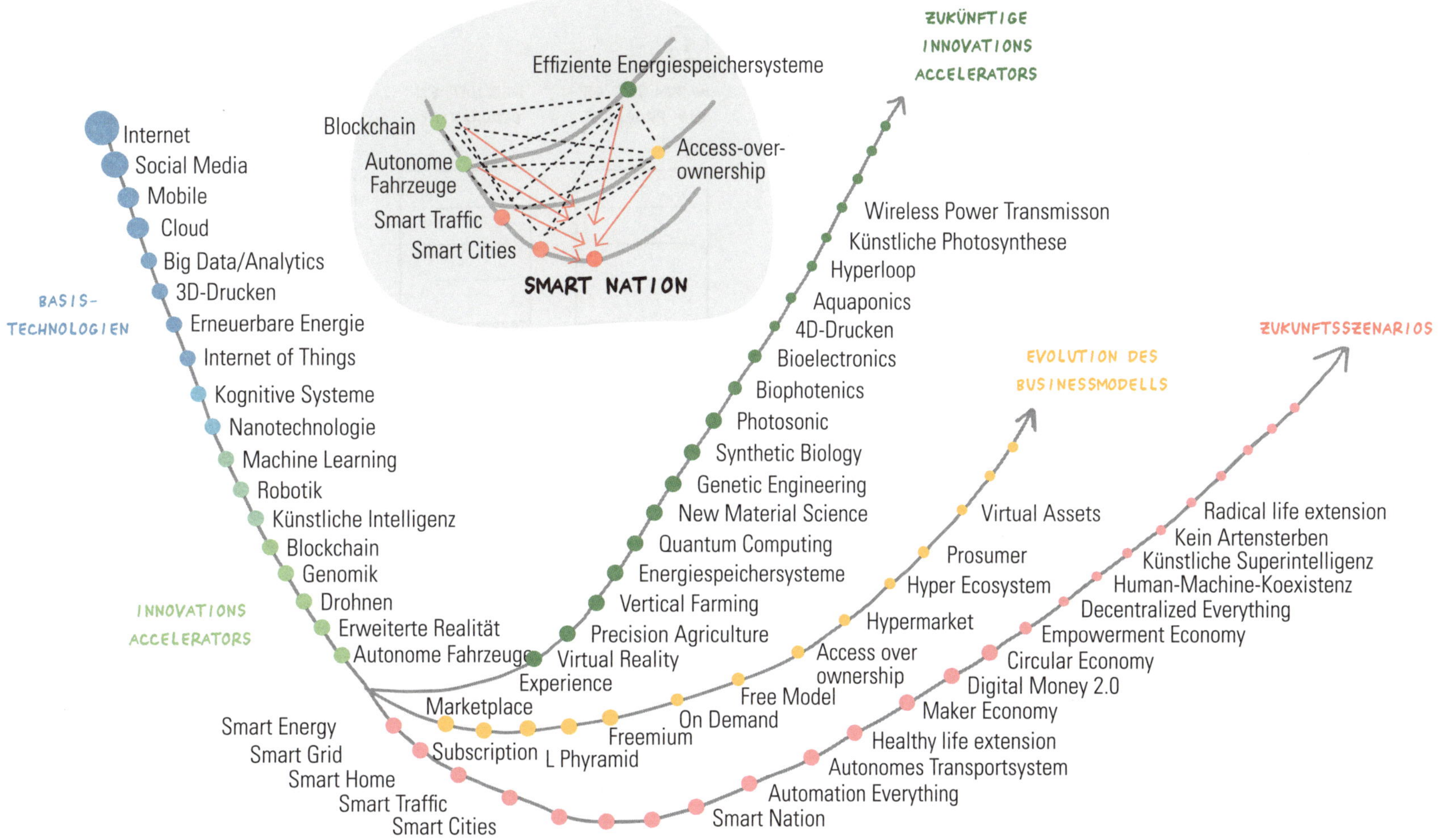

Problem Statement/HMW Frage

Tool

Oft wird in Lösungen gedacht und deshalb ist im Design Thinking der erste Schritt, ein Bewusstsein für das Problem der Kunden zu erhalten. Das Problem Statement erlaubt es, die Problemstellung schlüssig zu formulieren und in einem Satz festzuhalten. Das Problem Statement und die später vorgestellte HMW-Frage sind somit der Startpunkt und das Ende des Problemraums im Design Thinking.

Ein Problem Statement hilft dem Business Ökosystem Design Team:

- Ein gemeinsames Verständnis eines Problems zu entwickeln.
- Gesammelte Erkenntnisse aus der Problemanalyse in einem Statement zu formulieren.
- Stossrichtung und Rahmen für die Ideengenerierung abzustecken.
- Basis zur Formulierung einer How-might-we-Fragestellung (sog. HMW Fragestellungen) zu bilden.
- Eine Referenzgrösse für die spätere Erfolgsmessung zu erhalten.

2a.) Problem Statement

1. Initial können zum Beispiel verschiedene W-Fragen im Kontext des Problems gestellt werden, wie zum Beispiel: Warum ist es ein Problem? Dies hilft, im Team ein gemeinsames Verständnis über den Problemraum zu erhalten.
2. Basierend auf den Antworten kann iterativ mit dem Team das Problem Statement formuliert werden. Das Problem Statement kann zum Beispiel in der Form: „Wie können wir… (Was?) … (für Wen?) neu gestalten, damit… (sein Bedürfnis) … befriedigt wird?“

2b.) Vorgehen HMW-Frage

Die HMW-Frage ergibt sich aufgrund der gesammelten Erkenntnisse und basiert auf einem Standpunkt. Die HMW-Frage ist somit eine konkretisierung des Problem Statements.

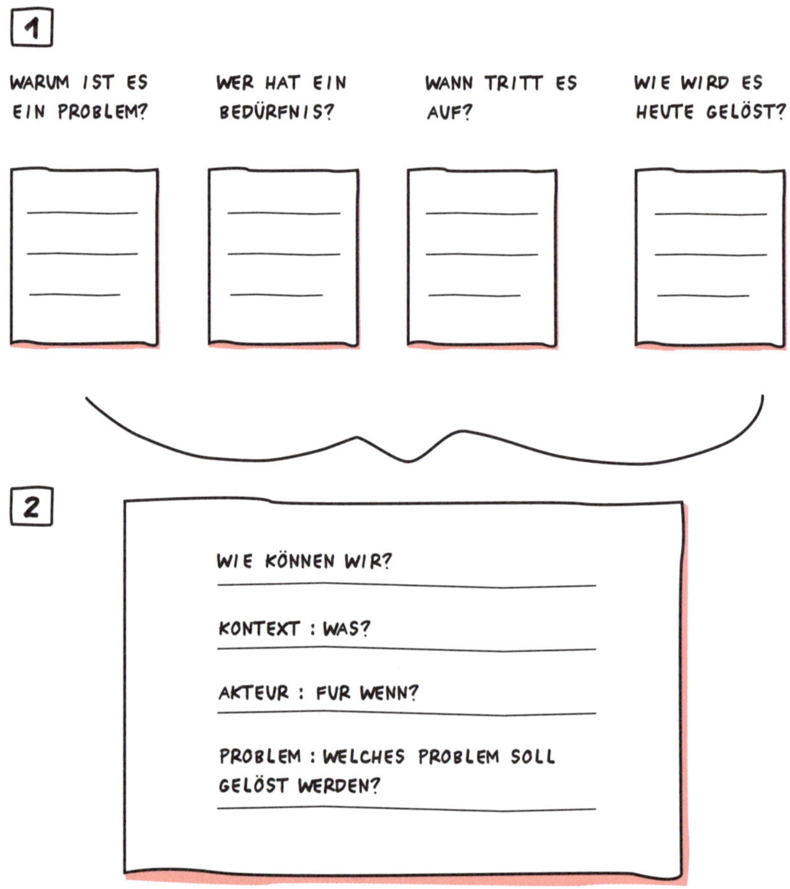

Interview for Empathy

Mit dem „Interview for Empathy" soll das bereits skizzierte Problem aus Sicht des Nutzers betrachtet werden. Besonders in einer frühen Phase helfen die Interviews, den Kontext zu verstehen, in dem ein potenzieller Nutzer oder Kunde handelt. Für das Business Ökosystem Design Team ist es besonders hilfreich, bisherige Denkmuster zu durchbrechen und den Mindshift von einer produkt- oder- unternehmenszentrierten hin zu einer kundenzentrierten Haltung einzunehmen.

Interview for Empathy hilft dem Business Ökosystem Design Team:

- Ein gutes Verständnis für die Bedürfnisse, Emotionen, Motivationen und Denkweisen eines potentiellen Kunden zu erhalten.
- Erkenntnisse zu erhalten, die bei einer oberflächlichen Betrachtung nicht zu erkennen sind, wie zum Beispiel Frustration und tiefere Beweggründe eines potenziellen Kunden.
- Herauszufinden, welcher Aufgabenablauf präferiert wird und welches mentale Modell diesem zugrunde liegt.

Vorgehen und Template

1. Initial kann zum Beispiel eine Fragenlandkarte erstellt werden. Die hat den Vorteil, dass im „Interview for Empathy" nicht nur Thesen abgefragt werden, sondern durch W-Fragen den ersten Aussagen auf den Grund gegangen wird.
2. Zusätzlich zur Fragenlandkarte können sog. „Journey Stages" helfen, Muster frühzeitig zu erkennen. Hierzu kann zum Beispiel der Befragte aufgefordert werden, ein Thema in Form einer Skizze oder eines zeitlichen Ablaufs darzustellen oder zu vertiefen. Diese Aktivität bietet die Möglichkeit, mit vertiefenden Fragen die Ursachen und Bewegründe für ein bestimmtes Handeln zu erkunden. Zum Beispiel kann auf diese Weise herausgefunden werden:
   - Wo sich ein Nutzer vorab überall informiert hat.
   - Welche Informationen wertvoll gewesen sind.
   - Wann er sich für den Kauf entschieden hat.
   - Wie einfach die Bezahlung war.

Bei Empathie geht es darum, das Echo einer anderen Person in einem selbst zu finden und daraus Rückschlüsse über ihre Bedürfnisse zu ziehen.

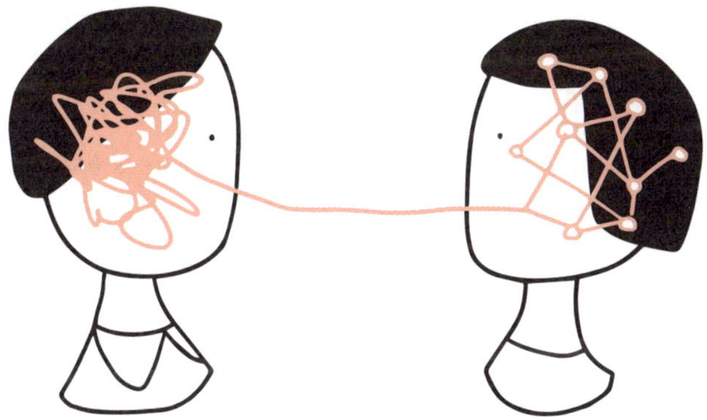

FRAGENLANDKARTE

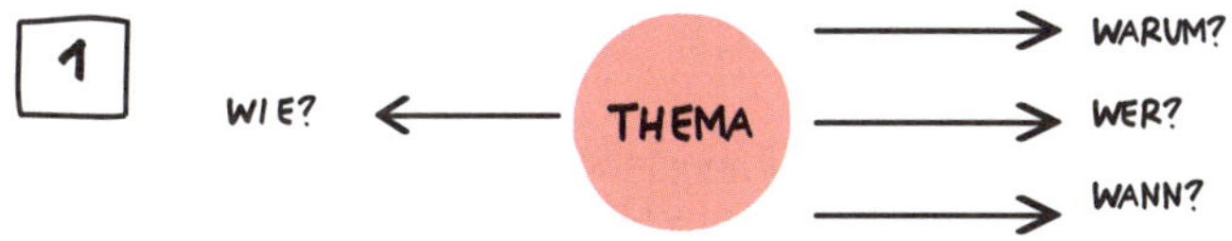

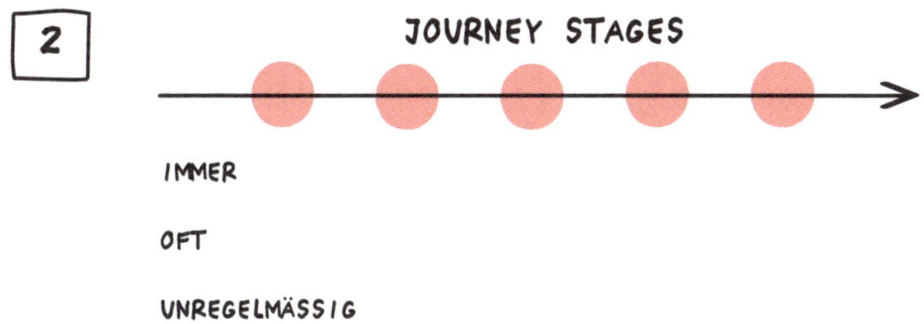

Extreme/Lead User

Die Interaktion mit Extreme/Lead Usern hilft, innovative Ideen zu finden und Bedürfnisse zu identifizieren, die dem durchschnittlichen Kunden bislang noch nicht bekannt sind. Lead User treten oftmals als Innovatoren auf, sie befriedigen dadurch ihre Anforderungen, die dem Massenmarkt bislang nicht bekannt sind. Die Extreme User überschreiten in der Regel die üblichem Nutzungsgrenzen eines Produkts, einer Dienstleistung oder eines Systems. Beide Konzepte helfen, am sog. „Leading Edge" von neuen, noch nicht adressierten Marktflächen Erkenntnisse zu sammeln. Für Business Ökosysteme sind besonders die jeweiligen alltäglichen Bedürfnisse und Träume von hoher Bedeutung.

Das Extreme/Lead User Konzept hilft dem Business Ökosystem Design Team:

- Die Bedürfnisse der Kunden zu erkunden, die durchschnittliche Benutzer und Kunden nicht in der Lage sind zu artikulieren.
- Neue innovative Ideen zu finden.
- Frühzeitige Trends des Nutzerverhaltens oder der Bedürfnisse zu erkennen.
- Ideen für ein integrativeres Design zu finden.

Vorgehen und Template

- Es können zum Beispiel zuerst Dimensionen definiert werden, die im Kontext der Problemstellung Relevanz haben (bei Extreme Usern) oder durch Social Media Beiträge Lead User identifiziert werden, die für ihr Anliegen innovativ geworden sind.
- In beiden Fällen können durch Interviews und Beobachtung neue Erkenntnisse gesammelt werden. Die Erkenntnisse können zum Beispiel für die Erstellung von Personas genutzt werden, bestehende Annahmen validieren oder erste Lösungsideen enthalten.
- Die Erkenntnisse der Lead und Extreme User können zum Beispiel als Videopräsentation oder in einem illustrierten Storytelling dokumentiert und mit den internen und externen Teams geteilt werden.

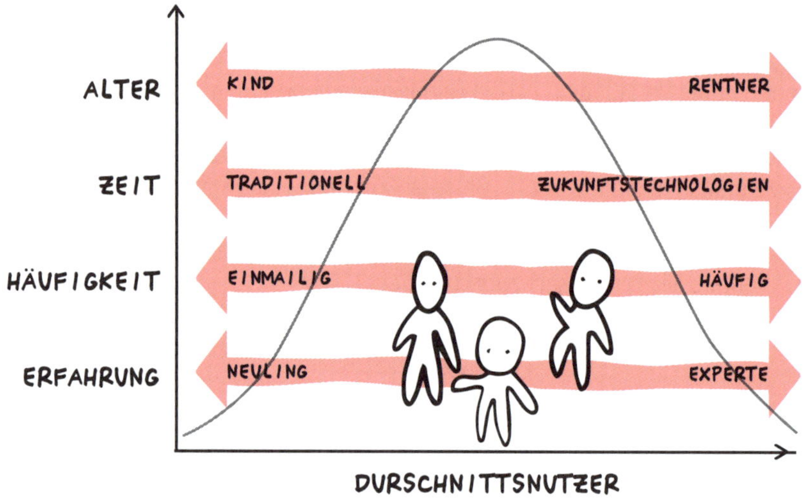

Erfolgreiche Business Ökosystem Initiatoren erzeugen nicht einfach ins Blaue hinein neue Produkte, sondern sie überlegen genau, welches Wertversprechen zukünftig grosse Resonanz bei den Kunden erzeugen wird.

Persona

Das Konzept von Personas hilft, die Erkenntnisse aus den Tiefeninterviews, Interviews for Empathy oder auch den Interaktionen mit Lead/Extreme Usern als Profil einer möglichen Kundengruppe mit den erkundeten Bedürfnissen darzustellen. Es handelt sich hierbei um einen oder mehrere fiktive Charaktere, die erstellt werden, um einen Nutzer- oder Kundentyp zu repräsentieren. Eine Persona soll so genau wie möglich beschrieben werden. Das heisst, sie hat einen Namen, ein Geschlecht und basisdemografische Daten, wie zum Beispiel Alter, Beruf, Hobbys.

Eine Persona hilft dem Business Ökosystem Design Team:

- Einen fiktiven Charakter zu erstellen, der ein potenzieller Kunde einer Lösung ist.
- Ein gemeinsames Bild im Team über den potenziellen Kunden zu erstellen.
- Die Ziele, Wünsche und Bedürfnisse eines typischen Kunden zu visualisieren und mit dem Design-Team zu teilen.
- Ein konsistentes Verständnis über eine Zielgruppe zu erhalten.

Vorgehen und Template

Der User Profile Canvas enthält 8 Bereiche, die helfen, die passenden Fragen in der Erstellung einer Persona zu adressieren.

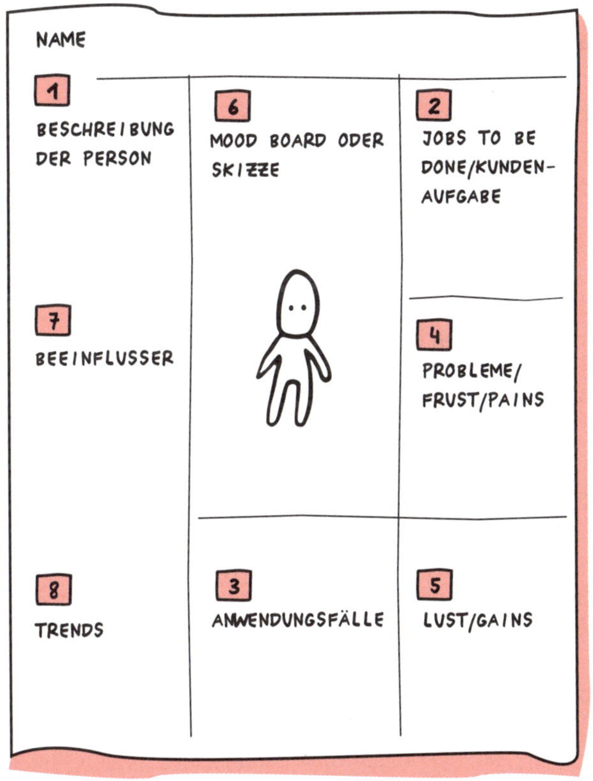

1. Beschreibe die Persona so genau wie möglich (Name, Alter, Geschlecht etc.)
2. Erläutere die zu erfüllende Aufgabe der Persona
3. Beschreibung von Anwendungsfällen im Kontext der Problemstellung. Typische Fragen: Wo? Was? Wie?
4. Beschreibung von Pains, also Herausforderungen, oder Problemen, die bestehen
5. Beschreibung von Gains. Also Möglichkeiten oder Vorteile, die zum Beispiel aufgrund von Lebenssituationen oder sozialem Status bestehen.
6. Erstellung einer Skizze oder eines Bildes von der Persona
7. Erkundung des Umfelds der Persona. Hier sind die typischen Fragen zum Beispiel: Von wem wird die Persona beeinflusst?
8. Welche Trends existieren und haben womöglich einen Einfluss auf die Persona?

Critical Items Diagram

Das Critical Items Diagram hilft dem Team, sich nach den ersten Erkenntnissen, der Definition eines POV oder dem Bau einer Persona auf die für die Zielgruppe entscheidenden erfolgskritischen Elemente zu einigen. Diese Elemente müssen später mit dem finalen Prototyp gelöst werden und finden sich oft im MVP wieder. Die beschriebenen Elemente im Critical Items Diagram können entweder die Erfahrung beschreiben, die ein Nutzer von der Lösung erwartet, oder eine Funktion darstellen, die erwartet wird. Die Elemente des Diagramms sollten nach jeder Iteration hinterfragt werden. Jedoch werden einige zwingend für eine kritische Erfahrung oder kritische Funktion bis in den finalen Prototyp/MVP Relevanz haben.

Das Critical Items Diagram hilft dem Business Ökosystem Design Team:

- Die Ergebnisse aus den Phasen Verstehen und Beobachten aufzuarbeiten und die entscheidenden Elemente herauszufiltern.
- Die Phasen „Ideen finden" und „Prototypen entwickeln" und später „MVP realisieren" vorzubereiten und somit eine gute Ausganslage zu schaffen.
- Sich über die für das Projekt essenziellen Dinge klar zu werden und sich zu einigen, was für den Erfolg wichtig sein könnte.

Vorgehen und Template

1. Kläre zu Beginn dieses Schritts die Frage: „Was ist entscheidend für eine erfolgreiche Lösung des Problems?" Basis hierfür sind die Erkenntnisse aus den Phasen Verstehen und Beobachten.
2. Skizziere am Whiteboard oder auf einem grossen Blatt Papier ein „Critical Items Diagram" und diskutiere im Team, welche Erfahrungen der Nutzer machen muss bzw. welche Funktionen für den Nutzer entscheidend sind.
3. Jedes Teammitglied schreibt die für ihn/sie entscheidenden 8 Elemente auf Post-its.
4. Jeder nennt je vier Erfahrungen und vier Funktionen, wobei jeweils eine davon auf ganz neue oder die zukünftigen Erwartungen fokussiert.
5. Führe die Ergebnisse zusammen und finde im Team Einigung über die acht entscheidenden Elemente. Definiere auf dieser Basis „How might we ..."-Fragen, die interessant genug sind, um die Phase „Ideen finden" erfolgreich zu starten.

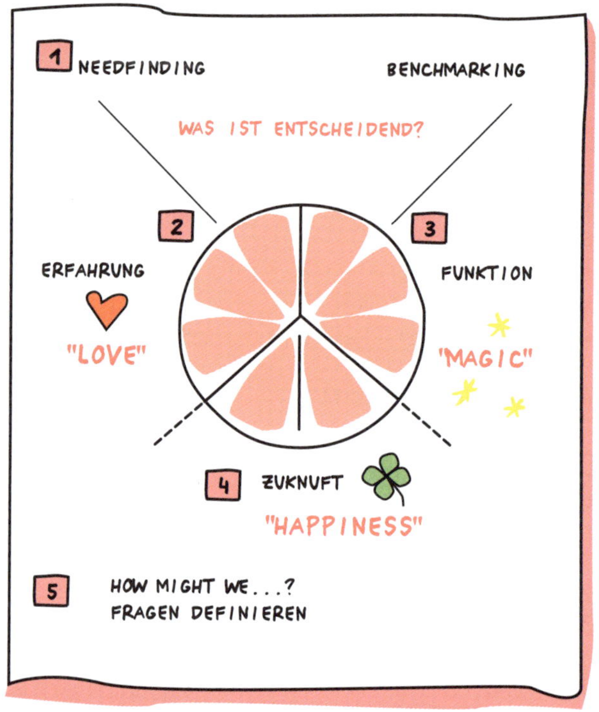

Die Inhalte aus dem Critical Items Diagram haben eine hohe Relevanz für die Erstellung von Prototypen, MVPs bis hin zur Realisierung von MVEs.

Brainstorming

Brainstorming ist eine Ideengenerierungstechnik, bei der alle Teilnehmer ihr Wissen einbringen können. Brainstorming hilft, eine Vielzahl an Ideen für eine Problemstellung oder einen Standpunkt zu erarbeiten. Gute Brainstorming-Sitzungen regen die Kreativität an und erlauben, dass sich alle Teilnehmer ungeachtet ihrer Hierarchiestufe mit allen Ideen einbringen dürfen. Brainstorming hat keine Grenzen, d.h., alle Ideen sind willkommen. Verschiedene Fragen in Bezug auf das Brainstorming helfen, die Kreativität zu steigern. Hier können aus dem Tool-Set des Special Brainstormings mit Super-Heros (z.B. Wie würde Steve Jobs das Problem lösen?) oder mit Analogien/Benchmarks (z.B. Wie würde Amazon das Problem lösen?) gearbeitet werden.

Brainstorming hilft dem Business Ökosystem Design Team:

- Viele Ideen zu generieren, die dem Team spontan in den Sinn kommen.
- Das ganze Kreativitätspotenzial des Teams zu nutzen.
- Sofort eine hohe Anzahl an Varianten zur Verfügung zu haben.
- Eine interdisziplinäre Sichtweise auf ein Problem zu erhalten, das unterschiedliche Kompetenzen repräsentiert.
- Ideen und Sichtweisen von einer heterogenen Gruppe einzusammeln.

Vorgehen

1. Bereite eine klare HMW-Fragestellung für das Brainstorming vor, zum Beispiel in der Form „Wie könnten wir …" oder „Welche Möglichkeiten gibt es …" (siehe Seite 178).
2. Wiederhole vor dem Brainstorming die Brainstorming-Regeln. Versuche, während des Brainstormings die Gruppe zu motivieren, mehr Ideen zu nennen und auf den Ideen der anderen aufzubauen. Achte darauf, dass alle gehört und alle Ideen aufgeschrieben werden. Weise darauf hin, pro Post-it nur eine Idee aufzuschreiben und klar und deutlich zu schreiben. Ebenfalls können statt Worten kleine Skizzen auf das Post-it gemalt werden.
3. Clustere und beurteile in regelmässigen Abständen die Ideen mit dem Team.
4. Entscheide, ob noch mehr Kreativität gebraucht wird, um zum Beispiel wildere Ideen zu erhalten, oder starte ein Brainstorming in Bereichen, in denen generell noch mehr Ideen gesucht werden.

Kreativität ist ein Team-Sport. Durch die freie Assoziation von Gedanken und Brainstorming von vielen kann ein zufälliger Gedanke zu den besten Lösungsideen führen.

Prototype to Test

Die Arbeit mit Prototypen ist ein grundlegendes Konzept des Design Thinkings. Dieses Vorgehen hilft in der direkten Kundeninteraktion, Feedback zum Beispiel zu der Erfahrung oder der Funktion zu erhalten. Nach verschiedenen Ideenphasen und Anwendung von meist verschiedenen Kreativitätstechniken werden die Ideen in Prototypen umgesetzt und mit den potenziellen Kunden getestet. Es geht primär darum, ein Experiment für den Nutzer zu gestalten, um aus der Interaktion für die Verbesserung des Prototypens zu lernen. Der potenzielle Kunde sollte am besten mit dem Prototyp interagieren und den Prototyp auf diese Weise erleben.

Der Prototype to Test hilft dem Business Ökosystem Design Team:

- Ideen erlebbar zu machen und zu beobachten, wie der potenzielle Kunde mit dem Prototyp interagiert.
- Das Verständnis über den potenziellen Kunden zu vertiefen.
- Bedürfnisse zu validieren und Annahmen zu überprüfen.
- Feedback zu verschiedenen Dimensionen der Feasibility, Desireability und Viability zu erhalten.

Vorgehen und Template

1. Vor dem Prototyping sollten wir uns fragen, welche Art von Erkenntnissen gewonnen werden sollen und warum wir ein Experiment machen möchten. Daher ist es notwendig, Annahmen zu formulieren, die getestet werden sollen und wie dieses Experiment durchgeführt werden soll.
2. Überlege, wie es für den Nutzer (Testperson) zu einem Erlebnis wird, mit dem Prototyp zu interagieren und wie der Test zu neuen Erkenntnissen führen wird.
3. Bestimme die Auflösungsstufe und was genau gemacht werden soll. Definiere verschiedene Prototypen, die gebaut werden sollen. Oftmals macht es Sinn, in Alternativen zu denken. Wähle eine Variante aus und skizziere ggf. das Experiment. Niedrig auflösende Prototypen konzentrieren sich auf Erkenntnisse über Bedürfnisse, Zweckmässigkeit und Funktionalität und werden meist in der divergenten Phase eingesetzt. Die hochauflösenden konzentrieren sich auf Machbarkeit und Rentabilität.

Dokumentation via Exploration Map

Die Exploration Map hilft, die Übersicht über die durchgeführten Experimente und Prototypen zu behalten. Sie hat in der Regel eine Erfahrungs- und eine Funktionsachse. Beide Achsen symbolisieren bekannte bzw. existierende sowie neue oder unerwartete Verhaltensweisen und Funktionen. Zudem kann auf der Exploration Map auch das Feedback der Nutzer/Kunden in Bezug auf die Experimente festgehalten werden. So kann festgestellt werden, ob die Erwartung an das Nutzerverhalten mit den realen Erfahrungen übereinstimmt. Die Exploration Map zeigt am Ende des gesamten Design-Zyklus den Weg, welchen das Team zur finalen Lösung durchlaufen hat.

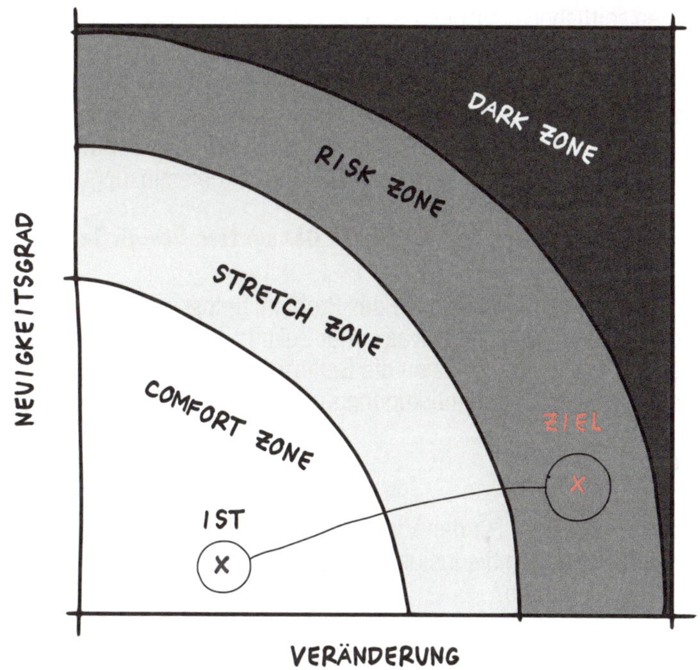

Die Exploration Map hilft dem Business Ökosystem Design Team:

- Sichtbar zu machen, welche Art von Experimenten durchgeführt und welche Prototypen realisiert wurden.
- Einen schnellen Überblick zu erhalten, welche Experimente oder Prototypen noch durchgeführt werden können.
- Das Delta zwischen einem erwarteten und tatsächlichen Ergebnis eines Experiments festzuhalten.
- Im Team ein gemeinsames Verständnis über die bisher gemachten Experimente zu erreichen.

Vorgehen und Template

Die Exploration Map verschafft dem Team einen Überblick über die durchgeführten Experimente und zeigt auf, in welchen Bereichen noch Experimente durchgeführt werden können. Sie gibt Auskunft über die Erwartungen an ein Experiment und dessen Wirkung bei der Zielgruppe.

1. Trage die bereits durchgeführten Experimente ein. Eventuell müssen sie neu positioniert werden. Jedes Experiment wird in der Exploration Map festgehalten – am besten mit Namen und einem Bild, zum Beispiel des Prototyps und der Testdurchführung.
2. Diskutiere im Team die Positionierung des Experiments. Wurde die Komfortzone wirklich verlassen? Basierend auf der bisherigen Exploration und den bisherigen Experimenten kann zum Beispiel der Zielbereich für ein neues Experiment definiert werden.
3. Nachdem der Prototyp gebaut und die Erwartung an das Ergebnis formuliert ist, werden diese wieder auf der Exploration Map festgehalten und entsprechend positioniert.
4. Nach den Tests können die Reaktion der Nutzer und die Erkenntnisse des Tests ebenfalls festgehalten werden. Die kritische Auseinandersetzung mit dem Feedback kann die Positionierung des Experiments auf der Exploration Map entsprechend verändern.

Vision Prototype

Der Vision Prototype ist das erste Konzept, mit dem versucht wird, alle ermittelten Bedürfnisse und Probleme des Nutzers zu lösen. Die skizzierte Vision hat dabei i.d.R. einen weit entfernt liegenden zeitlichen Horizont, der durch eine Reihe von Lösungen in Form von Produkten und/oder Dienstleistungen erreicht werden kann. Dieses Konzept muss ebenfalls an den Nutzern getestet und überprüft werden. In diesem Schritt ist es durchaus üblich, dass neue Erkenntnisse über den Nutzer und sein Verhalten entstehen. Der Vision Prototype soll helfen, die „Groan Zone" (engl. für ächzen, stöhnen) – den Übergang der divergierenden Phase der Problemerkundung in die konvergierende Phase der Problemlösung – besser zu überwinden.

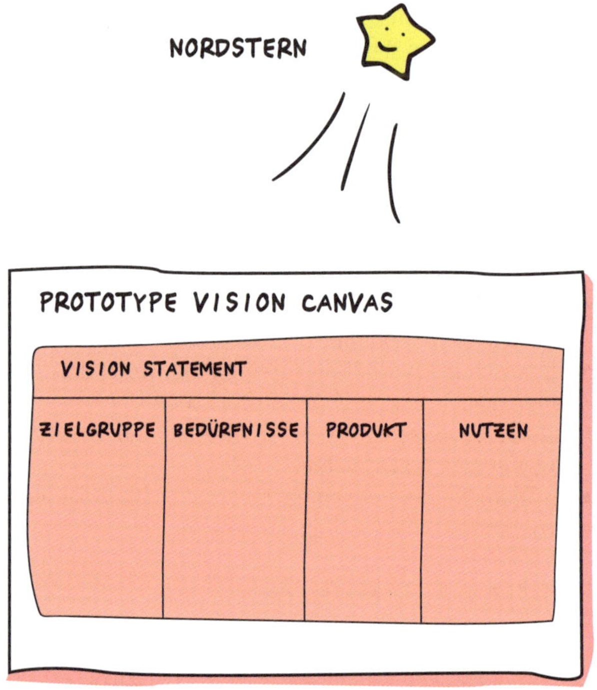

Der Vision Prototype hilft dem Business Ökosystem Design Team:

- Eine erste Vision zu entwickeln, wie das Problem gelöst werden kann.
- Eine Vision dessen zu erzeugen, was in der Zukunft vermarktet werden soll.
- Sich zu vergewissern, ob die Vision die Bedürfnisse und Probleme des Nutzers löst.
- Den Übergang von der Problemerkundung in die Problemlösung zu gestalten.

Vorgehen und Template

1. Zielgruppe beschreiben: Für den Vision Prototype wird nochmals konkret die Zielgruppe beschrieben. Hier helfen die Insights, die über Personas und andere Segmentierungstechniken gewonnen wurden.
2. Bedürfnisse beschreiben: Zusätzlich werden die konkreten Bedürfnisse beschrieben, für die eine Lösung erstellt wird.
3. Beschreibung des Produkts/der Dienstleistung: Entscheidend ist, wie der Problem-/Solution-Fit zustande kommt und was der Kunde erhält, um seine Bedürfnisse zu befriedigen oder sein Problem zu lösen.
4. Nutzen für den Kunden und die beteiligten Akteure: Zusätzlich wird der Nutzen für den Kunden beschrieben. Wer an dieser Stelle schon in Ökosystemen denkt, kann zusätzlich den Nutzen für das System oder einzelne Akteure mit aufnehmen.
5. Vision beschreiben: Die Schritte 1–4 dienen als Hilfestellung, um das eigentliche Vision Statement zu beschreiben. Gute Vision Statements denken ambitioniert und beinhalten, für wen die Lösung erstellt wird und welchen Nutzen das definierte Zielsegment hat.

Aus Ideen müssen Geschichten werden, die für Kunden und potenzielle Partner im Business Ökosystem von Bedeutung sind.

Final Prototype

Durch ein iteratives Vorgehen werden die Prototypen über die Zeit immer hochauflösender. Der finale Prototyp schliesst die Phase der Problemlösung ab. Der finale Prototyp soll zum einen elegant sein, aber auch durch Einfachheit glänzen. Bevor mit der Ausformulierung der Spezifikationen für ein MVP begonnen wird, ist es wichtig, nochmals zu prüfen, ob die Lösung immer noch zu den ursprünglich ermittelten Bedürfnissen und dem Problem der Zielgruppe passt. Spätestens in diesem Schritt sollten alle Kriterien für ein oder mehrere Minimal Viable Product(s) erreicht sein.

1	2	3
SKIZZE	MOCK-UPS	FINAL PROTOTYPE

Der finale Prototyp hilft dem Business Ökosystem Design Team:

- Die Prototypenphase und somit die frühe Innovationsphase zu beenden.
- Eventuell entstandene Übererfüllung der Bedürfnisse zu vermeiden.
- Alle erforderlichen Elemente auf das Wesentliche zu reduzieren.
- Intelligente Kombinationen zwischen den Teilfunktionalitäten abzubilden.
- Eine elegante finale Lösung der Bedürfnisse und Probleme zu schaffen.
- Zur Phase Lean Start-up und so einem vermarktbaren Schritt zur Realisierung der Vision näherzukommen und erste Annahmen zum Geschäftsmodell verifiziert zu haben.

Vorgehen

Während viele der vorgängigen Prototypen eher niedrig auflösend waren, so ist bei der Erstellung des finalen Prototypen darauf zu achten, dass dieser Elemente aus dem Critcial Items Diagram enthält, die meist erfolgskritisch sind. Die Umsetzung sollte gut geplant sein und es hat sich bewährt, jegliche Hilfe von zum Beispiel User Interface Designern oder anderen Dienstleistern an Board zu holen. Ein Grundsatz für den finalen Prototyp ist: Je einfacher die Funktionalität, umso besser. Bei der Umsetzung des finalen Prototyps ist die „Eleganz" gekommen (in Gedanken und in der Realisierung). Am Ende wird nur die Realität die Wahrheit hervorbringen. Der Kunde wird die Lösung entweder lieben oder schnell das Interesse verlieren.

Lean Canvas

Der Canvas hilft, das Vorhaben zu strukturieren und zu visualisieren. Der vollständig ausgefüllte Lean Canvas dokumentiert den finalen Problem-/Solution-Fit. Die Blöcke des Lean Canvas führen durch logische Abfolge von Kundenproblemen bis zum unfairen Vorteil. Der Canvas ist eine gute Basis für den Übergang in die nächste Design Lense. Alternativ kann auch der Business Model Canvas verwendet werden, jedoch eignet sich in der Überführung hin zum Minimum Viable Product der Lean Canvas besser, weil er vergleichsweise weniger Inside-in orientiert ist als der Business Model Canvas.

Lean Canvas hilft dem Business Ökosystem Design Team:

- Die Ergebnisse der Design Thinking Iterationen zusammenzufassen und so allen ein klares Bild von den Anforderungen an das MVP/MVE zu verschaffen.
- Die Hypothesen zu visualisieren und zu strukturieren, um sie anschliessend zu überprüfen und die Erkenntnisse in einer Übersicht festzuhalten.
- Überlegungen zur Umsetzung oder zum Geschäftsmodell anzustellen, um die mit der Umsetzung verbundenen Risiken zu identifizieren.
- Verschiedene Varianten und Geschäftsmodelle zu vergleichen.

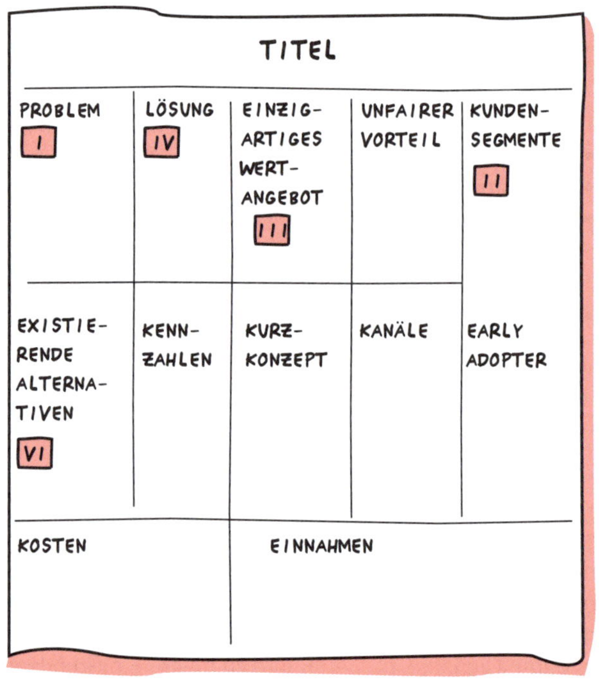

Vorgehen und Template

1. Fülle den Lean Canvas Schritt für Schritt aus und ergänze ihn mit neuen Erkenntnissen. Der Fokus liegt in den frühen Phasen auf den Feldern 1 bis 5, um den „Problem-Lösungs-Fit" zu überprüfen (Problem, Kundensegmente, Wertangebot, Lösung und bestehende Alternativen). **Tipp:** Iteriere zuerst in diesen fünf Feldern, bis ein stabiles Bild entstanden ist.
2. Ergänze die weiteren Felder in beliebiger Reihenfolge. **Tipp:** Verwende je nach Präferenz verschiedenfarbige Post-its für verschiedene Kundensegmente oder je nach Risiko (z.B. rosa = hohes Risiko muss schnell getestet werden, gelb = mittleres Risiko, grün = getestet oder geringes Risiko).
3. Identifiziere die riskantesten Hypothesen und teste diese anhand von Experimenten.

Anforderungen an MVP

Der finale Prototyp kann entweder die Anforderungen für einen oder mehrere MVPs enthalten. Zusammen mit den priorisierten Elementen aus dem Critical Items Diagram und dem Vision Prototype lässt sich ein Backlog definieren, der die Grundlage für die nächsten Schritte in der „Lean Start-up" Lense #2 ist.

Die Liste der Anforderungen hilft dem Business Ökosystem Design Team:

- Alle relevanten Informationen für die Validierungen in eine thematische und zeitliche Reihenfolge zu bringen.
- Neben den Features, Funktionen und Erfahrungen auch Elemente mit aufzunehmen, die sich mit der Integration in Systeme von Dritten beschäftigt.
- Erste Überlegungen zu starten, wie die Zukunft der Gesamt-Enterprise- und System-Architektur aussehen könnte, inkl. der jeweiligen Komponenten, Produkte und Schnittstellen in ein zukünftiges Business Ökosystem.

Vorgehen

- Die Anforderungen für das MVP basieren meist auf dem finalen Prototyp aus der Design Thinking Phase. Oft ergeben sich aus dem finalen Prototyp verschiedene MVPs oder Ansätze, die auf den Vision Prototype zurückgehen.
- Die Anforderungen können in Form von Listen, Beschreibungen und ersten Skizzen und Wireframes bestehen. Wichtig ist, dass die Teams in der nächsten Phase ein klares Bild darüber haben, WAS umgesetzt und verifiziert werden soll. Zudem ist es hilfreich, ebenfalls das grössere Zielbild mit seinen Abhängigkeiten in die nächste Phase mitzugeben.
- Es ist zudem empfehlenswert, wenn das Kernteam auch die nächste Phase begleitet, um keine Verluste im Wissenstransfer zu erleiden.
- Basierend auf dem MVP können im Rahmen der Design Lenses #3 Business Ökosystem, die sog. MMFs (Minimum Marktable Features) im Rahmen des MVE (Minimum Viable Ecosystem) im Markt eingefügt und im Zusammenspiel mit den Akteuren getestet werden. Bei einem erfolgreichen Abschluss der MVE-Phase können die anderen Features, Funktionen und Erfahrungen in einem Produkt-Backlog geführt und bewertet werden.

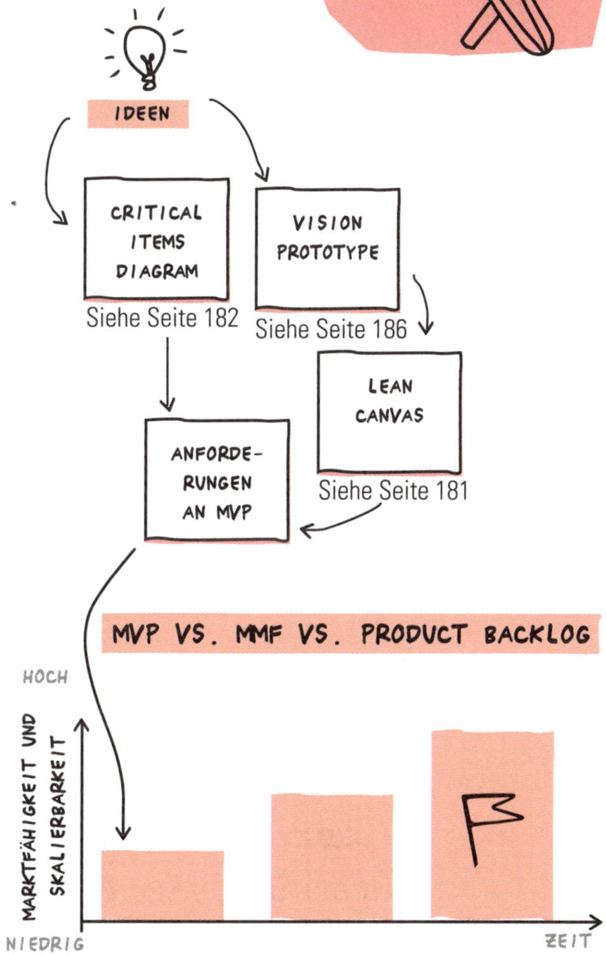

MVP (=Test eines marktfähigen Angebots/ Funktion / Erfahrung)

MMF (=Teilangebot/ Funktion/ Erfahrung als Teil des MVE

Produkt Backlog Konkretes und integriertes Angebot/ Funktion/ Erfahrung im Ökosystem

Auf den Punkt gebracht!

Design Thinking bietet das passende Mindset, Vorgehensmodell und Methoden, um mit einer Business Ökosystem Initiative zu starten. Es hilft, eine kundenzentrierte Denkweise einzunehmen, Annahmen kritisch zu hinterfragen und Problemstellungen neu zu definieren. Das Arbeiten mit Iterationen, die Zusammenarbeit von interdisziplinären Teams bis hin zu Co-Creation mit anderen Unternehmen bereitet die Organisation vor, diese Arbeitshaltung auch über die Unternehmens- und Branchengrenzen hinweg anzuwenden.

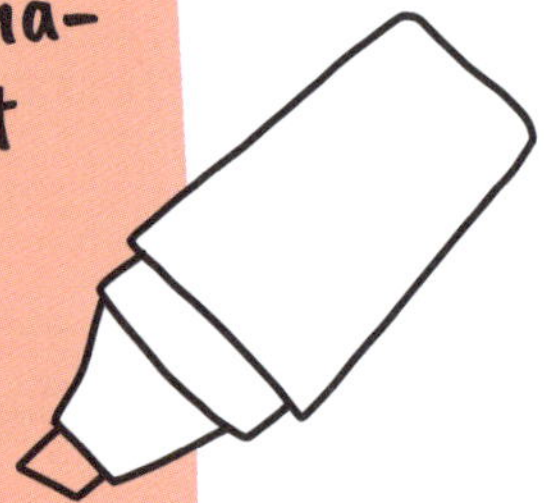

Im Rahmen von Business Ökosystem Design ist es das Ziel der Design Thinking Lense, Prototypen von Lösungen zu entwickeln, die den Bedürfnissen der Kunden entsprechen. Der finale Prototyp und Elemente aus dem Critical Items Diagram sind die Basis für die Spezifikationen der Umsetzung eines oder mehrerer MVPs.

Übergang von Design Thinking zu Lean Start-up

OUTPUT: #1 DESIGN THINKING → AKTIONEN: #2 LEAN START-UP

DIMENSION	FINAL PROTOTYPE	MINIMUM VIABLE PRODUCT
ZWECK	Hauptsächlich Prüfung von Feasibility und Desirability des Prototyps einer Lösung, die in einem Ökosystem aufgehen soll.	Validierung auf allen Ebenen der Design Lenses (Feasibility, Desirability und Viability) mit möglichst geringem Aufwand und maximiertem Lernen.
FOKUS	Präsentation für Gremien und Stakeholder für zum Beispiel Finanzierung der nächsten Phase.	Gut genug für eine erste Markteinführung und Interaktion mit echten (Test-) Kunden.
FEATURES	Verschiedene, die u.a. im Rahmen der Validierung via MVP verworfen werden.	Grundlegende Funktionen, funktionale Elemente und Erfahrungen.
ZIELGRUPPE	Kleines Publikum an Stakeholdern und Entscheidungsträgern.	Grössere Gruppe an ersten (Test-)Kunden und potenziellen Akteuren im Ökosystem zur Realisierung des übergeordneten Wertversprechens.
LEGACY	Wird nach der finalen Präsentation und Definition der MVP-Anforderungen entsorgt.	Erste Version einer marktfähigen Lösung.
ART DES FEEDBACKS	Feedback zum Konzept, der Idee und der Erfahrung für den Kunden.	Feedback zu einzelnen Funktionen und Erfahrungen oder einer Kette von Erfahrungen von verschiedenen MVPs.
AUSGESTALTUNG	Mock-up, Wireframes.	Produktfunktionalität, Features und Erfahrungen.
KUNDENNUTZEN	Zeigt ein mögliches Wertversprechen.	Liefert ein echtes/validiertes Wertversprechen.
ERSTELLUNGSZEITPUNKT DES GESAMTEN DESIGN ZYKLUS	Business Case und Produkt ungeprüft, geringe Mittel, zukünftige Risiken unbekannt und aktuelles Risiko gering.	Business Case und Produkt/Features validiert, ausreichende Finanzierung, moderate Risiken.
TESTS	Kunden- und Marktbedürfnisse.	Test der Lösung und der relevanten Funktionen, Prüfung der Bereitschaft von Kunden, Geld für den Service oder das Produkt auszugeben.
EINNAHMEN	I.d.R keine Einnahmen aus Prototyp.	Mögliche erste Einnahmen aus Interaktion mit Early Adopters als (Test-)Kunden.

#2 LENSE

LEAN START-UP

Lean Start-up

Die Lean Start-up Methodologie und das dazugehörige Vorgehensmodell hilft, erste Erfahrungen mit einem Produkt oder einer Dienstleistung am Markt zu sammeln. Oberstes Ziel ist es, aus dem Kundenfeedback Rückschlüsse zu ziehen, die helfen, das MVP weiter zu verbessern. Dies geschieht durch ein iteratives Testen der wichtigsten Erfahrungen und Funktionen. Zudem erlaubt das MVP meist, auch erste Tests in Bezug auf den Preis durchzuführen. Das iterative Vorgehen wird so lange wiederholt, bis die Kundenbedürfnisse mit dem MVP abgedeckt sind. Das Mindset des „schlanken" Denkens und der Arbeit mit Iterationen zieht sich konsequent durch, vom Design Thinking über das Minimum Viable Product (MVP) bis hin zum Minimum Viable Ecosystem (MVE), das im Zusammenhang mit dem Design von Business Ökosystemen noch näher beschrieben wird (Seite 212ff.). „Minimum Viable" beschreibt hierbei den Ansatz in der Umsetzung von Produkten und Dienstleistungen, bei dem alle Prozesse und Entwicklungsschritte so schlank wie nur möglich gehalten werden. Dieses pragmatische Vorgehen zur Risikominimierung hat sich inzwischen als effektive Methode bei allen radikalen Veränderungen in bestehenden Unternehmen etabliert und wird heute von der digitalen Transformation bis hin zur Erkundung von neuen Wachstumsfeldern genutzt. Die in diesem Abschnitt dargestellten Modelle orientieren sich an den Konzepten von Eric Ries, Steve Blank und Ash Maurya. Als Vorbereitung für das MVE (Minimum Viable Ecosystem) werden meist mehrere MVPs benötigt und oftmals auch verschiedene Optionen parallel umgesetzt, sodass entsprechende Schlüsse für die weiteren Schritte gezogen werden können. Die Ergebnisse aus dem Lean Start-up Zyklus helfen bei der Validierung und Schärfung der strategischen Überlegungen. Die validierte Value Proposition ist zugleich die Ausgangslage für die darauf folgenden Überlegungen zu einem funktionsfähigen Business Ökosystem. Der Lean Start-up Canvas hilft in der Beschreibung der Ausgangslage, Planung und Dokumentation der Ergebnisse eines oder mehrerer MVPs.

Typische Aktivitäten

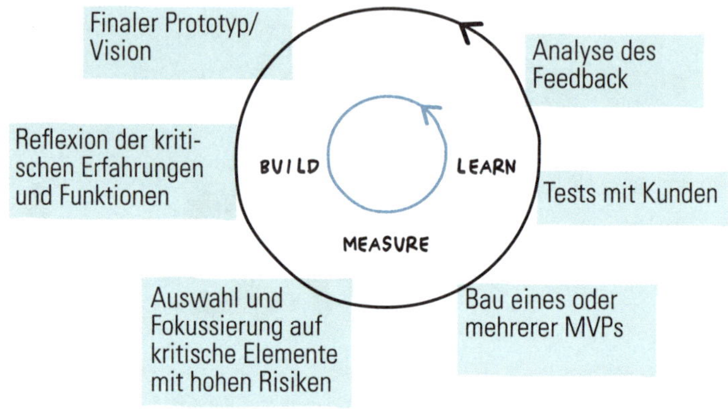

Ideen für ein tragfähiges Geschäftsmodell, basierend auf Experimenten mit MVPs für neue Funktionen, Erfahrungen und Features, die vor allem zur übergeordneten Value Proposition eines Ökosystems beitragen.

Passende Methoden & Tools

Key Questions Lean Start-up

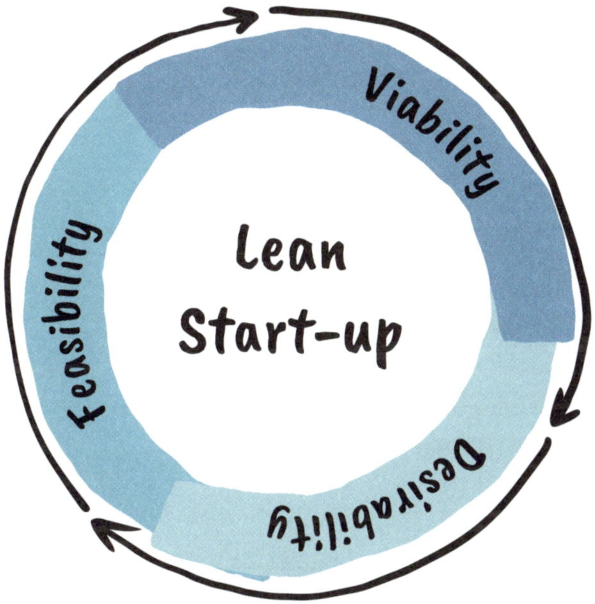

VIABILITY

- Welches Problem soll mit dem Geschäftsmodell gelöst werden?
- Wo entstehen fixe und variable Kosten?
- Aus welchen Wertströmen werden Einnahmen erzielt?
- Sind das kommerzielle Modell und der Preis für den Kunden attraktiv?
- Hat das MVP das Potenzial, später exponentiell in einem Ökosystem-Ansatz zu wachsen?
- Wie kann das Konzept umgesetzt und finanziert werden?

DESIRABILITY

- Wer sind die wichtigsten Kunden?
- Welche Kunden sind potenzielle „early adapters"?
- Welche Bedürfnisse müssen zusätzlich berücksichtigt werden (z.B. Partner, Lieferanten, externe Beeinflusser, Entscheidungsträger)?
- Wer sind die wichtigsten Stakeholder und Interessengruppen?
- Besteht eine Übereinstimmung zwischen dem Wertangebot und dem Kundenprofil?
- Kommen die Kunden immer wieder zurück („Stickiness")?
- Welche Kanäle sind für die Kundenbearbeitung am effektivsten?
- Was unterscheidet uns von der Konkurrenz?

FEASIBILITY

- Wie sieht das Kurzkonzept aus?
- Wie soll der Erfolg gemessen werden?
- Welche Funktionen sollen gebaut und getestet werden?
- Welche Erfahrungen und Funktionen sind zwingend notwendig?
- Welche User-Stories sind Teil vom MVP?
- Welche Integration von bestehenden Systemen ist notwendig?
- Wie sieht das Produkt-/Lösungs-/Service-System aus?

LEAN START-UP MVP CANVAS

AUSGANGSLAGE / SITUATION

PERSONA

Für wen ist dieses MVP?
Wer testet das MVP?

TOP 3 PROBLEME UND HERAUSFORDERUNGEN

Wo liegt der Fokus dieses MVP?
Welche Probleme oder Herausforderungen werden damit adressiert?

CUSTOMER JOURNEY UND ANWENDUNGSFÄLLE

Welcher Schritt der Customer Journey/Ecosystem Journey oder welche Anwendungsfälle werden damit verbessert?

PLAN

VISION UND ROADMAP

Welches ist die Produktvision?
Wie sieht die Roadmap aus?
Wie erweitern wir schrittweise die Funktionsbreite und die Funktionstiefe?

TOP 3 FEATURES

Welche Top Features werden in diesem MVP getestet?

MVP

Wie trägt das MVP zur Vision bei?

BUILD

Wie können diese Features gebaut werden?

KOSTEN UND ZEITPLAN

Wie hoch sind die Kosten und der Zeitplan?

ERGEBNISSE

SCHLUSSFOLGERUNG/NÄCHSTE SCHRITTE

Welches sind die wichtigsten Erkenntnisse?
Muss diese Vision oder Strategie angepasst werden (Pivot)?

LEARN

Was soll gelernt werden?

Welches sind die Erkenntnisse?

MEASURE

Wie können die Resultate gemessen und die Annahmen validiert werden?

LEAN START-UP MVP CANVAS

Template Download

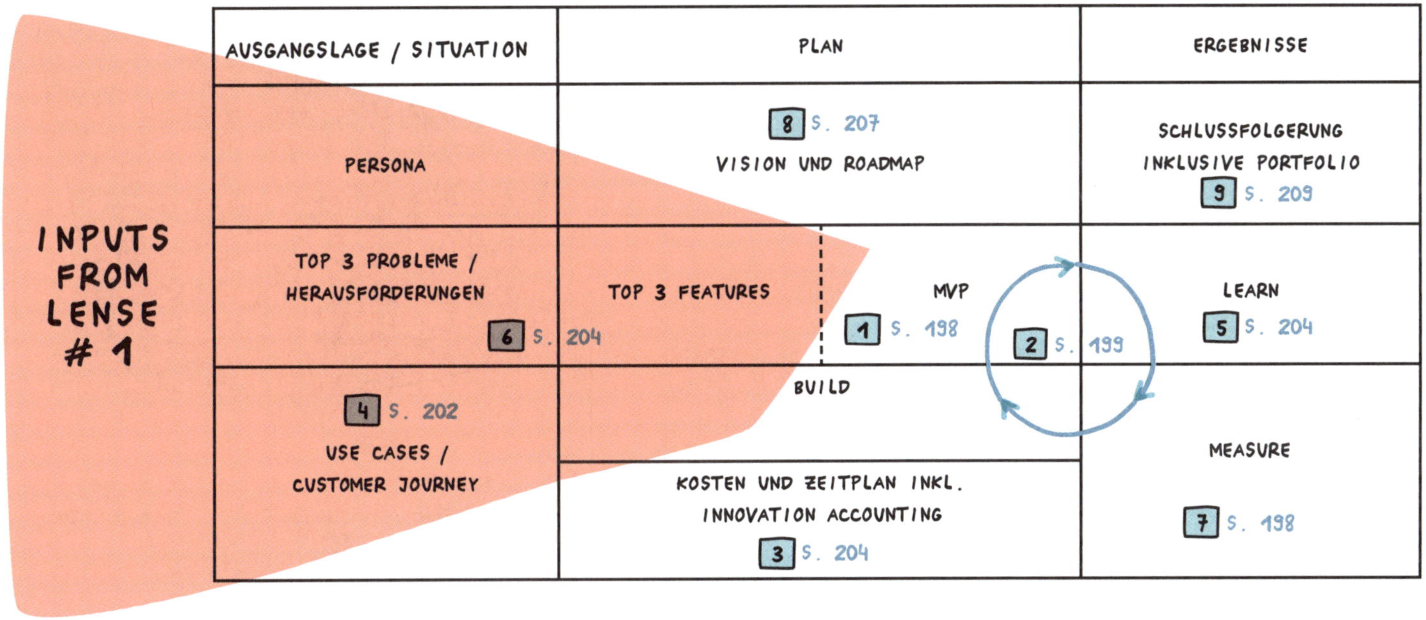

Der Lean Startup MVP Canvas hilft in der Überführung von Erkenntnissen aus der Design Thinking Phase zu einer Dokumentation der Validierungen von MVPs.

METHODEN & TOOLS LEGENDE

1. Minimum Viable Product (MVP)
2. Build-measure-learn
3. Innovation Accounting
4. User Stories/User Story Map/ Acceptance Tests
5. The Pivot
6. Usability Tests
7. Willingness to pay Analyse
8. MVP Portfolio & MVP Portfolioplanung
9. Überführung von MVPs zu MMFs für MVE

TOOL ZUM DOWNLOAD
www.business-ecosystem-design.com/lean-startup

Minimum Viable Product (MVP)

Das MVP hat das Ziel, im Gegensatz zur traditionellen Produktentwicklung, mit wenigen Mitteln einzelne Erfahrungen und Funktionen mit potenziellen Kunden zu testen und schliesslich den Wert für den Kunden greifbar zu machen. Das MVP durchläuft eine iterative Feedbackschlaufe (siehe Build-measure-learn Seite 199). Der Fokus liegt hier auf dem „Bauen" eines MVP, das in dem hier vorgestellten Vorgehensmodell hochauflösender ist als die Prototypen, die im Design Thinking bis zum finalen Prototyp realisiert wurden. Das Wort „Produkt" im MVP ist dabei oft eine Kombination aus einem Produkt oder einer Dienstleistung und einer Funktion und/oder Erfahrung.

Der MVP hilft dem Business Ökosystem Design Team:

- Ein schnelles Lernen zu realisieren und die Kosten eines späteren Scheiterns zu minimieren.
- Eine direkte Rückmeldung von potenziellen Kunden zu erhalten.
- Das Risiko zu minimieren, Produkte, Lösungen oder Dienstleistungen zu bauen, die später niemand nutzen möchte.
- Das Wertversprechen auf der Basis von Kundenfeedback zu entwickeln.
- So viele Iterationen durchzuführen, bis das Produkt, die Dienstleistung oder Erfahrung den Kundenanforderungen entspricht.

Vorgehen und Template

1. **Aufbauen auf bestehenden Erkenntnissen:** Zum einen helfen alle Aktivitäten, die bereits im Design Thinking Relevanz hatten. Insbesondere kann das Critical Items Diagram eine nützliche Hilfe sein, um die Funktionen und Erfahrungen für ein MVP zu definieren. Zudem ist zu empfehlen, falls vorhanden, mehrere MVPs parallel zu entwickeln, zu testen und daraus zu lernen.
2. **Priorisierung von Funktionen, Erfahrungen und MVPs:** Die einzelnen Elemente können zum Beispiel in einer Matrix festgehalten werden, die den jeweiligen Impact auf den Kundenmehrwert und die Dringlichkeit für die Tests widerspiegelt. Vor allem sollen mit dem MVP auch die Annahmen getestet werden, die bislang noch keine Bestätigung gefunden haben und eine hohe Unsicherheit im Bezug auf die Akzeptanz und Zahlungsbereitschaft von Kunden haben (siehe Willingness to pay Analyse Seite 206).

Build-measure-learn

Build-measure-learn ist eine iterative Feedbackschlaufe, die solange angewandt wird, bis das Produkt oder die Dienstleistung die gewünschte Marktreife bzw. Absatztauglichkeit erreicht hat. Dieses Vorgehen spart vor allem Zeit und Geld. Das Vorgehen ist ähnlich wie bei der Entwicklung von Prototypen im Design Thinking, so wird das MVP zum Beispiel auch für Fragestellungen hinsichtlich der Preisgestaltung genutzt. Hierbei soll aber auf keinen Fall eine eingeschränkte Version von einer zukünftigen Lösung realisiert werden. Vielmehr geht es darum, mit dem geringsten Aufwand ein Maximum an Erkenntnisgewinn zu erzielen. Schliesslich ist es wichtig, herauszufinden, was Kunden wirklich wollen, und sich nicht auf reine, nicht validierte Annahmen zu verlassen, die sich meist als falsch herausstellen.

Build-measure-learn hilft dem Business Ökosystem Design Team:

- Zu einem frühestmöglichen Zeitpunkt Rückschlüsse für die Entwicklung oder auch radikale Umgestaltung des MVPs zu erhalten.
- Herauszufinden, welche (funktionalen) Designmerkmale oder Features von potenziellen Kunden angenommen werden.
- Einen ersten Test von digitalen und physischen Kanälen durchzuführen
- Kundenfeedback über die Möglichkeiten bei der Preisgestaltung zu nutzen.

Vorgehen und Template

1. **Build:** Nachdem das MVP mit einem echten Mehrwert für Kunden (Value Proposition) gebaut und den potenziellen Kunden zugänglich gemacht wurde, geht es an das Messen der Wirkeffekte.
2. **Measure:** Die Messung basiert auf zwei zentralen Kernfragen: Wie nehmen potenzielle Kunden das MVP an? Welche Verbesserungen sind gewünscht? Aus diesen Insights wird ein Lernprozess in Gang gesetzt, um das MVP zu verbessern bzw. an die Kundenwünsche anzupassen.
3. **Learn:** Durch iterative Feedbackschleifen erfolgt das Lernen, das auf dem Feedback von Kunden basiert. Der Build-measure-learn Zyklus hat vor allem den Vorteil, dass sehr schnell auf Veränderungen am Markt reagiert werden kann und so das MVP, basierend auf dem Kundenfeedback, verbessert werden kann.

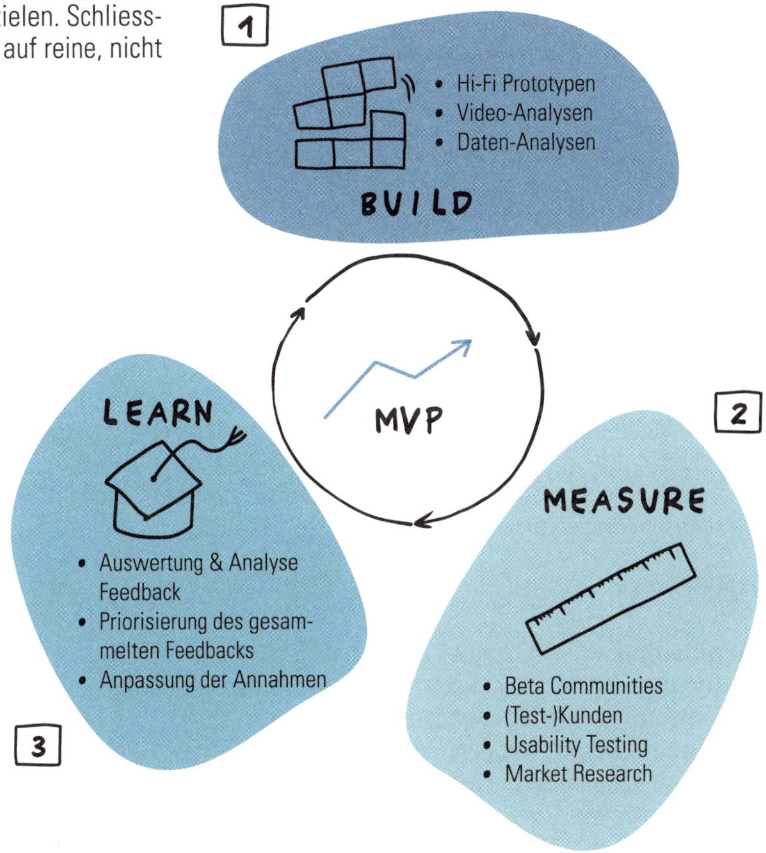

Innovation Accounting

Das Messen des Innovationserfolgs ist ein grundlegender Bestandteil der Lean Startup Methodologie. Es ermöglicht dem Business Ökosystem Team, objektiv nachzuweisen, dass aus den Experimenten mit den MVPs die richtigen Schlüsse gezogen werden und diese für die Verbesserung des MVPs genutzt werden. Ein konkretes oder mehrere MVPs sind die spätere Grundlage für die Gestaltung eines Business Ökosystems, in dem mehrere Akteure eine gemeinsame Value Proposition erbringen. Generell unterscheidet sich das Innovation Accounting zu den KPIs, die üblicherweise in Unternehmen herangezogen werden. Erste Simulationen von Umsätzen können mit sog. „Driver Trees" durchgeführt werden (siehe Bsp. Seite 201). Diese Betrachtung hilft auch später vor allem in der Design Lense #4 Scale.

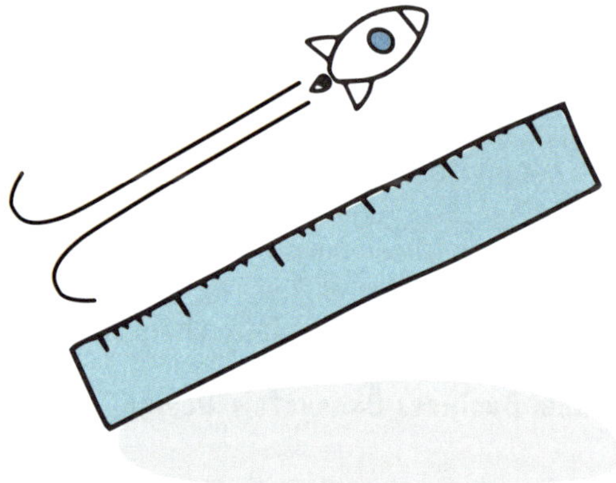

Innovation Accounting hilft dem Business Ökosystem Design Team:

- Die Ausgangsposition festzulegen, welches MVP mit den dazugehörigen Funktionen und Erfahrungen den Zyklus von Build-measure-learn durchlaufen soll.
- Eine Feinjustierung durchzuführen, die auf dem Testen der jeweiligen Hypothesen erfolgt.
- Zu entscheiden, ob etwas verworfen (Pivot) oder etwas beibehalten werden soll (Preserve).

Beispielfragen

1. **Acquisition**: Wie finden die Kunden uns?
2. **Activation**: Haben die Kunden eine erste positive Erfahrung?
3. **Retention**: Kommen die Kunden zurück?
4. **Revenue**: Wie wird mit dem Angebot oder der Funktion Geld verdient?
5. **Referral:** Empfehlen die Kunden das Angebot anderen weiter?

Das Ziel von Innovation Accounting ist, die riskantesten Geschäftsmodellannahmen durch empirisches Testen mit Kunden zu verifizieren.

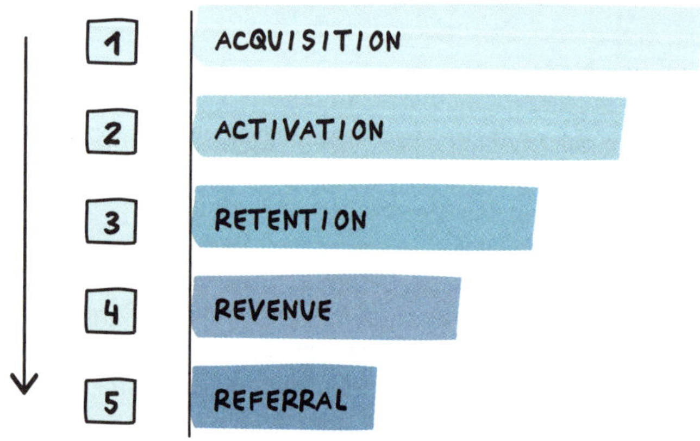

DRIVER TREE

Beispiel

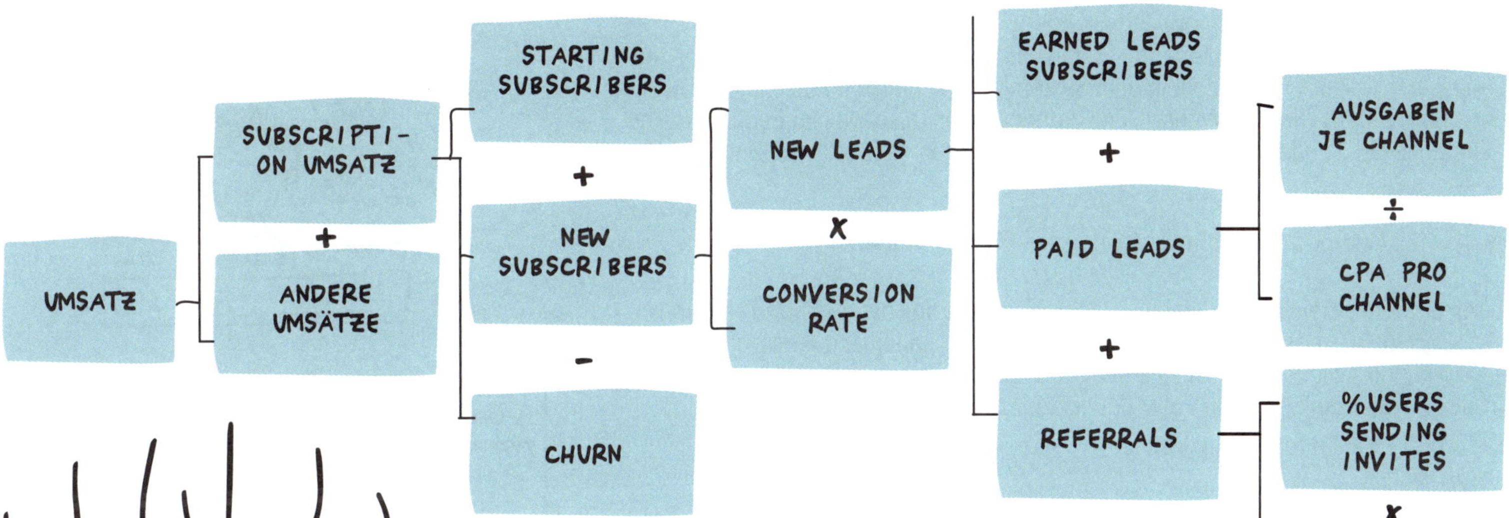

Der „Driver Tree“ kann verschiedene Umsatzarten berücksichtigen und versucht, logisch die einzelnen Variablen zu verknüpfen. Mögliche Umsatzarten sind zum Beispiel Subscription Umsatz, Produktumsatz, aber auch Einnahmen durch Werbung oder Gebühren für Dienstleistungen.

User Stories / User Story Map / Acceptance Criteria

User Stories sind die Basis für eine agile Entwicklung. Sie helfen, die ganzheitliche Bedürfnisbefriedigung zu betrachten und zugleich die spezifischen Elemente abzubilden, die zum Beispiel in einem Acceptance Test notwendig sind.
Typische User Stories haben drei Elemente. Erstens beschreiben sie die Rolle/Persona (also für wen etwas entwickelt werden soll, in dem System, in welchem die Persona die jeweilige Anwendung hat), zudem wird der Wunsch/Ziel aufgenommen (also welche Bedürfnisse befriedigt werden sollen), sodass am Ende ein messbares Ergebnis erzielt wird (Benefits).

Die User Stories helfen dem Business Ökosystem Design Team:

- Die übergeordneten Ziele und Kundenanforderungen nicht aus den Augen zu verlieren.
- Den MVP Backlog, Release Backlog und Sprint Backlog zu planen und durchzuführen.
- Elemente wie den Acceptance Test zu automatisieren.
- Die einzelnen Arbeitstakte für die Entwicklungsteams in Tasks herunterzubrechen.

Vorgehen

1. Oft gibt es eine erste Einschätzung zur Feasibility und Viability aus der Design Thinking Phase, die zeigt ob etwas real und erreichbar ist. Ein gängiges Vorgehen ist, die Intention des Users in einem Satz zu formulieren:

Als <Rolle/Persona>______ möchte ich _______, so dass________________.

2. Für eine detailliertere Einschätzung zum Testziel können zum Beispiel spezielle Acceptance-Kriterien definiert werden. User Stories, an die noch nicht ganz geglaubt wird, können erneut als Prototyp umgesetzt und getestet oder etwas „aufgemotzt" werden.
3. Oftmals können in späteren Phasen die Acceptance Tests automatisiert werden.
4. Die Entwicklungsteams haben die Möglichkeit, die einzelnen Pakete der Umsetzung herunterzubrechen und so schrittweise die Tests abzuarbeiten und zu bestehen bzw., falls nötig, iterativ durch das Design Team nochmals schärfen oder verbessern zu lassen.

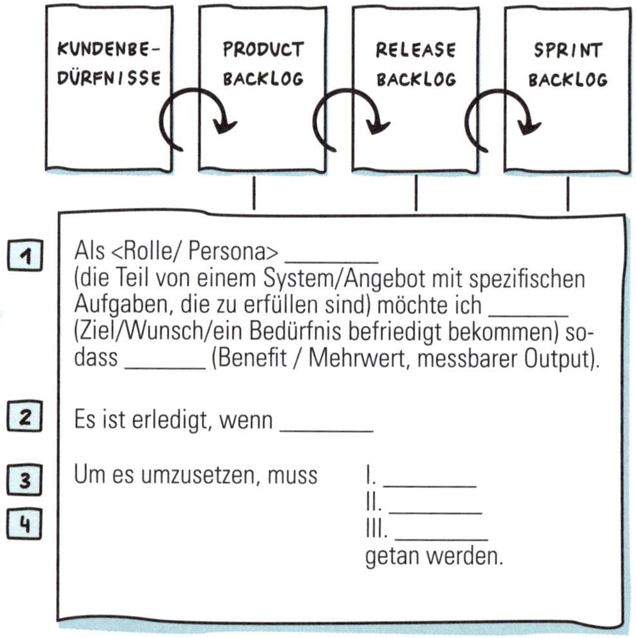

Tool

TEMPLATE USER STORY AND ACCEPTANCE CRITERIA CANVAS

TITEL	PRIORITÄT	AUFWANDSCHÄTZUNG
WER WAS WARUM	ALS... ...MOCHTE ICH... ...UM...	ROLLE ZIEL / WUNSCH NUTZEN

ACCEPTANCE CRITERIA

- Jede User Story sollte mindestens ein Akzeptanzkriterium haben.
- Ist vor der Implementierung identifiziert
- Ist unabhängig testbar
- Hat ein klares Resultat (zum Beispiel Bestanden/Durchgefallen)
- Konzentriert sich auf das Endergebnis und nicht auf die Lösung
- Beinhaltet funktionale und nicht funktionale Kriterien
- Mitglieder aus dem Business Ökosystem können sie beschreiben, während der Product Owner diese in der Regel verifiziert.

Vorgegeben .... (wie die Dinge beginnen)

Wird durchgeführt .... (ergriffene Aktion)

Dann ergibt sich .... (Ergebnis des Handelns)

The Pivot

Pivot ist im Zusammenhang mit Lean Start-up eine radikal modifizierte Ausprägung des gesamten MVPs oder Bestandteil davon. Der Richtungswechsel ist entscheidend, falls sich in den Experimenten herausgestellt hat, dass die ursprünglich angedachte Lösung nicht funktioniert. Der richtige Zeitpunkt für eine radikale Veränderung ist entscheidend und oftmals ist es das Bauchgefühl, das entscheidet, wann dieser Richtungswechsel ansteht.

Spielfeld an Pivots hilft dem Business Ökosystem Design Team:

Zoom-out Pivot:
MVP wird zu einem Bestandteil eines neuen, viel grösseren Produkts oder Angebots.
Zoom-in Pivot:
Ein einzelner Bestandteil des MVPs wird das neue Produkt oder eine Dienstleistung.
Platform Pivot:
App mit Funktion wird zu einem Business Ökosystem oder zu einer Transaktionsplattform.
Channel Pivot:
Die physischen oder digitalen Kanäle verändern sich.
Value Capture Pivot:
Die Wertschöpfung und die damit verbundenen Geschäftsbereiche verändern sich.
Customer Need Pivot:
Die Kundenbedürfnisse verändern sich oder wurden falsch eingeschätzt.
Customer Segment Pivot:
Die Kundenzielgruppe oder das Segment ändert sich für das MVP.
Business Architecture Pivot:
Umkehrung – hohe Marge, niedriges Volumen zu niedriger Marge, hohes Volumen.
Engine of growth Pivot:
Veränderung des Wachstumsmodells von linear zu exponentiell.
Technology Pivot:
Neue Technologie für verbesserte Performance, Kosteneinsparungen oder Datenmodelle.

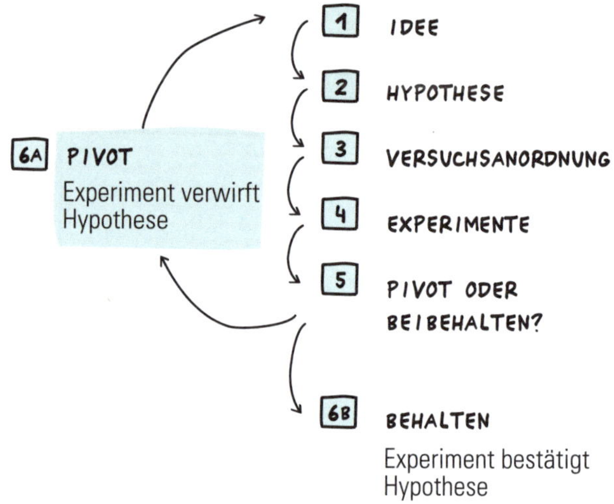

Kleinere Anpassungen und Features der Kundenbedürfnisse oder der Funktionen/Features sind keine Pivots, sondern Teil des MVP-Prozesses.

Vorgehen und Template

Die einzelnen Pivots können in einer Matrix dokumentiert werden, in der neben der eigentlichen Kundenhypothese die Problemhypothese und schliesslich die Lösungshypothese dokumentiert werden. Basierend auf den jeweiligen Annahmen wird das Experiment durchgeführt. Bei den Annahmen macht es Sinn, die Annahme mit dem höchsten Risiko zu priorisieren und schliesslich zu prüfen.

TRACK PIVOTS	START	1ST	2ST	3ST	4ST
CUSTOMER HYPOTHESIS					
PROBLEM HYPOTHESIS					
SOLUTION HYPOTHESIS					

Usability Tests

Ein zentrales Element im Bau und bei der Validierung von MVPs ist, potenzielle Kunden in einen nutzerzentrierten Entwicklungsprozess einzubeziehen und so maximale User Experience für die Funktion, Erfahrung oder einzelne Features zu schaffen. Es gibt eine ganze Toolbox an Usability Tools, die zum einen quantitative als auch qualitative Resultate hervorbringen. Ein einziges Feature anzubieten reicht nicht aus, um am Markt erfolgreich zu sein. Vielmehr geht es darum, den zukünftigen Kunden mit dem Angebot ein Versprechen zu geben, eine Lösung für ihr Problem bereitzustellen und dieses Wertversprechen am Ende auch einzuhalten. Kunden sind zum Beispiel dann zufrieden, wenn sie bereit sind, das Angebot wiederholt zu nutzen, oder entsprechend weiterempfehlen.

Die Usability Tests helfen dem Business Ökosystem Design Team:

- Die Funktionsfähigkeit in einem sehr frühen Stadium zu prüfen.
- Zu erkunden, ob beim potenziellen Kunden ein Verständnis für das Angebot vorhanden ist.
- Zu erkennen, ob das Angebot oder eine Funktion beim Kunden Vorwissen und Erklärungen braucht.
- Reaktionen und Emotionen zu erkennen, die das Angebot bei den Kunden auslösen.

Vorgehen und Template

Eine Möglichkeit, das Feedback aus den Usability Tests festzuhalten, besteht darin, dieses auf einer Vier-Quadranten-Matrix festzuhalten.

1. Festhalten, was die potenziellen Kunden machen.
2. Die wichtigsten Aussagen dokumentieren, was zum Beispiel die Testkunden gesagt haben.
3. Herausfinden, warum sich die Kunden so verhalten und wie sie z.B. Workarounds wählen oder das Problem bisher gelöst haben.
4. Alles aufzeichnen, was zählbar und messbar ist, zum Beispiel wie viele Clicks gebraucht oder wann der Prozess abgebrochen wurde sowie Informationen, wie viel die Kunden bezahlt hätten.

TOOLBOX USABILITY TOOLS	Was soll getestet werden?		Welche Resultate werden erreicht?	
	Formativ	Summarisch	Quantitativ	Qualitativ
A/B Testing		X	X	
Field Studies		X		X
Hallway Testing	X	X		X
Heuristic Evaluation	X	X		X
Hypothesis Testing		X	X	
Interviews	X	X		X
Log Analysis		X	X	
Remote Testing		X	X	X
Surveys	X	X	X	
Think-Aloud	X	X		X
Wizard of Oz	X			X

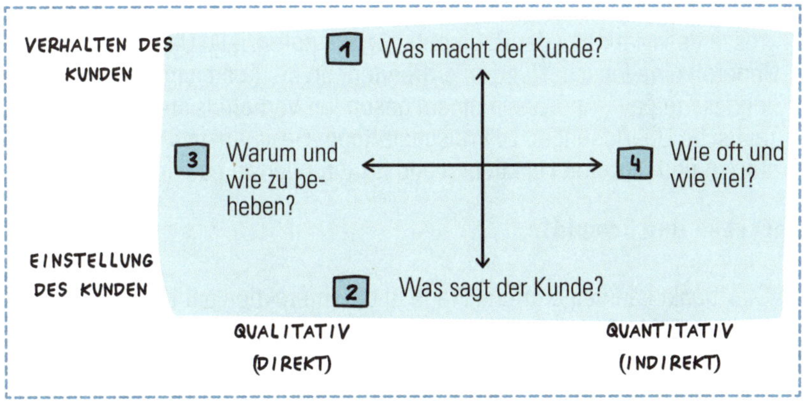

Bei der Usability geht es um den Kunden/Nutzer und wie dieser etwas versteht, wahrnimmt und anwendet, und nicht um die dafür verwendete Technologie.

„Willingness to pay"-Analyse

Die Preisgestaltung für bestimmte Angebote kann bereits in einer frühen Phase getestet werden und im Rahmen eines MVPs validiert werden. Bekannte Modelle für die Preisgestaltung sind „Cost-plus-pricing", „Comparison-pricing" oder die hier beschriebene „Willingness to pay"-Analyse. Für die Bestimmung von „Willingness to pay" gibt es wiederum unterschiedliche Ansätze. Eine Möglichkeit ist die „Discrete-Choice-Analyse", die entweder auf tatsächlichen Kaufdaten basiert oder darauf, dass der Kunde nach seiner Präferenz für Alternativen gefragt wird, die verschiedene Bündel von Attributen enthalten. Meist können die potenziellen Kunden den Wert, den sie einem Merkmal zuschreiben, nicht direkt artikulieren, aber sie können im Rahmen eines A/B Testings zwei Alternativen vergleichen und ihre Präferenz äussern. Bei einer ausreichend grossen Anzahl von Stimmen kann dieses Vorgehen (Conjoint-Analyse) eine implizite Bewertung jedes Merkmals durch den Kunden darstellen.

„Willingness to pay"-Analyse hilft dem Business Ökosystem Design Team:

- Eine erste Einschätzung über die Zahlungsbereitschaft für Produkte und Dienstleistungen von bestimmten Kunden und Segmenten zu erhalten.
- Eine Schätzung der Nachfrage zu etablieren, die die Basis für eine Vorhersage der Gesamtgrösse des Marktes oder Segments für das potenzielle Ökosystem sind.
- Generell eine Einschätzung zu erarbeiten, ob die Kosten mit der Validierung aus der „Willingness to pay"-Analyse in einem gesunden Verhältnis stehen.
- Taktische Überlegungen zu Preisgestaltung, Geschäftsmodell und Ökosystem Design zu starten und einzelne Funktionen und Erfahrungen zu bewerten.

Vorgehen und Template

1. Startpunkt kann eine offene Frage in der Interaktion mit dem potenziellen Kunden und dem MVP sein: Was ist dir das Angebot/Feature wert?
2. Oder es gibt bereits eine erste Indikation, was es kosten darf, wie die Ausgangslage für die „Willingness to pay" Analyse ist.
3. Im Rahmen von A/B Tests können verschiedene Preispunkte erfragt werden.
4. Die Analyse kann sich auf das Gesamtangebot, einzelne Features oder konkrete Dienstleistungen beziehen, z.B. eine neutrale Beratung.

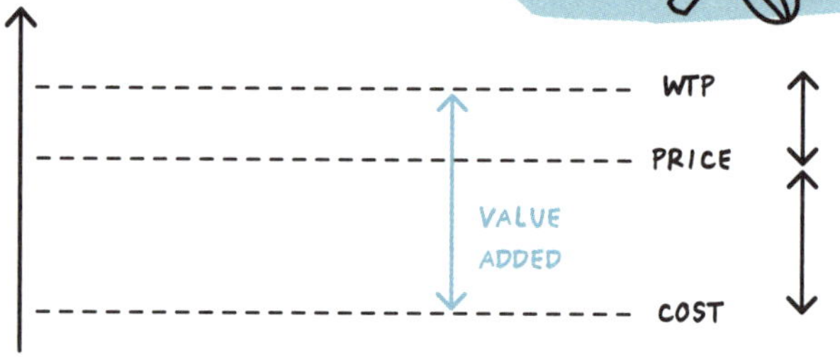

Es ist unwahrscheinlich, dass jeder Kunde die gleiche "Willingness to pay" für ein bestimmtes Produkt oder einen Service hat. Die Absicht besteht darin, eine Marktnachfragekurve zu erstellen, die zeigt, wie viele Kunden zu einem bestimmten Preis kaufen werden, und daraus die Marktpreiselastizität zu berechnen.

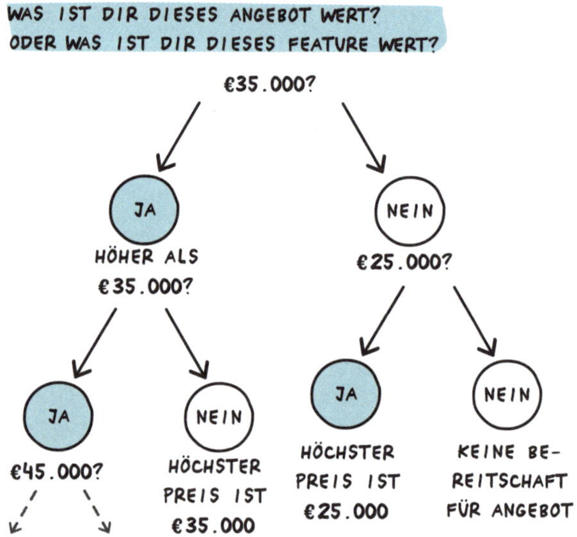

MVP Portfolio & MVP Portfolioplanung

Erfolgreiche Business Ökosystem Leader denken in Chancen und verstehen, dass sie über ein erstes MVP hinaus ständig neue Zielkunden mit den jeweiligen Angeboten erreichen müssen. Hierfür eignen sich Zielportfolios, die schrittweise definiert und umgesetzt werden. Initial kann hierfür eine Ansoff-Matrix genutzt werden. Die Originalmatrix bildet vier Portfoliofelder ab und enthält die Dimensionen Marktdurchdringung, Produktentwicklung, Marktentwicklung und Diversifikation. Diese Matrix kann für die Entwicklung von MVPs in potenziellen Business Ökosystemen adjustiert werden und helfen, die Vorhaben zu bewerten. Produkte in Form von existierenden Angeboten und existierenden Märkten benötigen i.d.R. keine Lean Start-up-Überlegungen. Der Fokus liegt auf der innovativen Kundenentwicklung (Neue Märkte/Neue Angebote = potenzielles Black-Ocean-Angebot).

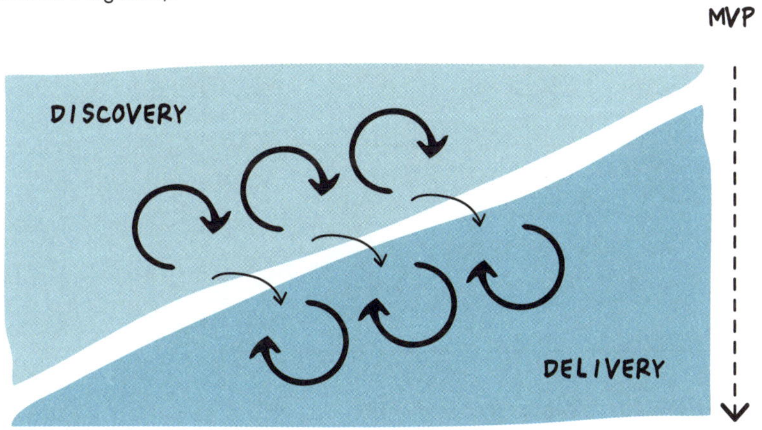

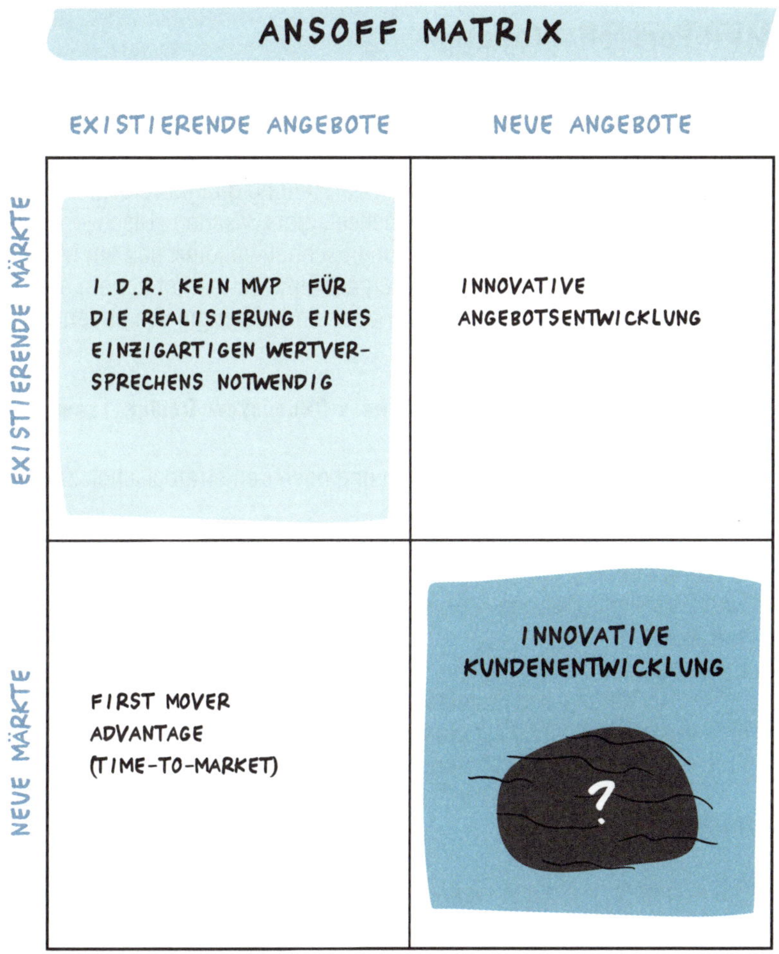

Die „innovative Kundenentwicklung" gilt im Mindset von integrierten und eher traditionell geführten Unternehmen als riskant, weil es oft wenig Spielraum für die Nutzung des vorhandenen Wissens oder für die Erzielung von Economies of Scale gibt.

MVP Portfolioplanung

Tool

Ökosysteme benötigen meist eine ganze Kombination aus Funktionen, Erfahrungen und Features, die über die Zeit erkundet, entwickelt und von den Akteuren im System bereitgestellt werden. Für die Portfolioplanung und -darstellung gibt es verschiedene Möglichkeiten. Die einzelnen MVPs stehen in einem Wechselspiel zwischen „Discovery“ und „Delivery“. Zudem sollten zum Beispiel einzelne Funktionen schnell validiert und am Markt eingeführt werden. Projekte, die ein hohes Risiko in Bezug auf Time-to-market haben, benötigen meist zusätzliche Ressourcen, Umsetzungs-Know-how oder sind abhängig von neuen Technologien.

Portofolioplanung hilft dem Business Ökosystem Design Team:

- Die einzelnen MVPs zu priorisieren und nach den strategischen Zielen auszurichten.
- Die zukünftigen Funktionen und Erfahrungen nach den Geschäftszielen auszurichten, wie zum Beispiel „run, grow or change the business“.
- Eine Übersicht über den Status der einzelnen Portfolioelemente zu erhalten.
- Die jeweiligen Projektphasen zu koordinieren, wie zum Beispiel Planung, Ausführung und Projektführung.
- Eine passende Ressourcenplanung durchzuführen und die jeweiligen Rollen und Ressourcen entsprechend zuzuweisen.

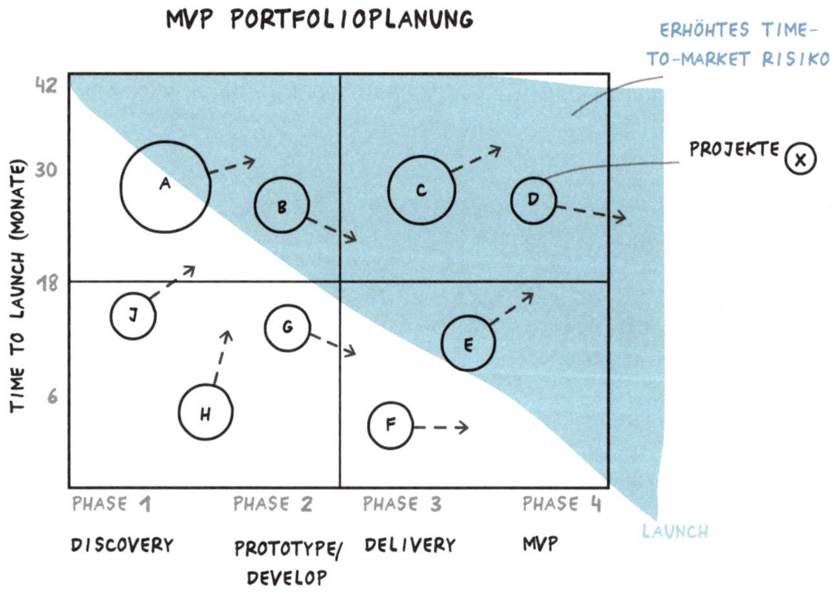

Vorgehen und Template

- Die einzelnen Vorhaben werden auf dem Portfolio-Grid eingetragen und ihr Fortschritt alle vier Wochen oder in kürzeren Zyklen reflektiert.
- Die Grösse der Bubbles je Initiative gibt den Wertbeitrag an. Je nach Vorhaben kann mit dem NPV, IRR, Umsatz oder anderen Grössen gearbeitet werden.
- Die vier Phasen zeigen, wo sich die Initiativen in Bezug auf die Umsetzung befinden. Als grobe Einteilung „Discovery“ und „Delivery“.
- Die Pfeile zeigen an, ob es Verschiebungen in Bezug auf die nächste Phase gibt oder einzelne Initiativen wieder zurück in die „Discovery“-Phase gehen, da es zum Beispiel im ersten Usability Test neue Erkenntnisse gegeben hat.

Überführung von MVPs zu MMFs für MVE

Die MVPs haben in vielerlei Hinsicht Validierung über die relevanten Funktionen, Erfahrungen und Features gebracht, um als Ganzes einen echten Mehrwert für den Kunden zu erzielen. Für die Überführung von der MVP-Phase in das Design von Business Ökosystemen braucht es so etwas wie ein MMF (Minimum Marktable Feature), das in einem Prototyp eines Business Ökosystems dazu dient, das MVE (Minimum Viable Ecosystem) initial zu etablieren, zu testen und schrittweise zu verbessern. Hier sollte das Feature und der Teil von einem Wertversprechen und Angebot gewählt werden, das den höchsten Nutzen für den Kunden hat. Also eine Art „Killer Funktion oder Erfahrung" die das Ökosystem initial zum Leben erweckt, die Kunden begeistert und potenzielle Akteure von dem Gesamtsystem überzeugt. Je nach Komplexität kann auch ein MVP direkt genutzt werden, um die Entwicklung und das Testen des MVEs zu vollziehen.

Verschiedene Fragen helfen dem Business Ökosystem Design Team:

- In der Reflexion, ob es für das Vorhaben überhaupt der passende Weg zur Umsetzung ist.
- Klarheit über die Fokussierung zu erhalten, mit welcher „Killer Funktion und Erfahrung" das Ökosystem von grossem Interesse für andere Akteure ist.
- Eine Gap-Analyse zwischen den bestehenden Fähigkeiten und benötigten Fähigkeiten aufzuzeigen, die notwendig sind, um das System und oder Teile davon zu realisieren.

Fünf Fragen in Bezug auf den Übergang zum MVE

1. Braucht es für die Realisierung der übergeordneten Value Proposition ein Business Ökosystem, einen Marktplatz, eine Plattform oder reicht eine gewöhnliche Partnerschaft für das Angebot?
2. Mit welcher Erfahrung, Funktion oder Feature (MMF) soll das Ökosystem als Minimum Viable Variante gestartet werden?
3. Welche Fähigkeiten werden von den anderen Akteuren benötigt? Welche bringt das eigene Unternehmen ein?
4. Für welche Persona/Zielgruppe ist die erste Funktion und Erfahrung?
5. Wurden bereits potenzielle Business Ökosystem Partner in die Vorüberlegungen mit einbezogen? Sollen diese auch Teil der Co-Creation für das Business Ökosystem Design sein? Gibt es weitere Akteure, die bereits in der Design-Phase Teil der Lösungsfindung sein sollen?

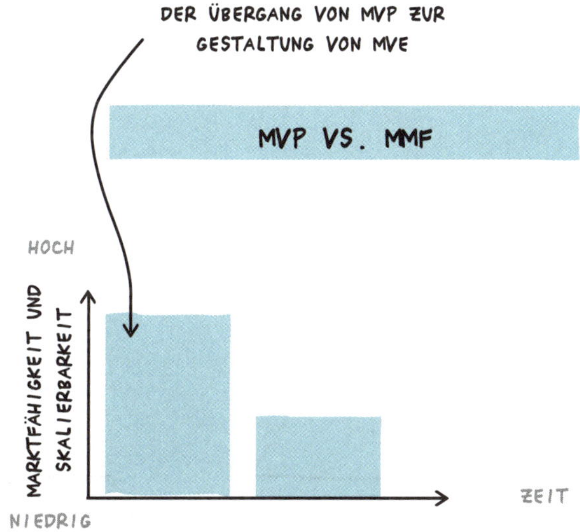

MVP (=Test eines marktfähigen Angebots/ Funktion / Erfahrung)

MMF (=Teilangebot/ Funktion/ Erfahrung als Teil des MVE

Auf den Punkt gebracht!

In der Lean Start-up Design Lense geht es primär darum, erste Validierungen der Value Proposition und den Mehrwert für den Kunden anhand eines MVP zu reflektieren.

Ein gutes MVP zielt auf den Wert und Nutzen für den Kunden. Die Validierung von nur einzelnen Features macht i.d.R. noch kein gutes MVP aus.

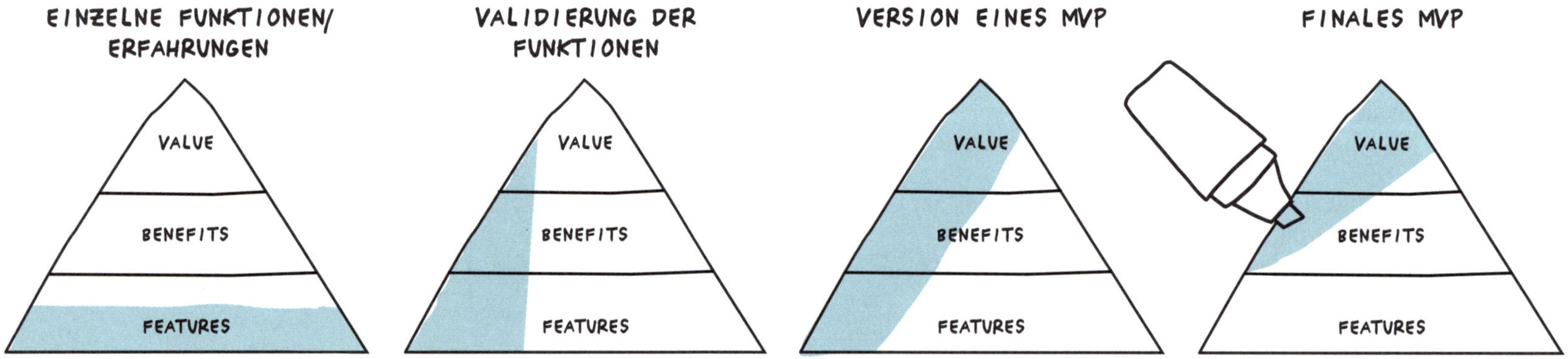

Was für eine Funktion kann gebaut werden?

Mit welcher Funktion kann dem Kunden überhaupt ein Nutzen geboten werden?

Welche Version eines MVP kann den grössten messbaren Mehrwert stiften?

Wie kann die Value Proposition validiert werden?

Übergang von Lean Start-up zu Ecosystem Design

OUTPUT: #2 LEAN START-UP → AKTIONEN: #3 ECOSYSTEM DESIGN

DIMENSION	MINIMUM VIABLE PRODUCT	MINIMUM VIABLE ECOSYSTEM
ZWECK	Validierung auf allen Ebenen der Design Lenses (Feasiblity, Desirability und Viability). Grundsatz: Mit möglichst geringem Aufwand maximiertes Lernen erzielen.	Validierung auf allen Ebenen der Design Lenses (Feasibility, Adoptability und Value Enhanceability). Grundsatz: Mit einer kleinsten Anzahl an Akteuren pro Rolle im System maximiertes Lernen erzielen.
FOKUS	Gut genug für eine erste Markteinführung und Interaktion mit echten (Test-) Kunden.	Verwendung des MVPs als Basis für den Test eines funktionierenden Business Ökosystems unter Einbezug aller Akteure und (Test)-Kunden.
FEATURES	Grundlegende Funktionen, funktionale Elemente und Erfahrungen.	Alle notwendigen Erfahrungen und Funktionen für mindestens ein zentrales Erlebnis für den Kunden in Bezug auf die definierte Value Proposition.
ZIELGRUPPE	Grössere Gruppe an ersten (Test-)Kunden und Basis für Gespräche mit potenziellen Akteuren im Ökosystem zur Realisierung des übergeordneten Wertversprechens.	Interaktion und Co-Creation mit Akteuren im System zum Bau und zur Validierung des Business Ökosystems.
LEGACY	Erste Version einer marktfähigen Lösung.	Erste Validierung eines funktionierenden Business Ökosystems.
ART DES FEEDBACKS	Feedback zu einzelnen Funktionen und Erfahrungen oder einer Kette von Erfahrungen von verschiedenen MVPs.	Feedback zu Wertströmen, Kundenschnittstellen, Daten, Algorithmen, Kundenschnittstellen im Rahmen des MVE.
AUSGESTALTUNG	Produktfunktionalität, Features und Erfahrungen.	Zusammenspiel von Komponenten zur Gestaltung der Value Proposition oder von Teilen davon in Form von Erfahrungen oder Funktionen.
KUNDENNUTZEN	Liefert ein validiertes Wertversprechen im Rahmen eines oder mehrerer MVPs.	Liefert ein validiertes Wertversprechen von Akteuren in einem MVE.
ERSTELLUNGSZEITPUNKT DES GESAMTEN DESIGN-ZYKLUS	Business Case und Produkt/Features validiert, ausreichende Finanzierung, moderate Risiken.	Zusammenspiel der Akteure und Wertströme validiert, multidimensionale Betrachtung der Geschäftsmodelle durchgeführt und Geschäftsmodell des Business Ökosystems bekannt, Finanzierung durch den Initiator oder durch weitere Akteure im System, erhöhtes Risiko.
TESTS	Test der Lösung und der relevanten Funktionen, Prüfung der Kundenbereitschaft, Geld für den Service/ das Produkt auszugeben.	Test der Value Proposition und der damit verbundenen Leistungen, Wertströme und Interaktion der Akteure, Prüfung der Kundenschnittstellen.
EINNAHMEN	Mögliche erste Einnahmen aus Interaktion mit Early Adopters als (Test-)Kunden.	Mögliche erste Einnahmen aus funktionierendem Ökosystem mit (Test-)Kunden.

#3 LENSE

ECOSYSTEM DESIGN

Ecosystem Design

Dieser Abschnitt startet mit dem generischen Vorgehensmodell zur Gestaltung von Business Ökosystemen, bevor analog zu den anderen Design Lenses die einzelnen Tools und Methoden, Key Questions und der entsprechende Canvas beschrieben werden. Business Ökosystem Design hat das Ziel, ein Minimum Viable Ecosystem (MVE) zu erarbeiten, um schliesslich ein potenzielles Zielsystem eines Ökosystems und seine Wertströme zu validieren. Hierfür gilt, über den gesamten Design-Zyklus verschiedene Denkhaltungen zu kombinieren. Basis für das Design eines MVE ist in vielen Fällen ein erster Prototyp einer Idee oder ein MVP, das entweder anderen potenziellen Ökosystem-Partnern vorgestellt oder im Rahmen des Co-Creation Modus erarbeitet wird. Da bereits einfache Ökosysteme eine grosse Komplexität annehmen können, ist es in vielen Fällen zu empfehlen, das Gesamtsystem in Teilsysteme zu unterteilen und die Beziehungen zwischen den Akteuren abzubilden. Dieses Vorgehen erlaubt es, mit der kleinstmöglichen Ausprägung (Minimum) an den notwendigen Akteuren, die Erstellung einer gemeinsamen Value Proposition zu testen, zu messen und in Iterationen zu verbessern. In diesem Vorgehen greift ein ähnliches Gedankengut wie im Lean Start-up Ansatz, der über ein MVP eine Validierung vornimmt. Dieses pragmatische Vorgehen zur Risikominimierung zeigt schnell auf, welche Akteure zum Zielsystem passen, welche Wertströme nachhaltig sind und ob die gewünschten Benefits pro Akteur und für das gesamte System gut zusammenspielen. Das hier beschriebene Vorgehensmodell wurde in verschiedenen Ökosystem Challenges angewandt, validiert und schrittweise verbessert. Business Ökosystem Design wurde erstmals im „Das Design Thinking Playbook" (2018) im Rahmen der zukünftigen Erfolgsfaktoren für eine erfolgreiche digitale Transformation vorgestellt. In diesem Abschnitt wird auf die einzelnen Schritte in den vier Loops des Vorgehensmodells eingegangen. Die Tools und Methoden sind von Seite 229 bis 253 für das Design von Business Ökosystemen beschrieben und erklärt.

Typische Aktivitäten

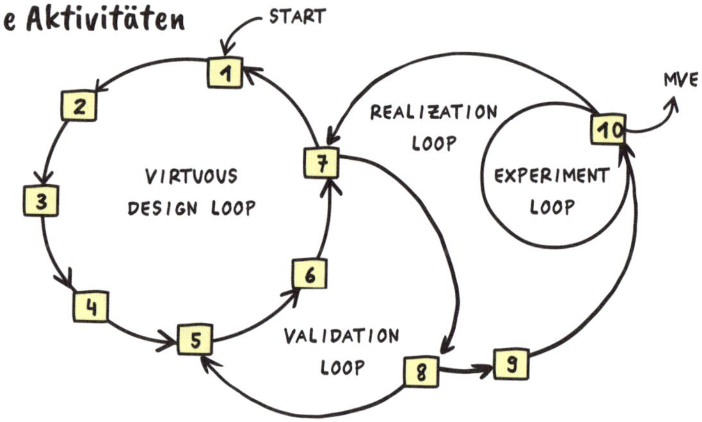

Ausgehend von einer Value Proposition und ersten MVPs startet die Gestaltung des Business Ökosystems über vier Loops. Nach mehreren Iterationen, Validierungen und ersten Implementierungen ist das MVE das erste funktionierende System, das am Markt in seiner kleinsten Ausprägung ein Angebot bereitstellt.

Schritte in den vier Loops

Der Virtuous, Validation, Realization & Experiment Loop: 10 Schritte im (Re-)Design eines Business Ökosystems

Die Ausgangslage im Business Ökosystem Design ist meist der Kunde/Nutzer mit seinen Bedürfnissen. Durch Design Thinking und die Lean-Start-up-Werkzeuge wurden im besten Fall bereits die Kundenbedürfnisse und die Value Proposition validiert. Dies erfolgt entweder im Co-Creation Modus mit potenziellen Ökosystem-Partnern oder entsprechend in einem kleineren Wirkungskreis der Initiatoren einer Ökosystem-Initiative.
Die Gestaltung eines passenden Business Ökosystems erfolgt i.d.R. auf drei Ebenen: Kunden, Business und Technologien. Das unten abgebildete Vorgehen zur Gestaltung eines Ökosystem-Modells hat insgesamt 10 Schritte, die sich auf den **„Virtuous Design Loop"**, **„Validation Loop"**, **„Realization Loop"** und den **„Experiment Loop"** verteilen. Es handelt sich hierbei jedoch nicht um einen Blueprint für ein Vorgehen, sondern vielmehr um einen Vorschlag, der die wichtigsten Elemente zur Erreichung eines MVE abbildet. Das finale MVE bildet das erste funktionierende System in seiner effizientesten Ausprägung.

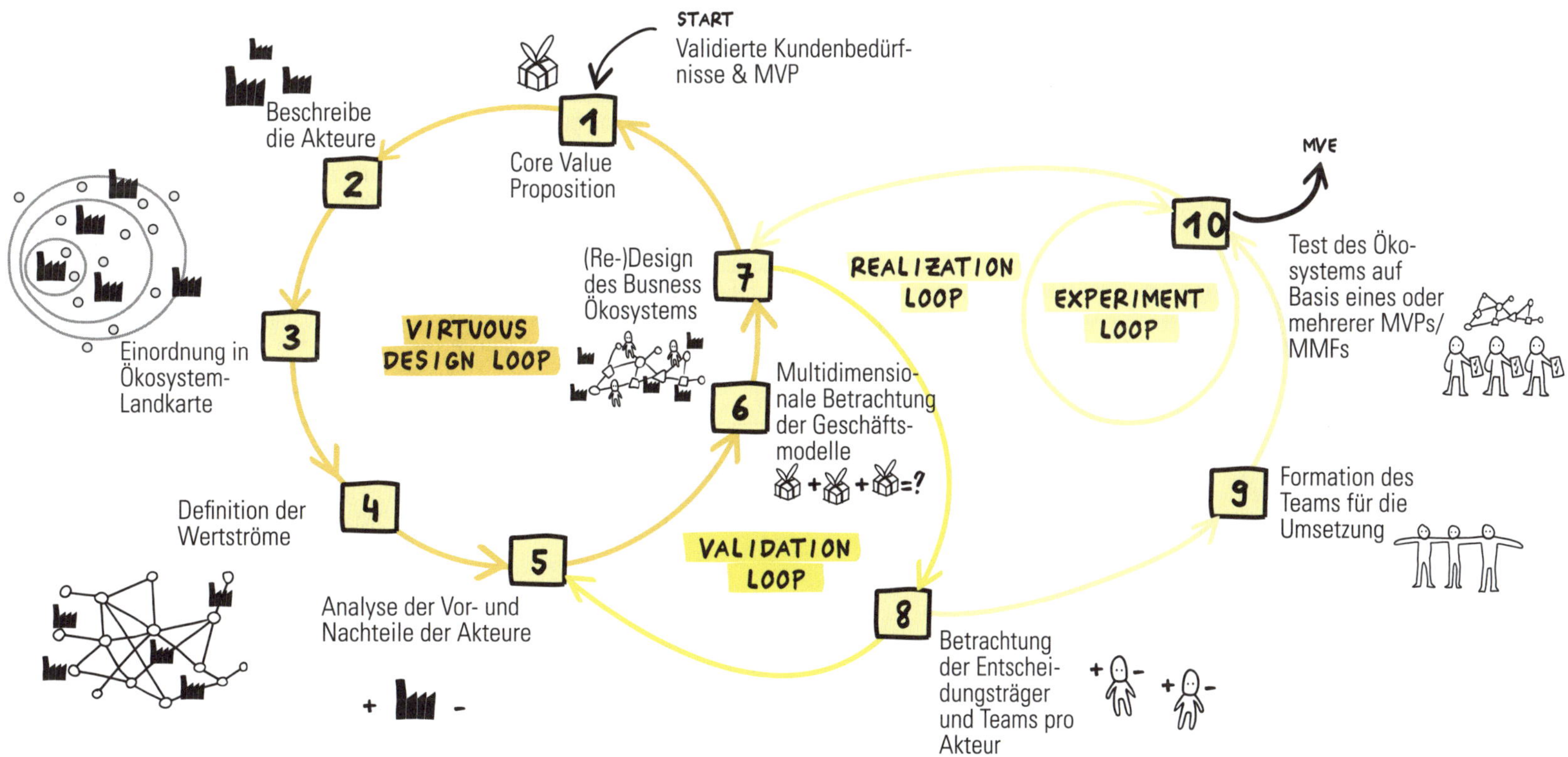

Shift von einer „Customer Journey" zu einer „Ecosystem Journey"

Für die Gestaltung von Business Ökosystemen reicht es nicht aus, Kundenerlebnisketten zu erstellen, auch wenn dies oft in der Praxis zu beobachten ist. Es empfiehlt sich, eine erweiterte Sicht auf die Dinge einzunehmen und ganzheitlich die „Ecosystem Journey" herauszuarbeiten, welche die Akteure und die Kunden berücksichtigt. Diese Sichtweise hilft, radikal neue Ansätze zu definieren, die zum einen eine optimale Integration der Angebote und Leistungen aller Akteure vorsieht und zum anderen die optimale Bereitstellung von Touchpoints mit dem Kunden/Nutzer definiert. Der Fokus liegt somit auf allen Kundengruppen- und Segmenten und auch auf Akteuren, Lieferanten und anderen Playern, die im Business Ökosystem aktiv sind.

	Traditionelle Design Thinking Sicht vs.	Erweiterte Ecosystem Design Sicht
DIMENSION	CUSTOMER JOURNEY	ECOSYSTEM CUSTOMER ACTORS JOURNEY
		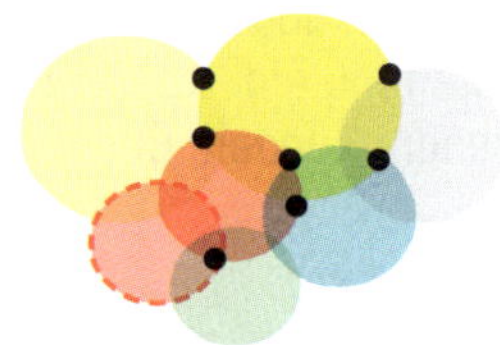
TOUCHPOINTS	Touchpoints des Kunden mit einem Unternehmen	Abbildung aller Verbindungen und Interaktionen in einem Ökosystem
ZWECK	Verbesserung von bestehenden Interaktionen mit dem Kunden/Nutzer über verschiedene Touchpoints wie z.B. informieren, bestellen, bezahlen, liefern, installieren, Garantie abwickeln und entsorgen.	Gestaltung einer ganzheitlichen Erfahrung für alle Akteure im System, die zusammen für den Kunden/Nutzer eine einzigartige Value Proposition zur Verfügung stellen.
TOUCHPOINTS	Interaktion des Kunden/Nutzers mit einem Unternehmen und dessen Angebot über verschiedene Kanäle.	Interaktion des Kunden/Nutzers mit dem Business Ökosystem über verschiedene Kanäle und in unterschiedlichen Konfigurationen der Kundenschnittstellen im gesamten Ökosystem.
ANWENDUNG	Optimierung von bestehenden Kundeninteraktionen mithilfe von Data Analytics, Beobachtung und A/B Tests für neue Interaktionen.	Radikal neue Ansätze in der Kundeninteraktion, meist mit hohem Automatisierungsgrad und Elementen von Mass-Customization für die wiederkehrende Interaktion mit Kunden. Einfache Integration der Angebote von den jeweiligen Akteuren zur Bereitstellung der Value Proposition.
ROLLEN	Fokussierung auf bestimmte Kundengruppen und Segmente und ihre Bedürfnisse hinsichtlich ihrer Kundenerlebniskette.	Fokus auf die Kundengruppen und Segmente sowie auf die Akteure, Lieferanten und anderen Player, die im Business Ökosystem aktiv sind.

Welches sind die Kernelemente im Virtuous Design Loop?

1) Ausformulierung der Core Value Proposition

Aus den Kundenbedürfnissen und den später durchgeführten Validierungen im Rahmen der Tests von Prototypen und des MVP kann die Value Proposition für den Kunden bzw. für das zu gestaltende Business Ökosystem abgeleitet werden. Die Core Value Proposition für das Gesamtsystem kann sich von den einzelnen Überlegungen, die im Rahmen von Design Thinking und Lean Start-up durchgeführt wurden, unterscheiden, da oftmals zwei, drei oder mehr MVPs in einem grösseren Ökosystem-Ansatz aufgehen. Für die Ausformulierung der Core Value Proposition hat es sich als wertvoll erwiesen, auf bekannte Tools zurückzugreifen, wie zum Beispiel den Value Proposition Canvas von Osterwalder (siehe Seite 232) oder den User-Profile Canvas, der auf Seite 181 in der Design Thinking Lense vorgestellt wurde. Der bei den Tools vorgestellte „Core Value Proposition Canvas" (siehe Seite 233) bringt die Wertsprechen für die Kunden/Nutzer und für jeden einzelnen Akteur/Rolle zusammen.

WE HELP X DO Y DOING Z.

→ DIE TAGLINE IST DIE GROSSE IDEE.

→ DIE VALUE PROPOSITION IST DAS, WAS DIE GROSSE IDEE UNTERSTÜTZT.

→ DIE "BRAND MESSAGING PILLARS" SIND DIE STORIES, DIE DEN VERSCHIEDENEN AKTEUREN IM SYSTEM ERZÄHLT WERDEN, UM SIE DAVON ZU ÜBERZEUGEN, AM BUSINESS ÖKOSYSTEM ZU PARTIZIPIEREN UND DIE VALUE PROPOSITION ZU UNTERSTÜTZEN.

Eine Core Value Proposition ist eine prägnante Erklärung des funktionalen und des emotionalen Nutzens, die das ganze Ökosystem bietet. Der Fokus liegt ganz klar auf der Lösung eines Kundenproblems oder der Befriedigung eines Kundenbedürfnisses. Es handelt sich um **keine** „Positionierung" in Form von Selbstdarstellung und einzelnen Unterscheidungsmerkmalen.

2) Brainstorming, selektiere und beschreibe die Akteure im Business Ökosystem

Es hat sich bewährt, zuerst grundsätzlich zu überlegen, welche Akteure im Ökosystem Relevanz haben könnten. Hierfür eignen sich die Erkenntnisse aus der internen Analyse, wie zum Beispiel die Arbeitsergebnisse aus der Cooperations-Industry Matrix (Seite 104). Zudem gibt es eine Reihe an generischen Marktrollen in Systemen, die bereits vorab definiert werden können. Für die Analyse empfiehlt es sich, bekannte strategische und systemische Analysemethoden, wie eine PESTLE-Analyse (siehe Seite 110) zu nutzen und entsprechende Fragen zu formulieren, die zur Zielbilddefinition des Ökosystems passen. Für die Zusammenfassung der Erkenntnisse helfen Kurzbeschreibungen der Akteure, mit denen die Funktion und Rolle im System, die primäre Motivation und die Kompatibilität mit der Value Proposition festgehalten werden (siehe Seite 234). Zudem kann an dieser Stelle bereits die Intensität der aktuellen Beziehung und das aktuelle Geschäftsmodell des jeweiligen Akteurs eruiert werden.

Für die Auswahl der passenden Akteure ist es wichtig, alle potenziellen Player zu kennen, die zur Erbringung der aktuellen und zukünftigen Value Proposition einen Beitrag leisten können.

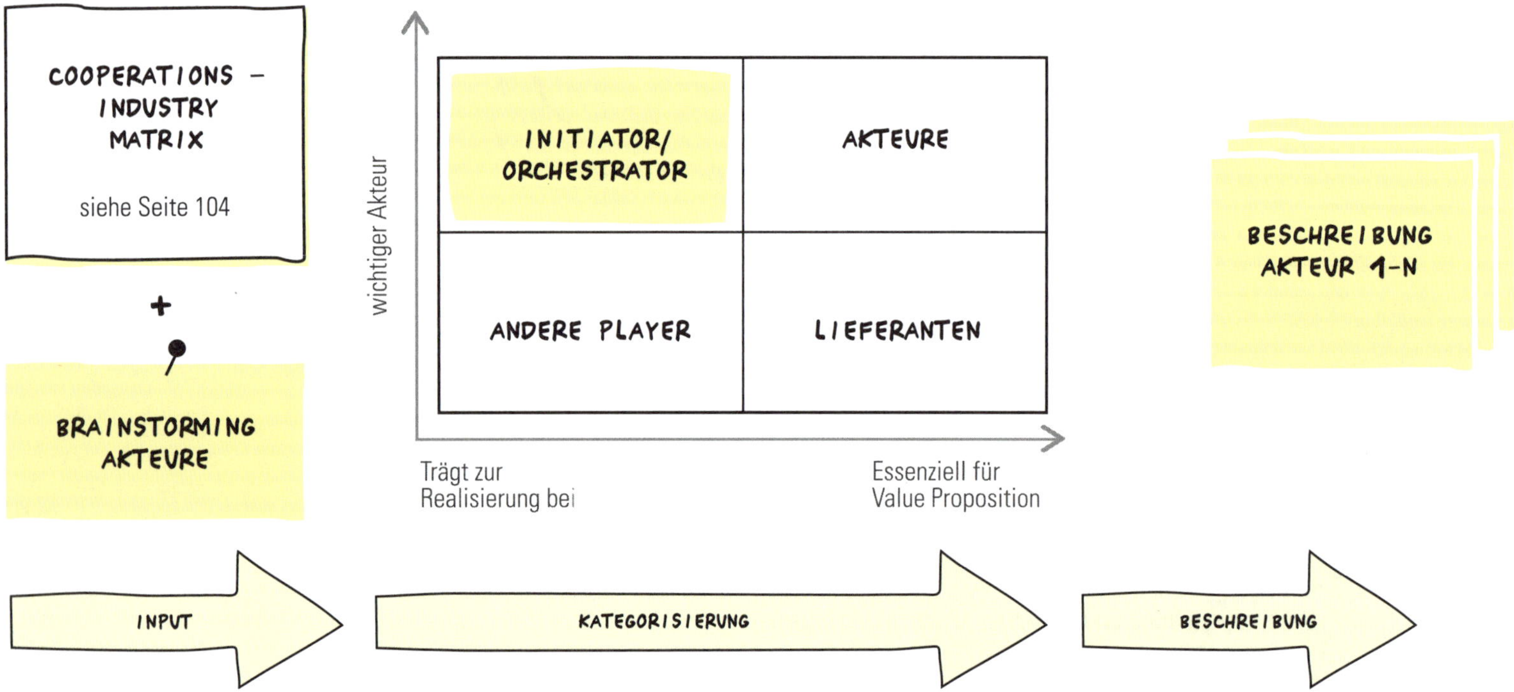

3) Zuordnung der Akteure auf der Ökosystem-Landkarte

Im Schritt 3 werden die Akteure in eine Ökosystem-Landkarte (siehe Seite 237) eingetragen. Für die Business Ökosystem-Landkarte kann zum Beispiel mit einer drei- oder vierteiligen Einteilung gearbeitet werden, wobei je nach Branche und Anwendungsfall auch andere Strukturierungen vorgenommen werden können. In der Mitte ist am besten der Kunde mit der zu erwartenden Value Proposition zu positionieren. Auf die äusseren Kreise können die erweiterten komplementären Angebote und die Enabling-Netzwerke mit ihren Akteuren (und je nach Ökosystem mit deren Kunden) platziert werden. Die Grenzen zwischen den einzelnen Bereichen sind meist fliessend. Die Ökosystem-Landkarte etabliert ein Verständnis über das Zusammenspiel aller Akteure und Lieferanten zur Erbringung der Value Proposition. Nur durch eine Gesamtübersicht lassen sich das System schrittweise optimieren und die Wertströme und Geschäftsaktivitäten in den weiteren Schritten abbilden.

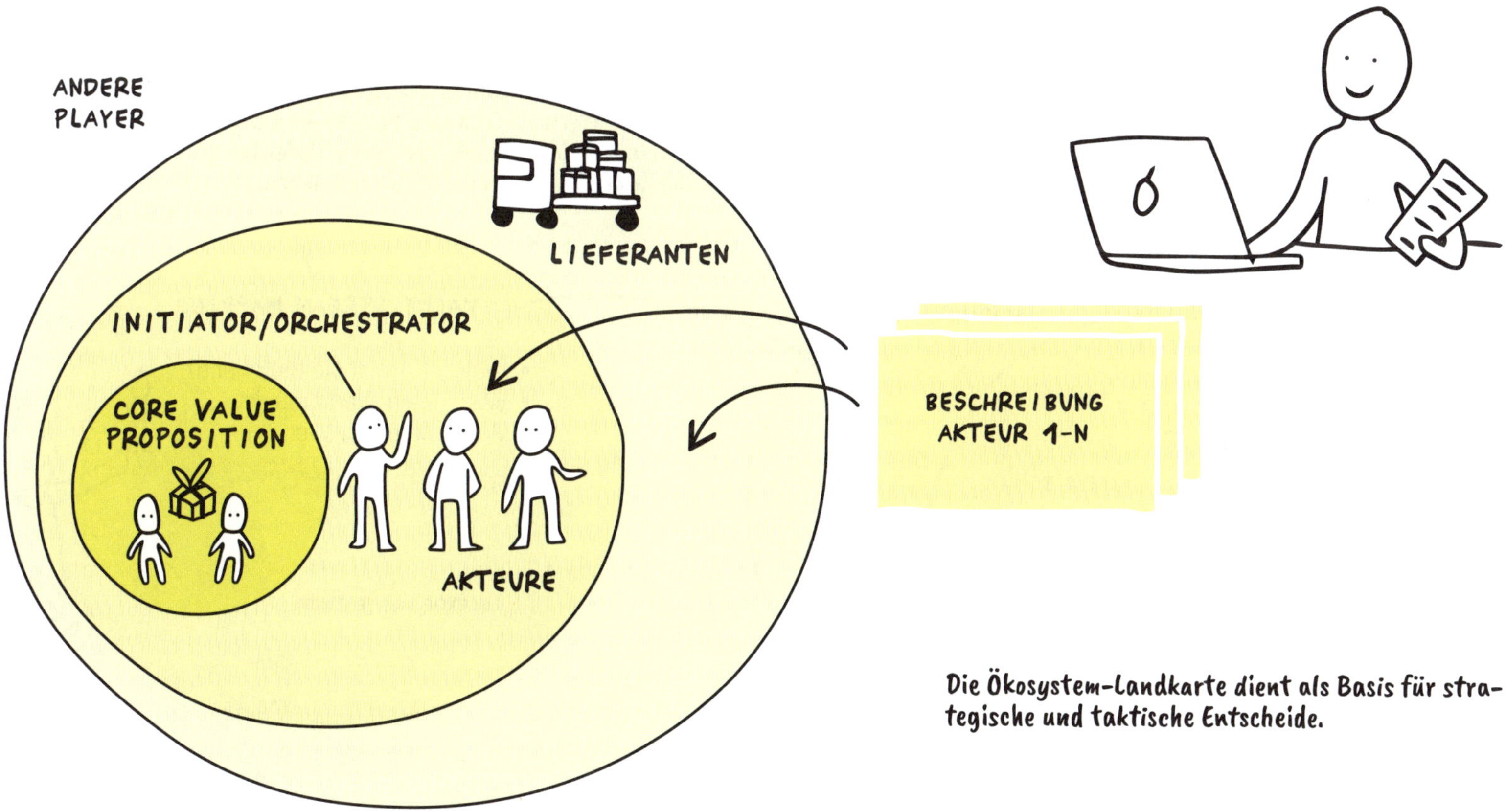

Die Ökosystem-Landkarte dient als Basis für strategische und taktische Entscheide.

4) Definition der Wertströme und Verbindungen der Akteure

Ein Kernelement im Business Ökosystem Design ist die Gestaltung von aktuellen und zukünftigen Wertströmen (siehe Seite 239). Einfache Ökosysteme in traditionellen Geschäften kommen meist mit physischen Produkt/Service-, Geld-/Kreditströmen und Informationen aus. Für digitale und digitalisierte Wertströme sind immaterielle Werte von hoher Relevanz. Diese können in Form von Wissen, Software, Daten, Design, Musik, Media, Adressen, virtuellen Umgebungen, Krypto-Währungen, Tokens oder Zugang und Übertragung von Eigentum und Besitz vorliegen. Diese Wertströme laufen zunehmend dezentral und werden unter den Akteuren direkt ausgetauscht. Zudem sollte beachtet werden, dass es auch negative Wertströme im System gibt, die zum Beispiel durch einen Transfer von Risiko entstehen.

Die Visualisierung der Wertströme ist ein zentrales Element in der Gestaltung von Business Ökosystemen. Durch die Eliminierung von zum Beispiel Intermediären und End-to-end Digitalisierungen sowie Automatisierung lassen sich Systeme effizienter gestalten oder Erweiterungen der Value Proposition realisieren.

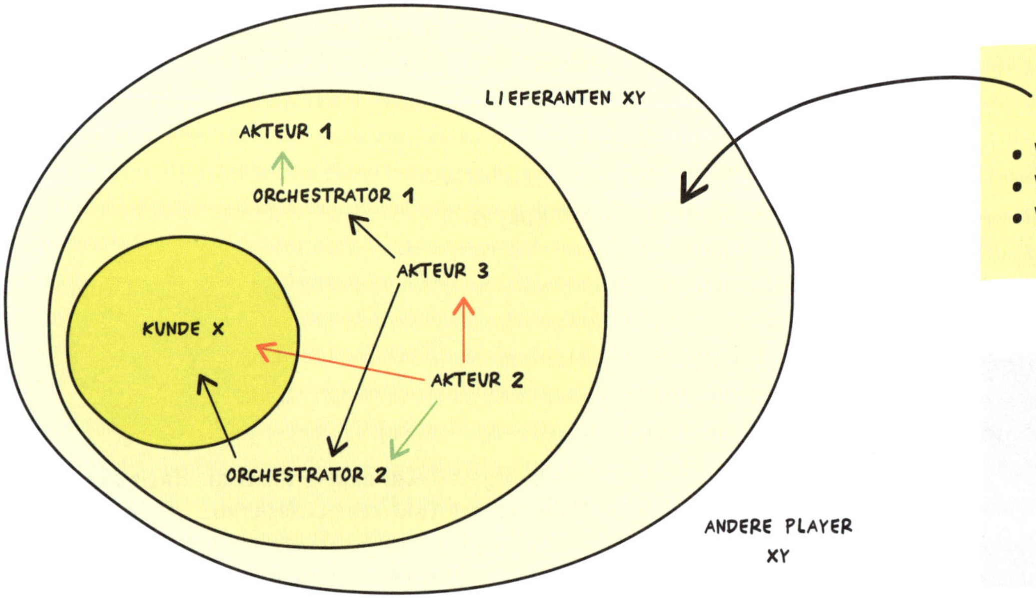

VALUE STREAM MAPPING

- Welcher Art ist die Beziehung?
- Was für ein Wertstrom ist es?
- Wie verläuft der Wertstrom?

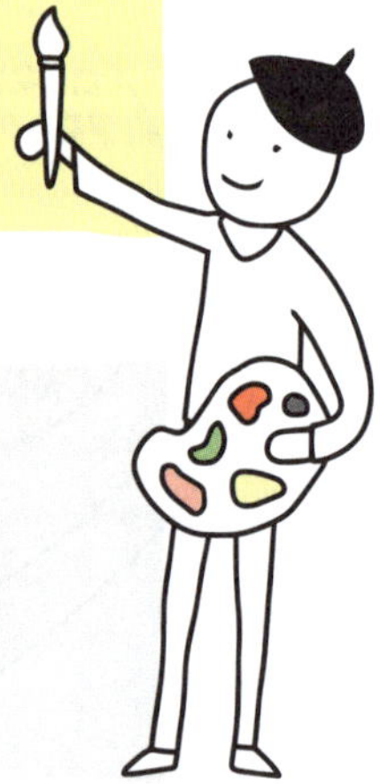

LEGENDE WERTESTRÖME

← Geld

← Produkt

← ...

Durch die Kombination von verschiedenen Wertströmen in einem Business Ökosystem ergibt sich die Möglichkeit, die Wertschöpfung als dynamischen und vernetzten Austausch abzubilden, bei dem theoretisch jeder Akteur zu jedem Akteur eine Verbindung unterhalten kann. Auf diese Weise können gut durchdachte Ökosysteme mehr Wert als die Summe der einzelnen Akteure, die unabhängig voneinander agieren, generieren. Dieser Wert an Beziehungen kann auch als Ökosystem-Kapital bezeichnet werden.

WERTSCHÖPFUNG INTEGRIERTES UNTERNEHMEN

WERTSCHÖPFUNG BUSINESS ÖKOSYSTEM

Inkrementelle Wertschöpfung, „Cost plus" als Basis zur Deckung der Kapitalrendite.

Dynamische und vernetzte Wertschöpfung, die aus den Wertströmen und Beziehungen Kapitalrendite, Ökosystem- und Geisteskapital erzeugen.

5) Ausarbeitung der Vorteile und Nachteile jedes einzelnen Akteurs

Nachdem die Akteure im Ökosystem positioniert sind und Klarheit über die Wertströme besteht, können die Effekte für die einzelnen Akteure analysiert werden. In dieser Phase ist es zu empfehlen, sich auf die Vor- und Nachteile jedes Akteurs zu konzentrieren, die der Akteur in der Zusammenarbeit im System hat. Ohne klare Vorteile werden sich die Akteure nicht für das Ökosystem begeistern können (siehe Seite 237).

	PRO	CON
AKTEUR 1		
AKTEUR 2		
AKTEUR 3		

In jeder Iteration im Virtuous Design Loop sollten jeweils die Vor- und Nachteile für jeden Akteur diskutiert werden.

6) Multidimensionale Betrachtung der Geschäftsmodelle von allen Akteuren im Ziel-Business-Ökosystem/Geschäftsmodell des Ökosystems

Für die mehrdimensionale Betrachtung der Geschäftsmodelle helfen die Analysen aus den vorgängigen Phasen. Insbesondere ist der Beitrag zum Wertangebot jedes einzelnen Akteurs für die Kunden und letztlich, was der Akteur zur gesamten Value Proposition im aktuell angedachten Business Ökosystem beitragen könnte, ausschlaggebend. Hierbei ist zu beachten, dass die (Teil-)Angebote der einzelnen Akteure bestmöglich mit den Werten und Zielen des Business Ökosystems abgestimmt sind. Am Ende sollten alle beteiligten Akteure im System die Chancen- und Risikoverteilung als fair empfinden und die Wertströme verstanden haben, die sich direkt oder indirekt aus dem System ergeben. Für viele Unternehmen ist die Interaktion mit einem Business Ökosystem Teil einer Wachstumsstrategie oder eine strategische Option, um bestehende Fähigkeiten zu leveragen oder an neuen Marktflächen zu partizipieren und Wachstumsmöglichkeiten zu realisieren. Diese Aufgabe der multidimensionalen Betrachtung der Geschäftsmodelle ist komplex und überfordert die meisten Business Ökosystem Design Teams. Jedoch ist dieses Wissen für die späteren Überlegungen und Interaktionen mit potenziellen Akteuren, die im System partizipieren sollen, von hoher Relevanz. Die Art des Geschäftsmodells wird zudem auch nach der Rolle variieren, die jeder einzelne Akteur wählt oder im Rahmen einer Partizipation zur Verfügung gestellt wird. Die meisten Akteure werden diese Entscheidung, basierend auf ihren Fähigkeiten, Risikoappetit und Wachstumsambitionen, treffen. In jedem Fall ist es entscheidend, dass die Auswahl der Rolle und die Art der Partizipation eine bewusste Entscheidung auf der Grundlage der gewählten Strategie von jedem einzelnen Akteur ist (siehe Seite 245).

Je mehr und besser durchdachte Möglichkeiten es für alle Akteure gibt, durch positive Wertströme Mehrwerte aus dem Business Ökosystem zu ziehen, desto attraktiver ist das Ökosystem für alle Beteiligten.

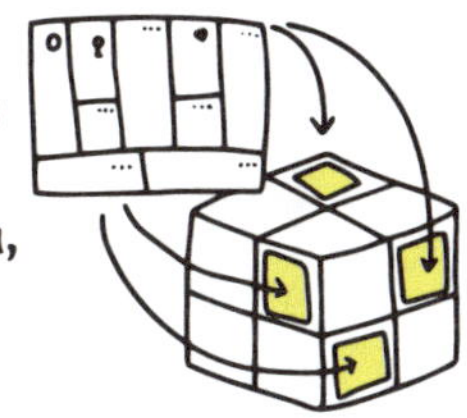

MVE "Mieten" für Zielökosystem Mieten, Kaufen, Wohnen

Beispiel

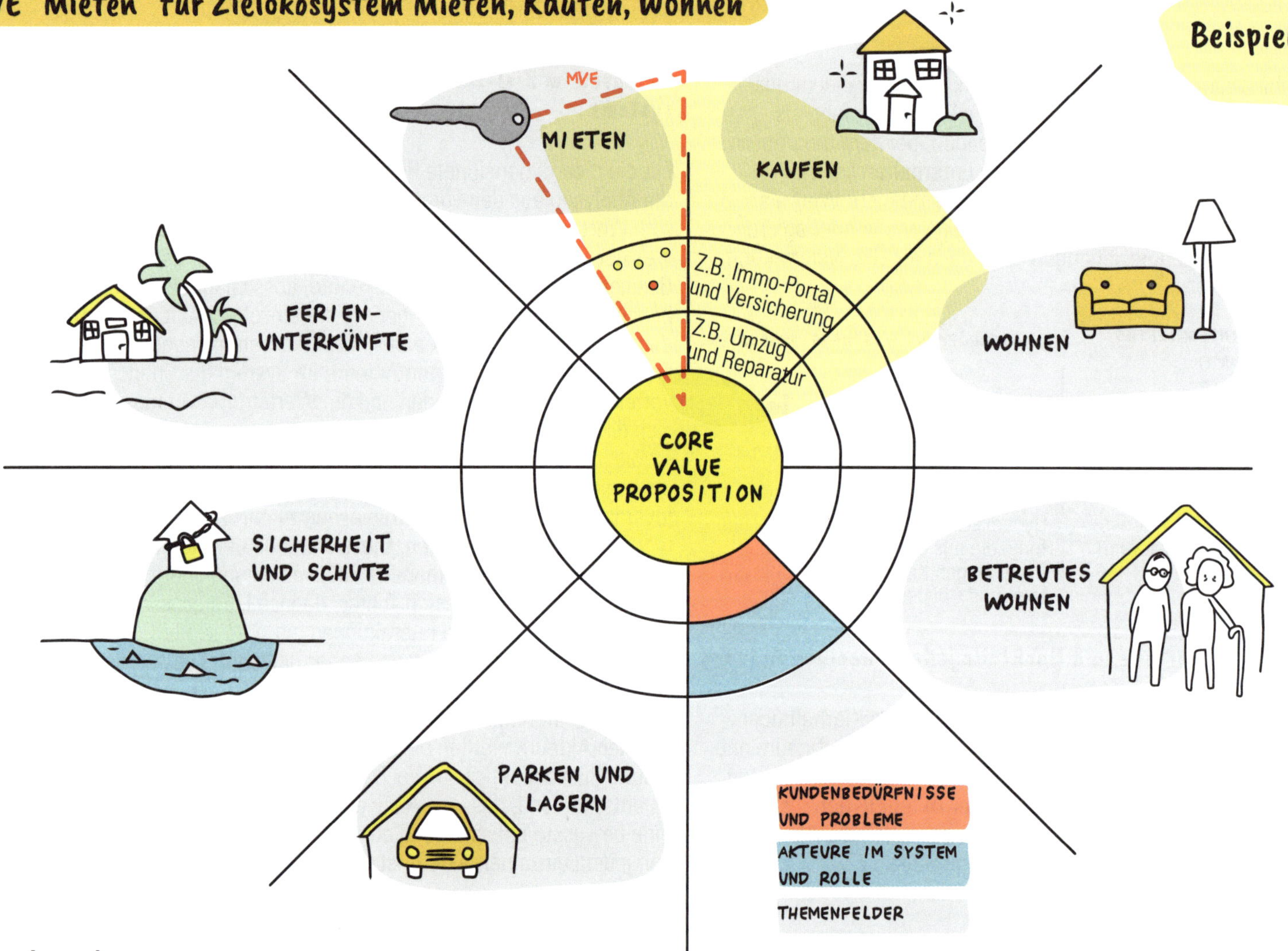

Legende
Zielökosystem
Akteure und Rollen im System (minimal in Bezug auf Rollen und Akteure)
Möglicher Orchestrator/Initiator
Minimum Viable Ecosystem (MVE)

Das gestaltete Business Ökosystem erhält durch die Realisierung eines MVE (Minimum Viable Ecosystem) die Validierung des System-/Actors-Fits.

7) (Re-)Design des Business Ökosystems

In dieser Phase wird das Business Ökosystem iterativ verbessert. Akteure kommen in den Iterationen hinzu oder werden eliminiert. Zum Beispiel können Plattformanbieter, Hardwarehersteller oder Mehrwertdienste eingefügt werden, die das bestehende System verändern und verbessern. Für jede Variante oder Idee des neuen oder angepassten Ökosystems sollten die Auswirkungen auf die einzelnen Akteure und Wertströme bestimmt werden. Vor allem ist es wichtig, durch Iterationen und Experimente die Robustheit der Szenarien durchzuspielen. Das Design und Re-Design von verschiedenen Ökosystem-Landkarten mit teilweise wechselnden beteiligten Akteuren und Wertströmen bringt den grössten Mehrwert, da auf diese Weise vor der Realisierung verschiedene Szenarien durchgespielt werden können (siehe Seite 248). Die Auseinandersetzung mit verschiedenen Konstellationen im Virtuous Loop bringt zudem meist neue Ideen und Geschäftsmodellansätze, die helfen, die Einzigartigkeit weiter auszubauen oder neue Pfade zur Erweiterung der Value Proposition aufzuzeigen, die wiederum direkt als MVP im Rahmen eines ersten MVE getestet werden können oder erst mal im Backlog für zukünftige Wachstums- und Erweiterungsmöglichkeiten geparkt werden.

Das Re-Design und die Diskussion über Wertströme, Rollen und Akteure schärft die Sicht auf das Zielsystem und die zu realisierenden Teilsysteme, die zum Beispiel im Rahmen eines MVE potenziell validiert und später umgesetzt werden sollen.

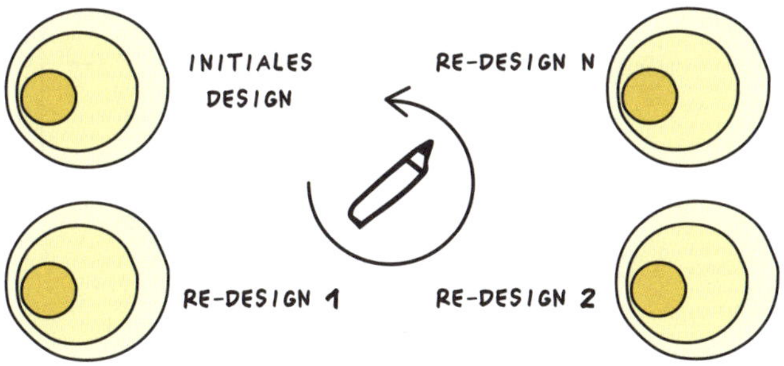

Was passiert im Validation Loop?

8) Betrachtung der jeweiligen Zusammenarbeit der Akteure

In den Phasen 1 bis 7 wurde das Ökosystem gestaltet. Aber nur die Realität zeigt, ob die Überlegungen auch wirklich überlebensfähig sind. Im Validation Loop überlegt sich i.d.R das Business Ökosystem Design Team, mit welchen konkreten Akteuren das angedachte System initial validiert und ggf. entwickelt wird. Die sog. interspezifische Beziehung zwischen beteiligten Personen und Teams sichert die Existenz eines Business Ökosystems. Dabei geht es darum, die persönlichen Interessen, Bedürfnisse und Motivationen der Beteiligten zu verstehen. Besonders in einer Symbiose (im weiteren Sinn), in der alle Personen (neben den Unternehmen per se) aus der Interaktion einen Nutzen ziehen, bilden sich positive Effekte, die zum Wachstum des Systems führen. Neben der rationalen Entscheidung, Teil des Ökosystems zu sein, ist die persönliche Motivation (z.B. eines Entscheidungsträgers) mindestens ebenso relevant.

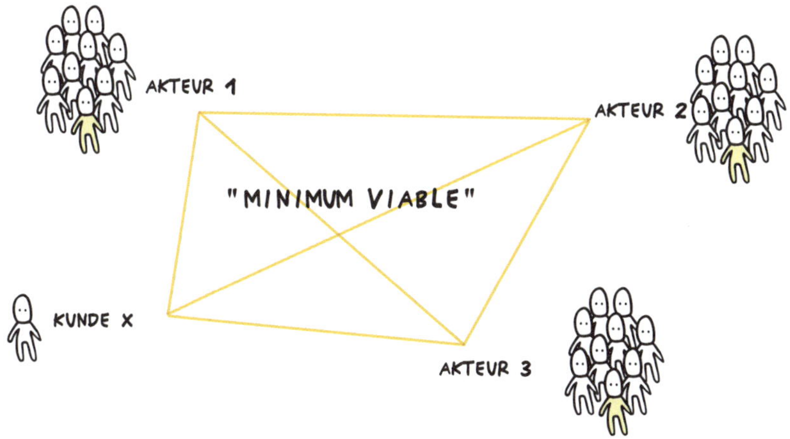

Unternehmen, die in einem Business Ökosystem agieren, kennen die Benefits, das Zielbild und wissen, dass es gemeinsame Koordination braucht, um Werte zu schaffen.

Was passiert im Experiment und Realization Loop?

9) Formation eines Teams zur Umsetzung des MVE

Im Design von Business Ökosystemen wurden bereits Bedürfnisse der potenziellen Kunden und Akteure im System berücksichtigt. Für die erfolgreiche Umsetzung benötigt es aber auch die Menschen, Teams und Entscheidungsträger, die das Business Ökosystem erschaffen.

Die Entscheidungsträger geben die Rahmenbedingungen vor, wie Reichweite des MVE, Budget, Zeitrahmen. Sie sind die Enabler für das Vorhaben. Die Teams sind die eigentlichen Macher, die sich mit Fähigkeiten einbringen. Ein entscheidender Faktor in der Realisierung von Business Ökosystemen sind die persönlichen Beziehungen und Vertrauensverhältnisse zwischen den Entscheidungsträgern, die jeweils bei den unterschiedlichen Akteuren eines potenziellen Ökosystems wirken. Eine Öffnung nach aussen und erste Schritte von Co-Creation brauchen meist initial diese Art von Vertrauen. Deshalb bestimmt die oberste Layer mit den Teams und Entscheidungsträgern die Umsetzung eines MVE und später die Zusammenarbeit massiv. Die darunter liegenden Layers spiegeln die Kontextualisierung der Ergebnisse über die jeweiligen Design Lenses wider (Siehe „play, configure, win" auf Seite 115ff.). Die dazugehörigen digitalen Enabler-Technologien ergänzen die Strategie- und Business-Sicht. Im Rahmen von einem ersten MVE werden oft Teilaspekte des gesamten Systems manuell durchgeführt oder, falls machbar, bereits mit ersten digitalen Komponenten umgesetzt. In vielen digitalen Ökosystemen ist die Validierung der Technologie entscheidend. Hier müssen die dazugehörigen Komponenten entsprechend funktionieren. Für die Überlegungen zu einem MVE können Elemente und Vorgehensweisen aus dem Lean Start-up-Ansatz adaptiert werden, um das Ökosystem zu durchdenken und zu verbessern. Es hat sich als praktikabel erwiesen, die gleichen Prinzipien von Build, Measure und Learn wie bei der Realisierung eines MVP anzuwenden und die Vorbereitungen zum MVE vor der Realisierung durchzuführen.

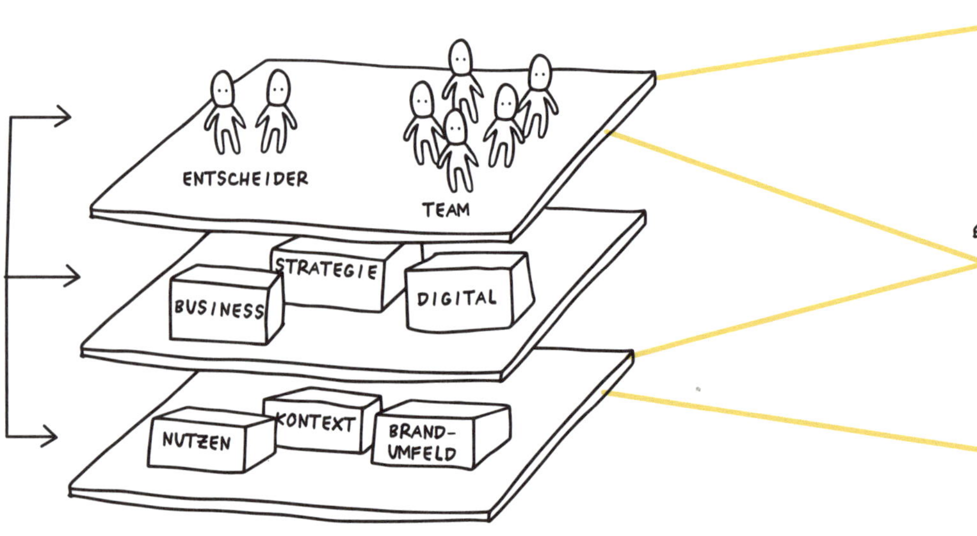

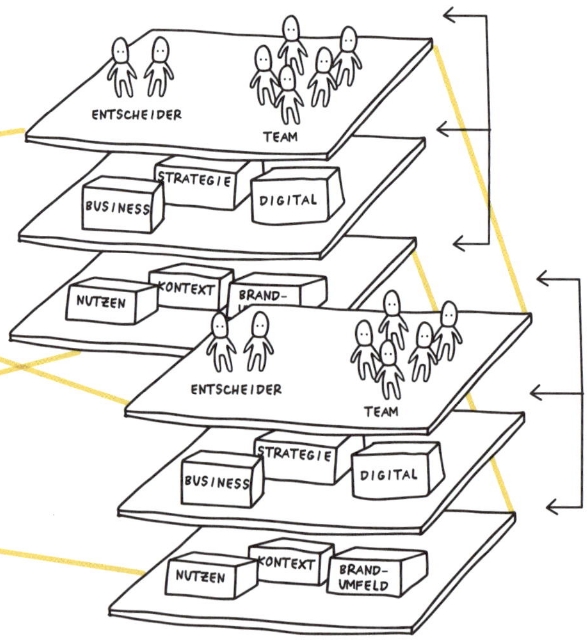

10) Umsetzung des finalen MVE

Für die Umsetzung des MVE braucht es zusätzlich entsprechende Governance-Strukturen und Ökosystem Leadership. Während der Initiator immer weiter in den Hintergrund der Aktivitäten rückt, geht die Verantwortung zunehmend auf den Orchestrator über. Der finale MVE ist ein erstes funktionierendes System, das eine hohe Effizienz aufgrund seiner minimalen Anzahl an Akteuren aufweist und ein erstes Leistungsangebot, das Teil der Core Value Proposition ist. Wichtig ist es für den Orchestrator, während der Umsetzung und der späteren Orchestrierung sich der jeweiligen Risiken bewusst zu sein. Hierunter fallen in erster Linie Umsetzungsrisiken, die in jedem komplexen Projekt oder Innovationsvorhaben existieren. Damit einher gehen Chancen und zugleich Risiken aus der Koevolution der Akteure, die oftmals parallel passieren und eine hohe Dynamik aufweisen. Zudem müssen viele Verhaltensweisen für die Akteure im System definiert und geregelt werden, die Liste reicht vom Umgang mit Touchpoints und Kundenschnittstellen bis hin, wie die einzelnen Komponenten zur Erbringung der Value Proposition zusammenwirken, zum Beispiel auf den Ebenen Technologie und Business. Ökosysteme entwickeln sich meist nur dann positiv, wenn eine ständige Adaption stattfindet und zugleich kontinuierlich an der Erweiterung der Value Proposition gearbeitet wird. Dies stellt mitunter die grössten Herausforderungen an die Wertströme und die Daseinsberechtigung jeden einzelnen Akteurs im Business Ökosystem dar.

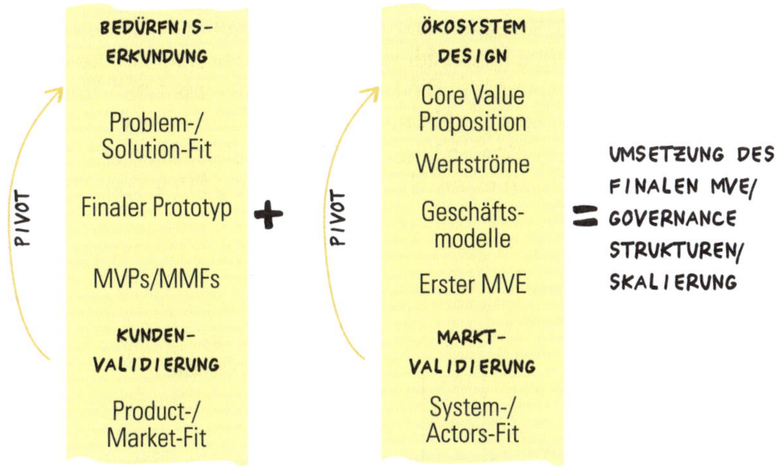

DIMENSION	HERAUSFORDERUNGEN FÜR DEN INITATIOTR UND DEN ORCHESTRATOR	HERAUSFORDERUNGEN FÜR DAS GESAMTE ÖKOSYSTEM
ERSTES MVE	• Die passenden Akteure für die Rollen finden • Transparenz und Vertrauen schaffen • Freiheitsgrade und angemessene Regeln definieren	• Etablierung einer gemeinsamen Kultur der Zusammenarbeit • Erkennen der Stärken und Schwächen des Systems • Kontinuierliche Verbesserung und Optimierung
UMSETZUNG MVE	• Komplexität beherrschen • Unsicherheiten managen • Governance etablieren	• Etablierung hoher Eintrittsbarrieren für den Wettbewerb • Co-Competition zulassen (wo es sinnvoll ist)
LEADERSHIP	• Vision klar kommunizieren • Dynamisch auf Veränderungen reagieren • Erweiterung and Adaption der Value Proposition	• Abgleich der eigenen Vision mit dem Zielbild des Ökosystems • Ständige Reflexion über Erfolg, neue Anforderungen und Dynamiken im System
SCALE	• Zusammenarbeit mit den anderen Akteuren • Gemeinsam Innovation und Wachstum treiben • Value Proposition erweitern und Marktanteile halten	• Nutzung von Lock-in-Effekten • Skalierung über Netzwerkeffekte • Fokus für exponenzielles Wachstum beibehalten

Auswahl der passenden Governance-Strukturen

Beispiel

Für die Wahl der Ökosystem-Governance, inkl. Operating Model und dazugehörigen Strukturen, sind unterschiedliche Modelle zu beobachten. Während einzelne Unternehmen das Business Ökosystem aus dem Venturing Portfolio treiben, setzen andere Initiatoren auf Vehikel in Form von Verbänden und Genossenschaften. Der hier vorgestellte Ansatz eignet sich besonders für eine frühe Phase der Umsetzung und ersten Skalierungsmassnahmen des finalen MVE. Die Governance kann aus einer Abteilung heraus organisiert werden bis hin zur Etablierung einer neuen Gesellschaft, an der mehrere Akteure beteiligt sind. In vielen Fällen entwickeln sich die Strukturen über die Zeit. Siehe Optionen und Pfade von 1 bis 5 in der Darstellung unten.

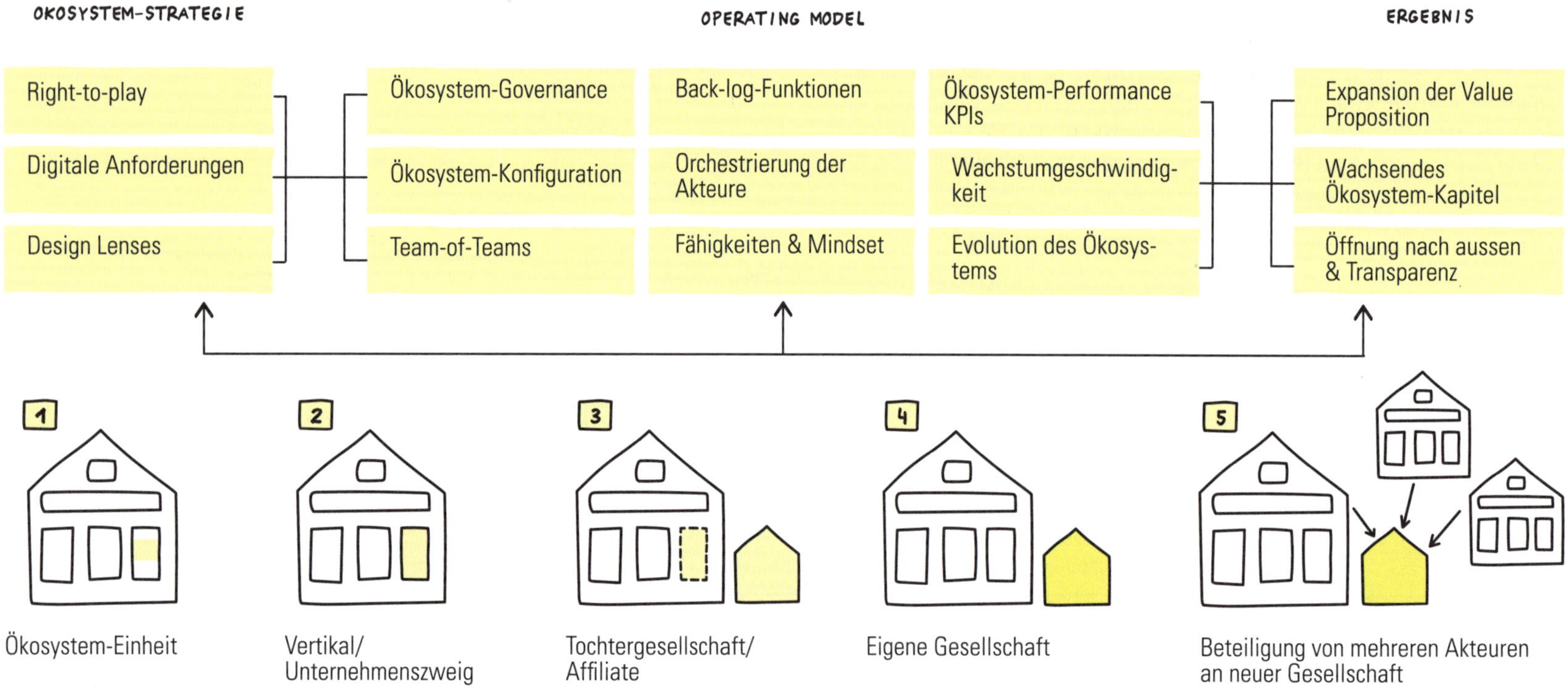

Erfolgsfaktoren im Umgang mit Business Ökosystemen

Um ein Paradigma, basierend auf Business Ökosystem Design, erfolgreich anzuwenden, gilt es fünf Erfolgsfaktoren zu beachten:

1. Ökosystem-Bewusstsein

Jedes Unternehmen sollte sich selbst als Teil des Ökosystems sehen und die Fähigkeit entwickeln, seine Rollen und Verhaltensweisen im Ökosystem zu erkennen und durch die Augen der anderen Akteure zu sehen sowie aus unterschiedlichen Blickwinkeln.

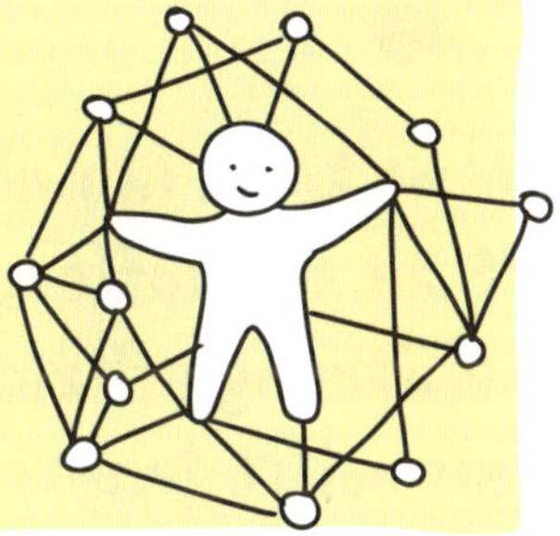

2. Verständnis systemischer Möglichkeiten

Unternehmen sollten bewusst über Ökosysteme nachdenken und die Fähigkeit besitzen, sich vorzustellen, welche produktiven Verhaltensweisen für sie selbst und für das gesamte Ökosystem möglich sind, um so die Wertströme gezielt zu verändern.

3. Governance von Ökoystemen

Unternehmen sollten die Fähigkeit besitzen, am und im System zu arbeiten, Partner zu integrieren (Co-Creation) und Vorteile für alle Akteure zu schaffen.

4. Nachhaltige Ökosystem-Intelligenz

Unternehmen sollten die Fähigkeit etablieren, Systems Thinking und Design Thinking auf lange Sicht zu fördern, zu verbessern und Strategien und Techniken zu entwickeln, um das Ökosystem agil weiterzuentwickeln.

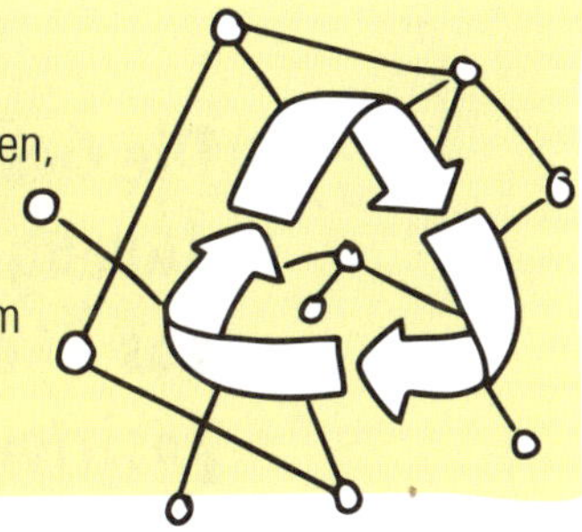

5. Leadership mit Business Ökosystem Design

Unternehmen sollten die Fähigkeit ausbauen, Systems Design in die Kultur der Organisation zu integrieren und auch bestehenden Regeln bewusst zu durchbrechen (Black Ocean).

Auf den Punkt gebracht!

Die Gestaltung eines Business Ökosystems kann in mehreren Loops durchgeführt werden. Ziel ist, ein MVE zu erschaffen, das es erlaubt, das Ökosystem in seiner minimalen Ausführung effizient am Markt zu positionieren. Innerhalb des Ökosystems sollte transparent sein, wem und wie diese Werte als fairer Wertaustausch zufliessen.

Über die Zeit wird ein initiales Wertversprechen, das Teil der Core Value Proposition ist, mit weiteren Mehrwertdiensten angereichert, die wiederum von bestehenden oder neuen Akteuren im System erbracht werden.

Neben den Fähigkeiten, Produkten und Services, die von den Akteuren eingebracht werden können, ist das Mindset, in Business Ökosystemen zu denken, ein entscheidender Erfolgsfaktor.

Die Beziehung mit den anderen Akteuren beruht auf Vertrauen, Zusammenarbeit über die Unternehmensgrenzen hinaus und ist in der Regel über einen längeren Zeitraum und wiederkehrend.

ECOSYSTEM DESIGN TOOLS

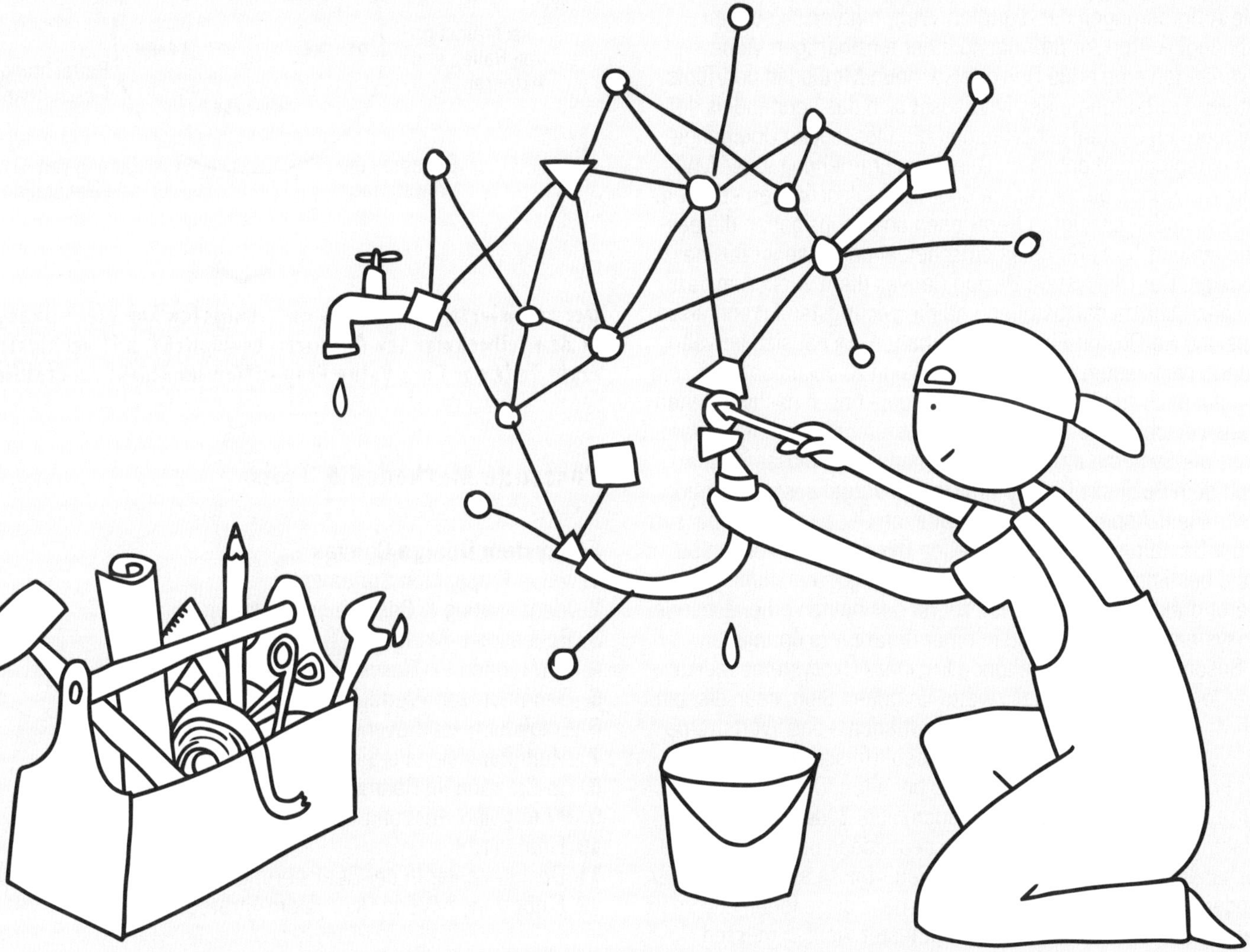

Ecosystem Design

„Business Ecosystem Design" hat sich als eigene Disziplin etabliert. Besonders die Anforderungen der digitalen Welt, mit verschiedenen vernetzten Abhängigkeiten zur Erbringung einer einzigartigen Value Proposition, verlangen eine neue Denkweise, neue Methoden und Tools. Mit der iterativen Erarbeitung eines MVE lässt sich das Verständnis der beteiligten Akteure im System schärfen und die fliessenden Übergänge gestalten und entsprechend abbilden. Durch die Erarbeitung eines MVE lassen sich die Aufwände gering halten und die Erfolgschancen erhöhen. Die im Vorgehensmodell gezeigten Iterationen und Loops geben die passenden Methoden und Tools für diese entscheidende Phase im Business Ökosystem Design. Der Ökosystem Design Canvas dient wiederum dazu, alle wesentlichen Schritte darzustellen und die wichtigsten Erkenntnisse über die Loops und Re-Design-Phasen festzuhalten. Es hat sich bewährt, den Arbeitsstand nach jedem grösseren Re-Design zu dokumentieren, um die Überlegungen auch zu einem späteren Zeitpunkt noch nachvollziehen zu können. Falls verschiedene Teams an Teil-Systemen arbeiten, ist darauf zu achten, dass die Systeme am Ende zusammenwirken müssen. Generell können mit dem Business Ökosystem Design Vorgehensmodell neue Systeme (Green-Field-Approach) oder bestehende Ökosysteme verbessert werden. Bei der Gestaltung von radikal neuen Ökosystemen können bereits im Vorfeld bestimmte Akteure im Business Ökosystem eliminiert werden. Ein anderer praktikabler Ansatz ist, zuerst das heute vorherrschende Business Ökosystem zu erstellen und in einer Iteration zu optimieren (Re-Design). Besonders wenn bestehende Business Ökosysteme radikal umgebaut werden sollen, macht das zweite Vorgehen Sinn, da in diesem Gedankenschritt auch Prozesse, Abläufe, Informations- und Wertströme neu definiert werden können, um die Kundenbedürfnisse und die angestrebte Value Proposition im Bewusstsein zu behalten. Deshalb werden diese Elemente nochmals im Canvas aufgenommen. Zudem entstehen oftmals im Rahmen des Ecosystem Designs neue Ideen oder angepasste Wertversprechen, die an die ursprünglichen Bedürfnisse angeglichen werden können oder falls notwendig, dazu führen, dass diese Ideen nochmals mit den potenziellen Kunden verifiziert und getestet werden müssen.

Typische Aktivitäten

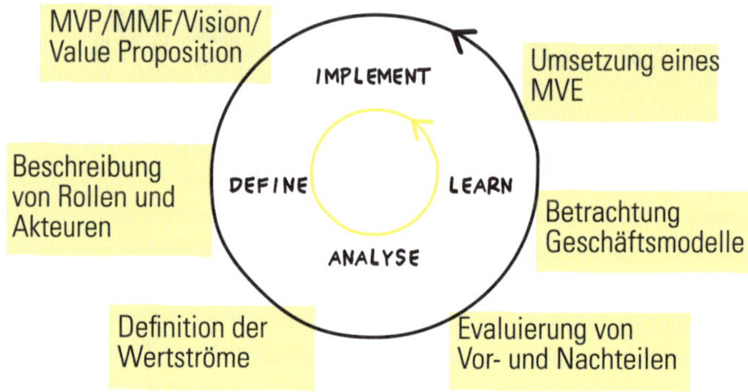

Der realisierte MVE ist das am wenigsten komplexe Ökosystem, das es den teilnehmenden Akteuren ermöglicht, mit geringstem Aufwand erste Teile der Core Value Proposition im Markt zu etablieren.

Passende Methoden & Tools

Key Questions Ecosystem Design

ADOPTABILITY

- Wie kann sichergestellt werden, dass die anderen Akteure im System die Lösung unterstützen?
- Wie kann man nachhaltig Wert schaffen (z.B. First Mover, Lock-in, Exklusivität)?
- Wie können die anderen Akteure Innovationen entwickeln und diese im Ökosystem integrieren?
- Wie erfolgt die Auswahl der beteiligten Akteure und welches sind die Anforderungen in Bezug auf Fähigkeiten, Qualität, Technologie und den Umgang mit der Kundenschnittstelle?
- Wie werden Daten über Kunden und Angebote mit den anderen Akteuren geteilt?

FEASIBILITY

- Welche zusätzlichen Technologien werden für die Integration und Interaktion mit anderen Akteuren im System benötigt?
- Welche Systemarchitektur wird die digitale Interaktion unterstützen?
- Welche Partnerschaften und Lieferanten sollten aufgebaut und genutzt werden?
- Sind die nötigen Fähigkeiten und Vermögenswerte vorhanden oder können diese von anderen Akteuren/Lieferanten bereitgestellt werden, um z.B. eine Technologieplattform zu entwickeln, einzuführen und zu skalieren?

VALUE ENHANCEABILITY

- Wie sieht das eigene Geschäftsmodell und das der anderen Akteure im System aus?
- Welche nachgelagerten Wertströme existieren?
- Wie können im Ökosystem gemeinsam Werte geschaffen werden?
- Wie sieht die Ökosystem-Ökonomie aus?
- Wie kann die Einhaltung der Vorschriften und Regularien sichergestellt werden?
- Wie können Netzwerk- und Ökosystem-Effekte für exponentielles Wachstum genutzt werden?

ECOSYSTEM DESIGN CANVAS

BESTIMME DIE BEDÜRFNISSE DER NUTZER/KUNDEN

- Wer ist der Kunde/ bzw. Nutzer?
- Beschreibe das Kunden-/Nutzerprofil (Pains, Gains, Jobs to be done und Anwendungsfall)
- Welches Problem soll gelöst werden?

CORE VALUE PROPOSITION

- Was ist die Core Value Proposition für den Nutzer/Kunden?

DEFINITION DER WERTSTRÖME

- Welches sind die aktuellen und zukünftigen (positiven und negativen) Wertströme?
- Welche Produkt-/Services-, Geld-/Kredit-Ströme, Daten und Informationen fliessen?
- Welches sind die digitalen und digitalisierenden Wertströme/Assets?

BESCHREIBE DIE AKTEURE

- Wer sind die Akteure im Business Ökosystem?
- Welches ist deren Funktion und Rolle im System?
- Wie hoch ist deren Motivation, im Business Ökosystem mitzuwirken?

DESIGN RE-DESIGN

EXPLORE

BUILD TEST

DESIGN

- Welche Akteure sind zentral in der Erbringung der „Core Value Proposition" im Business Ökosystem? (Gehe bei der Platzierung von innen nach aussen vor).
- Platziere ebenfalls die Akteure mit erweiterten und komplementären Angeboten, Enabling-Funktionen und andere Akteure, die direkt oder indirekt Teil vom System sind.

RE-DESIGN

- Gibt es verschiedene Szenarien mit unterschiedlichen Akteuren?
- Welche Akteure können eliminiert werden?
- Gibt es Akteure, die multidimensionale oder bessere Wertströme skalieren?
- Ist das Business Ökosystem im neuen Szenario robust und überlebensfähig?

PROTOTYPE, TEST UND IMPROVE BUSINESS ÖKOSYSTEM

- Mit welchen MMFs/MVPs startet das Ökosystem?
- Wie kann das erste MVE getestet werden?
- Welche Interaktionen/Test- und Messverfahren helfen, die Wertströme, Geschäftsmodelle, Rollen der Akteure im Ökosystem iterativ zu verbessern?
- In welcher minimalen Ausprägung wird das erste MVE realisiert?

ANALYSE DER VORTEILE UND NACHTEILE JEDEN AKTEURS

+ −

- Welches sind die Vor- und Nachteile für jeden Akteur?
- Wo liegen seine Stärken/Schwächen und Chancen/Risiken im System?

MULTIDIMENSIONALE BETRACHTUNG DER GESCHÄFTSMODELLE

- Wie sieht das resultierende Geschäftsmodell und Wertangebot für jeden Akteur aus?
- Wie trägt das jeweilige Geschäftsmodell zur Core Value Proposition bei?
- Ergibt die Summe der Wertangebote aller Akteure die definierte Core Value Proposition?

ECOSYSTEM DESIGN CANVAS

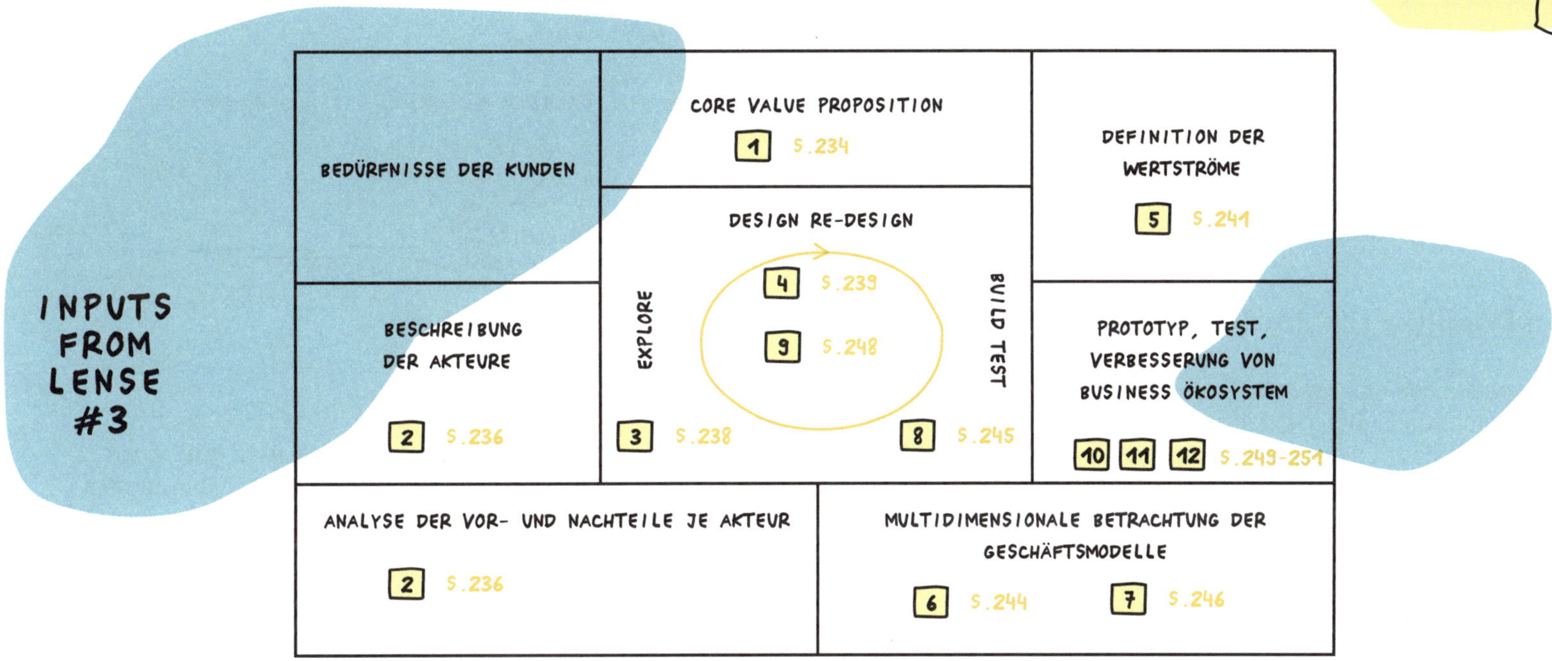

METHODEN & TOOLS LEGENDE

1. Value Proposition Statement
2. Identifikation & Beschreibung Akteure
3. Rollenspiel: Akteure im System
4. Variationen in Ökosystem-Landkarten
5. Definition von Wertströmen
6. Erkundung von Revenue-Modellen
7. Multidimensionale Sicht Geschäftsmodelle
8. Co-Creation im Rahmen von (Re-)Designs
9. Prototyping, Test und Verbesserung von MVE
10. Finales MVE
11. Design-Fehler in der Realisierung
12. Einbettung MVE in Ökosystem-Strategie

Der Ecosystem Design Canvas hilft in der Dokumentation der einzelnen Schritte und die Ergebnisse aus den angewandten Tools und Methoden festzuhalten.

TOOL ZUM DOWNLOAD
www.business-ecosystem-design.com/ecosystems

Value Proposition Statement für MVE

Für die Erarbeitung des Core Value Proposition Statements können entweder die validierten Personas genommen werden, die mit dem User-Profil Canvas erarbeitet worden sind, oder der Value Proposition Canvas von Osterwalder, bestehend aus zwei Bereichen: Auf der rechten Seite werden (in der Anwendung von Business Ökosystem Design) die ausgewählten Kundensegmente für das aktuell betrachtete Ökosystem beschrieben. Auf der linken Seite wird die dafür vorgesehene Core Value Proposition für das Ökosystem gegenübergestellt. Schliesslich soll das Leistungsversprechen des Ökosystems mit den Bedürfnissen der potenziellen Kunden übereinstimmen. Der Core Value Proposition Canvas dokumentiert alle Sichten auf das Wertversprechen.

Die Value Proposition hilft dem Business Ökosystem Design Team:

- Einen gemeinsamen Startpunkt für die Gestaltung des Ökosystems zu initiieren.
- Das Value Proposition Statement mit anderen Akteuren im System zu diskutieren oder die Value Proposition vor Co-Creation-Aktivitäten mit den Partnern zu teilen.
- Die übergeordneten Bedürfnisse, die Kundensegmente und die Lösung für das gesamte System des MVE zu erfassen.

Vorgehen und Template im Core Value Proposition Canvas

1. Erarbeite im Business Ökosystem Design Team die Elemente im Core Value Proposition Canvas (Seite 233) für jedes einzelne Kundensegment und für die jeweiligen Akteure im System. Nutze für die Kundenseite zum Beispiel zusätzlich den Value Proposition Canvas oder konsolidiere die bereits validierten User-Profile aus den vorhergehenden Design-Phasen.
2. Für die Formulierung der Value Proposition können die beiden Beispiele für Formulierungen genutzt werden. Für die Formulierung der Core Value Proposition ist es wichtig, die Einzigartigkeit herauszustellen. Entscheidend ist, dass schliesslich beide, die Kunden/Nutzer und potenziellen Akteure, im System einen Unterschied hinsichtlich der Befriedigung von Kundenbedürfnissen sehen und klar hervorgeht, dass die angestrebte Value Proposition nur im Verbund erfolgreich abgebildet werden kann.

Tool

PROBLEM-/SOLUTION-FIT AUS PROTOTYPEN MVPS

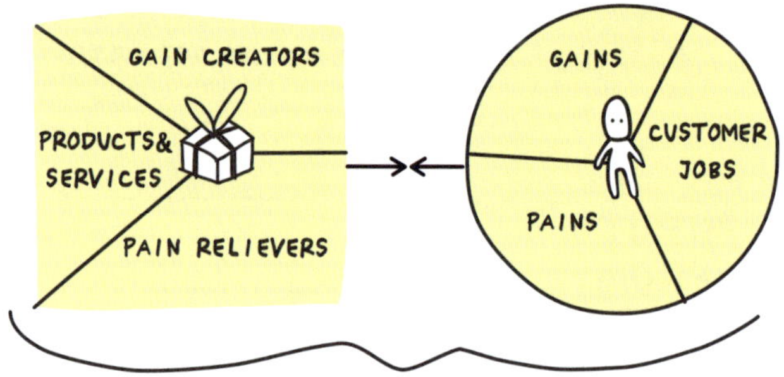

BEISPIELE FÜR FORMULIERUNGEN VON VALUE PROPOSITION STATEMENTS FÜR KUNDEN/NUTZER

FORMULIERUNG I:

Für ____________ (Zielkunde),
der ____________ (Problem Statement, Bedürfnis) liefert
unser Produkt ____________ (Lösung) mit dem
Versprechen, dass ____________ (Unfair Advantage, Outcome)

FORMULIERUNG II:

Wir helfen ____________ (Zielkunde)
____________ (Problem) zu lösen
in dem wir ____________ (Lösung).

Die "Ecosystem Core Value Proposition" ist wie ein Vertrag zwischen dem Kunden und allen Akteuren im Business Ökosystem. Der Kunde erlebt eine einmalige Erfahrung, die kein Unternehmen für sich erbringen kann.

CORE VALUE PROPOSITION CANVAS

Template Download

KUNDEN/NUTZER	ORCHESTRATOR/INITIATOR	AKTEUR/ROLLE
NEEDS Welche Kunden sollen angesprochen werden? Welches ist das zentrale Kundenbedürfnis? Womit hat der Kunde heute Mühe? Was gibt es für Verbesserungsmöglichkeiten? Wo liegt die Chance für das Ökosystem? Welches sind die Hauptprobleme?	**NEEDS** Wo liegen die Chancen für den Initiator/Orchestrator?	**NEEDS** Welche Akteure sollen angesprochen werden? Welches ist das zentrale Bedürfnis bei den jeweiligen Akteuren? Wo liegt die Chance für den jeweiligen Akteur? Welches könnten seine Bedenken sein?
AKTIVITÄTEN Welches sind die zu erfüllenden Aufgaben bei den Kunden? Wie beziehen die Kunden die Leistungen?Wie interagiert der Kunde mit dem Business Ökosystem?	**AKTIVITÄTEN** Welche Aktivitäten führt der Initator/Orchestrator aus?	**AKTIVITÄTEN** Welche Aktivitäten sollen die einzelnen Akteure/Rollen für das Business Ökosystem durchführen?
BENEFITS Welches ist der Nutzen für den Kunden? Welches sind qualitative und quantitative Benefits für den Kunden? Wie kann im Rahmen von Storytelling am besten mit dem Kunden/Nutzer kommuniziert werden?	**APPROACH (LÖSUNG)** Wie sieht der Lösungsansatz bzw. das Leistungsversprechen aus? Wie sieht der Produkt-, Service- oder Prozessvorschlag aus? Wie wird das Produkt oder der Service entwickelt und auf den Markt gebracht? Wie verdient das Ökosystem Geld damit? (Businessmodell) Welche technologischen Treiber haben Einfluss auf das Geschäftsmodell?	**BENEFITS** Welches ist der Nutzen für den jeweiligen Akteur? Welches sind qualitative und quantitative Benefits für den jeweiligen Akteur? Wie kann durch Storytelling am besten mit dem Akteur kommunizieret werden?
COMPETITION (EXISTIERENDE ALTERNATIVEN) Welche Alternativen existieren heute und in Zukunft? Welches ist das Risiko? Wie wurden die Probleme bisher gelöst?	**EINZIGARTIGKEIT** In welchen Dimensionen ist das Angebot einzigartig für den Kunden? **WERTSTRÖME** Durch welche Incentivierungen/Wertströme wird das Ökosystem für die Akteure interessant?	**COMPETITION (EXISTIERENDE ALTERNATIVEN)** Welche Alternativen existieren heute und in Zukunft? Welches ist das Risiko? Welche anderen Optionen haben die Akteure zur Realisierung von Wachstum?
VALUE PROPOSITION Wie lautet das Wertversprechen für den Kunden/ Nutzer, eine bestimmte Zielgruppe, ein Segment?	**CORE VALUE PROPOSITION** Wie lautet das Wertversprechen für das Ökosystem?	**VALUE PROPOSITION** Wie lautet das Wertversprechen für die teilnehmenden Akteure, bestimmte Rollen oder einzelne Akteure im System?

TOOL ZUM DOWNLOAD
www.business-ecosystem-design.com/value-proposition

Identifikation & Beschreibung der relevanten Akteure

Die Beschreibung aller Akteure in einem bestehenden oder zukünftigen Business Ökosystem hilft in der Konfiguration des Systems, die Fähigkeiten besser zu verstehen und eine erste Einschätzung vorzunehmen, ob die jeweiligen Akteure und Rollen passen, um das gewünschte Wertversprechen zu realisieren. Wichtig ist zudem, zu analysieren, wie hoch die Motivation für den Akteur sein könnte, an dem geplanten Ökosystem mitzuwirken. Falls bekannt, können in dieser Phase auch schon Beispielfirmen genannt werden, die diese Rolle einnehmen könnten.

Die Beschreibung der relevanten Akteure hilft dem Business Ökosystem Design Team:

- Eine Übersicht über die potenziellen Akteure und ihre Fähigkeiten zu erlangen, die im Ökosystem aktiv werden sollen.
- Abzugleichen, ob bereits bestehende Partnerschaften genutzt werden können, die einen schnellen Zugang zu Fähigkeiten, Angeboten und anderen Assets ermöglichen.
- Eine erste Abschätzung in Bezug auf den Fit der Akteure zur definierten Core Value Proposition durchzuführen
- Zu evaluieren, welchen Einfluss die jeweiligen Akteure auf das Ökosystem haben könnten.

Vorgehen und Template

Starte mit einem Brainstorming über alle aktuellen Rollen in einem bestehenden Ökosystem oder die für den Aufbau eines neuen Ökosystems von Relevanz sind. Beschreibe mit den vorhandenen Informationen die jeweiligen Akteure. Fehlende Informationen können später sukzessive ergänzt werden. Nutze für die Beschreibung das Template oder beantworte auf einem DIN-A4-Blatt pro Akteur/Rolle mindestens die Frage: „Welches sind die Vorteile und Nachteile für den Akteur, am definierten Ökosystem teilzunehmen?" Weitere Fragen helfen eine erste Einschätzung zur Motivation des Akteurs, am System teilzunehmen, zu erhalten oder herauszufinden wie gross der Einfluss des jeweiligen Akteurs in unterschiedlichen Rollen sein könnte. Nutze Tools wie das Rollenspiel mit den potenziellen Akteuren im System (siehe Seite 238) zur Schärfung von Aussagen, die später mit den Akteuren geprüft werden können.

Eine einfache Regel im Business Ökosystem Design besagt: Ohne einen Vorteil oder eine entsprechende finanzielle Incentivierung werden sich die Akteure nicht für das System begeistern können! Beispiele von weiteren möglichen Benefits für Akteure in einem Business Ökosystem:

Profitieren von Innovationen

Erhöhte Effizienz

Bessere Analytics und Daten-Qualität

Möglichkeiten der schnelleren Skalierung

Teil einer neuen Value Proposition

Nutzung neuer Technologien

Zugang zu Daten und geistigem Eigentum

Besserer Zugang zu Ressourcen & Talenten

Neue Touchpoints und neuer Kundenzugang

Zugang zu Daten und Intellectual Property (IP)

...

...

TEMPLATE: BESCHREIBUNG AKTEUR/ROLLE

Template Download

FUNKTION DES AKTEURS/ROLLE DES AKTEURS
Welche Rolle oder Funktion nimmt der Akteur ein?

BEISPIELE
Welche Firmen können z.B. solch eine Rolle einnehmen?

MOTIVATION DER PARTIZIPATION
Wie hoch ist die primäre Motivation für den Akteur, am definierten Ökosystem teilzunehmen?

=?

ZEITHORIZONT
Ab wann wird der Akteur für welchen Teil der Value Proposition benötigt ?

MVP — MVE — Ausbaustufe 1 — ...

KOMPATIBILITÄT ZUR VALUE PROPOSITION (stark, neutral, schwach)
Wie stark ist die Kompatibilität des Akteurs mit der Value Proposition und der Erreichung des Zielbilds?

+	0	-

MARKTDOMINANZ (stark, neutral, schwach)
Wie gross wäre der Einfluss des Akteurs auf das Ökosystem?

+	0	-

ANALYSE DER VOR- UND NACHTEILE JE AKTEUR
Welches sind die Vorteile und Nachteile für den Akteur, am definierten Ökosystem teilzunehmen?

+	-

WERTBEITRAG DES AKTEURS
Welche Art von Wertbeitrag kann der Akteur erbringen?

AKTUELLES GESCHÄFTSMODELL DES AKTEURS
Welches ist das aktuelle/primäre Geschäftsmodell des Akteurs?
Wie verdient der Akteur heute Geld?

TOOL ZUM DOWNLOAD
www.business-ecosystem-design.com/actors-description

Rollenspiel auf Basis der potenziellen Akteure im System

Ein Rollenspiel, basierend auf den Beschreibungen der Akteure, hilft, die Sichten besser zu verstehen und sie in den Kontext der zu erzielenden Value Proposition oder zum gesamten Zielbild eines Business Ökosystems zu stellen. Die Distanz eines Akteurs zur Erbringung der Value Proposition und zu anderen Akteuren drückt aus, wie systemrelevant diese jeweils sind. Hierbei kann jedes Teammitglied 1 bis 2 Akteure im Rahmen des Rollenspiels vorstellen und deren Sichtweise einnehmen.

Das Rollenspiel hilft dem Business Ökosystem Design Team:

- Alle Akteure (im Rahmen des Rollenspiels) mit den Annahmen oder validierten Aussagen zu ihren Positionen zu hören.
- Wissen über die Akteure im Team zu teilen und eine Diskussion zu starten.
- Zu hinterfragen, ob der jeweilige Akteur zum Ökosystem passt.
- Eine gefühlte Nähe oder Distanz von Akteuren zur Value Proposition zu eruieren.
- Fehlende Fähigkeiten bzw. Akteure zu identifizieren.

Vorgehen

1. Jedes Teammitglied nimmt eine Rolle der definierten Akteure ein (in einer ersten Phase maximal 12 Rollen vergeben). In die Mitte vom Raum wird die Value Proposition aufgeschrieben. Die Akteure gruppieren sich nach ihrer Wichtigkeit und direkten oder indirekten Beziehungen zu anderen Akteuren im Raum und zur Value Proposition.
2. Jedes Teammitglied (=Akteur) ist aufgefordert, seine Rolle, Vorteile und Nachteile zu erläutern und wieso es an der eingenommenen Position steht. Aus der Diskussion können die Positionen der Akteure zur Value Proposition verändert werden, neue Akteure oder Rollen hinzugefügt oder der Abstand verändert werden.
3. Die Erkenntnisse fliessen in die Beschreibung der jeweiligen Akteure ein und helfen besonders im nächsten Schritt, in der die initiale Ökosystem-Landkarte erstellt oder iterativ weiterentwickelt wird.

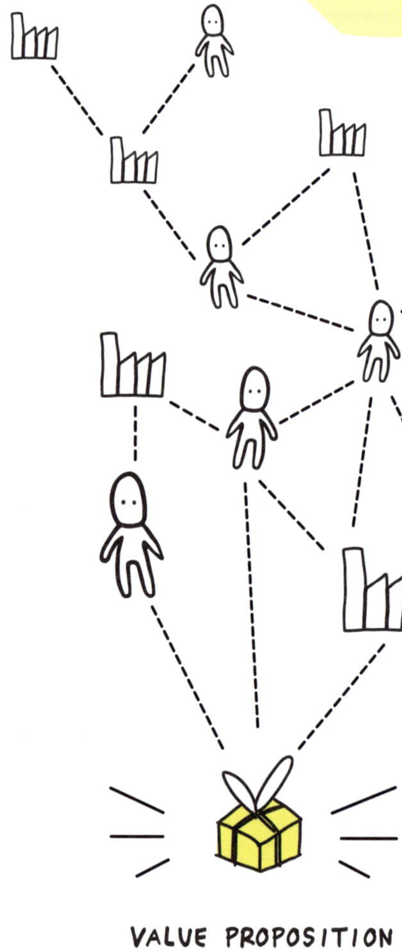

Design Variationen in Ökosystem-Landkarten

Die Beschreibungen der aktuellen und potenziellen Akteure und im Ökosystem Design Team durchgeführte Rollenspiele helfen, diese auf der Business Ökosystem-Landkarte zu verorten. Für die meisten Business Ökosystem-Initiativen ist ein konsequentes Denken aus Sicht des Kunden und der damit verbundenen Value Proposition der passende Ansatz. Zentral ist somit der Kunde. Die jeweiligen Kreise zeigen die Distanz der Akteure zum Kunden und die Wichtigkeit, etwas direkt zur Erstellung der Value Proposition beizutragen. Die Anzahl der Kreise hängt von der Komplexität der Systeme ab. Für erste Überlegungen reichen meist 2–3 Kreise, welche die Akteure, Orchestratoren und Lieferanten schnell verorten lassen.

Die Erstellung von Design-Variationen von Ökosystem-Landkarten hilft dem Business Ökosystem Design Team:

- Die bestehenden Erkenntnisse, Akteure und Rollen zu verorten.
- Eine dynamische und agile Arbeitsweise zur Erstellung einer neuen Landkarte oder zur Adjustierung von bestehenden Ökosystemen vorzunehmen.
- Mehrere Varianten und Szenarien zu visualisieren, zu diskutieren und zu bewerten.
- Eine komplette Sicht auf das System, seine Akteure und potenzielle Lieferanten für zum Beispiel Technologiekomponenten zu erhalten.

Vorgehen und Template

1. Am besten einen grossen Tisch mit Papier auslegen, sodass alle Teammitglieder eine gute Sicht auf die Ökosystem-Landkarte haben.
2. Eine Unterteilung vornehmen (=Nähe zur Core Value Proposition). Diese kann in Form von Kreisen auf dem Papier eingezeichnet und entsprechend angeordnet werden.
3. Die einzelnen Akteure auf der Ökosystem-Landkarte platzieren.
4. Diskussion mit dem Business Ökosystem Team oder im Rahmen von Co-Creation über die Akteure in der dargestellten Variation eines Business Ökosystems.

AKTUELLES SYSTEM (IST-ZUSTAND) ODER GREENFIELD APPROACH

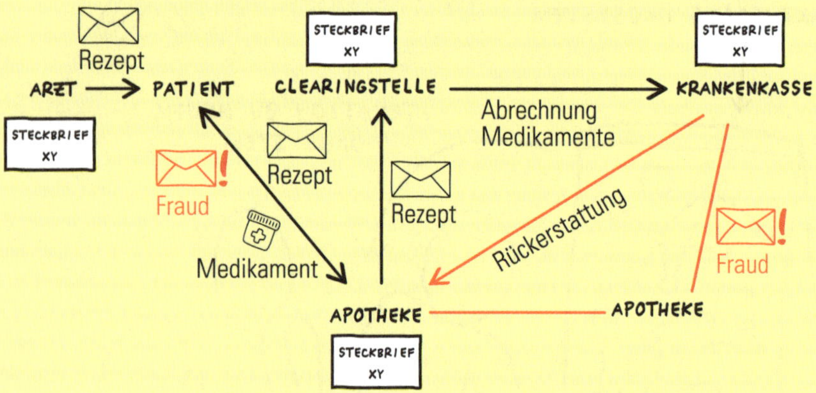

(RE)DESIGN VON ÖKOSYSTEMEN

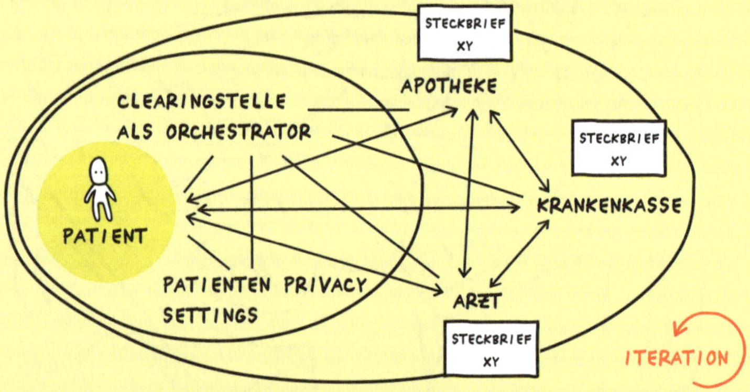

VARIANTEN VON NEUEN OPTIMIERTEN ÖKOSYSTEMEN

PROTOTYP 1

+ PRO
- CONTRA

PROTOTYP 2

+ PRO
- CONTRA

PROTOTYP 3

+ PRO
- CONTRA

Beispiel

TEMPLATE ÖKOSYSTEM LANDKARTE

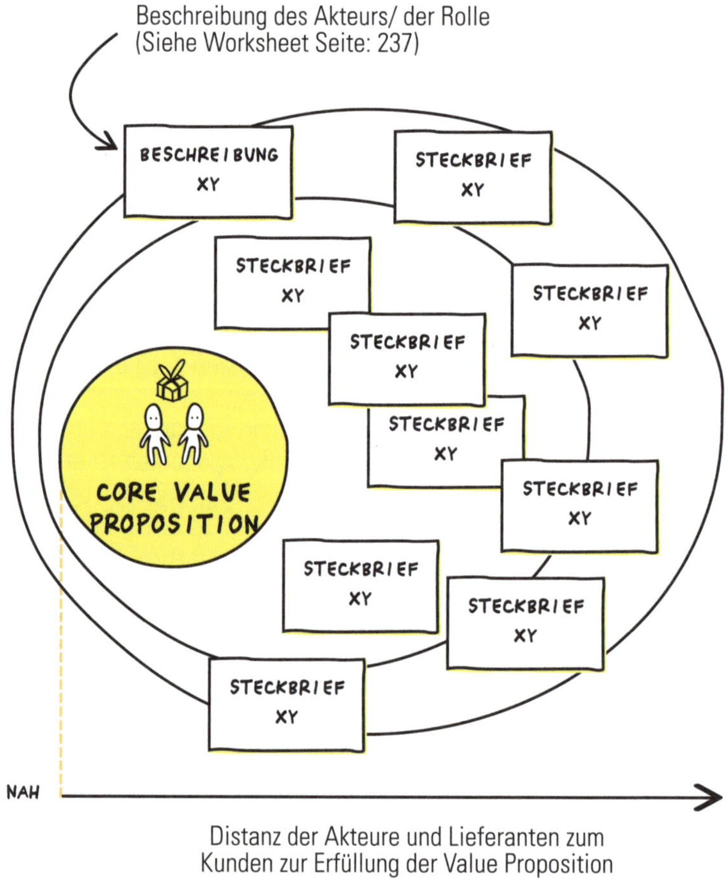

Definition der Wertströme

In der Definition der Wertströme liegt der Grundgedanke, dass aufgrund ihrer Beschaffenheit und ihrer nachhaltigen Existenz Business Ökosysteme als Ganzes mehr Wert erzeugen als die Summe der einzelnen Akteure, die unabhängig voneinander handeln. In einer traditionellen Sichtweise der Wertströme ist die Wertschöpfung inkrementell, d.h., dass die jeweiligen Akteure in der Regel „cost plus" eine gewisse Kapitalrendite decken. In Business Ökosystemen schaffen die Akteure Wert durch ihr Engagement innerhalb des Systems als Ganzes. Der Kunde/Nutzer interagiert mit dem Ökosystem oder mit einzelnen Akteuren im System (je nach Konfiguration).

Die Definition der Wertströme hilft dem Business Ökosystem Design Team:

- Ein funktionierendes System zu gestalten, das in Summe eine höhere Kapitalrendite erzeugt als die jeweiligen Akteure einzeln.
- Ein Beziehungsnetz zu gestalten, das es erlaubt, Ökosystem-Kapital zu genieren.
- Systeme entstehen zu lassen, die über den reinen Austausch von Produkten, Dienstleistungen und Geld hinausgehen.
- Das Zusammenspiel der Wertströme so zu konfigurieren, dass das System initial «überlebensfähig» ist.

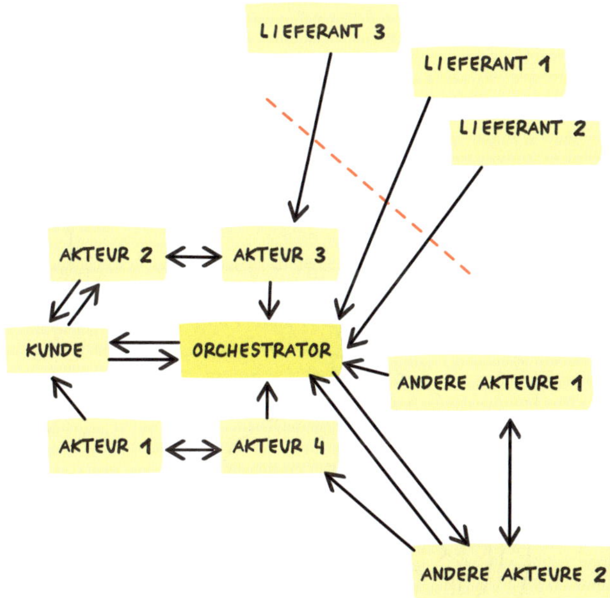

Vorgehen und Template:

Für eine erste Diskussion der Wertströme kann entweder die bestehende Business Ökosystem Landkarte genutzt werden oder es können Teilsysteme skizziert werden (siehe z.B. Value Streams Daten auf Seite 243). In beiden Ausprägungen lassen sich die jeweiligen Wertströme einzeichnen und diskutieren.

Vorbereitend kann mit dem Template „Value Streams Mapping" eine Auslegeordnung durchgeführt werden, die es erlaubt, die vorherrschenden Wertströme zu beschreiben und darzustellen, in welchen Interaktionen diese zwischen den Akteuren zum Tragen kommen.

Für komplexe Vorhaben und grosse Ökosystem-Vorhaben sollten entsprechend digitale Werkzeuge verwendet werden, wie zum Beispiel die Software von trdent.com (www.tr3dent.com). Solche Programme ermöglichen es, eine Vielzahl von Akteuren und Wertströmen abzubilden.

TEMPLATE: VALUE STREAMS MAPPING

VALUE STREAMS
Welche Arten von Value Streams sind für das Ökosystem relevant? Zum Beispiel Services, Geld, Information, Daten, Innovation/IP, Immaterielle Werte.

AUSPRÄGUNG
In welcher Art fliessen die Value Streams jeweils?

WERTEFLUSS
Wie sieht ein typischer Wertefluss (einer bestimmten Art) zwischen den Akteuren, dem Orchestrator oder direkt mit einem Kunden aus?

VISUALISIERUNG EINZELNER WERTSTRÖME VON TEILSYSTEMEN ODER DER GESAMTEN ÖKOSYSTEM-LANDKARTE
Zeichne auf der Ökosystem-Landkarte ein, wie die Werte zwischen den Akteuren fliessen

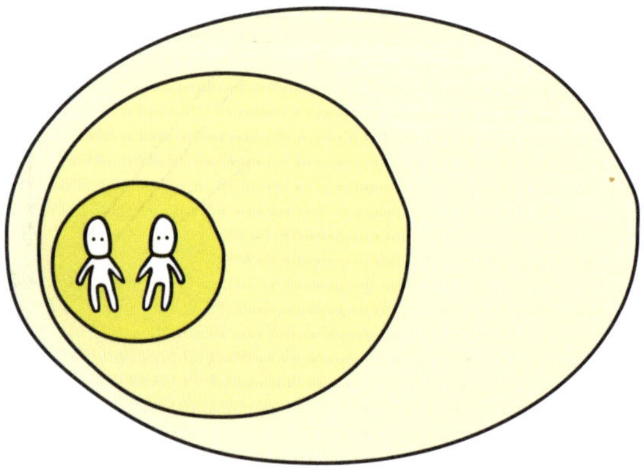

TOOL ZUM DOWNLOAD
www.business-ecosystem-desing.com/value-streams

Erweiterte Sicht auf Daten-Ökosysteme als Teilsystem in der Definition der Value Streams

Beispiel

Daten sind in vielen Business Ökosystemen das Öl, das als Schmierstoff für das schnelle und agile Innovieren eingesetzt wird. Hieraus können Teilsysteme in Form von Daten-Ökosystemen entstehen, die Wertströme mit dem Business Ökosystem und seinen Akteuren beinhaltet, aber eine weitere Öffnung zur Monetisierung zulassen.

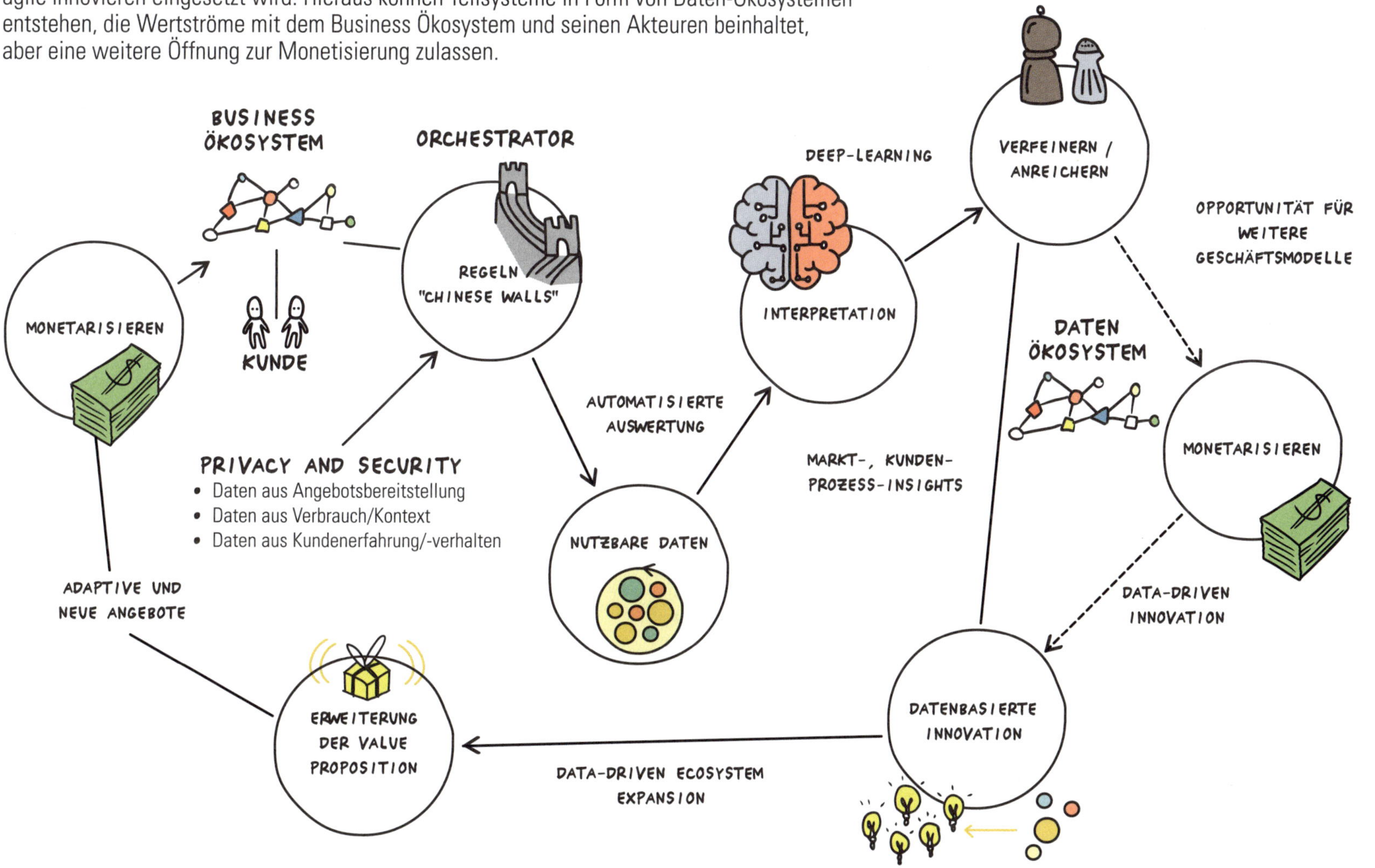

Erkundung von Revenue-Modellen des Ökosystems

Für die Gestaltung der Revenue-Modelle für das jeweilige Angebot des eigentlichen Business Ökosystems gibt es verschiedene Ansätze. Viele der neueren Modelle bauen auf eine einzigartige Kundenerfahrung, die Zusammenarbeit von verschiedenen Marktakteuren und einen kontinuierlichen Zyklus an Innovationen als Antwort auf neue oder veränderte Kundenbedürfnisse. Digitale Plattformen, wie zum Beispiel Uber, Lyft und Airbnb setzen auf On-Demand Modelle, Salesfoce und Netflix bieten vornehmlich Subscription Modelle an. Advertisement und die Ad-Supported Modelle sind bei Facebook und Google anzutreffen, während Alibaba und Amazon sich von reinen eCommerce Modellen zu den neuen digitalen Modellen in evolutionären Schritten bewegt haben. In Business Ökosystemen kommen oft neben den rein digitalen Modellen auch hybride Modelle zum Einsatz. So zum Beispiel Tencent, der Ökosystem Orchestrator hat neben vielen weiteren Modellen Ausprägungen eines Transaction Facilitator im Bereich Payments (WeChat Pay), Online-to-Offline (O2O) Business mit physischen und digitalen Dienstleistungen, und bei Tencent Ökosystem-Partnern integrierte Online-Shopping-Angebote (JD.com) vereint.

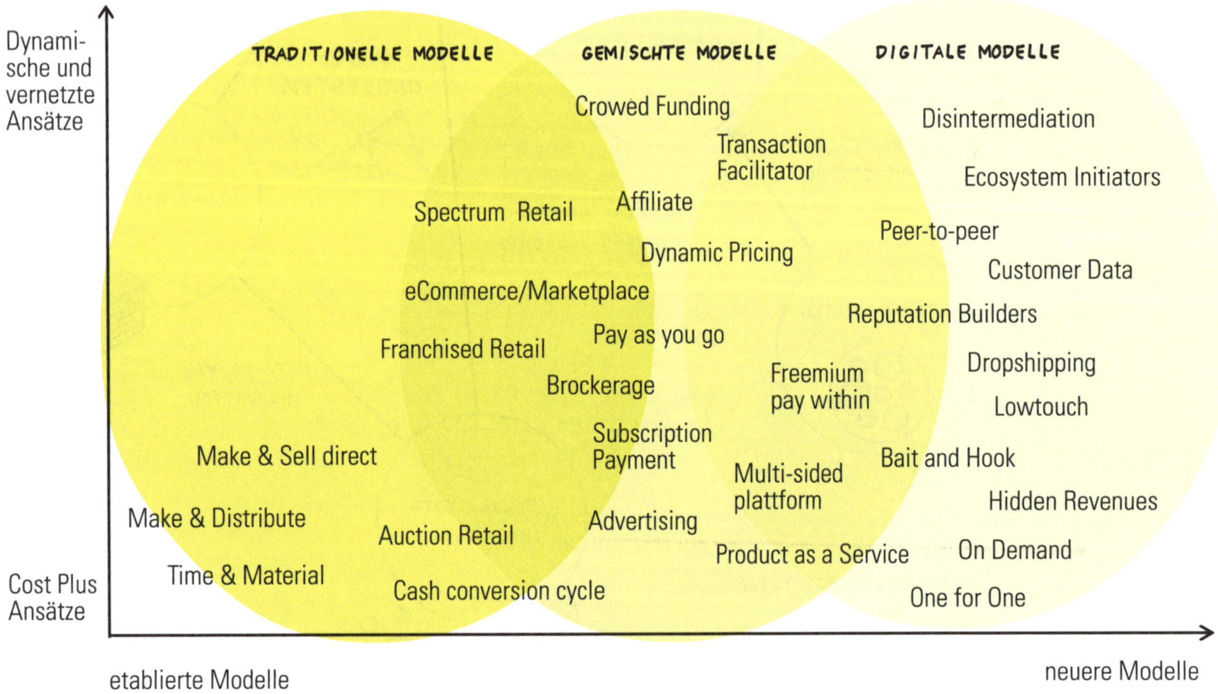

Die Eigenschaften der neueren Modelle

- Geringere und flexiblere Kostenbasis
- Nutzung von Automatisierung zur Erreichung einer überlegenen Operational Excellence
- Wettbewerbsvorteile durch die Verbindung von Angeboten und die Unterbietung von Preisen durch Quersubventionierung
- Schnelles Lernen durch eine „trial and error"-Kultur
- Fokus auf Kundenerlebnissen und eine einzigartige Value Proposition
- Dynamische und vernetzt Zusammenarbeit der verschiedenen Akteure
- Pro-aktive Eliminierung von Intermediären

Erweiterte Geschäftsmodellbetrachtung im Business Ecosystem Design

Neben der Definition des Geschäftsmodells für eigentliche Business Ökosysteme gestalten die führenden Ökosystem-Initiatoren und -Orchestratoren die möglichen Geschäftsmodelle der beteiligten Akteure im System. Schliesslich kann Business Ökosystem-Kapital nur durch die Verbindung zu den Akteuren und ihren wertschöpfenden Aktivitäten entstehen. Aus diesen Überlegungen ist es zweckmässig, die traditionellen Geschäftsmodellüberlegungen zu erweitern und neben Zweck, Fähigkeiten, Leadership, Strategic Foresight und Berücksichtigung der Marktdynamiken insbesondere eine Ökosystem-Sicht miteinzubeziehen. Diese hat das Ziel, vor allem eine Win-win-Situation für alle beteiligten Akteure zu erzeugen.

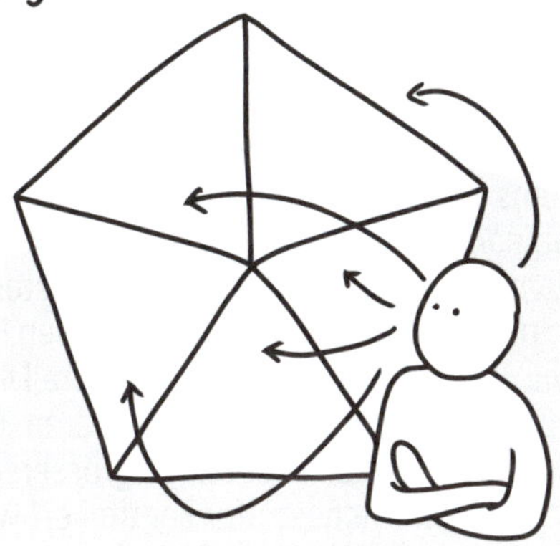

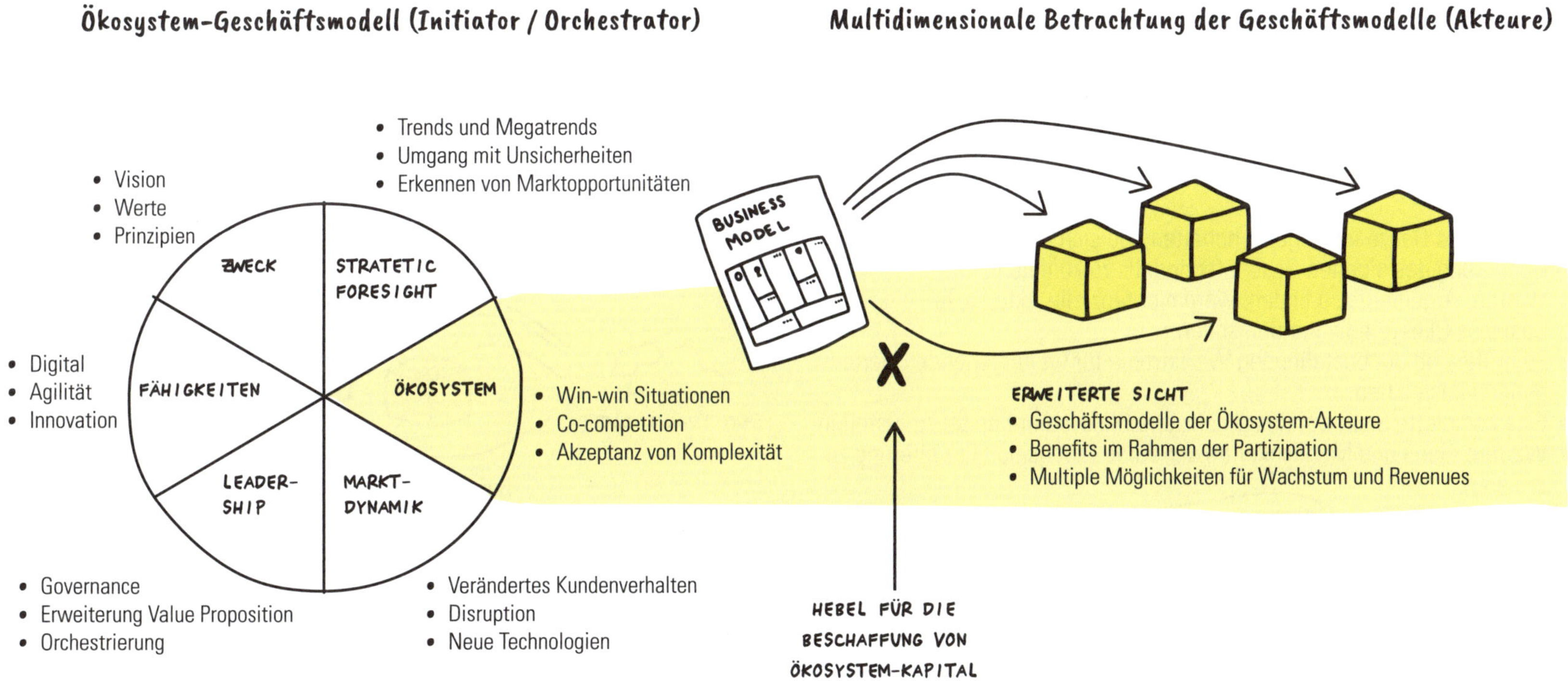

Multidimensionale Betrachtung Geschäftsmodelle

Der Initiator/Orchestrator eines Business Ökosystems hat zum einen eine zentrale Aufgabe, wie zuvor im Tool beschrieben, das Geschäftsmodell des Business Ökosystems zu gestalten. Jedoch ist es zugleich ebenso wichtig, sich Gedanken darüber zu machen, wie jeder einzelne Akteur im Ökosystem Geld verdient. Durchdachte Business Ökosysteme geben jedem einzelnen Akteur nicht nur eine Möglichkeit der positiven Partizipation, sondern zeigen auf, wie zusätzlich verschiedene andere Möglichkeiten erschlossen werden können, um Revenues zu generieren. Besonders wenn die Prämisse des Business Ökosystems ist, einen grösseren Markt zu erschliessen, der nicht rein vom Orchestrator kontrolliert wird, sind solche Überlegungen umso wichtiger. Der Initiator/Orchestrator hat somit die Aufgabe, sich mehr mit dem Ganzen (Ambition des gesamten Ökosystems) zu identifizieren. Die multiple Betrachtung der Geschäftsmodelle hilft, Strategien und Geschäftsmodelle zu entwickeln, welche die Chancen für das Ganze und nicht nur für sich als Initiator/Orchestrator definieren.

Eine multidimensionale Betrachtung der Geschäftsmodelle hilft dem Business Ökosystem Design Team:

- Das grosse Ganze im Auge zu behalten und sich nicht primär nur um die Gestaltung des eigenen Geschäftsmodells zu kümmern.
- Weitere Argumente zu finden, warum potenzielle Akteure Teil eines Business Ökosystems werden sollen.
- Zu prüfen, ob die bestehenden Wertströme für weitergehende Überlegungen ausreichen.
- Eine komplette Sicht auf das potenzielle Ökosystem-Kapital zu erstellen.
- Weitere Ideen und Möglichkeiten der Value Proposition Erweiterung zu eruieren.

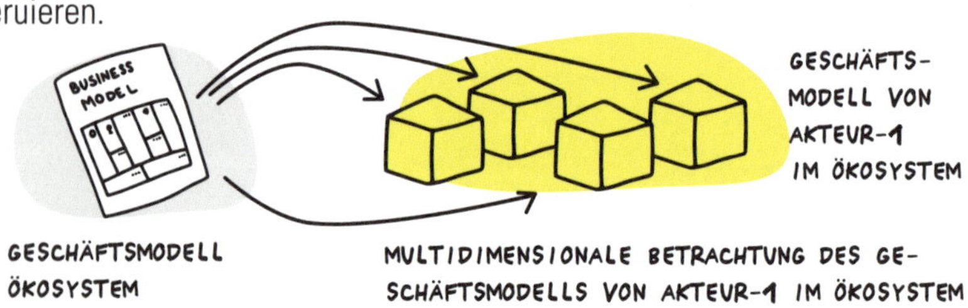

Vorgehen

Für die multidimensionale Betrachtung von Geschäftsmodellen macht es Sinn, in zwei Schritten vorzugehen.

1. Überlege, mit welchem Geschäftsmodell aufgrund von den formulierten Wertströmen ein Akteur Geld verdienen kann. Für die Ausformulierung hilft zum Beispiel der Lean Canvas (Seite 188) mit den entsprechenden Erweiterungen.
2. Nimm die Sicht des jeweiligen Akteurs/Rolle ein. Ziel ist, zu hinterfragen, inwieweit dieser aufgrund von Leistungen aus dem Ökosystem zusätzlich Geld verdienen kann, wie zum Beispiel aufgrund von bestimmten Fähigkeiten, Kundenzugang, regionaler Präsenz, physischen Standorten oder Fähigkeiten in bestimmten Schlüsseltechnologien. Schliesslich bilden das initiale Geschäftsmodell und die erweiterten Geschäftsmodelle die Summe an Möglichketen für einen bestimmte Rolle, einen bestimmten Akteur und für den Ochestrator bzw. Initiator.

AMAZON B2B CLOUD SERVICES

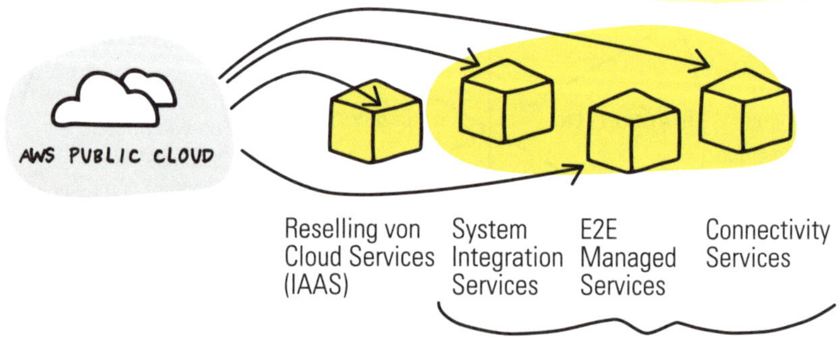

Multiple Möglichkeiten für weitere Geschäftsmodelle (kumulierte Hebel mit Faktor 5 bis 10, je nach Geschäftsmodell)

Co-Creation am System im Rahmen des Ökosystem (Re-)Designs

Co-Creation im System hilft in der Strukturierung einer komplexen Problemstellung und bei der Entwicklung von anpassbaren (Adoptability) und durchführbaren (Feasibility) Veränderungen in einem Business Ökosystem, in dem unterschiedliche Akteure zur Erbringung einer Value Proposition zusammenwirken. Co-Creation unterstützt insbesondere den Umgang mit unterschiedlichen Perspektiven auf ein Business Ökosystem und eignet sich u.a. für die Gestaltung eines Business Ökosystems mit anderen Akteuren im (Re-)Design solcher Systeme und natürlich auch im initialen Design eines Business Ökosystems.

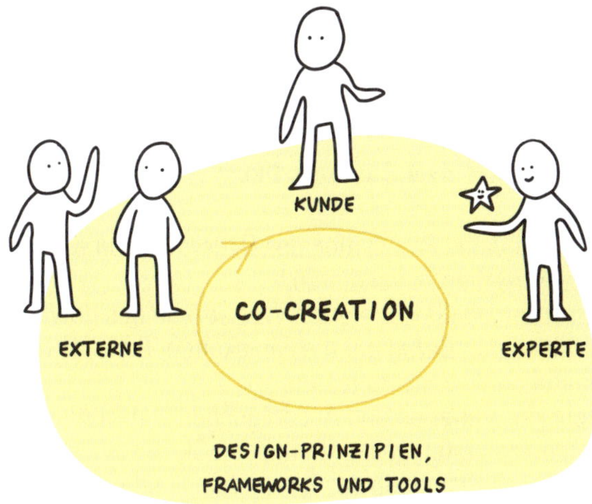

Co-Creation im System hilft dem Business Ökosystem Design Team:

- Ad hoc das System mit anderen Akteuren der Ökosystem-Landkarte zu diskutieren.
- Die Auswirkungen auf Veränderungen unmittelbar zu diskutieren.
- Transparenz in der Gestaltung von Business Ökosystemen sicherzustellen.
- Die Bedürfnisse der einzelnen Akteure besser zu verstehen.
- Den Einfluss von Veränderungen auf die Value Proposition und Wertströme zu erkennen.

Co-Creation Prozess und Vorgehen

Ausgehend von einem ersten Zielbild einer Business Ökosystem-Landkarte werden mögliche Verbesserungen der Situation aller im System ausgearbeitet. Die Verbesserungen können als Satz formuliert werden: „Ein System von Aktivitäten hat zur Folge, dass ...", gefolgt von der Idee, zum Beispiel formuliert als Input/Output einer zielgerichteten Transformation der Wirkung. Der Satz spezifiziert, was von wem und zu welchem Zweck transformiert wird. Verschiedene Fragen und ein Wechsel des Blickwinkels unterstützen diesen Prozess:

DEFINITION: DESIGN-PRINZIPIEN, MINDSET, ZWECK	FRAGEN UND BLICKWINKEL	ABKLÄRUNG: ROLLEN & VERANTWORTLICHKEITEN	ZUSAMMENARBEIT	REALISIERUNG
• Woran soll zusammen gearbeitet werden? • Welches ist die Ambition?	• Welche Fragen sollen beantwortet werden, um den Zweck des Ökosystems zu erfüllen? • Welche Informationen und Insights sind notwendig?	• Wer soll was beitragen? • Wer übernimmt welche Aufgaben?	• Welche Szenarien gibt es? • Welche Benefits bestehen? • Gibt es andere Optionen oder bessere Ideen? • Besteht ein ähnliches Mindset?	• Wie kann zusammen ein erstes MVE realisiert werden? • Wie kann die Value Proposition realisiert werden? • Wie hoch sind die Anforderungen?

Prototyp, Test, Verbessern von MVE

Das MVE vereint erste Technologiekomponenten mit der Value Proposition und den gestalteten Wertströmen. Es ist mehr und komplexer als zum Beispiel ein Produkt oder eine Dienstleistung, die dem Kunden bereitgestellt wird. Für das MVE braucht es mehrere Akteure, die zusammen den Mehrwert für den Kunden bereitstellen. „Viable" bedeutet, dass es zum Beispiel von jeder Rolle im System einen Akteur gibt, um es zu testen. Mit der Validierung wird gezeigt, dass es technisch funktioniert und dass die Akteure und der Kunde die versprochenen Vorteile erhalten. Das MVE ist der Beweis, dass das „System" lebensfähig ist und entsprechend wachsen und im besten Fall über die Zeit skaliert werden kann.

Der MVE hilft dem Business Ökosystem Design Team :

- Die Core Value Proposition des Ökosystems und einzelne Value Propositions für bestimmte Akteure/Rollen zu validieren.
- Zu testen, ob die definierten Wertströme das gewünschte Angebot erzeugen.
- Annahmen in Bezug auf die Fähigkeiten, Benefits und Kooperationsbereitschaft der beteiligten Rollen/Akteure zu testen.
- Mehrere Szenarien und Ausprägungen von MVPs oder Kombinationen von MVPs zur Erstellung eines ersten gesamtheitlichen Ökosystem-Angebots zu testen.
- Das Geschäftsmodell des Ökosystems und die Annahmen über die multidimensionalen Geschäftsmodelbetrachtungen zu testen, zu messen und zu verbessern.

Vorgehen

Die Realisierung eines MVE braucht die jeweiligen MVPs/MMFs (meist eine Auswahl von notwendigen Einzelkomponenten für ein erstes Gesamtangebot). Pro Rolle im System sollte mindestens ein Akteur und eine definierte Anzahl an Kunden partizipieren.

Die Ziele des MVE und welche Annahmen dem zugrunde liegen, sind am besten transparent zu kommunizieren und die Akteure sind aufzufordern, ebenfalls ihre Verbesserungen und Ideen bereits in einer frühen Phase einzubringen. Ebenfalls sollten die Kunden entsprechend eng begleitet werden und in die jeweiligen Verbesserungs-Loops eingebunden werden.

DIE 8 GOLDENEN MVE-REGELN

1. Kombiniere Design Thinking und Systems Thinking.
2. Denke nicht nur an Transformation, sondern auch an Evolution des Systems.
3. Finde Inspiration in den Konzepten biologischer Ökosysteme.
4. Denke in allen Ebenen: Kunde, Beziehungen der Akteure und Technologie.
5. Starte mit Überlegungen der Benefits für jeden einzelnen Akteur und zeige mit den Wertströmen seine Überlebensfähigkeit.
6. Akzeptiere die Komplexität von multiplen Geschäftsmodellbetrachtungen und nimm den Blickwinkel der anderen Akteure ein.
7. Starte die Umsetzung des Ökosystems auf der Basis des Virtuous, Validation, Realization & Experiment Loop.
8. Adaptiere das System, falls es in der Minimalausprägung nicht funktioniert.

Finales MVE

Das finale MVE ist viel mehr als ein Prototyp oder ein Experiment. Es handelt sich vielmehr um die minimale Implementierung eines Systems, das im Anschluss schrittweise ausgebaut und skaliert werden kann. Dieser Blueprint ist der Beweis, dass das Business Ökosystem Design ein relevantes System hervorgebracht hat, das überlebensfähig ist und Wert erzeugt. Auf der Basis des finalen MVE können weitere Akteure für bestimmte Rollen hinzugefügt werden oder die Core Value Proposition schrittweise komplettiert und erweitert werden.

Das finale MVE hilft dem Business Ökosystem Design Team:

- Einen ersten Blueprint eines funktionierenden Systems zu erhalten.
- Die effiziente Konfiguration zu nutzen, um initial Werte zu schaffen und dem Kunden ein erstes Teilangebot zur Verfügung zu stellen.
- Die Basis für eine schrittweise Erweiterung der Value Proposition vorzunehmen.
- Einen alternativen und agilen Pfad im Gegensatz zu einem traditionellen Ansatz zu wählen, der zuerst alle Funktionen und Erfahrungen baut, pilotiert und auf dieser Basis den Roll-out plant.

Vorgehen und Template

1. Lanciere das MVE am Markt. Achte darauf, dass die ausgewählten Funktionen und Erfahrungen von Anbeginn einen WOW-Effekt bei den Kunden erzeugt. Adjustiere in einer frühen Phase, falls nötig, das Zusammenspiel der Akteure zur Erbringung des Angebots.
2. Nutze das Momentum am Markt zur Fortführung eines alternativen Entwicklungspfads im schrittweisen Ausbau des Ökosystems. Nutze die Methoden und Tools zur Skalierung des Ökosystems (siehe ab Seite 256).
3. Nutze das volle Potenzial aller beteiligten Akteure für weitere Innovation, Netzwerkeffekte und zur Realisierung von exponentiellem Wachstum. Adjustiere und erweitere das Angebot ständig und reagiere schnell und zielgerichtet auf neue oder entstehende Kundenbedürfnisse.

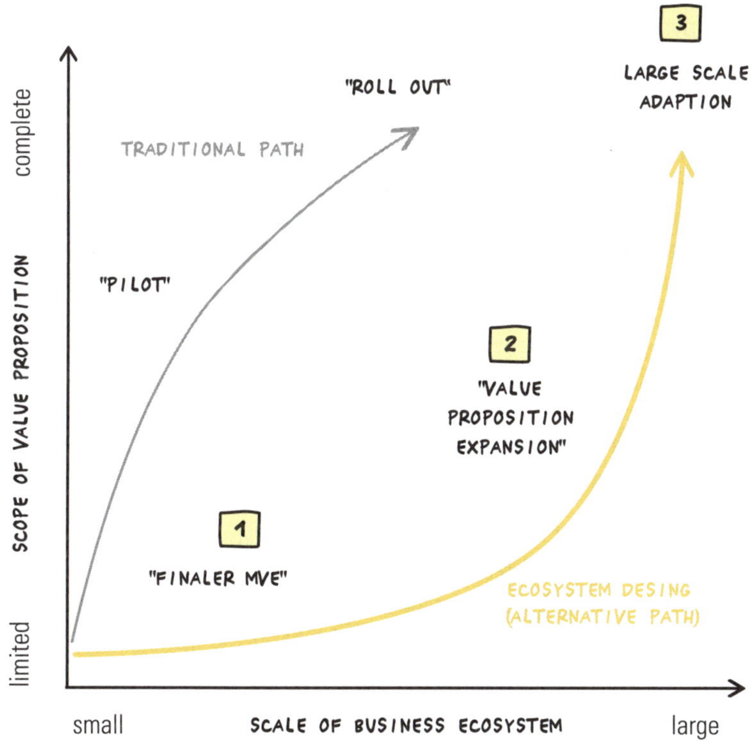

Die häufigsten Design-Fehler in der Realisierung

Das finale MVE ist Basis für weitere Wachstumsschritte. Gut gestaltete Business Ökosysteme sind attraktiv und können auf dieser Basis neue Akteure gewinnen, die wiederum das Ökosystem-Kapital erhöhen. Ambitionierte Ökosystem-Initiativen zielen von Beginn auf eine „Black Ocean Strategie", setzen die richtigen Impulse mit der Core Value Proposition und haben Governance-Strukturen, die es erlauben, schnell und zielgerichtet den Market-Launch des MVE zu initialisieren. Meist entstehen in einer Region oder einem Land ähnliche Ökosystem-Initiativen in bestimmten Themenbereichen. Bei einer detaillierten Analyse der einzelnen Initiativen ist jedoch festzustellen, dass in den meisten kein durchdachtes Business Ökosystem Design angewandt wurde, was wiederum die Erfolgsaussichten schmälerte.

Die häufigsten Design-Fehler in der Initialisierung von Business Ökosystemen:

- Unzureichender Fokus auf die neuen oder veränderten Kundenbedürfnisse.
- Schwache Core Value Proposition.
- Falsche Konfiguration des Business Ökosystems.
- Mangelnde Governance-Strukturen und Fähigkeiten in der Orchestrierung von Business Ökosystemen.
- Falsches Geschäftsmodell für die Zielsetzung des Business Ökosystems.
- Zu wenig Engagement in der multidimensionalen Betrachtung von Geschäftsmodellen.
- Schleppende Umsetzung der Ökosystem-Initiative und falsche Leadership-Ansätze in der Umsetzung der Scale-up Phase.

Die Hauptursache für das Scheitern von Business Ökosystemen (85%) ist laut einer Studie des Henderson Institute (2020) ein schwaches Business Ecosystem Design, während es bei nur 15% der untersuchten Initiativen in der Umsetzung haperte. Zudem kommt im Bereich der Governance hinzu, dass bestehende Denkansätze überwunden werden müssen und sich traditionelle Unternehmen besonders in Bezug auf die Öffnung nach aussen und die damit verbundene Transparenz schwertun.

Vermeidung der häufigsten Design-Fehler durch:

- Starte mit Design Thinking und einem Kundenproblem.
- Realisiere erste MVPs und kreiere überzeugende Wertversprechen.
- Gestalte das Business Ökosystem über verschiedene Loops bis zur Realisierung eines MVE.
- Achte auf eine für das System adäquate Governance und passende Ökosystem Leadership-Ansätze.

85% DER INITIATIVEN SCHEITERN BEREITS AN EINEM MANGELHAFTEN BUSINESS ÖKOSYSTEM DESIGN. !

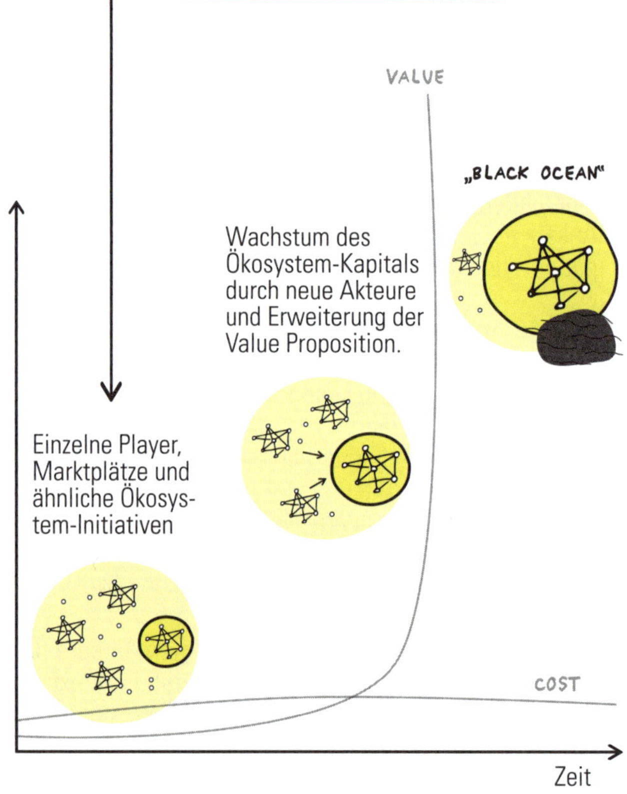

Einbettung der Value Creation, Delivery & Capture Ansätze als Basis der Ökosystem-Strategie und Geschäftsmodellüberlegungen

Die Aktivitäten rund um die Konfiguration des Business Ökosystems ist ein zentrales Element in der Definition von „Where to play" & „How to win". Nur als funktionierendes System, bestehend aus Value Creation, Delivery und Capture, ist es möglich, das System nachhaltig erfolgreich zu machen.

WARUM BRAUCHT ES EIN BUSINESS ÖKOSYSTEM?

WIE SOLL DAS BUINESS ÖKOSYSTEM KONFIGURIERT WERDEN?

WAS BRAUCHT DAS BUSINESS ÖKOSYSTEM, UM ZU WACHSEN?

Schritt 1: Design Thinking & Lean Start-up
- Schaffe Bewusstsein für Marktopportunitäten, die durch das Design, die Initialisierung oder die Partizipation in Business Ökosystemen entstehen.
- Wende Foresight, Future Persona Konzepte und erfolgreiche Blueprints von vernetzten und dynamischen Ansätzen an.
- Definiere die Kundenerfahrung neu und erzeuge einzigartige Value Propositions.

Schritt 2: Configure
- Nutze digitale Enabaler-Technologien für die Value Delivery.
- Erweitere die Aktivitäten hin zu kognitiven Technologie- und Datenplattformen.
- Nutzung des Team-of-Teams-Gedankens für eine agile und vernetzte Organisationsentwicklung.
- Nutze hybride Modelle im Rahmen der Geschäftmodellüberlegungen.
- Ist der Fokus eher auf EXPLOIT oder EXPLORE ausgelegt?

Schritt 3: Scale
- Orchestriere das exponentielle Wachstum.
- Durchdenke mögliche Hebel für profitables Wachstum.
- Zeige die Möglichkeiten für nachhaltige Renditen der beteiligten Akteure/Shareholder auf.
- Etabliere Strukturen, Governance und Freiheiten für eine agile Adjustierung der Wertströme, Kundenerfahrungen und Erweiterungen der Core Value Propositions.

Auf den Punkt gebracht!

Ökosystem-Design hilft bei der Validierung der gemeinsamen Value Proposition, der Wertströme, der Vorteile für die jeweiligen Akteure im System bis hin zur Schärfung der Vision und der Rolle der einzelnen Akteure.

Das iterative Vorgehen bis zum finalen MVE hilft, mit wenig Aufwand die Realisierbarkeit des neuen Systems zu testen. Die jeweiligen Design Loops helfen, das System und das Zusammenspiel der jeweiligen Akteure schrittweise zu verbessern.

Die gewonnenen Erkenntnisse werden genutzt, um Anpassungen für das finale MVE und in Bezug auf alle Geschäftsmodellüberlegungen vorzunehmen sowie für die Definition des Umsetzungsplans und die Skalierungsaktivitäten der Lösung und des Systems.

Das finale MVE hat das Ziel, mit der kleinsten Anzahl an Akteuren pro Rolle im System eine maximierte Effizienz zu erzielen.

Übergang von Ecosystem Design zu Scale

	OUTPUT: #3 ECOSYSTEM DESIGN	AKTIONEN: #4 SCALE
DIMENSION	MINIMUM VIABLE ECOSYSTEM	IMPLEMENT & GROWTH
ZWECK	Validierung auf allen Ebenen der Design Lenses (Feasibility, Adptability und Value Enhanceability). Grundsatz: Mit einer kleinsten Anzahl an Akteuren pro Rolle im System maximierte Effizienz erzielen.	Validierung des Systems auf allen Ebenen der Design Lenses (Feasibility, Captivability and Rhythmicability). Grundsatz: Nutzung von Netzwerk- und Lock-in-Effekten für schnelles und effizientes Wachstum.
FOKUS	Verwendung der MVPs als Basis für den Test eines funktionierenden Business Ökosystems unter Einbezug aller Akteure + (Test-)Kunden.	Fokus auf Nutzung von moderner Technologie, End-to-end-Automatisierung und Mechanismen zur schnellen Bindung von neuen Kunden.
FEATURES	Alle notwendigen Erfahrungen und Funktionen für mindestens ein zentrales Erlebnis für den Kunden in Bezug auf die definierte Value Proposition.	Schrittweiser Ausbau der Funktionen und Erfahrungen, basierend auf den Kundenbedürfnissen, Co-Evolution und Innovation mit/durch andere Akteure im System.
ZIELGRUPPE	Interaktion und Co-Creation mit Akteuren im System zum Bau und zur Validierung des Business Ökosystems.	Interaktion und Daten von Kunden für die Verbesserung und den Ausbau der Value Proposition. Co-Creation mit anderen Akteuren im System zur Optimierung des Gesamtökosystems.
LEGACY	Erste Validierung eines funktionierenden Business Ökosystems.	Validierung von Wachstumstreibern, Massnahmen und verschiedenen Kundenkanälen.
ART DES FEEDBACKS	Feedback zu Wertströmen, Kundenschnittstellen, Daten, Algorithmen, Kundenschnittstellen im Rahmen des MVE.	Feedback von Kunden und durch definierte KPIs für die Perfomance im Gesamtsystem.
MOGLICHE AUSGESTALTUNG	Zusammenspiel von Komponenten zur Gestaltung der Value Proposition oder von Teilen davon in Form von Erfahrungen oder Funktionen.	Nutzung aller Fähigkeiten der vier Design Lenses, Nutzung von moderner Informationstechnologie und skalierbarer Infrastruktur, End-to-end-Automatisierung.
KUNDENNUTZEN	Liefert ein validiertes Wertversprechen von Akteuren in einem MVE.	Schrittweise Erweiterung des Kundennutzens analog zu neuen Bedürfnissen.
ERSTELLUNGSZEITPUNKT DES GESAMTEN DESIGN ZYKLUS	Zusammenspiel der Akteure und Wertströme validiert, multidimensionale Betrachtung der Geschäftsmodelle durchgeführt und Geschäftsmodell des Business Ökosystems bekannt, Finanzierung durch den Initiator oder durch weitere Akteure im System, erhöhtes Risiko.	Initiale Erfahrungen, Funktionen und Features im Markt etabliert, Value Proposition im Markt bekannt und einzigartig, Innovationen von anderen Teilnehmern im Markt durch neue Kundenbedürfnisse realisiert.
TESTS	Test der Value Proposition und der damit verbundenen Leistungen, Wertströme und Interaktionen der Akteure, Prüfung der Kundenschnittstellen.	Tests der neuen Features, Kanäle und des erweiterten Wertversprechens, Tests mit Lead-User und Extreme-User.
EINNAHMEN	Mögliche erste Einnahmen aus funktionierendem Ökosystem mit (Test-)Kunden.	Durchdachte Geschäftsmodelle mit Lock-in-Effekten und klarem Mehrwert für den Kunden.

#4 LENSE

SCALE

Scale

Nach der Umsetzung des MVE brauchen Ökosysteme unterschiedlich lange, bis sie skalieren. Je nach Value Proposition und Marktfläche kann es sich um wenige Monate handeln oder Jahre dauern. In manchen Fällen gibt es Abhängigkeiten, die das Ökosystem selbst nur bedingt beeinflussen kann, aber notwendig sind, um die Skalierung zu realisieren. Die Skalierung des Business Ökosystems gehört mit zu den grössten Herausforderungen. Exponentiell zu denken heisst Wachstum sicherzustellen (z.B. Verdopplung der Kundenbasis alle 6 Monate), aber auch zu überlegen, wie das eigene Geschäftsmodell disruptiert werden könnte, um einen grösseren Leverage aus den bestehenden Komponenten, Fähigkeiten und Netzwerkverbindungen zu erreichen. Wie gross das exponentielle Wachstum ist, hängt von der Art des Business Ökosystems ab, der regionalen Reichweite und von der jeweiligen Zielgruppe, für die eine Value Proposition formuliert wurde. Um exponentiell zu denken, braucht es angepasste Fragestellungen und radikal andere Ziele als die, welche aus den bekannten Geschäftsmodellbetrachtungen bekannt sind. Die meisten Geschäftsmodelle sind linear und darauf ausgelegt, die Gewinne zu steigern oder die Kosten zum Beispiel innerhalb von einem Jahr um 15 Prozent zu senken. Um erfolgreich zu skalieren, braucht es vor allem auch den Mut, exponentiell zu denken, also sich mit Hebeln von grösser 5, 8 und 10 des aktuellen Werts auseinanderzusetzen. Oft wird hierfür auch die Bezeichnung „10X„ für exponentielles Wachstum genutzt. Business Ökosysteme, die das volle Potenzial einer exponentiellen Wachstumsstrategie erfolgreich nutzen, haben meist bereits den Paradigmenwechsel in Bezug auf die Geschäftsmodelle und Wachstum vollzogen. Das Mindset ist darauf ausgelegt, als Organisation schnell zu lernen und den grössten Kundennutzen zu erzielen. Die Weiterentwicklung und die Disruption erfolgt in agilen Teams, die transversal über die Unternehmensgrenzen hinaus zusammenarbeiten. Die Verantwortlichkeiten sind klar geregelt, jedoch verändern sich die Rollen und Jobbezeichnungen laufend. Die Governance besteht eher in Form eines Playbooks für exponentielles Wachstum als aus starren Regeln. Die einzelnen Führungsaufgaben werden in Form von multifunktionalen Tätigkeiten und Aufgaben wahrgenommen.

Typische Aktivitäten

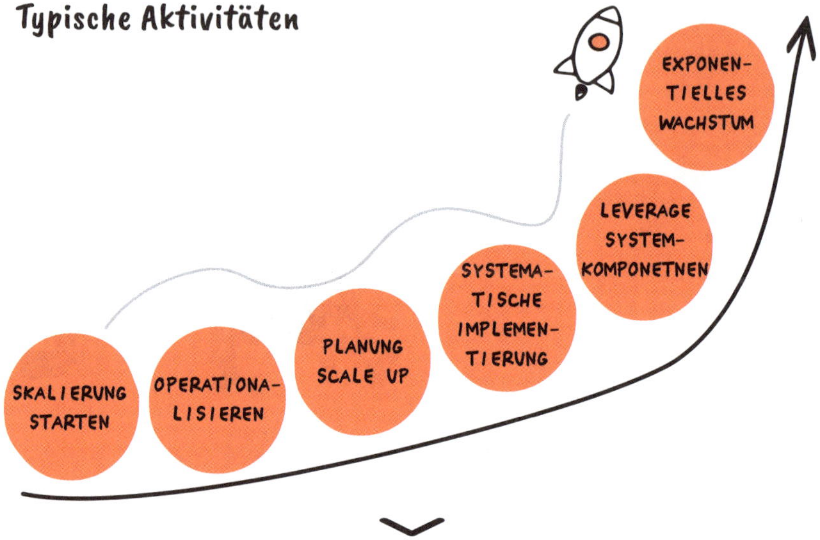

Exponentielles Wachstum braucht neben einem skalierbaren Geschäftsmodell entsprechende Formen der Governance und eine skalierbare IT.

Passende Methoden & Tools

Key Questions Scale

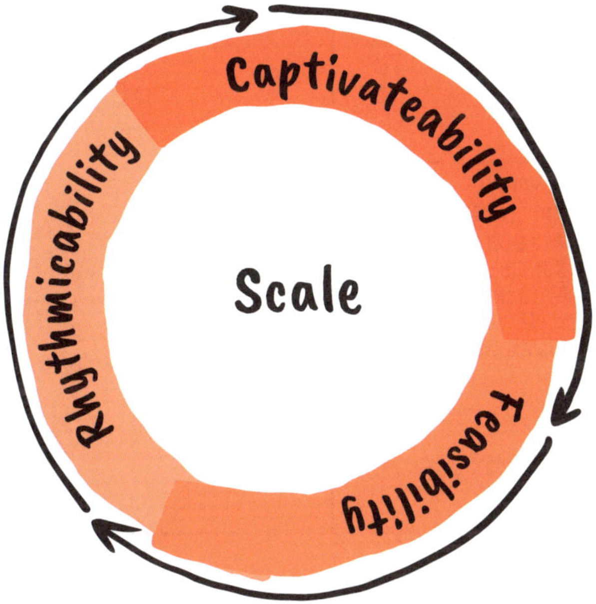

CAPTIVATEABILITY

- Welche Grundbedürfnisse werden adressiert?
- Wie können die Kunden im Ökosystem gehalten werden?
- Wie kann die Frequenz an Transaktionen erhöht werden?
- Welche Erfahrungen und Funktionen begünstigen eine tägliche, monatliche, jährliche Interaktion mit dem Kunden?
- Welche Datenpunkte von Kunden und Segmenten bringen den höchsten Mehrwert für die Entwicklung von neuen Angeboten?
- Wie kann die Value Proposition sinnvoll ergänzt und kommuniziert werden?

RHYTHMICABILITY

- Welche Aktivitäten sind notwendig, um die Prozesse, IT und Analytics in Einklang zu den Anforderungen und dem Wachstum zu bringen?
- Welche Algorithmen helfen in der Kundeninteraktion?
- Welche Fähigkeiten sind notwendig, um digitale Initiativen in Abstimmung mit anderen Akteuren im System zu entwickeln, zu implementieren und zu skalieren?
- Wie kann der „Herzschlag verdoppelt" werden, um fokussiert mit der jeweiligen „minimum viability" neue Produkte, Services und Erfahrungen für viele Kunden bereitzustellen?

FEASIBILITY

- Sind die eingesetzten Technologien zukunftsfähig?
- Kann durch Enabler-Technologien die Automatisierung verbessert werden?
- Können durch künstliche Intelligenz, Maschine Learning und Deep Learning Funktionen für eine grosse Anzahl an Kunden bereitgestellt werden?
- Können Technologiekomponenten, Algorithmen oder die gesamte Infrastruktur für weitere B2C- und B2B-Services genutzt werden?
- Werden für die dynamischen Veränderungen die passenden Fähigkeiten und Technologiekompetenzen aufgebaut?

EXPONENTIAL GROWTH AND SCALE CANVAS

LEVERAGE VON ÖKOSYSTEM-AKTEUREN

Welche Akteure innovieren im Rahmen der Regeln des Business Ökosystems?

SKALIERBARE PROZESSE, IT, DATA ANALYTICS

Welche Aktivitäten sind notwendig, um die Prozesse, IT und Analytics in Einklang zu den Anforderungen und dem Wachstum zu bringen?
Welche Algorithmen helfen in der Kundeninteraktion?

ÖKOSYSTEM KULTUR UND NETZWERKEFFEKTE

Wie kann eine unternehmensübergreifende Zusammenarbeit im Team-of-Teams-Gedanken realisiert werden? Wie können Netzwerkeffekte für das Wachstum des Ökosystems genutzt werden?

ERWEITERUNG DER VALUE PROPOSITION

Welche weiteren Bedürfnisse und Kundenprobleme können bedient/gelöst werden? Wie wird das Wertversprechen erweitert? Was ist die Erfahrung und welche Funktionen werden angeboten? Welche neuen Angebote können aus Datenpunkten und Algorithmen abgeleitet werden?

KUNDEN- UND COMMUNITY-AUFBAU

Welche Mechanismen und Methoden werden genutzt, um die Anzahl der Kunden, Interaktionen und Bindungen in das System zu erhöhen?

LEVERAGE VON DIGITALEN, PHYSISCHEN UND HYBRIDEN TOUCHPOINTS

Welche Kanäle werden benötigt? Wie kann aufgrund von Daten eine Opti-Channel-Strategie realisiert werden?

PROBLEME LÖSEN VON VIELEN

Wer sind die Kunden? Haben sie Segmentüberlegungen geändert? Wie wird mit neuen Bedürfnissen und Zielgruppen umgegangen?

OPTIMIERTE KOSTENSTRUKTUR

Wie können zum Beispiel die Kosten der User Acquisition kleiner gehalten werden als die des Lifetime Value, den sie generieren?

ERWEITERTE WERTSTRÖME

Welche neuen Wertströme werden vom Kunden honoriert?
Wo gibt es Zahlungsbereitschaft und Möglichkeiten für Bundles, Cross- oder Up-selling?

EXPONENTIAL GROWTH AND SCALE CANVAS

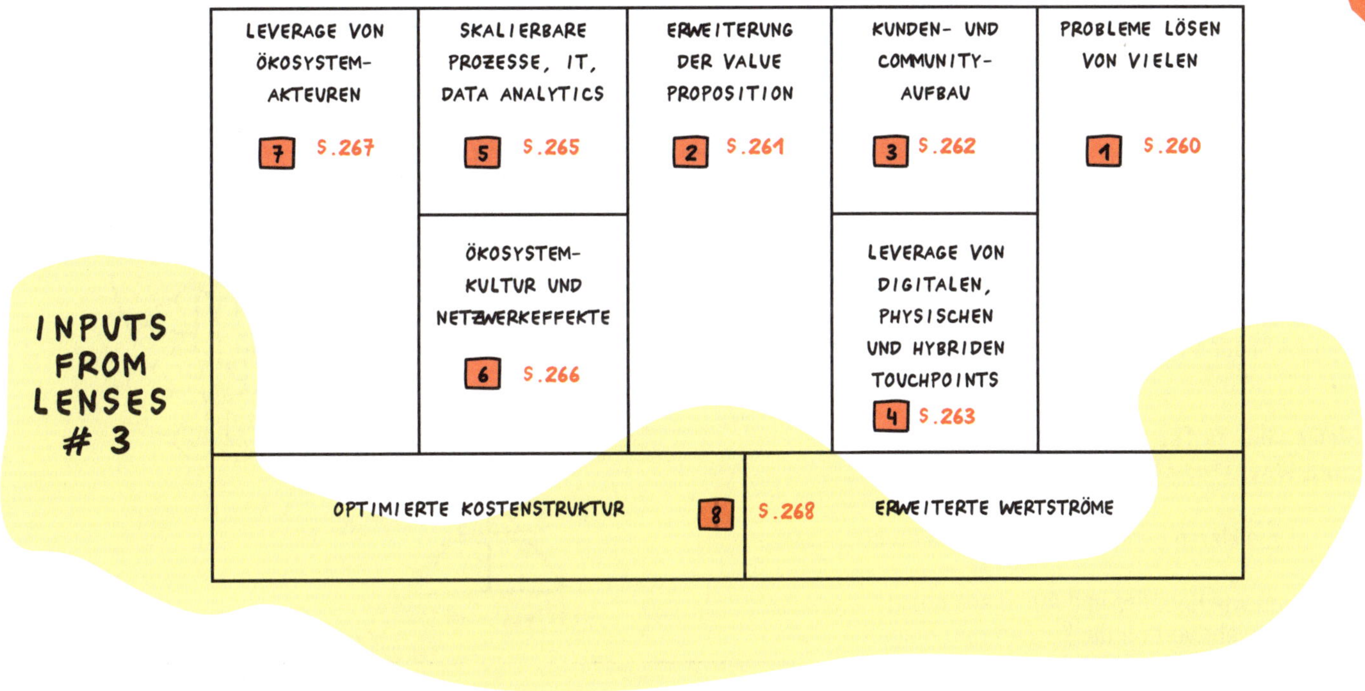

Der Exponential Growth and Scale Canvas hilft in der Dokumentation der einzelnen Schritte und die Ergebnisse aus den angewandten Tools und Methoden festzuhalten.

METHODEN & TOOLS LEGENDE

1. Probleme lösen von vielen
2. Erweiterung der Value Proposition
3. Skalierung von Prozessen und IT
4. Aufbau von Kunden-Community
5. Leverage von Touchpoints
6. Ökosystem-Kultur & Netzwerkeffekte
7. Leverage unterschiedlicher Akteure im System
8. Optimierte Kostenstruktur & erweiterte Wertströme

TOOL ZUM DOWNLOAD
www.business-ecosystem-design.com/scale

Probleme lösen von vielen

Verschiedene Enabler-Technologien ermöglichen, eine grosse Anzahl von Kunden zu erreichen. Meist handelt es sich um elementare Grundbedürfnisse wie den Wunsch nach sozialen Kontakten (z.B. Facebook) oder Mobilität (z.B. Uber). Basierend auf einer Kernfunktionalität erweitern Business Ökosysteme ihr Angebot und bauen auf bestehende Erfahrungen und Funktionen auf (z.B. UberEat, UberMoto etc.). Erfolgreiche und skalierbare Angebote in Business Ökosystemen liefern grundlegende Elemente und Werte, die vier Arten von Bedürfnissen abdecken: funktionale, emotionale, lebensverändernde und welche mit einem grösseren sozialen Impact. Je mehr Elemente eine Value Proposition enthält, desto grösser ist meist die Kundentreue und desto höher ist in der Regel das exponentielle Wachstum eines Ökosystems.

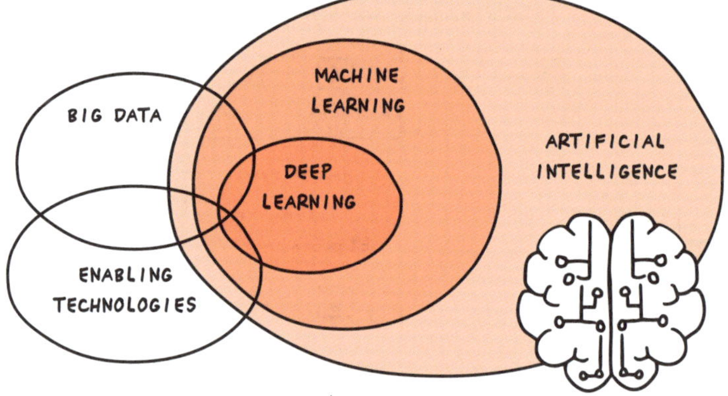

Die Frage „Welche Probleme können für viele gelöst werden?" hilft dem Umsetzungs- und Wachstumsteam:

- Die Value Proposition anhand von klaren Bedürfnissen weiterzuentwickeln.
- Zu prüfen wo neue Technologien wie Robotics und Automatisierung helfen können, funktional einen Mehrwert für die Kunden zu erzeugen.
- Neben den Enbabler-Technologien Ansätze von Deep Learning, Machine Learning und Künstlicher Intelligenz einzusetzen.

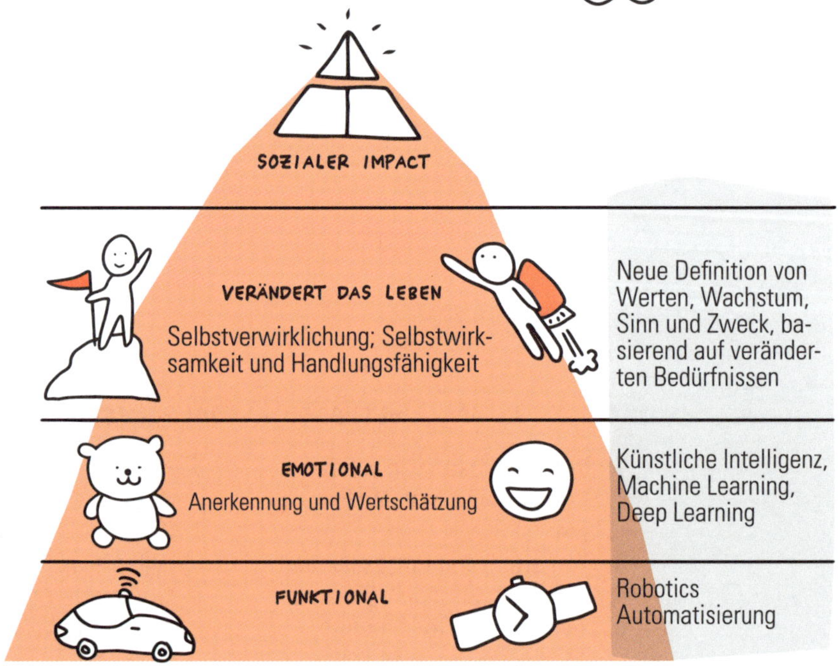

Vorgehen

1. **Engagement:** Welches Bedürfnis hilft, dass das Produkt, der Service, die Funktion oder Erfahrung wiederkehrend/täglich genutzt wird?
2. **Community:** Wie wird ein Mehrwert für die Community erzeugt? Und wie generiert die Kunden-Community einen Mehrwert für das Business Ökosystem?
3. **Daten:** Welche Daten über die Kunden stehen zur Verfügung? Wie können Daten für den Algorithmus und automatisierte Abläufe mit Value Creation gesammelt werden?
4. **Umsetzung und Promotion:** Ist das Angebot so einfach, dass es Kinder und Senioren verstehen?

Erweiterung der Value Proposition

Tool

Eine Erweiterung der Value Proposition braucht oft weitere Digitalisierungsschritte, neue Fähigkeiten und Governance-Konzepte. Der Ausbau erfolgt in ähnlichen Schritten wie das Design des eigentlichen Business Ökosystems. Bestehende Wertangebote werden digitalisiert und Teil eines Ökosystem-Angebots oder es werden analog zu neuen Kundenbedürfnissen entsprechende Erfahrungen und Funktionen hinzugenommen. Bei der Erweiterung der Value Proposition ist zudem darauf zu achten, dass die relevanten Akteure ihren Beitrag zur Innovation des Business Ökosystems beitragen können. Ebenfalls sollte ihnen die Möglichkeit gegeben werden, ihre Rolle an die dynamischen Veränderungen anzupassen. Orchestratoren haben die Aufgabe, die nötigen Freiräume zu geben, sodass die Akteure auch an den Grenzen der Regeln aktiv werden können: Zum Beispiel ist es wichtig, bei Beobachtungen von neuen Kundenverhalten oder Bedürfnissen, die wiederkehrend erscheinen, diese schnell und iterativ für ein erweitertes Angebot zu testen, um diese ein Teil vom Wertversprechen werden zu lassen. Auf diese Weise steuern die erfolgreichen Orchestratoren in der Form von „Leverage-Innovate-Expand" die Aktivitäten im Business Ökosystem. An dieser Stelle schliesst sich der Zyklus zugleich wieder zur ersten Phase Design Thinking, Lean Start-up und zum (Re-)Design des Business Ökosystems.

ÖKOSYSTEM MIETEN, KAUFEN, WOHNEN

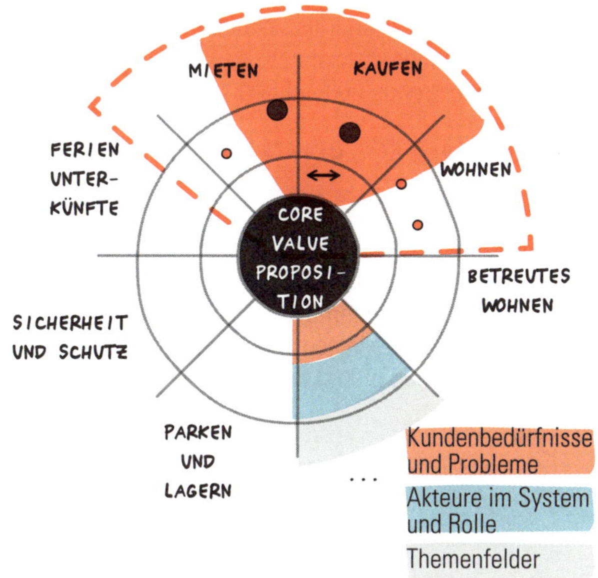

Die Erweiterung der Value Proposition hilft dem Umsetzungs- und Wachstumsteam:

- Ein nachhaltiges Wachstum für das gesamte Business Ökosystem zu realisieren.
- Bestehende und neue Kunden noch stärker an das Ökosystem zu binden.
- Weiterhin kundenzentriert über MVPs das Angebot schrittweise zu erweitern.
- Alle Akteure im System in die Innovationsaktivitäten miteinzubeziehen.

Vorgehen

1. **Schritt Leverage:**
2. **Schritt Innovate:**
3. **Schritt Expand:**

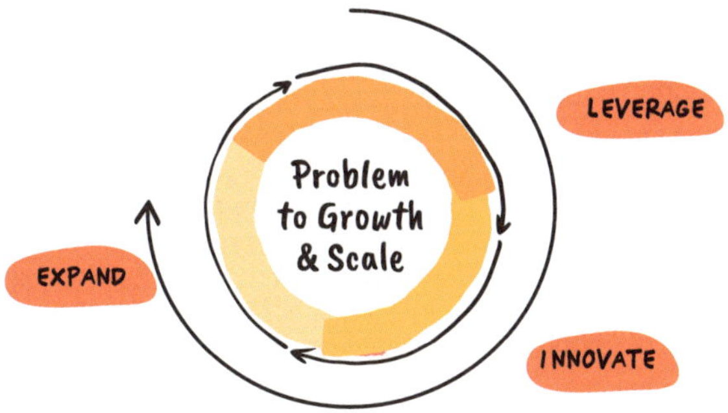

Legende

- Erweiterung in neue Themenfelder
- Erweiterung mit mehr Akteuren mit gleichen Fähigkeiten/Rollen/Angeboten, z.B. „Immo-Portal oder Bank"
- Neue Akteure und Rollen im System
- ↔ Identifikation von weiteren Kundenbedürfnissen für bestehende, ergänzende und neue Wertversprechen, z.B. Verträge, Umzug, Bewertung etc.

Kunden und Community-Aufbau

Business Ökosysteme, die exponentiell wachsen möchten, sind auf die Unterstützung der Kunden angewiesen und sollten sich Strategien überlegen, wie Communities aufgebaut werden können, die Erfolge, Resultate und Erfahrungen teilen. Je vielfältiger die Berührungspunkte in den verschiedenen Communities, desto mehr Wachstum kann realisiert werden. Diese Kanäle dienen als viraler Vertriebs- und Marketingkanal. In Kombination mit dem Hook Framework bleiben die Kunden im besten Fall möglichst lange bei den Angeboten eines Ökosystems und teilen über andere soziale Medien die Erfahrungen, was wiederum neue Kunden auf die Value Proposition aufmerksam macht.

Die Anwendung des „Growth Loop & Hook Model" hilft dem Umsetzungs- und Wachstumsteam:

- Exponentielles Wachstum in verschiedenen Ausprägungen zu realisieren, hierzu zählt die Akquisition neuer und wiederkehrender Kunden/Nutzer.
- Ein System zu etablieren, das von selbst wächst.
- Die Kosten für das Wachstum im Rahmen zu halten.
- Wiederkehrende Interaktion mit Kunden und Nutzern zu etablieren.

Vorgehen

Das Vorgehensmodell besteht zum einen aus dem „Hooked Modell" von Nir Eyals, das aus den folgenden Schritten besteht:

Trigger <-> Action <-> Reward <-> Investment

Dieses wird mit dem „Growth Loop" gespiegelt, wobei die „Trigger" und „Aktionen" in beiden Loops ähnlich gelagert sind. Hinzu kommen die Schritte:

New Customer <-> Output

In Bezug auf die Aktion bedarf es beim „Growth Loop" einer externen Aktion, die einen potenziellen Kunden/Nutzer mit dem Wertversprechen vertraut macht, während das „Hook Model" darauf abzielt, eine Gewohnheit zu etablieren.

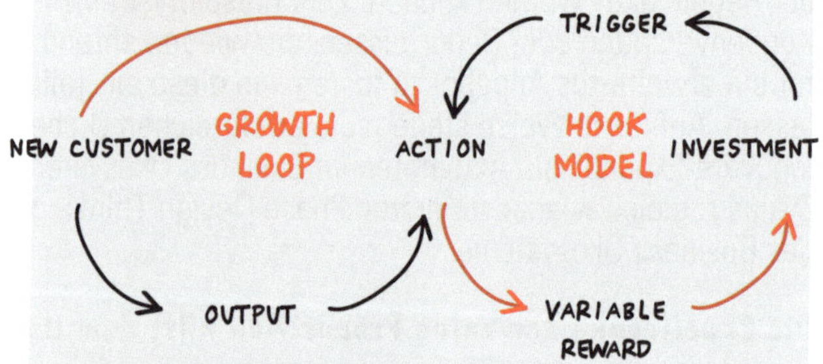

Trigger: Ein interner oder externer Anstoss, der den Benutzer zum Handeln auffordert.
Action: Der Kunde führt die gewünschte Aktion im Bezug auf Produkt, Service oder Erfahrung aus.
Reward: Das Kundenbedürfnis wird befriedigt und zugleich das Verlangen erhöht, sich mit dem Produkt, Service oder der Erfahrung wiederholt zu beschäftigen.
Investment: Es besteht aus zwei Teilen. Zum einen die Vorwegnahme von zukünftigen Belohnungen, zum anderen die Gründe für den Kunden, sich weiter mit Angeboten aus dem Ökosystem zu beschäftigen.
New Customer: Beschäftigung des Kunden mit dem Output und die Entscheidung, das Produkt, den Service oder die Erfahrung auszuprobieren.
Output: Externes Ergebnis, das ausserhalb des Ökosystems und der gegenwärtigen Kundenbasis wahrgenommen wird.

Skalierbare Prozesses, IT, Data Analytics

Technologie kann dabei helfen, die Routinetätigkeiten/ Angebote in einem Business Ökosystem kontinuierlich zu analysieren und zu automatisieren, um traditionelle Wertschöpfungsketten zu disruptieren (= ständiges Re-Design von Business Ökosystem). Amazon setzt zum Beispiel seit langem Roboter ein, um Produkte ein- und auszulagern, und kommt der kommerziellen Auslieferung seiner Produkte mittels Drohnen immer näher. Amazon hat auch sehr früh erkannt, dass eine strategische Option, das Angebot von „Cloud Computing Services“ für Geschäftskunden, zu einem Ertragspfeiler werden kann. Amazon Web Services (AWS), ein Webdienst, der Zugang zur Computing-Infrastruktur bietet, wurde 2006 eingeführt. Heute trägt es circa 60 Prozent zu Amazons Wachstum bei.

Der Fokus auf Prozessautomatisierung, IT und Data Analytics hilft dem Umsetzungs- und Wachstumsteam:

- Digitale Technologien zu verstehen und den Impact auf das Ökosystem zu bewerten.
- Die Fähigkeit aufzubauen, diese Technologien einzusetzen und so zu konfigurieren, dass sie hilft, IT, Prozesse und Infrastruktur zu skalieren.
- Eine klare Governance und definierte Prozesse für die Einbindung von anderen Unternehmen, Start-ups und Technologieunternehmen zu etablieren.
- Eine klare Erfolgsmessung und Entscheide zur Auswahl der Partner und Technologiekomponenten einzuführen.

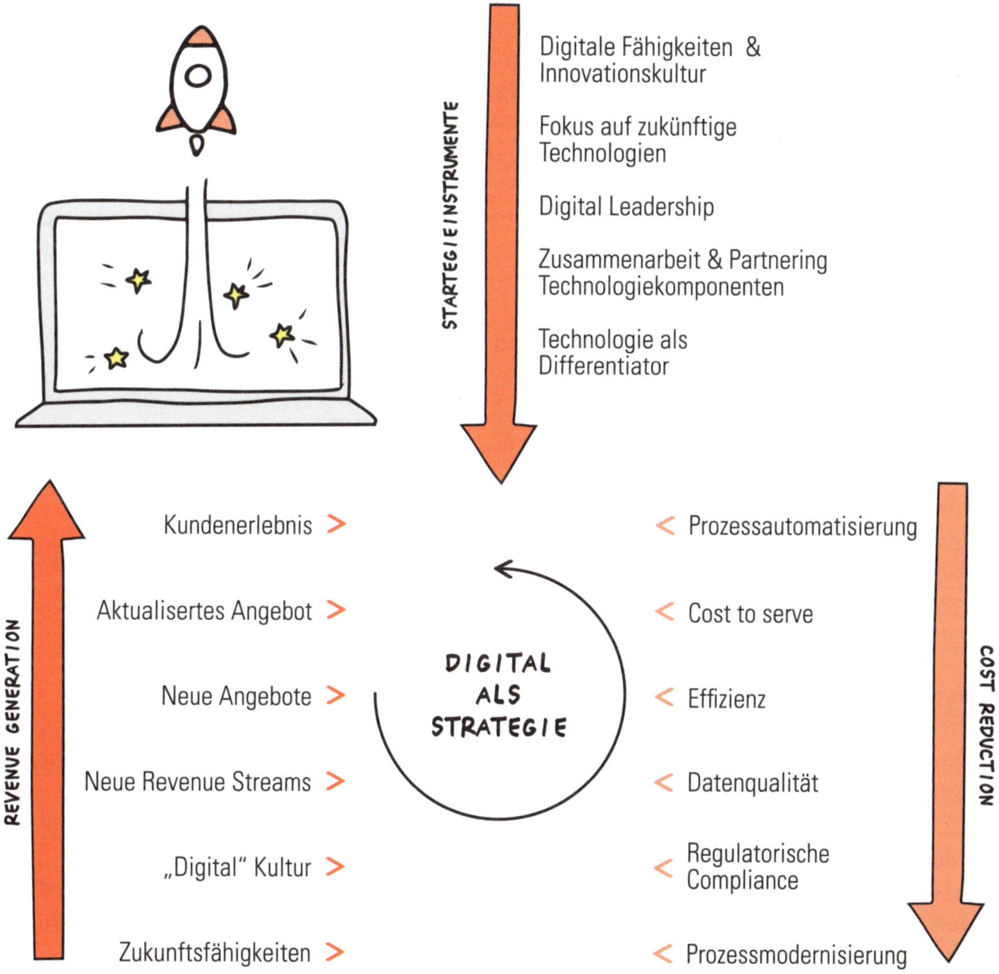

Leverage von digitalen, physischen und hybriden Touchpoints

Bevor exponentielles Wachstum möglich ist, braucht es eine digitale Maturität, die es erlaubt, zum Beispiel in einer hybriden und digitalen Welt als Business Ökosystem zu interagieren. Die Kombination aus physischer und digitaler Interaktion ist besonders bei Angeboten wichtig, bei denen Vertrauen ein zentrales Element ist. Aber auch Inhalte, die von Kunden generiert werden und durch externe Netzwerkeffekte verstärkt werden, helfen für eine Skalierung. Erfolgreiche Business Ökosysteme nutzen diese Strategie als Motor für die Kundenakquise. Die Verkehrs-APP Waze verbindet zum Beispiel GPS-Daten mit Echtzeit-Verkehrseingaben von Kunden, wobei Gamifizierungsansätze eingesetzt werden, um den Prozess unterhaltsam und interessant zu gestalten. Zudem wird auf physische Angebote in Tankstellen, Restaurants bis hin zu Baumärkten hingewiesen, die am Weg liegen. Waze ist in Nordamerika eine der beliebtesten Apps für Pendler.

Der Leverage von digitalen, physischen und hybriden Touchpoints hilft dem Umsetzungs- und Wachstumsteam:

- Angebote aus der physischen Welt schrittweise in die digitale Welt zu überführen.
- Die optimale Kundeninteraktion nach den Bedürfnissen abzubilden (siehe Multi-Channel vs. Omni-Channel vs. Opti-Channel Seite 265).
- Die Daten aus digitalen Interaktionen zu analysieren und zu nutzen.
- Massgeschneiderte und im Rahmen von Mass-Customization aufbereitete Angebote für die Kunden bereitzustellen.
- Datengetrieben zu innovieren.

Vorgehen

1. Informationen aus der physischen Welt erfassen, um einen Digital Record der physischen Interaktion und des Wertschöpfungsnetzes zu erstellen, wo es Sinn macht.
2. Dem Kunden den besten Kanal für seine Bedürfnisse anbieten, statt ihm die Auswahl über Multichannel zu ermöglichen, die den Kunden überfordert.
3. Maschinen kommunizieren miteinander, um Informationen auszutauschen, was eine erweiterte Analyse, Visualisierung und Nutzung von Echtzeitdaten aus verschiedenen Quellen für Customization und data-driven Innovation ermöglicht.
4. Anwendung von Algorithmen und Automatisierung, um Entscheidungen und Aktionen aus der digitalen Welt für Interaktionen mit Kunden in der digitalen und physischen Welt zu realisieren.

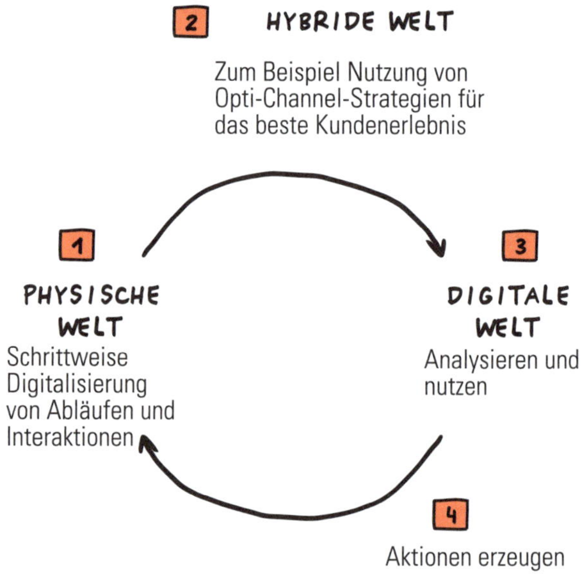

Multi-Channel vs. Omni-Channel vs. Opti-Channel

Beispiel

Während sich viele Unternehmen noch mit den Konzepten von Multi- und Onmi-Channel beschäftigen, haben exponentiell wachsende Ökosysteme meist eine Evolution hin zu Opti-Channel-Überlegungen durchlaufen, da dieser Ansatz einer der zentralen Skalierungsbausteine darstellt. Unternehmen, die bereits durch Omni-Channel-Aktivitäten Daten gesammelt haben, können mit neuen Technologien (KI, Big Data Analytics, Maschine Learning) ihre Kundeninteraktion individualisieren und dem Kunden den für seine Bedürfnisse und Neigungen entsprechenden Opti-Channel anbieten.

MULTI-CHANNEL

- Bereitstellung von verschiedenen Channels (Email, Webseite, Chat)
- Getrieben durch das Internet und ein zunehmend digitales Kundenverhalten

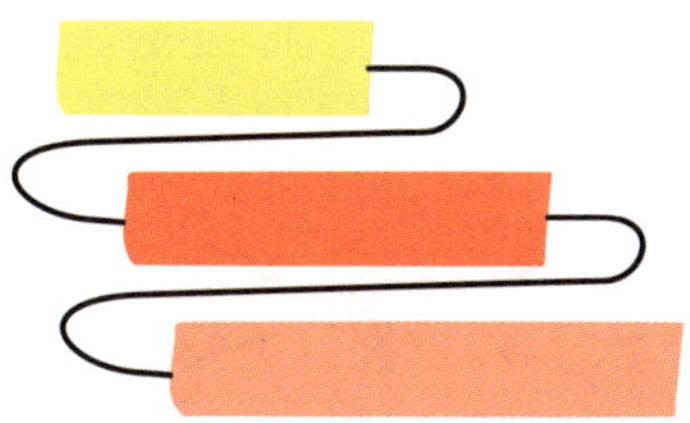

OMNI-CHANNEL

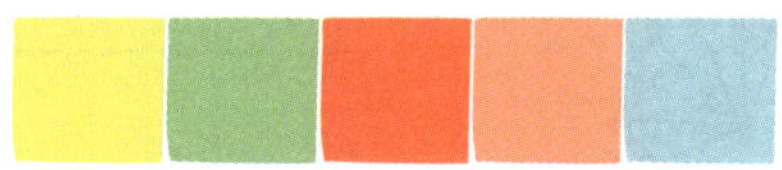

- Nahtlose Integration von verschiedenen Channels
- Optimierung der Kanäle über Customer Journeys

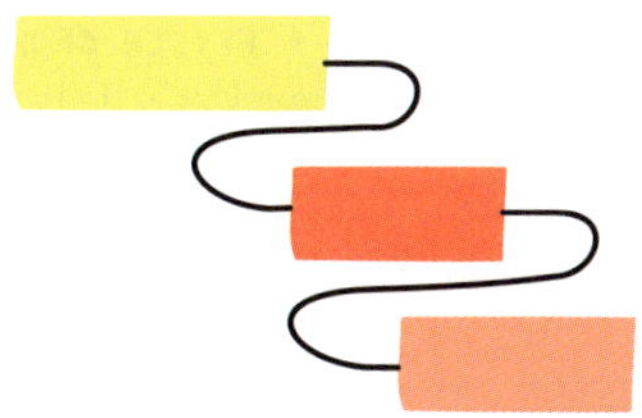

OPTI-CHANNEL

- Bereitstellung der besten Kundeninteraktion im Rahmen einer Ecosystem Journey
- Nutzung von Chat- und Voice-Bots
- Individualisierte Interaktion mit dem Kunden
- Zukünftig Nutzung von „Emotional AI"

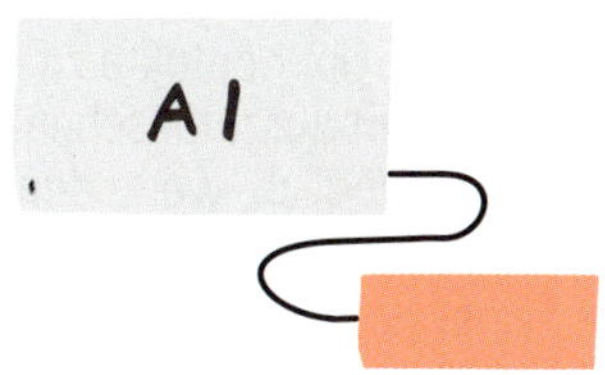

EVOLUTION

Netzwerkeffekte und Ökosystem-Kultur

Netzwerkeffekte sind der Schlüssel für Skalierung und exponentielles Wachstum. Insbesondere nutzen erfolgreiche Business Ökosysteme Strategien, die auf dem Gesetz von Reeds beruhen. Solche Systeme haben die Fähigkeit, proportional zur Grösse des Netzwerks (n) zu wachsen, jedoch bilden sich meist Gruppen, die im Value (V) schneller skalieren als andere. Dies geschieht aufgrund der Verflechtungen untereinander. Zentralisierte Business-Netzwerke basieren meist auf den Regeln von Sarnoff. Hier steigt der Value (V) des Netzwerks in einem direkten Verhältnis zur Grösse des Netzwerks (n). Viele der Plattformen agieren nach dem Gesetz von Metcalfe, bei dem der Value (V) zum Netzwerk (n) im Quadrat steht.

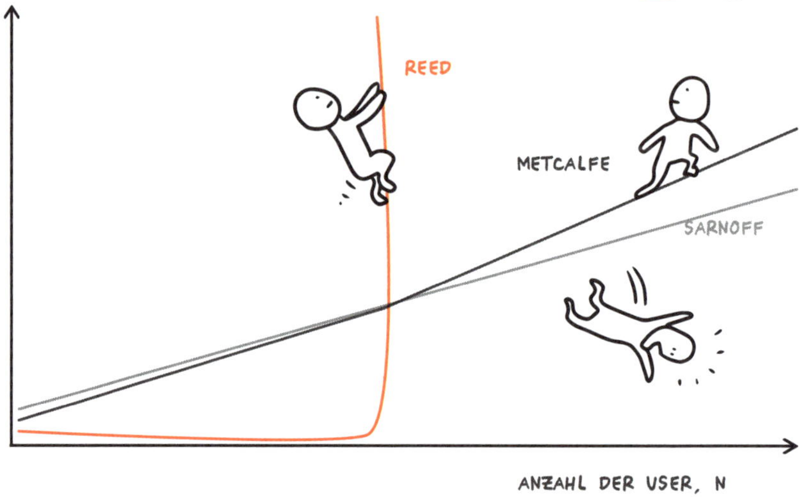

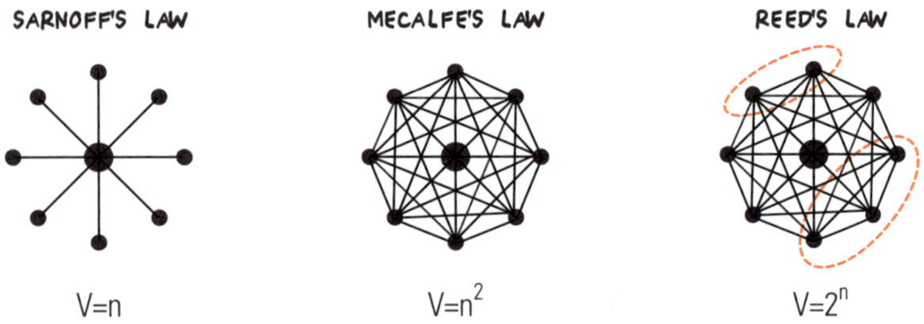

Ökosystem-Kultur „Team-of-Teams Gedanke"

Mitarbeitende, die an Business Ökosystem Initiativen im eigenen Unternehmen oder zusammen mit anderen Akteuren wirken, sollten so vernetzt wie möglich arbeiten, um Kontakte zu knüpfen und Erkenntnisse und Erfahrungen in Echtzeit auszutauschen. Ein exponentieller Wachstumspfad ist meist dann möglich, wenn den Mitarbeitenden und den Teams die Autonomie gegeben wird, das zu tun, was sie in einer offenen Kultur, die ein Business Ökosystem-Ansatz abverlangt, tun müssen, um schnell und zielgerichtet Entscheidungen zu treffen. Inzwischen setzen viele Unternehmen und Ökosystem-Initiativen Software wie Teams, Zoom, Mural oder andere Kollaborations-Plattformen ein, um spontane Zusammenarbeit zu unterstützen, und fördern die Bildung eines Netzwerks in physischen und in virtuellen Räumen.

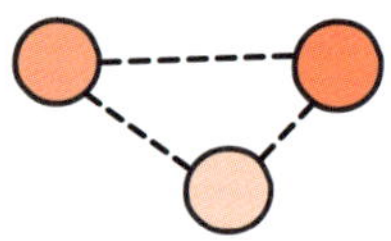

FLEXIBLE ORGANISATIONSSTRUKTUREN mit klaren Rollen und Zuständigkeiten.

NEUE FORMATE FÜR MEETINGS UND ZUSAMMENARBEIT, die auf das Handeln ausgerichtet sind, statt alles zu überanalysieren.

MEHR AUTONOMIE FÜR TEAMS UND EINZELNE MITARBEITENDE, sodass einzelne Mitarbeiter Probleme selbst lösen und die Bürokratie durchbrechen können.

EINZIGARTIGER ENTSCHEIDUNGSFINDUNGSPROZESS, der das wachsende Ökosystem und die Organisationsstruktur kontinuierlich weiterentwickelt.

Leverage unterschiedlicher Akteure im Ökosystem

Viele exponentielle Geschäftsmodelle basieren auf einer ungewöhnlichen Zusammenstellung von verschiedenen Akteuren im Business Ökosystem. Meist sind es unterschiedliche Arten von Unternehmen aus verschiedenen Branchen, die zusammenarbeiten, um gemeinsam eine Value Proposition zu realisieren und vom integrierten Wert zu profitieren. Ein Beispiel ist die Drohnenfirma Matternet und Mercedes-Benz, die ihre Kräfte gebündelt haben, um eine integrierte Lieferlösung in einem Ökosystem-Gedanken zu gestalten, welche die Art und Weise verändern soll, wie Güter einfach auf Abruf bezogen und geliefert werden können. Eine Transformation von einer zentralen digitalen Plattform hin zu einem Ökosystem unterstützt in vielen Fällen die Chancen auf exponentielles Wachstum.
Die Koevolution als stetige Veränderungsdynamik im Business Ökosystem basiert auf Daten und Fähigkeiten und anderen Ressourcen der beteiligten Akteure.

Die Koevolutionssicht hilft dem Business Ökosystem Design Team:

- Die nötigen Ressourcen und Fähigkeiten nicht selbst aufzubauen, sondern schrittweise im Ökosystem mit den passenden Akteuren weiterzuentwickeln.
- Bei allen kapitalintensiven Vorhaben und Kauf von Vermögenswerten die Last auf mehrere Schultern zu verteilen.
- Eine generelle Verhaltensänderung zu etablieren, die zuerst die Möglichkeit sucht, in einem Business Ökosystem das Wertversprechen zu realisieren, als alle Fähigkeiten selbst aufzubauen.

Vorgehen

1. Identifikation für neue Marktopportunität, Kundenprobleme oder Ineffizienzen
2. Transformation und zentrale Fragestellungen:
   Koevolution: Was entwickelt sich?/ Wer trägt dazu bei?
   Mechanismus: Wie entwickelt es sich?
   Strategie/Governance: Wie ist die Evolution zu orchestrieren?
3. Realisierung und schrittweise Umsetzung unter Einbeziehung der integrierten Ressourcen. Kontinuierlicher Austausch von Daten, Informationen und Leitplanken zur Realisierung von Innovation, neuen Marktleitplanken und Kundenzugang.

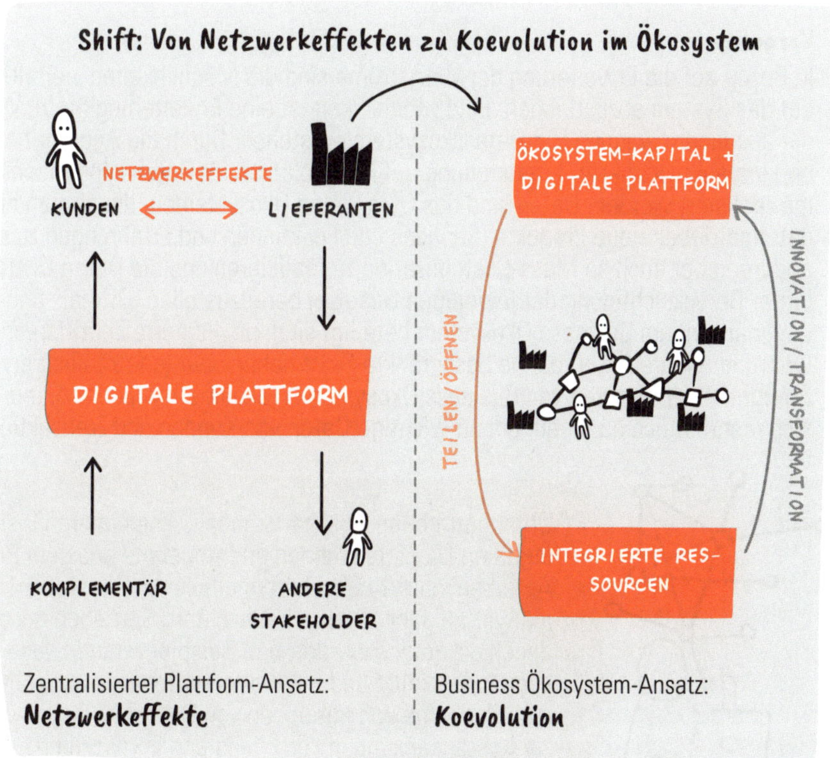

Optimierte Kostenstruktur & erweiterte Wertströme

Tool

Um die Kosten zu optimieren und die Wertströme zu erweitern, braucht es in einem Business Ökosystem einen ganzheitlichen, aber dennoch massgeschneiderten Ansatz. Das Kostenmanagement sollte jedoch auf keinen Fall die Rentabilität und das Wachstum eines Business Ökosystems behindern. Für den Erfolg einer Business Ökosystem-Initiative ist es deshalb wichtig, dass die „positiven" Kosten bewahrt werden, also die Kosten, die künftiges exponentielles Wachstum ermöglichen, und „negative" Kosten, durch strategische Kostensenkungsmassnahmen reduziert werden. Um dies zu erreichen, können verschiedene Massnahmen in Bezug auf die Auswahl des Angebotsportfolios, benötigte Fähigkeiten, das Set-up des Organisations- und Governance-Modells bis hin zu Operational Excellence Themen eingeleitet werden.

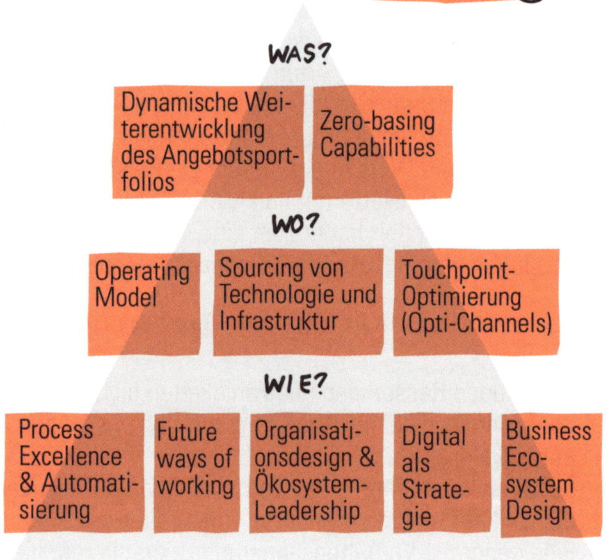

Vorgehen

In Bezug auf die Erweiterung der Wertströme sind die Möglichkeiten vielfältig und individuell auf das System abzustimmen. Eine Möglichkeit ist eine Erweiterung hin zu Wertströmen, die aus einem eigenen Big-Data Ökosystem entstehen. Durch die Aggregation von Daten und die anonymisierte Bereitstellung auf Marktplätzen für Daten können weitere Wertströme realisiert werden. Daten sind das Öl in vielen Ökosystemen, die es zum einen erlauben, datengetrieben neue Produkte, Services und Funktionen und Erfahrungen zu entwickeln, zum anderen aber auch so Mass-Customization zu realisieren und die Daten Dritter gegen Entgelt (unter Berücksichtigung der jeweiligen Gesetze) bereitzustellen. Oftmals haben die Akteure, die finanziell am Business Ökosystem beteiligt sind, privilegierte Zugriffsrechte auf die Daten, während andere Akteure eine beschränkte Sicht haben oder jene käuflich erwerben müssen. Erfolgreiche Initiatoren von Business Ökosystemen akquirieren zudem Akteure oder beteiligen sich mehrheitlich an ihnen, um an wichtige Daten von Kunden und Transaktionen zu kommen.

Beispiel

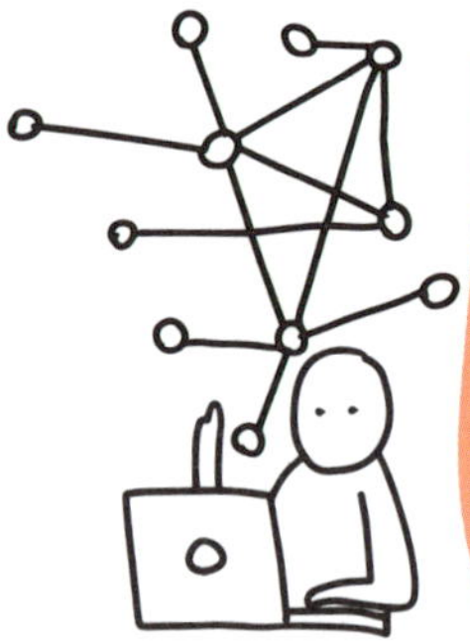

Datengetriebene Geschäftsmodelle kombinieren Insights aus traditionellen, digitalen Dienstleistungen und Angebote aus dem Business Ökosystem. Der Anteil an solchen Geschäftsmodellen steigt stetig. Eine sehr schnelle Zunahme war im Jahr 2020 zu beobachten. Getrieben durch Covid-19 und verschiedene Lockdowns wurden zum Beispiel verschiedene virtuelle Meetingräume verstärkt genutzt und mit weiteren Services angereichert. Ebenfalls gab es eine Zunahme von Initiativen von Digital Twins zur weiteren Optimierung oder zur Kostensenkung in Forschung und Entwicklung.

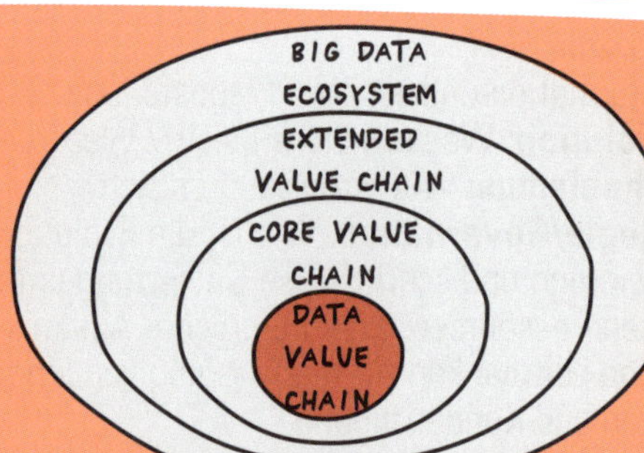

Übergang von linearem Wachstum zu exponentiellem Wachstum

LINEAR GROWTH → EXPONENTIAL GROWTH

DIMENSION	STANDARDVORGEHEN	ADVANCED PRACTICES IM RAHMEN DER SKALIERUNG VON BUSINESS ÖKOSYSTEMEN
DIGITAL ALS STRATEGIE	Anerkennung von Technologie als Enabler für die Realisierung einer Ökosystem-Strategie und Entwicklung von Kompetenzen, die helfen, eine Differenzierung anzustossen und Wettbewerbsvorteile zu realisieren.	Orchestrator zeigt klare strategische Ziele und Bestrebungen auf, denen Initiativen folgen, um ein digitales Ökosystem zu werden. Besitzt die Fähigkeit, digitale Initiativen in Abstimmung mit anderen Akteuren im System zu entwickeln und zu implementieren.
FOKUS AUF ZUKÜNFTIGE TECHNOLOGIEN	Analyse bestehender und neu entstehender Technologien für den Einsatz im Business Ökosystem. Entwicklung der Fähigkeit, neue Technologien in einer frühen Phase zu testen und die Potenziale für Innovation, Kosteneinsparungen und Wachstum zu prüfen.	Besitzt die Kompetenz, aufkommende digitale Technologien zu verstehen, um den Impact auf das Ökosystem zu bewerten. Besitzt zudem die Fähigkeit, diese Technologien einzusetzen und so zu konfigurieren, dass sie helfen, IT, Prozesse und Infrastruktur zu skalieren.
DIGITAL LEADERSHIP	Transversale Einbettung von Technologiekompetenzen über die eigentlichen Kernprozesse hinaus. Klare Zuweisung der Verantwortung für Technologieentscheide an Ökosystem-Team.	Bildung von funktionsübergreifenden Squads und Chapters für Technologie und Innovation. Spezielle Innovation Labs zur Erforschung und Nutzung digitaler Technologien in enger Zusammenarbeit mit anderen Akteuren im Business Ökosystem.
DIGITALE FÄHIGKEITEN & INNOVATIONSKULTUR	Schwerpunkt liegt im Aufbau von Fähigkeiten im Bereich „Digital" bei den Mitarbeitenden. Sammeln innovativer Ideen innerhalb der Organisation und im Rahmen von Open Innovation mit anderen Akteuren, um Verbesserungsmöglichkeiten zu erzielen, die durch die Digitalisierung realisierbar werden.	Enge Zusammenarbeit mit ausgewählten Start-up-Ökosystemen, Durchführung von Hackathons für Problemstellungen im Bereich Data Analytics, AI oder anderen Technologien. Motivierende Umgebung für Mitarbeitende und andere Stakeholder, sich der neuen Herausforderungen anzunehmen, zu innovieren und neue Enabler-Technologien intelligent einzusetzen.
ZUSAMMENARBEIT & PARTNERING TECHNOLOGIE-KOMPONENTEN	Bewusstsein vorhanden, dass neue Player im Markt, als Start-up oder Business Ökosystem, disruptiv agieren. Fokus auf die Zusammenarbeit mit den bekannten Technologieanbietern zur Erweiterung mit Digitalisierungslayern und spezifischen APIs als Schnittstelle in zum Beispiel Marktplätzen.	Klare Governance und definierte Prozesse für die Einbindung von anderen Unternehmen, Start-ups und Technologieunternehmen. Klare Erfolgsmessung und Entscheide zur Auswahl der Partner und Technologiekomponenten.
TECHNOLOGIE ALS DIFFERENTIATOR	Nutzung der Technologie, um sich hauptsächlich gegenüber den Wettbewerbern zu differenzieren. Aufbau von ersten vertrauenswürdigen Allianzen.	Besitzt die Fähigkeit, Technologien zu beherrschen und zu benchmarken. Die Differenzierung ist darauf ausgelegt, vor allem herausragende Innovationen und Kundenerlebnisse zu realisieren, für die jeweils passende Technologien genutzt werden.

Auf den Punkt gebracht!

Für die Skalierung des Business Ökosystems und die Realisierung von exponentiellem Wachstum braucht es ein darauf ausgelegtes Betriebsmodell und eine zielgerichtete Governance, die alle Hebel nutzt, um die Geschäftsmodellziele zu erreichen.

Exponentiell wachsende Business Ökosysteme nutzen naturgemäss alle verfügbaren Möglichkeiten, die durch das markt- oder segmentlinienübergreifende Zusammenspiel der Akteure wahrgenommen werden können. Sie liefern den funktionsübergreifenden Input zur Weiterentwicklung der Value Proposition, Erschliessung neuer Kundensegmente und bislang noch nicht adressierter Kundenbedürfnisse.

Oberstes Ziel ist, ein Problem von vielen zu lösen und hierbei mit optimierten Kostenstrukturen und erweiterten Wertströmen die Profitabilität der Systeme zu erhöhen. Opti-Channel-Ansätze helfen in einer passenden und individualisierten Kundenansprache.

Skalierbare Prozesse, IT, Data Analytics und die Nutzung von digitalen, physischen und hybriden Touchpoints helfen, die gewünschte Effektivität und Effizienz zu realisieren.

Weiterführende Literatur zu den Design Lenses

In Bezug auf alle Design Lenses gibt es verschiedene Literatur, die die Themenbereiche jeweils vertiefen. Insbesondere über das Design Thinking Mindset, die Lean Start-up Methodologie und die Mechanismen, wie Systeme skaliert werden können, gibt es die entsprechende Fachliteratur.

Zudem wurde viel über die Plattform Economy geschrieben. Über die Gestaltung von Business Ökosystemen gibt es bislang nur wenig bekannte Standardwerke auf dem Markt.

DESIGN THINKING

- Lewrick et. al. (2018). Das Design Thinking Playbook: Mit traditionellen, aktuellen und zukünftigen Erfolgsfaktoren
- Lewrick et. al (2019). Das Design Thinking Toolbook: Die besten Werkzeuge und Methoden
- Lewrick (2018), Design Thinking: Radikale Innovationen in einer digitalisierten Welt (Beck kompakt)
- Übernickel et al. (2014). Design Thinking Handbuch
- Osann et al. (2018). Design Thinking Schnellstart: Kreative Workshops gestalten
- Blatt und Sauvonnet (2016). Wo ist das Problem?: Mit Design Thinking Innovationen entwickeln und umsetzen
- Glitza et al. (2019). Hands on Design Thinking

PLATTFORM ECONOMY BUSINESS ECOSYSTEMS

- Engelhardt und Petzolt (2019). Das Geschäftsmodell-Toolbook für digitale Ökosysteme
- Parker et al. (2016). Platform Revolution: How networked markets are transforming the economy and how to make them work for you
- Choudary et al. (2017). Die Plattform-Revolution im E-Commerce: Von Airbnb, Uber, PayPal und Co. lernen: Wie neue Plattform-Geschäftsmodelle die Wirtschaft verändern
- Jaeckel (2017). Die Macht der digitalen Plattformen: Wegweiser im Zeitalter einer expandierenden Digitalsphäre und künstlicher Intelligenz
- Geoffrey et al. (2017). Platform Revolution: How Networked Markets Are Transforming the Economy and How to Make Them Work for You

LEAN START-UP

- Maurya (2018). Scaling Lean: Wie Start-ups wachsen
- Maurya (2013). Running Lean: Das How-to für erfolgreiche Innovation
- Ries (2014). Lean Start-up: Schnell, risikolos und erfolgreich Unternehmen gründen
- Osterwalder (2019). Testing Business Ideas
- Geoffrey et al. (2018). Design a better business: Neue Werkzeuge, Fähigkeiten und Mindsets für Strategie und Innovation
- Blank et al. (2014). Das Handbuch für Start-ups: Schritt für Schritt zum erfolgreichen Unternehmen
- Alvarez (2014). Lean Customer Development: Build Products Your Customer will buy

SCALE AND EXPONENTIAL GROWTH

- Harnisch et al. (2016). Scaling Up Skalieren auch Sie! Weshalb es einige Unternehmen packen… und warum andere stranden
- Eyal (2014). Hooked: Wie Sie Produkte erschaffen, die süchtig machen
- Ismall et al. (2014). Exponential Organizations: Why new organizations are ten times better, faster, and cheaper than yours (and what to do about it)
- Ismall et al. (2019). Exponential Transformation: Evolve Your Organization (and Change the World) With a 10-Week ExO Sprint
- Gascoigne (2019). The Business Transformation Playbook: How To Implement your Organisation's Target Operating Model (TOM) and Achieve a Zero Percent Fail Rate Using the 6-Step Agile Framework
- Highsmith (2019). EDGE: Value-Driven Digital Transformation

LERNEN UND ABLEITEN VON PASSENDEN HANDLUNGEN DURCH REFLEXION

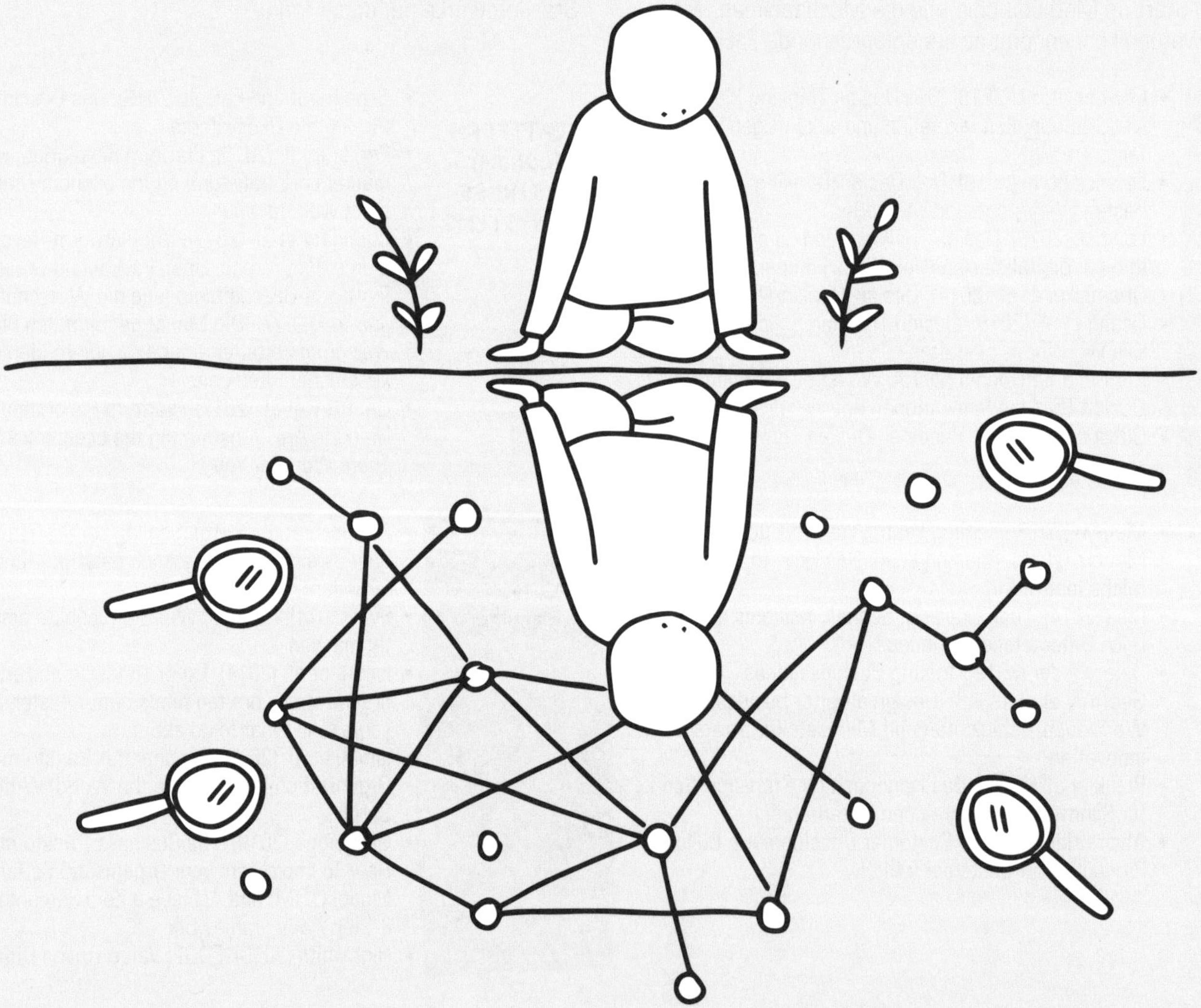

REFLEXION ÖKOSYSTEM DESIGN

Reflexion in Bezug auf die Initiative, Meta-Ebene und die persönliche Einstellung zum Paradigmenwechsel

In allen agilen und iterativen Vorgehensmodellen hat es sich inzwischen bewährt, auf verschiedenen Ebenen zu reflektieren. Dies geschieht im Design Thinking zum Beispiel, nachdem ein Micro-Zyklus durchlaufen ist, und in der agilen Entwicklung eines MVP zum Beispiel nach jedem Sprint. **Typische Fragen sind:** Wie gut arbeiten wir eigentlich zusammen?; Wie kommen wir im Team miteinander zurecht?; Können wir noch Dinge verbessern? Und wenn ja: Welche?

Besonders in einem dynamischen Umfeld ist es für einen persönlich und für das Team wichtig, regelmässig zu reflektieren, wo man steht und wie die Zusammenarbeit verbessert werden kann. Wenn nicht regelmässig überprüft und offen diskutiert wird, wie die Zusammenarbeit funktioniert, kann unmöglich sichergestellt werden, dass das Team tatsächlich an einem Strang zieht und die übergeordnete Ambition eines Business Ökosystems erreicht wird. **Typische Fragen sind:** Wie zufrieden sind wir mit dem Ergebnis des letzten MVE? Haben wir unsere Ziele erreicht? Und wenn nein: Warum nicht? Wie können wir die Zusammenarbeit im Team und auch mit den anderen Akteuren verbessern? Wie können wir die Ergebnisse, Verantwortlichkeiten und zukünftigen Umsetzungsaktivitäten im Rahmen der Co-Creation optimieren?

Hinzu kommt die persönliche Reflexion in Bezug auf das Design eines Business Ökosystems und die damit verbundenen Mindshifts, die es verlangen, bestehende Hypothesen zu hinterfragen und selbst, wie auch als Organisation, die Komfortzone zu verlassen. **Typische Fragen sind:** Konzentriere ich mich wirklich darauf, das Kundenproblem zu lösen? Agiere ich als Ökosystem-Leader im Rahmen von „Initiate & Orchestrate“ oder falle ich zurück in alte Muster? Falls ja: Woran liegt es?

In diesem Abschnitt werden nur kurz der Reflection Canvas für Business Ökosystem-Initiativen vorgestellt und ausgewählte Tools beschrieben.

„If you want to win in the 21st century, you have to make sure you are making other people more powerful. Empower others. Make sure other people are better than you are. Then you will be successful.“

– Jack Yun Ma, Founder and CEO Alibaba

Key Questions Reflection Lessons

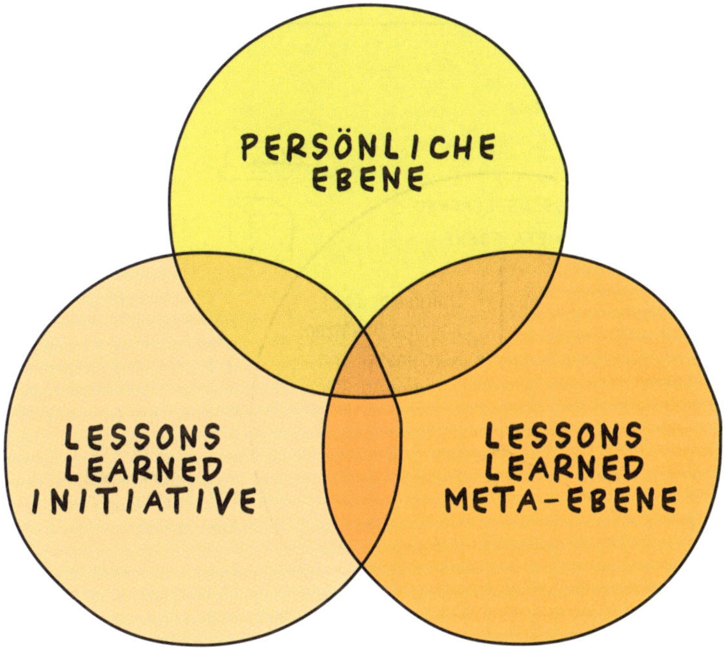

PERSÖNLICHE EBENE

- Wie hat sich die persönliche Sicht auf Themen- und Wachstumsfelder verändert?
- Welcher Paradigmenwechsel ist leicht zu vollziehen und wo gibt es mentale Hürden?
- Wie gross ist die persönliche Veränderungsbereitschaft für eine neue Art der Ökosystem-Leadership?
- Inwieweit fallen das Ökosystem Design Team, Entscheidungsträger und Ökosystempartner in alte Denkmuster zurück?
- Wie kann ich persönlich zur Veränderung beitragen?

META-EBENE

- Was heisst Ökosystem Design?
- Welche Vor- & Nachteile hat der Ansatz?
- Welche Herausforderungen bringt die Veränderung?
- Was ist der Unterschied zu anderen Ansätzen?
- Wie können verschiedene Ansätze kombiniert werden?
- Wo sind Anwendungsfälle im eigenen Umfeld?
- Wie kann es flächendeckend eingeführt werden? Welchen unmittelbaren Nutzen stiftet es?

INITIATIVE

- Was ist im Projekt gut gelaufen?
- Welche Methoden wurden angewandt? Wie? Warum?
- Was ist weniger gut gelaufen?
- Was soll zukünftig in der Projektarbeit anders gemacht werden?
- Welches sind die Key Learnings aus der Initiative (positiv und negativ)?

ECOSYSTEM REFLECTION CANVAS

DESIGN LENSES
- Welches sind die wichtigsten Erkenntnisse und Aktionen in den jeweiligen Design Lenses?

DIGITAL FLUENCY
- Welche digitalen Fähigkeiten und Kompetenzen wurden aufgebaut?
- Welche Fähigkeiten und Kompetenzen sind noch aufzubauen?

ÖKOSYSTEM-LEADERSHIP
- Ist das Zielbild klar und kommuniziert?
- Wie werden die Teams geführt?
- Wo findet Innovation für das Ökosystem statt?

MARKTOPPORTUNITÄTEN
- Welche Marktopportunitäten wurden realisiert? Wo gibt es weitere Potenziale zur Erweiterung der Value Proposition?

FÄHIGKEITEN
- Welche neuen Fähigkeiten wurden aufgebaut?
- Welche Fähigkeiten werden für die nächste Entwicklungsphase benötigt?

MINDSET
- Welches Mindset passt zum Unternehmen, den Werten und dem Business Ökosystem?

LESSONS LEARNED INITIATIVE
- Was ist im Projekt gut gelaufen?
- Welche Methoden haben wir angewandt? Wie? Warum?
- Was ist weniger gut gelaufen?
- Was soll zukünftig in der Projektarbeit anders gemacht werden?
- Welches sind die Key Learnings aus der Intiative (positiv und negativ)?

LESSONS LEARNED META-EBENE
- Was heisst Ökosystem Design?
- Vor- & Nachteile
- Herausforderungen
- Unterschied zu anderen Ansätzen
- Kombination mit anderen Ansätzen
- Anwendungsfälle im eigenen Umfeld
- Einführung/Nutzung im eigenen Umfeld

DENKE IN MÖGLICHKEITEN
- Nach welchen Prinzipien werden laufende und zukünftige Business Ökosysteme gestaltet? Welche Prinzipien trugen zum Erfolg der aktuellen Etappe in der Ökosystem-Initiative bei?

PRINZIPIEN
- Nach welchen Prinzipien werden laufende und zukünftige Business Ökosysteme gestaltet? Welche Prinzipien trugen zum Erfolg der aktuellen Etappe in der Ökosystem-Initiative bei?

DIGITALE (ENABLER-) TECHNOLOGIEN
- Welche (Enabler-) Technologien werden eingesetzt?
- Wo müssen Erneuerungen der Technologie angegangen werden?

BIG DATA/ ANALYTICS/ KI/ ML/ DL
- Wie sieht die Maturität in Bezug auf den Umgang mit Daten aus ? Wie helfen Technologien wie KI, DL und ML bei der Automatisierung von Funktionen?

KAPITAL UND ASSETS
- Wie wird der Aufbau, die Umsetzung und das Wachstum finanziert? Welche Assets hat das Business Ökosystem?

GOVERNACE
- Wie erfolgt die Steuerung der Initiative? Welche KPIs dienen der Erfolgsmessung?

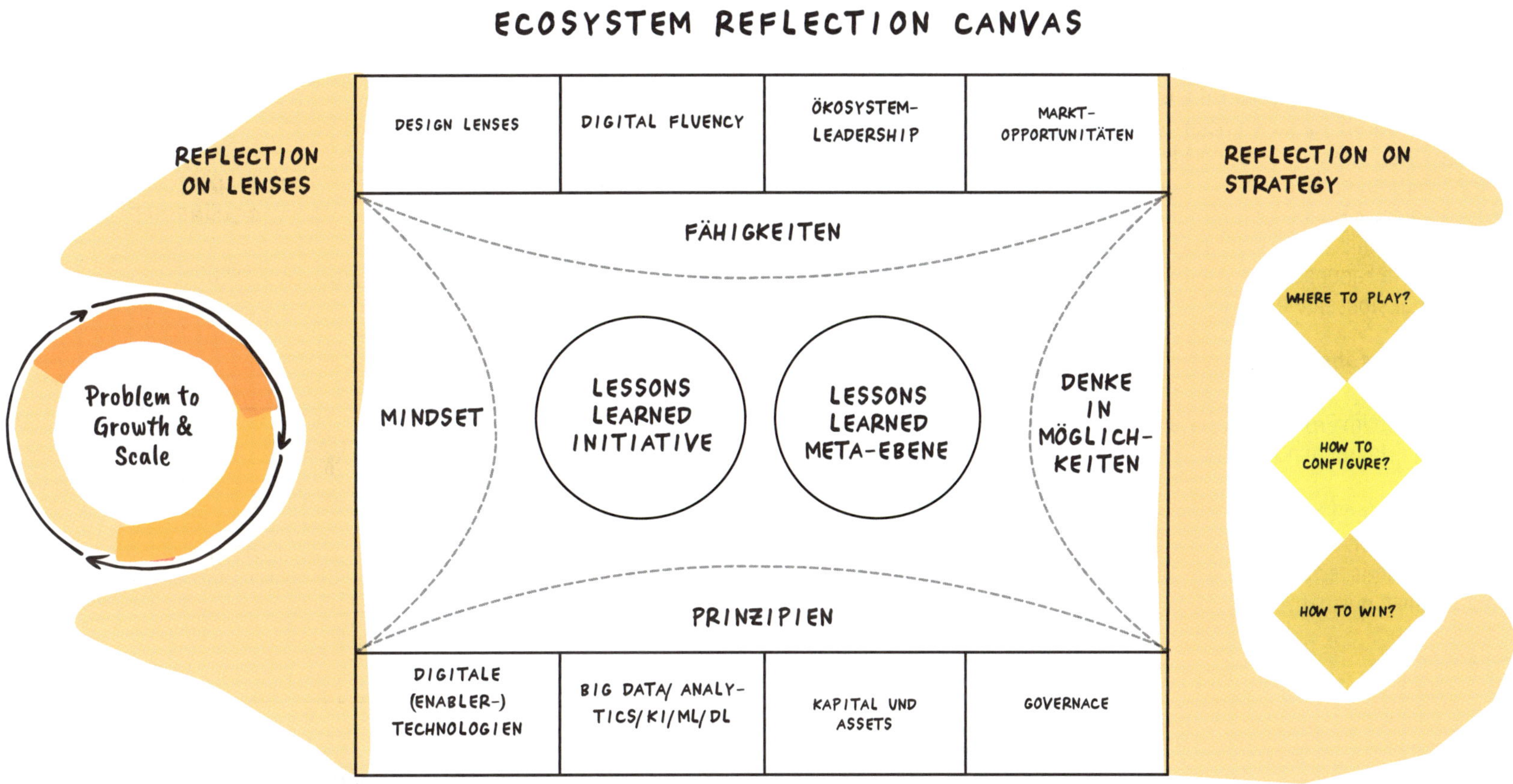

Der Reflection Canvas für Business Ökosystem-Initiativen hilft, die aktuellen Aktivitäten aus der Projekt- und Meta-Ebene zu reflektieren, zu lernen und die passenden Handlungen daraus abzuleiten.

TOOL ZUM DOWNLOAD
www.business-ecosystem-design.com/reflexion

Ständige Reflexion über den gesamten Zyklus, von der Problemstellung bis zur Skalierung

Tool

Initiativen zu Business Ökosystemen haben eine gewisse Komplexität und es braucht die ständige Reflexion, um zum einen in den jeweiligen Design Lenses und im Übergang zur nächsten Design Lense eine Orientierung zum Vorgehen (Lessons Learned Meta-Ebene) und zur Initiative (Lessons Learned Initiative), an der konkret gearbeitet wird, zu erhalten. Der Canvas hilft, das eigene Handeln und Lernen zu reflektieren, und ist in längeren Projekten deshalb auch während des Vorhabens zu empfehlen. Ergänzend kann mit dem Feedback-Capture-Grid ein Verbesserungs-Loop nach jedem Canvas angestossen werden.

Die Reflexionsübung hilft allen involvierten Teams:

- Erfahrungen im Projekt strukturiert zu sammeln und aufzuarbeiten.
- Aus den Erfahrungen zu lernen und diese für das nächste Projekt zu nutzen.
- Einen positiven Umgang mit Fehlern zu ermöglichen und gute Fortschritte zu würdigen.
- Die Erkenntnisse zu identifizieren, zu dokumentieren, anwendbar und schliesslich nutzbar zu machen.

Vorgehen

Das Feedback-Capture-Grid eröffnet die Möglichkeit, zu jedem Zeitpunkt den aktuellen Stand festzuhalten und die Lessons Learned zu nutzen, um die nächste Phase oder das nächste Vorhaben mit den realisierten Learnings anzugehen. Das Grid besteht aus vier Feldern, die es erlauben, neben den Sachen, die gut gelaufen sind, konstruktive Kritik aufzunehmen. Zudem gibt es Platz für offene Fragen und Ideen, die im Prozess und in der Zusammenarbeit entstanden sind.

MIR GEFÄLLT	ICH HÄTTE MIR GEWÜNSCHT
Dinge, die man mag oder bemerkenswert findet +	Konstruktive Kritik
? FRAGEN	IDEEN
Fragen, die sich aus der Erfahrung ergeben	Ideen, die sich aus der Erfahrung oder Präsentation ergeben

Mitglieder der jeweiligen Design- und Umsetzungsteams sind einig über Aktionen und Verbesserungen und setzen diese wie abgestimmt um.

TOOL ZUM DOWNLOAD
www.business-ecosystem-design.com/feedback

Retrospective Sailboat

Die „Sailboat"-Retro wird häufig in der SCRUM Methodologie im Rahmen der Reflexion eines Sprints angewandt. Dieses Vorgehen eignet sich ebenfalls sehr gut nach jeder Design Lense oder nachdem ein Schritt oder Teilprojekt abgeschlossen wurde. Zudem eignet es sich auch als „Manöverkritik" nach einer gemeinsamen Moderation eines Workshops, einer Co-Creation Session oder Dialogen mit potenziellen Akteuren für ein geplantes Business Ökosystem. Das Tool geht bewusst auf beschleunigende, hemmende und Umfeldfaktoren ein und es fördert zudem das „Failure-Mindset", bei dem Fehler nicht als Versagen angesehen werden, sondern als Chance, sich zu verändern und zu lernen.

Tool

Die Retrospektive hilft allen involvierten Teams:

- Interaktionen im Team und die Zusammenarbeit auf eine schnelle, zielgerichtete, wertschätzende und strukturierte Art und Weise zu verbessern.
- Zurückzuschauen, was gut lief und was verbesserungsfähig ist.
- Zu reflektieren, welche Faktoren veränderbar sind und welche zu akzeptieren sind.
- Eine positive Stimmung zu erzeugen, da alle Teammitglieder gehört werden und sich einbringen können, was wiederum das Mindset von selbstorganisierten Teams fördert.

Vorgehen

1. **Opening:** Stelle die Ziele und das Vorgehen der Retrospektive vor.
2. **Informationen sammeln:** Informationen auf Post-its sammeln und in entsprechende Felder des Sailboat-Templates kleben. Typische Fragestellungen: Was ist in letzter Zeit geschehen? Was war gut? Was gab Auftrieb (WIND)? Was ist im Team schlecht gelaufen und hat uns gebremst (ANKER)? Welche Gefahren und Risiken gibt es, die nicht in der Macht des Teams liegen (KLIPPEN)? (Z.B. Markt, neue Technologien, Konkurrenz) Welche gemeinsame Vision und Motivation hat das Team (INSEL)? Jeder liest seine Post-its vor.
3. **Erkenntnisse clustern und priorisieren:** Die wichtigsten Themen auswählen und vertiefen. Den Dingen hierbei auf den Grund gehen, d.h. Ursachen identifizieren, damit nicht nur die Symptome angegangen werden. Ziel ist, auch unangenehme Themen anzusprechen und die Grundlage für Verbesserungen zu schaffen.
4. **Massnahmen definieren:** Im letzten Schritt werden die Massnahmen formuliert, also dokumentiert, was konkret geändert oder in einer nächsten Iteration ausprobiert werden soll.
5. **Retro abschliessen:** Jeder sollte kurz Feedback über die Retro geben, z.B. mit einem Feedback-Capture-Grid. Letztendlich sollten alle mit einem guten Gefühl auseinandergehen.

RETRO-AGENDA

INFOS SAMMELN
Ziele und Vorgehen

ERKENNTNISSE
entwickeln

MASSNAHMEN
definieren

ABSCHLUSS
Feedback zur Retro

TOOL ZUM DOWNLOAD
www.business-ecosystem-design.com/retrospective

Feedback geben mit I like..., I wish...

Feedback wird in jeder Iteration und in jeder Design Lense benötigt. Es dient der Verbesserung von Prototypen, Storys und Geschäftsmodellen und gesamten Business Ökosystemen. **„I like“**, **„I wish“** (Ich mag...; Ich wünsche mir...) eignet sich auch besonders bei sensiblen Projekten. Durch das Aufrechterhalten einer positiven Grundstimmung entsteht eine partnerschaftliche Beziehung zwischen dem Feedbackgeber und -nehmer.
Es kann sowohl im Rahmen der Reflexion der Zusammenarbeit als auch für ein bestimmtes Ergebnis verwendet werden. Zum Beispiel: „Ich mag es, wie du uns dazu motiviert hast, noch eine weitere Kundenbefragung durchzuführen“ oder „Ich wünsche mir, dass nicht nur digitale Kanäle bedient werden sondern auch physische“.

Feedback in Form von I like, I wish hilft:

- Ein Feedbackritual zu verankern, in dem nur „I like, I wish“ zugelassen wird.
- Auch kleine Erfolge, die durch eine Iteration, einen Prototyp oder in einem Test erzielt wurden, wertzuschätzen.
- Die Reflexion als Basis einer kontinuierlichen Verbesserung zu machen.
- Feedback in schriftlicher und in gesprochener Form zu geben und zu erhalten.

Vorgehen

1. Regeln für Feedback klar kommunizieren und ermutigen, eine positive Grundstimmung zu halten.
2. Feedback notieren, sich dafür bedanken und es nutzen, um die Zusammenarbeit, Prototypen bis hin zu ganzen Business Ökosystemen zu verbessern.
3. Mit **„I wonder…“** (Ich wundere mich…) Raum für neue Ideen und Möglichkeiten schaffen.

Wichtig: Es sollte vermieden werden, als Feedbackempfänger eine Diskussion zu starten. So verändert sich die Stimmung und die positive Grundhaltung geht verloren. Durch die Anwendung dieses Werkzeugs soll persönliche Kritik vermieden und eine positive Grundstimmung aufrechterhalten werden.

Mir **GEFALLEN** die verschiedenen Interaktionsmöglichkeiten, die ein potentieller Kunde im Ökosystem hat.

Ich **WÜNSCHE** mir, dass auch Geo- und Standortdaten genutzt werden, um zu sehen, wo der Kunde sich aufhält.

Ich **WUNDERE** mich darüber, dass wir bislang noch nicht an einem Business Ökosystem partizipieren.

Jedes Feedback sollte als ein Geschenk gesehen werden. Wichtig ist, es so zu verpacken, dass eine positive Grundstimmung beibehalten wird.

TOOL ZUM DOWNLOAD
www.business-ecosystem-design.com/like-wish

Auf den Punkt gebracht!

Die ständige Reflexion über den gesamten Business Ökosystem Zyklus und nach den einzelnen Lenses hilft, auf verschiedenen Ebenen zu lernen. Zum einen auf der Ebene der konkreten Initiative und auch generell, wie mit den grossen Mindshifts und Paradigmenwechseln für weitere Initiativen oder in der Partizipation mit Business Ökosystemen umzugehen ist.

Die aktive Reflexion nach einzelnen Sprints und im Übergang in die nächste Design Lense unterstützt zudem das Team Building und hilft, bestehende Hürden schnell aus dem Weg zu schaffen, welche die Gesamtinitiative verzögern könnten.

Darüber hinaus können mit dem umfänglichen Reflexions Canvas einzelne Meilensteine in Bezug auf die genutzten Technologien, Leadership- und Governance-Konzepte festgehalten werden.

Auf der persönlichen Ebene hilft die Reflexion zu erkennen, inwieweit bereits neue Denkhaltungen angewandt werden und wo es noch Veränderungspotenzial gibt.

EINBLICKE IN LOKALE, NATIONALE UND INTERNATIONALE BUSINESS ÖKOSYSTEM-INITIATIVEN

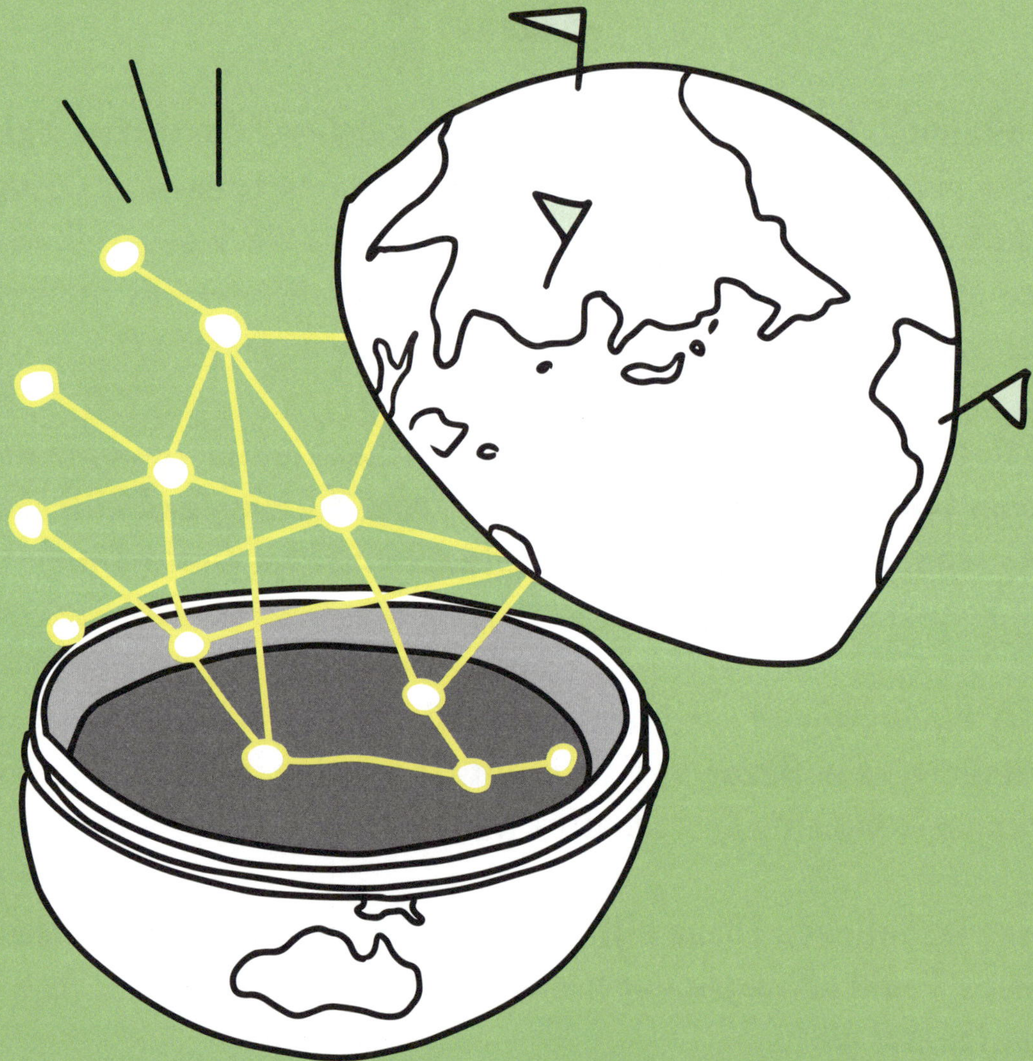

ÖKOSYSTEM-BEISPIELE

Ecosystem Design

Bis 2030 werden mehr als 1/3 der weltweiten Umsätze in Ökosystemen erwirtschaftet werden. Experten gehen davon aus, dass diese Evolution in Business Ökosystemen so weit geht, dass in ihnen über 100 verschiedene Wertschöpfungsketten konsolidiert werden. Ob dies am Ende in der Hand von wenigen grossen Unternehmen sein wird, die sich als Initiator von solchen Systemen sukzessive an den jeweiligen Akteuren finanziell beteiligen, oder ob solche gigantischen Systeme auch in dezentralen Strukturen existieren können, ist offen, wobei es sich aktuell eher abzeichnet, dass es einzelne dominante Marktteilnehmer aus den entsprechenden Industrien sind, die sich behaupten können. Zudem bleibt es spannend, zu beobachten, wie die Entwicklungen in den einzelnen Kontinenten verlaufen werden. Asien zeigt momentan die besten Voraussetzungen zu haben, im Bereich der Ökosysteme eine entscheidende Rolle einzunehmen. Insbesondere können in China Unternehmen wir Baidu, Alibaba und Tencent beobachtet werden, die ihre digitalen Geschäftsmodelle in ein stark auf Business Ökosysteme ausgerichtetes Vorgehen transformieren. Im Jahr 2020 machten bereits die drei chinesischen Unternehmen ungefähr 30% von Chinas GDP aus, was über 3 Trillionen Euro entspricht, Tendenz steigend. Zudem öffnen sich immer mehr traditionelle Unternehmen, um Wachstum und Kundenzugangsdaten mit einer Ökosystem-Strategie zu realisieren. In Asien gehören hier auch Unternehmen wie Ping An und DBS Bank (Financial Services) dazu. In Europa sind Initiativen von Daimler und BMW (Mobilität) oder der Schweizer Bahn (nachhaltige Mobilität) bekannt. Auf dem internationalen Parkett der Ökosystem-Orchestratoren bewegen sich Player wie Amazon und in den USA sind es zum Beispiel Initiativen von WeWork (Fokus auf Raum, Leben und Wohnen). Zudem gibt es unzählige nationale und lokale Initiativen wie Klara (KMU Services) und Cardossier (Lebenszyklus von Fahrzeugen), die ihre Wachstumschancen in einem nationalen Ökosystem-Play sehen. Viele dieser Initiativen haben ihr Geschäftsmodell auf Innovationsökosysteme sowie auf Daten- und Transaktionsökosystemen aufgebaut. Neben der Technologie ist es wichtig, das Kundenerlebnis aktiv zu gestalten. In diesem letzten Kapitel werden verschiedene Beispiele solcher Initiativen vorgestellt.

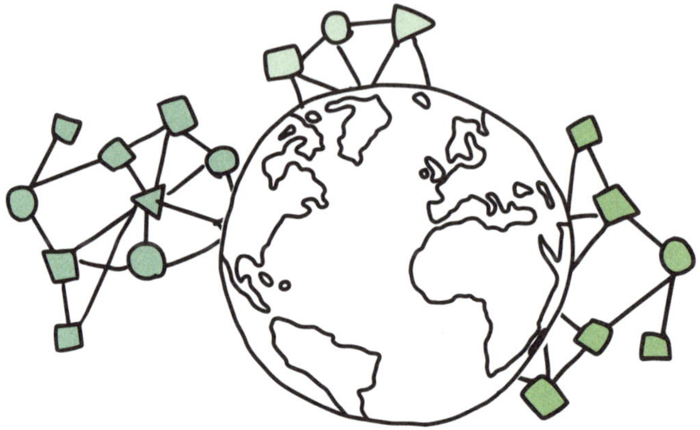

Unternehmen, die den evolutionären Gedanken von Business Ökosystemen verstanden haben, werden in Zukunft eine führende Rolle in Bezug auf ihre Unternehmensaktivitäten und Wachstum einnehmen.

Beispiele von Plattformen, Ökosystem-Orchestratoren und -Initiatoren

Snapshot Intiativen weltweit: 2020

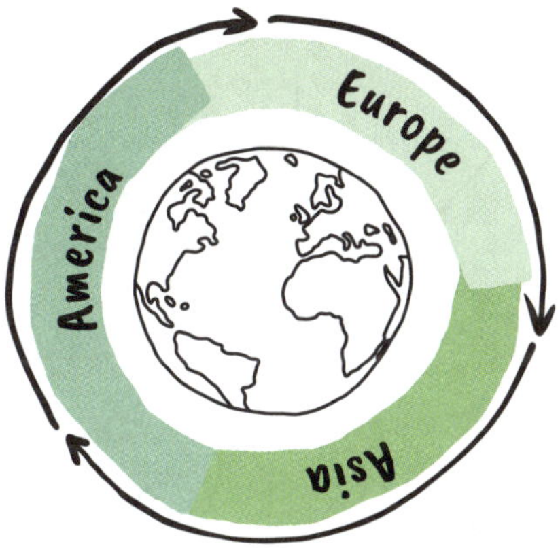

EUROPE

Unter den Top 50 Unternehmen in Europa gibt es bislang nur wenige Initiativen, die ein rein digitales Geschäftsmodell, Plattformgeschäftsmodell oder Business Ökosystem realisiert haben

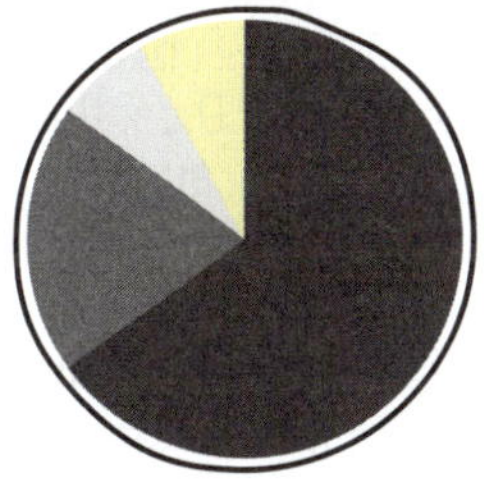

Global hat Europa gerade mal 5% der Marktkapitalisierung in den aktuell vorherrschenden Modellen der Plattform Economy.

AMERICA

Unter den Top 50 Unternehmen in den USA gibt es einen hohen Anteil an Initiativen, die ihr Geschäftsmodel auf hybriden oder rein digitalen Geschäftsmodellen aufgebaut haben.

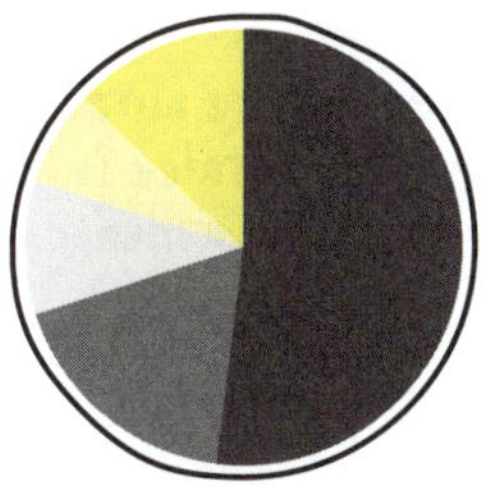

Apple, Google und Amazon nutzen die Möglichkeit für ein exponentielles Wachstum. Marktanteile von etablierten Firmen nehmen signifikant ab.

ASIA

Unter den Top 50 Unternehmen in Asien gibt es einen sehr hohen Anteil an Initiativen, die ihr Geschäftsmodell auf hybriden und zunehmend rein digitalen Geschäftsmodellen aufbauen.

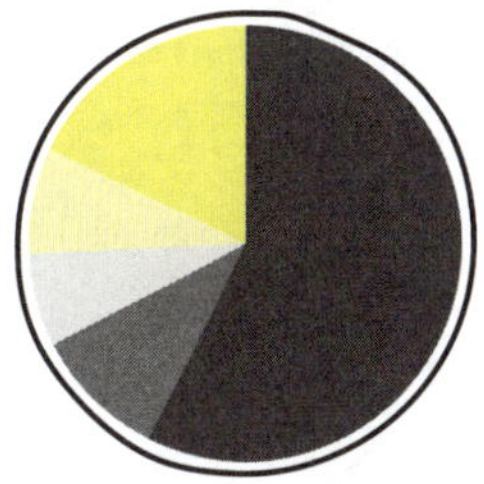

China weist aktuell fast 100 digitale Plattformen mit entsprechenden Business Ökosystemen aus, allen voran Unternehmen wie Alibaba.

LEGENDE:

Sachkapital | Finanzkapital | Humankapital | Geistiges Kapital | Ökosystem-Kapital

Tencent Group Ökosystem

Tencent hat in den letzten Jahren eine ganze Reihe an Business Ökosystemen initialisiert. Ursprünglich war Tencent ein Unternehmen, das sich auf den Gaming- und Entertainment-Markt konzentrierte. Die bekannteste Initiative von Tencent ist ein Ökosystem namens WeChat. Es gehört inzwischen zu den grössten Ökosystemen in Asien mit über 1,2 Milliarden aktiven Nutzern, welches neben der ursprünglichen Chat-Funktion inzwischen Payment (WeChat Pay), Online-to-Offline (O2O) Dienstleistungen (meitun.com) wie auch integrierte Online-Shopping (JD.com) -Möglichkeiten bietet. Tencent ist in der Orchestrierung des Ökosystems sehr stark darauf bedacht, dass die jeweiligen Akteure einen echten Beitrag zur Bedürfnisbefriedigung der Kunden beisteuern. Ziel ist es zum Beispiel, das WeChat Ökosystem zu einer zentralen Anlaufstelle für alle Konsumenten und alle Bereiche des täglichen Lebens zu machen. Hierbei handelt es sich meist um wiederkehrende Interaktion, wie zum Beispiel Chat (=ständige Interaktion), Taxi bestellen (=täglich), Arztbesuch koordinieren (monatlich). In gut überlegten strategischen Entscheidungen beteiligt sich Tencent finanziell an anderen Akteuren im System, insbesondere dann, wenn die Akteure wichtige Daten über Kunden erzeugen und diese zukünftig helfen, eine 720-Grad-Sicht auf jeden einzelnen Kunden oder Nutzer der Dienstleistungen und Erfahrungen zu erzeugen.

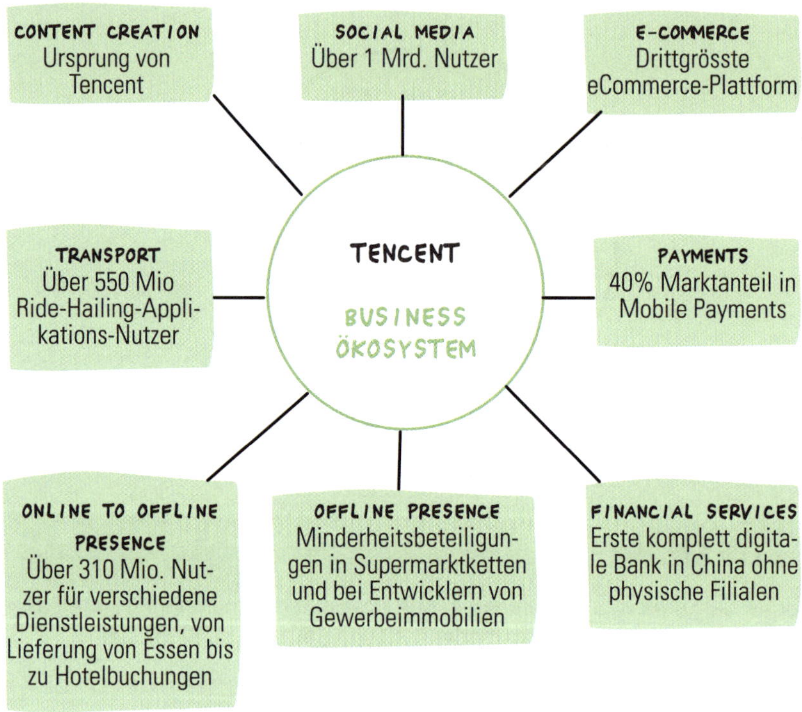

Das Business Ökosystem der gesamten Tencent Gruppe nutzt verschiedene Kundenzugänge, diese reichen von rein digitalen Interaktionen zu Online-to-Offline Ecosystem Journeys für Kunden.

Erfolgsfaktoren

- Eine einfache Mission (Kompass für Entscheidungen): „Verbesserung der Lebensqualität der Menschen durch digitale Angebote."
- Gründergeführtes Unternehmen
- Diversifiziertes Portfolio und stetige Erweiterung der Value Proposition
- Innovation nach sechs Prinzipien: Agilität, Offenheit, Customer-First, Geschwindigkeit, Resilience und Evolution
- Aktive Gestaltung von Business Ökosystemen

ILLUSTRATIV

Konfiguration von Tencent (Geschäftsmodell/Kapital)

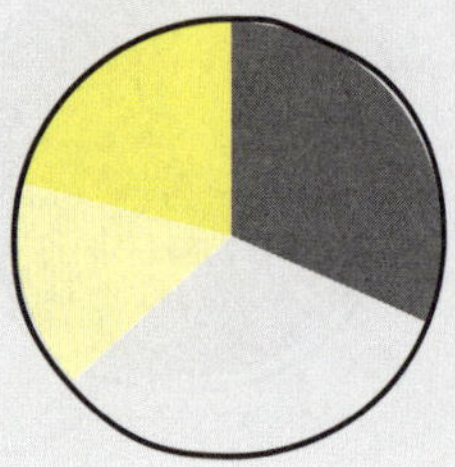

LEGENDE:

Sachkapital | Finanzkapital | Humankapital | Geistiges Kapital | Ökosystem-Kapital

Tencent: WeChat Ökosystem

WeChat ist in vielerlei Hinsicht spannend und es würde ein weiteres Buch füllen, im Detail zu beschreiben, wie sich die Value Proposition von WeChat über die Zeit weiterentwickelt hat. WeChat zeigt zudem eindrucksvoll, wie durch Kundenzentrierung, einer schrittweisen Erweiterung der Funktionen und Erfahrungen mit MVPs und MVEs ein Ökosystem gebaut werden kann, das exponentiell wächst und so aktuell mit über 1,2 Milliarden aktiven Nutzern jeden Monat Transaktionen durchführt. Die Interaktion mit den Nutzern findet in Form von mehr als einer Million Mini-Programmen statt, auf denen sich täglich 400 Millionen aktive Nutzer tummeln (Stand 2020). Hierfür übernimmt WeChat die Governance von 1,5 Millionen Third-Party-Softwareentwicklern und 60.000 Service Providern.

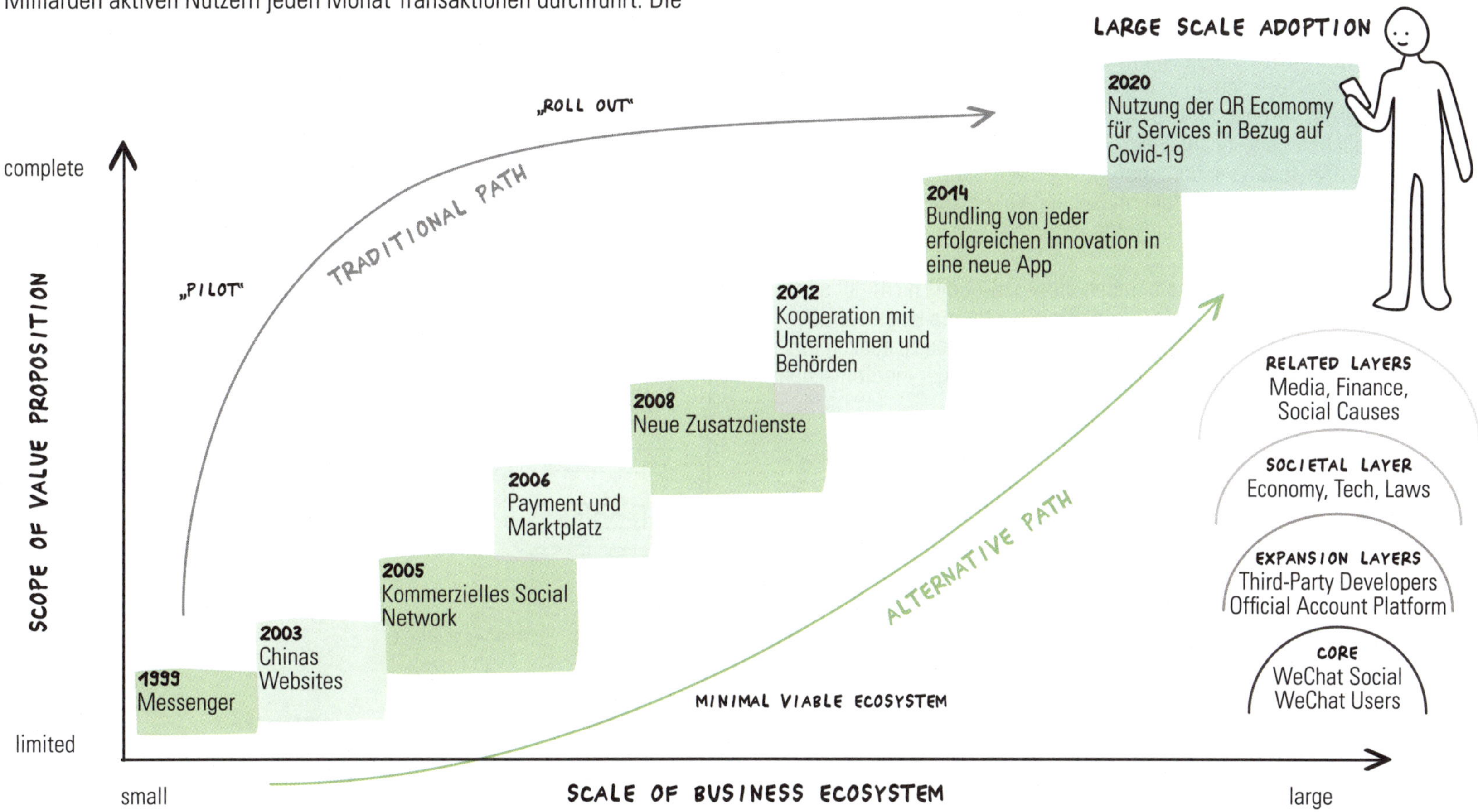

Exkurs: Covid-19 & WeChat Ökosystem

Besonders eindrucksvoll hat sich die Umsetzungsgeschwindigkeit von neuen Funktionen und Erfahrungen von WeChat und seinem Ökosystem in der Covid-19-Pandemie gezeigt. Während in Europa jeder einzelne Staat an einer App, mit einer Funktion zum Tracking von Covid-19 bastelte, nutzte China u.a. das WeChat Ökosystem, um verschiedene Aktivitäten zu koordinieren. Insgesamt wurden über 100 neue Miniprogramme mit Bezug zu Covid-19 integriert.

Hierbei spielte die QR-Code-Economy eine entscheidende Rolle. Damit wird im WeChat Ökosystem eine digitale Verbindung zwischen Menschen, Dingen und Orten hergestellt. Die Funktion ist denkbar einfach, mit benutzerfreundlichen Code-Scans innerhalb des WeChat-Ökosystems können verschiedene Transaktionen durchgeführt werden. Die Basis für dieses vernetzte System besteht aus dem offiziellen WeChat-Benutzerkonto, Miniprogrammen, WeChat Pay und WeChat Work.

Während der COVID-19-Pandemie haben diese QR-Codes nicht nur dazu beigetragen, einen reibungslosen Informationsaustausch zu gewährleisten, sondern auch die Kosten für die Pandemieprävention zu senken und eine optimale Allokation von zum Beispiel Ressourcen der medizinischen Versorgung zu steuern.

„Tencent Health Codes" wurden von 1 Milliarde Menschen heruntergeladen und während der ersten Welle der Pandemie in China (Januar bis Mai 2020) insgesamt mehr als 9 Milliarden Mal angewandt, mit über 26 Milliarden Besuchen der Nutzer in den entsprechenden Miniprogrammen.

Im gleichen Zeitraum wurden im WeChat-Ökosystem mehr als 10 Milliarden Yuan in Form von WeChat-Lohnausgabegutscheinen von den Kommunalverwaltungen angekündigt oder verteilt, was effektiv dazu beigetragen hat, die Ausgaben anzukurbeln und KMUs zu unterstützen.
In kürzester Zeit kamen 800 gesundheitsbezogene Miniprogramme hinzu und die Anwenderzahl stieg um 347%. Mehr als 1.000 Krankenhäuser bearbeiteten 130.000 Gesundheitsanfragen über die Funktionen von WeChat Work.

Eindrucksvoll ist auch die Adaption und Nutzung der „WeChat Work's multi-person conferencing tools" von Januar bis Mai 2020. Der Service wurde 220 Millionen Mal genutzt, um remote zu arbeiten. Zudem nutzen ein Fünftel der Schulen in China We Chat Work, um insgesamt 50 Millionen Eltern und ihre Kinder zu erreichen.

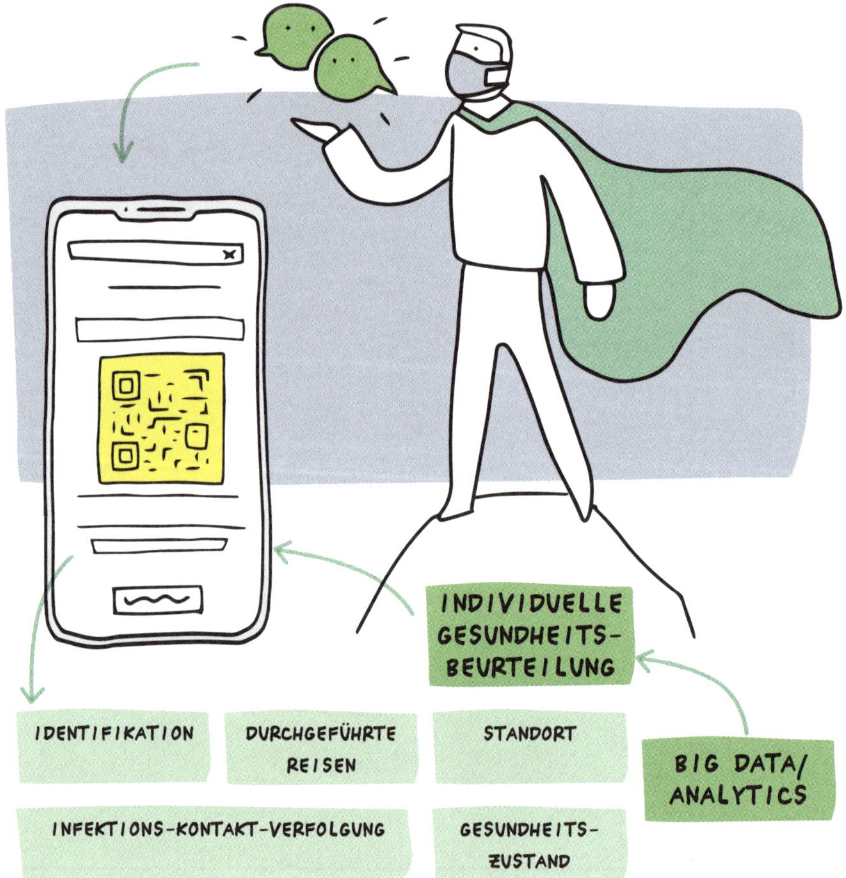

Alibaba Group Ökosystem

Der Aufstieg von Alibaba begann mit dem Boom der Smartphones in China. Die bereits führenden e-Commerce-Plattformen erkannten diese Marktopportunität und machten es den Konsumenten so einfach wie möglich (mit einem Klick), die Waren zu beziehen. In kürzester Zeit wurden mehr Transaktionen auf den mobilen Endgeräten durchgeführt als auf den bestehenden Marktplätzen. Während im Jahr 2010 die Durchdringung noch bei unter 15% lag, so werden heute mehr als 90% der Waren mobil bezogen.

Die zweite grosse Transition für Alibaba kam im Jahr 2014. Neue Technologien erlaubten es, einfache P2P-Geldüberweisungen durchzuführen. Der Konkurrent Tencent lancierte die Funktion WeChat „Red Envelop", worauf Alibaba mit Alipay rechtzeitig zu Chinese New Year an den Start ging. Beide Dienste erlauben es dem Nutzer, kleine Geldbeträge in Form von roten chinesischen Umschlägen (Hongbao) an andere zu senden. Diese Killer-Funktion änderte radikal die Art und Weise, wie Kunden die Möglichkeit des virtuellen Geldtransfers von kleinen Beträgen nutzten. Durch Netzwerkeffekte und skalierbare Infrastruktur wuchs das mobile Zahlungsvolumen exponentiell an. Mit Ant Financials deckt Alibaba viele Bereiche ab von der Vermögensverwaltung über Versicherungen bis hin zu Krediten und Kreditbewertungen.

Erfolgsfaktoren

- Einzigartiges Geschäftsmodell
- Unkonventionelles Profit-Modell
- Zuverlässiges Bewertungsmodell der Akteure
- Support Services für bessere Kundenzufriedenheit
- Hohe Sensibilität für neue Marktopportunitäten
- Neue Transaktionsmodelle (z.B. C2B und O2O)
- Ganzheitlicher Business Ökosystem-Ansatz

Konfiguration von Alibaba (Geschäftsmodell/Kapital)

ILLUSTRATIV

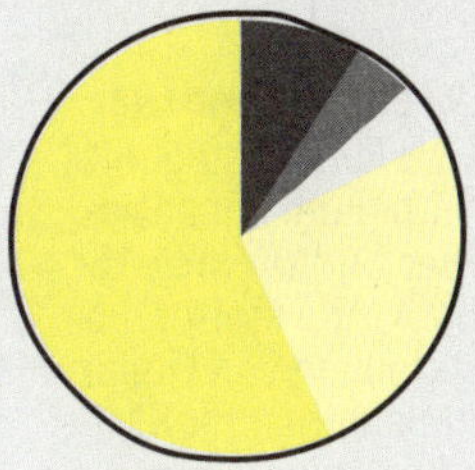

LEGENDE:

Sachkapital | Finanzkapital | Humankapital | Geistiges Kapital | Ökosystem-Kapital

Alibabs ANT Financial Ökosystem hat zum Beispiel eine andere Ökosystem-Strategie als Tencent, das sich weitgehend auf eindimensionale Partnerschaften für massgeschneiderte Versicherungslösungen über ihre Online-Versicherungsagentur WeSure entschieden hat.

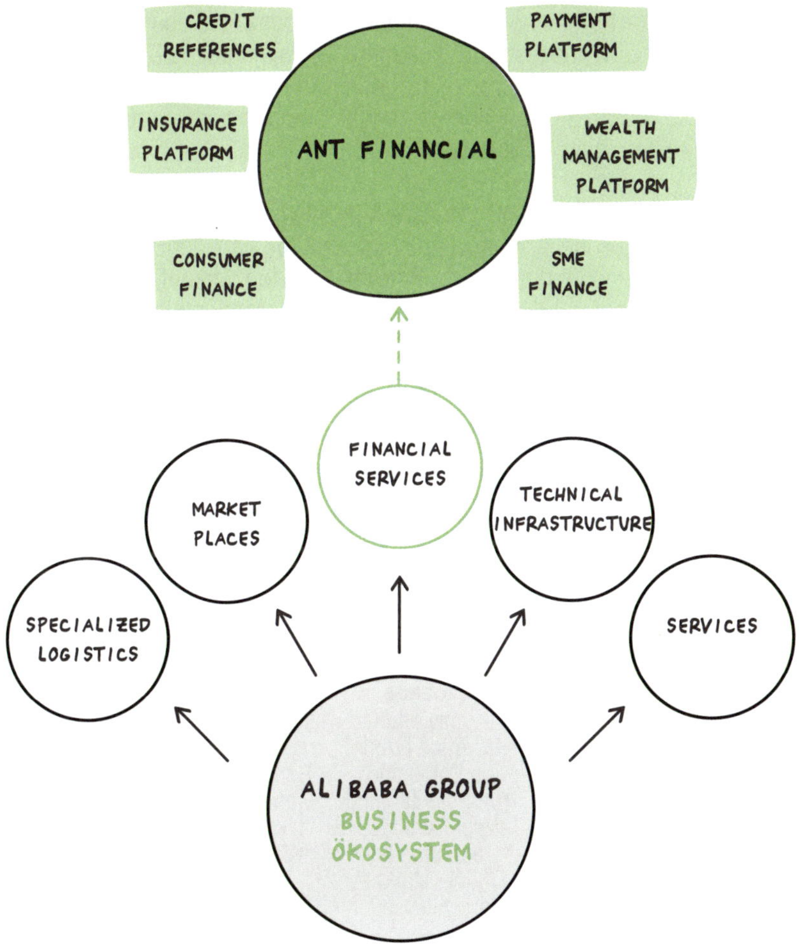

ANT FINANCIAL

Ant Financial kann der Fintech-Arm von Alibaba bezeichnet werden. Besonders interessant ist das Sub-Business Ökosystem Ant zu analysieren, da in diesem System Daten eine entscheidende Rolle spielen. Das Business Ökosystem verfügt über Petabytes von Daten, die von den Kunden und Nutzern grösstenteils kostenlos zur Verfügung gestellt werden. Andere Plattformen wie Google oder Facebook sind ebenfalls gut mit Daten von Nutzern ausgestattet, kommen aber nicht an die Dimensionen, die Ant anvisiert. Kein anderer Tech-Gigant hat die gleiche Reichweite und Tiefe bei Daten aus mobilen Zahlungen und den damit verbundenen Offline-Diensten wie ANT Financial.

Diese Daten sind so wertvoll, weil sie Aufschluss über das Verhalten der Nutzer bis hin zu sogenannten Live-Events (Heirat, Familienzuwachs, Erbschaft etc.) geben, die das grösste Potenzial für den Verkauf von Produkten haben. Alibaba hat mit diesen Daten einen umfassenden Einblick in das Verhalten der Nutzer. Auf dieser Basis gestaltet, strukturiert und bietet Ant massgeschneiderte Finanzdienstleistungen an, von Hypotheken bis hin zur Vermögensverwaltung und auch Versicherungen. Neue Technologien und intelligentes Business Ökosystem Design machen es möglich, heute die Ideen von Allfinanzdienstleistern aus den 1990er-Jahren erfolgreich mit Leben zu füllen.

Die Nutzung von Daten geht aber inzwischen bei Ant und anderen Ökosystemen über die reine Distribution von Allfinanzangeboten hinaus. Mittels KI werden zum Beispiel neue Prämienmodelle für die Versicherungsnehmer entwickelt und zugleich mittels intelligenter Bilderkennung und strukturierter Schadensdaten blitzschnell Beurteilungen zu Versicherungsfällen abgewickelt.

In anderen Bereichen setzt Ant auf andere Enabler-Technologien. So wurden weitestgehend klassische Passwörter mit biometrischen Daten ersetzt. Neue Technologien erlauben es, die Identifikation auf der Grundlage von Gesichts-, Netzhaut- und Fingerabdruckscans durchzuführen, was die Convenience für den Nutzer erheblich steigert. Auf diese Weise hat Ant Insurance mittlerweile über 400 Millionen Versicherungsnehmer in den Bereichen Life, Non-Life und in anderen Versicherungsprodukten für sich gewinnen können.

Ant Financial ist ein gutes Beispiel, wie ein Business Ökosystem mithilfe neuster Technologie und Ökosystem-Leadership exponentiell wachsen kann. Durch externe Faktoren wie Covid-19 haben sich die Kundenbedürfnisse nochmals verändert und so wird in Zukunft mit hoher Sicherheit noch mehr Interaktion in virtuellen Welten stattfinden. Und so erstaunt es nicht, dass andere Ideen zur Erweiterung der Value Proposition seit 2020 in Richtung personalisierte Medizin gehen.

2004	2007	2011	2013	2014	2016	2018	2020
ALIPAY FOUNDED	**>50 MIO USER** China hat zu diesem Zeitpunkt nur 30 Mio. Kreditkartennutzer.	**PAYMENT LICENSE** Alipay erhält Payment Lizenz in China und führt die Zahlung per Barcode ein, um den Offline-Markt zu erschliessen.	**YU'E BAO FOUNDED** Neue Angebote von Alipay im Bereich Wealth-Management und Lancierung der Wave Payment Technologie.	**ANT FINANCIAL** Alipay wird in Ant Financial umbenannt. Gründung der Finanzinformationsplattform Zhao Cai Boa.	**SERIES B FUNDING** Serie B Fundraising mit 4,5 Mrd. Euro (Finanzierung der Serie A in 2015). Mybank App startet die Bereitstellung von Finanzdienstleistungen für KMUs und Einzelpersonen.	**$150 MRD. VALUATION** Beschaffung von 14 Mrd. Dollar, grösste Einzelfinanzierung durch ein privates Unternehmen mit einer Bewertung von 150 Mrd. Euro. Einführung von AlipayHK und Gcash für grenzüberschreitende Überweisungen.	**IPO** Vorbereitungen für den Börsengang von Ant Financial

Die offene Business Ökosystem-Strategie von Ant Financial

Die Ant Business Ökosystem-Strategie setzt bewusst auf Co-Competition. So wird das offene System ebenfalls anderen Finanzinstitutionen zur Verfügung gestellt. Durch diesen Ansatz können das Systemdesign und die Technologie von verschiedenen Finanzakteuren genutzt werden, die damit ebenfalls auf die neuen Bedürfnisse der Kunden eingehen können. Diese Öffnung ermöglicht Ant, ganz neue Wertströme zu realisieren, die zunehmend mehr Einnahmen als die klassischen Finanzdienstleistungsgeschäfte erwirtschaften. Ant erweitert dadurch geschickt die Aktivitäten im Business Ökosystem und stellt Technologiedienstleistungen für Banken und Versicherungen ins Zentrum der Wachstumsstrategie. Diese Strategie zahlt sich aus, Ant hat Stand 2020 eine Kapitalmarkt-Bewertung von mehr als 150 Mrd. Euro. Ant macht sich zudem mit dieser Ökosystem-Strategie unabhängig von klassischen Provisions- und Transaktionsgeschäften und setzt auf die höheren Margen in der Bereitstellung von Technologie. Nach Angaben von Alibaba haben Alipay und verbundene Organisationen rund 1,2 Milliarden aktive Nutzer pro Jahr, von denen 900 Millionen in China leben.

Wealth Management Firmen haben zum Beispiel die Möglichkeit, auf Ant Fortune Pensionsfonds anzubieten. Als Akteur im Ant Business Ökosystem wird ihnen zusätzlich die Möglichkeit geboten, Zugriff auf datenbasierte Analysen über Zielkunden zu haben und KI-basierte Dienstleistungen wie automatisierte E-Broschüren für die jeweiligen Kunden und Segmente zu publizieren. Ant ist ein Paradebeispiel für die Möglichkeiten von offenen Business Ökosystemen, in denen das Fin-Tech sowohl Initiator als auch Akteur des eigenen Ökosystems und der bereitgestellten Plattform ist.

Globalisierungsstrategie des Business Ökosystems

Längerfristig konzentriert sich Ant darauf, seine Präsenz weltweit auszubauen, um zu skalieren. Ziel ist, dass Kunden zukünftig die Möglichkeit haben, weltweit einzukaufen und Gelder zu transferieren.

Business & Daten Ökosystem

Ant versteht sich als „Super App", die eine Vielzahl von Funktionen subsumiert. Auch hier spielen Daten eine zentrale Rolle, um zum Beispiel Anbietern in Form der Ant Marketing Plattform Zugang zu gewünschten Kundengruppen zu ermöglichen, Aktionen via Coupons bereitzustellen, schnelle, einfache und kostengünstige Bezahlmöglichkeiten zu nutzen, um schliesslich mehr über den Kunden und sein Verhalten zu erfahren. Durch Geolocation werden dem Kunden, sobald er in einer Region, einem Ort oder in einem Laden ist, entsprechende Push Notifikationen geschickt. Für Touristen, die im Ausland einkaufen, ermöglicht die App eine Funktion für den automatischen Tax-Refund. Ebenfalls eröffnet die App die Möglichkeit, via Social Sharing besondere Einkaufserlebnisse zu teilen.

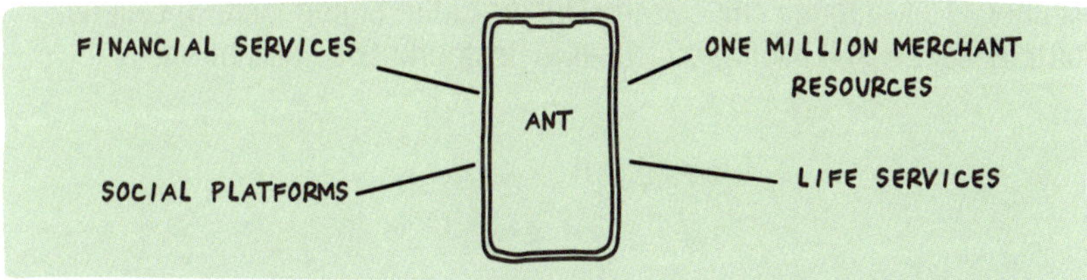

Sobald die Transaktionsdaten aus der Wallet von Alibaba verfügbar sind, kann Ant entsprechend den Risikoprofilen der Kunden passende Finanzprodukte anbieten. Diese helfen in Echtzeit, die Kreditwürdigkeit zu prüfen, am POS kleine Kredite bereitzustellen bis hin zu Angeboten für Money-Market-Funds. Inzwischen nutzen fast 70% der Chinesen zum Beispiel den „Sesame Score" als Kreditranking, um im Gegenzug Zugang zu personalisierten Finanzprodukten zu erhalten.

„Wenn man ein Netzwerk von Partnern hat, die alle auf demselben Technologie-Stack sitzen, ist die Interoperabilität kein Problem. In Zukunft kann jemand, der die philippinische Version von Alipay verwendet, nach Hongkong kommen und in jedem Geschäft einkaufen, das Alipay akzeptiert. Das ist die Vision." - Joseph Tsai, CEO Ant

Beispiel von Black-Ocean-Strategien im Bereich papierloses Bezahlen

China liegt im Bereich des mobilen Bezahlens vor allen anderen Regionen auf der Welt, wobei etwa 47 Prozent der Smartphone-Besitzer eine digitale Wallet nutzen. WeChat und Ant dominieren mit ihrer Black-Ocean-Strategie.

Zusätzlich ist in China geplant, das QR-Code-Zahlungs-Ökosystem vor Ende 2021 mit einem universellen Code zu verbinden, was das exponentielle Wachstum nochmals beschleunigen wird. Insbesondere weil die Black-Ocean-Player bereits ihre Value Proposition in die QR-Economy in den letzten Jahren ausgebaut haben.

AI-Technology erlaubt inzwischen zudem die Bezahlung per Gesichtsscanner, die besonders bei Jugendlichen in China beliebt ist. Anfang 2020 gab es über 110 Millionen chinesische Nutzer, die in Supermärkten, Lebensmittelgeschäften, Einkaufszentren und Restaurants so bezahlten.

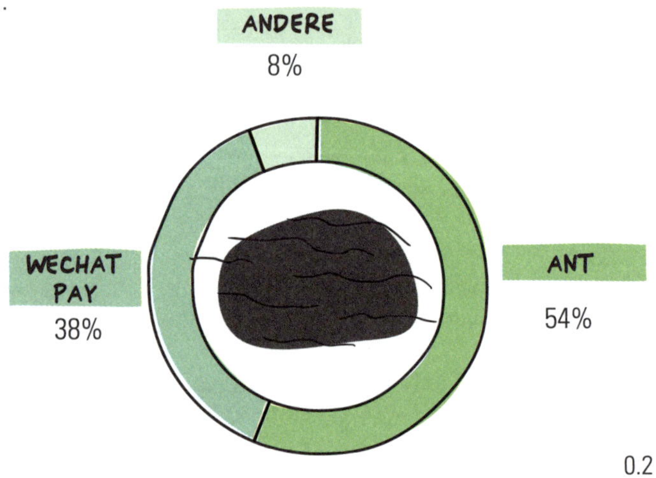

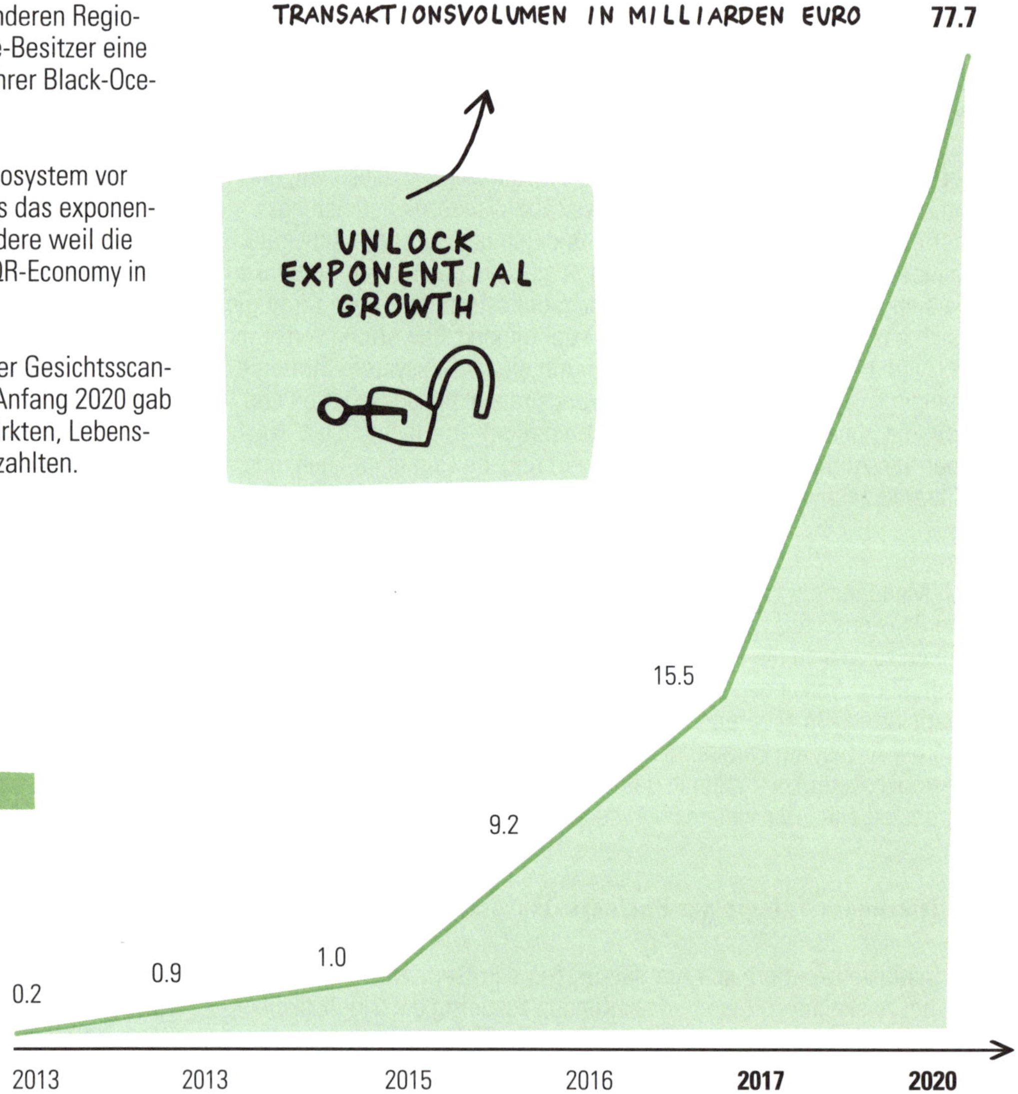

Ping An Ökosystem

Die Firma Ping An hat ebenfalls die Rolle eines Business Ökosystem-Orchestrators in China eingenommen. Die Versicherung hat längst das klassische Modell vom reinen Verkauf von Versicherungen verlassen und konzentriert sich zusätzlich mit seinem Angebot auf die Themenfelder Gesundheit, Wohnen und Mobilität. In diesen Themenfeldern wurden Produkte und Dienstleistungen mit anderen Partnern im Business Ökosystem entwickelt, wie zum Beispiel „Ping An Good Doctor", „Autohome" und „Ping Haofang". Ping An gründet hierfür zum einen eigene Tochtergesellschafen und orchestriert zum anderen eine Reihe von Akteuren, die zur Erstellung der Value Proposition beitragen. Ähnlich wie beim WeChat Ökosystem versucht Ping An, in ihrem Ökosystem die Frequenz an Interaktionen durch verschiedene Kanäle zu erhöhen. So besuchen bis zu 30 Mio. Kunden die Plattform „Autohome" für den An- und Verkauf von Autos, was zugleich potenzielle Kunden für Finanzierungs- und Versicherungsangebote sind. Das Immobilien-Ökosystem von Ping An ist zu einer zentralen Anlaufstelle für alles geworden, was mit dem Kauf und der Finanzierung von Immobilien zu tun hat. Features wie eine Vermietungsplattform von Kunden zu Kunden helfen, neue Kundenzugänge zu generieren, die unmittelbar durch einen Direktvertrieb für Hypotheken, Vermögensverwaltungsprodukte und Versicherungen bedient werden. Im Bereich Gesundheit agiert Ping An mit einem der grössten Netzwerke an Ärzten in China, die online zur Verfügung stehen. Die Kombination aus Online-Beratung, Bestellfunktion von Medikamenten und physischen Krankenhäusern überzeugt Patienten mit einer einzigartigen Value Proposition, die von einem einzelnen Marktteilnehmer nicht erbracht werden könnte. Insbesondere die Online-2-Offline Fähigkeit macht das System einzigartig. Durch die Menge und Vielfalt an Daten aus Kundeninformationen, Verhaltensweisen, Präferenzen zu bestimmten Brands ist es für Ping An möglich, zukünftige Produkte besser auf die Bedürfnisse der Kunden abzustimmen, bestimmte Live-Events von Kunden vorherzusagen, bessere Produkt und Service Bundles zusammenzustellen und schliesslich aufgrund der Daten Themen wie Prävention und Missbrauchsfälle zielgerichtet anzugehen. Zudem sind die Daten zu einer Einnahmequelle geworden, da Datensätze in der Kombination „Gesundheit, Wohnen und Mobilität" besonders aussagekräftig sind. Auch Ping An erweitert ähnlich wie Tencent und Alibaba ihr Angebot mit Sub-Ökosystemen, so zum Beispiel im Bereich Health mit privaten Kliniken und Health Cloud Lösungen.

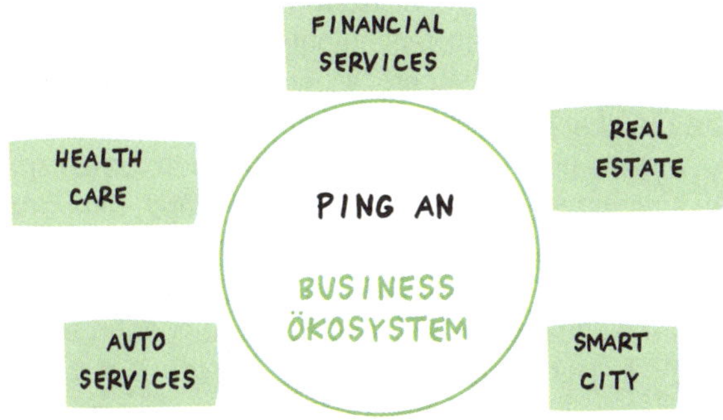

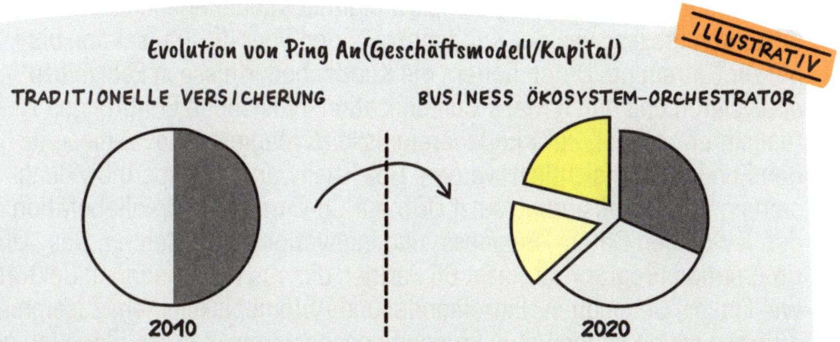

Erfolgsfaktoren

- Fokus auf ein Business Ökosystem, das über den Verkauf von Versicherungen hinausgeht
- Fokus auf die Bedürfnisse von Kunden und Kundenerlebnisketten
- Nutzung von bestehenden und neuen Daten für Produkt- und Dienstleistungsinnovationen
- Investitionen in künstliche Intelligenz und Prozessautomatisierung
- Aktive Rolle als Business Ökosystem-Initiator und -Orchestrator mit Fokus auf die Monetarisierung von Daten und neuen Dienstleistungen.

LEGENDE:

Sachkapital | Finanzkapital | Humankapital | Geistiges Kapital | Ökosystem-Kapital

DBS Bank

DBS Bank (Singapur) hat es geschafft, durch eine kontinuierliche Transformation von einer traditionellen Bank zu einem digitalen Ökosystem-Player zu transformieren. DBS setzt auf Daten, künstliche Intelligenz und Maschine Learning, um zu skalieren. Gleichzeitig besitzt die Bank Fähigkeiten, die es ihr erlauben, mit neuen Technologien zu experimentieren. Als eine der ersten Banken wird DBS einen Technologie-Shift durchführen und von einer Private Cloud auf ein Mulit-Cloud-Modell umstellen, das es DBS erlaubt, die Vorteile beider Ansätze zu kombinieren. Daten spielen für die DBS hierbei eine entscheidende Rolle. Ziel ist, durch Big Data Analytics bessere Erkenntnisse zu gewinnen, welche die Kundenerfahrung verbessern und die Möglichkeit bieten, neue Produkte und Dienstleistungen zu entwickeln. Die Value Proposition von DBS ist eindeutig:

„LIVE MORE, BANK LESS"

Hierbei setzt DBS auf neue, komplett digitale Kundenerlebnisse für den gesamten Prozess von der Kundenakquisition über die Transaktion bis hin zur Betreuung. Daten helfen, die Kundenbedürfnisse in Echtzeit zu analysieren und durch Mass-Customization individuelle Erfahrungen zu realisieren. Ziel ist, auf Kundenereignisse zu reagieren, bevor diese für den Kunden offensichtlich werden. Das Stichwort ist „Hyperindividualisierung". Zur Realisierung setzt DBS auf Co-Creation und Kollaboration in den jeweiligen Daten-, Business- und Innovationsökosystemen. Das „DBS Co-creation Program" umfasst 65 Partner, die aus verschiedenen Sektoren wie Finanz, Gesundheit, Einzelhandel und Automobil kommen. Zusammen arbeiten sie an neuen Value Propositions, basierend auf den aktuellen und neuen Kundenbedürfnissen. Die jeweiligen Ökosystem Design Leader bei DBS kommen aus den unterschiedlichsten Branchen und meist von Technologiefirmen, die sich bereits in einem Ökosystem-Play behauptet haben. Klassische Banker und Branchenexperten sind nicht unter ihnen zu finden. Das „Transformation Wheel" von DBS setzt auf:

1. Alles automatisieren
2. Leistungsstarke Teams entwickeln
3. Organisieren für den Erfolg
4. Wechsel von „Projekt" zu „Plattform"
5. Gestaltung von modernen Systemen

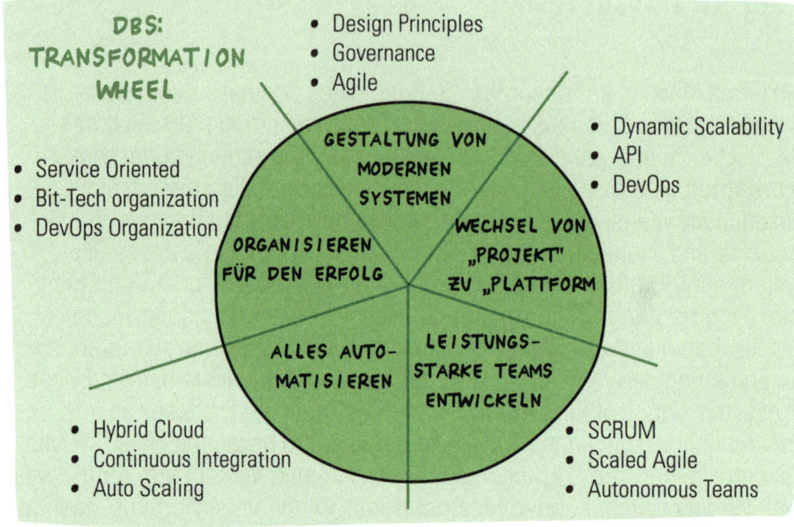

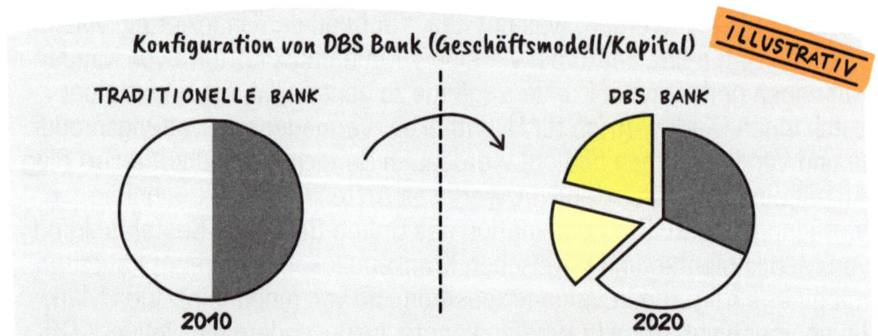

Erfolgsfaktoren

- Fokus auf eine „Hyperindividualisierung" in der Kundeninteraktion
- Fokus auf die Bedürfnisse von Kunden und Customer-Ecosystem-Journeys
- Generierung von neuen Daten für Produkt- und Dienstleistungsinnovationen
- Investitionen in künstliche Intelligenz und Prozessautomatisierung
- Aktive Rolle als Business Ökosystem-Initiator und -Orchestrator mit Fokus auf Lebensbereiche ausserhalb der klassischen Bankgeschäfte.

LEGENDE:

Sachkapital | Finanzkapital | Humankapital | Geistiges Kapital | Ökosystem-Kapital

Fähigkeiten von DBS für ein digitales Geschäftsmodell

Während DBS in der Vergangenheit Customer Journeys entwickelt und bestehende Touchpoints verbessert hat, so konzentriert sich die Bank heute darauf, für den Kunden unsichtbar zu werden. Die Bank verschwindet im Bewusstsein, aber die Dienstleistungen aus der einzigartigen Value Proposition binden die Bank mit dem Kunden um ein Vielfaches.

Für die Realisierung dieser Vision nutzt DBS fünf Fähigkeiten:

1. **Aquire:** Kundenakquisition durch eine erweiterte Distribution. Abkehr von physischen Filialen und Kundenbetreuern hin zu digitalen Marketingkanälen und Social Media.
2. **Transact:** Eliminierung von Papier und physischen Formularen hin zu eFormularen, eStatements und digitaler Kontoeröffnung bis hin zu One-click-Prozessierung von Aufträgen oder End-to-end-Automatisierungen.
3. **Engage:** Datenbasierte Interaktion mit dem Kunden in Form von individuellen Reports, Auszügen und bedürfnisgerechter Kundenansprache.
4. **Ökosysteme:** Initialisierung und Partizipation in Business Ökosystemen zur Erbringung von umfassenden Leistungen für den Kunden. Schnelle Anbindung mit verschiedenen APIs und Reaktionen auf veränderte Kundebedürfnisse.

5 Kernfähigkeiten digitales Geschäftsmodell DBS

ACQUIRE	TRANSACT	ENGAGE
• Erhöhung der Kundenakquise durch eine erweiterte Distribution • niedrigere Akquisitionskosten	• Eliminieren von Papier, sofortige Abwicklung realisieren • Kostenreduktion	• Lock-in bei Kunden erhöhen aufgrund von Bedürfnissen, Cross-Selling durch kontextbezogenes Marketing realisieren. • Einnahmen pro Kunde erhöhen

Ökosysteme: „Pipes to platforms"

Daten: „Be insights driven"

The winner over the next 10 to 12 years will be people who have been able to build nimbleness, flexibility, adaptability, and responsivenss into their way of working. - Piyush Gupta, DBS CEO (2018)

Neue Priorisierung von KPIs bei DBS

50% Traditionelle KPIs • Shareholder • Kunden • Mitarbeitende	**50% Traditionelle KPIs**
	20% Making Banking Joyful • Beschleunigung Digitalsierung • Glückliche Kunden und Mitarbeitende durch „Kunden-Erlebnisse" • Value Capture durch Digitalisierung
50% Strategie • Geographie • Regulation • Gesellschaft • Enablers	**30 % Strategie**

DBS hat zu den etablierten KPIs die aktuelle Mission zu einem Teil der Erfolgsfaktoren gemacht. Diese KPIs stellen den Kern der digitalen Transformation dar und machen 20% vom gesamten Scorecard Value aus. Viele der Erlebnisse und Funktionen, die für Kunden im Rahmen von Design Thinking und ersten MVPs entwickelt werden, haben einen Bezug zu Business Ökosystemen und erweiterten Value Propositions. Fokus liegt hierbei auf der zunehmenden Anzahl an Kunden, die mehrheitlich digital bedient werden sollen.

DBS agiert wie ein Start-up. Der Unterschied ist jedoch, dass es über 26.000 Mitarbeitende hat.

Amazon

Amazon ist ein Paradebeispiel eines Unternehmens, das sich evolutionär zu einem dominanten Business Ökosystem-Orchestrator entwickelt hat. Die digitale Reise von Amazon hat 1995 damit begonnen, bestehende Prozesse zu digitalisieren (Online-Verkauf von Büchern). Als nächsten Schritt hat Amazon auch die Inhalte digitalisiert (z.B. ebooks und Kindle Format). Aus der Stärke dieses Markplatzes hat es Amazon geschafft, heute in vielen Bereichen alle Arten von physischen und digitalen Produkten, Dienstleistungen bis hin zu B2B Services bereitzustellen. In den letzten Jahren hat sich Amazon verstärkt auf die Gestaltung und Realisierung von ganzen Business Ökosystemen konzentriert, in denen durch eine multidimensionale Betrachtung der Geschäftsmodelle und die Definition von neuen Wertströmen neue netzwerkartige Wertschöpfungsstrukturen entstanden sind (z.B. Amazon Cloud Services). Zudem versteht es Amazon, durch spezielle Anreize (z.B. Amazon Prime) die Kunden eng zu binden, sodass diese mehr Zeit auf den inklusiven Angeboten von Amazon verbringen. Dieser Anker-Effekt wirkt zugleich überdurchschnittlich, da Prime-Kunden in der Regel doppelt so viel für andere Angebote von Amazon ausgeben wie reguläre Kunden. Jedes Geschäftssegment von Amazon positioniert sich mit einer passenden Value Proposition beim Kunden. Zum Beispiel Amazon Kindle, wo der Konsument zugleich auf der Amazon Fire-Plattform eine breite Palette an Produkten und Dienstleistungen konsumieren kann, die zum Amazon-Portfolio gehören. Darüber hinaus kann die Fire-Plattform auch dazu verwendet werden, andere Produkte und Dienstleistungen ausserhalb des Amazon-Ökosystems zu konsumieren, wie zum Beispiel Zugang zu sozialen Netzwerken, Entertainmentangeboten und verschiedenen Apps. Die generelle Öffnung von Amazon und die Positionierung als Zwischenhändler treibt das exponentielle Wachstum an. Ungefähr 60% der Umsätze von Amazon kommen aus diesem Geschäft als Intermediär. Zu den über 40 Tochtergesellschaften von Amazon gehört zum Beispiel auch das Pharmaunternehmen PillPack, das individuell etikettierte Packungen mit Medikamenten (beschriftet mit Datum und Uhrzeit zur Einnahme der Medizin) versendet. Die Vorteile für den Kunden sind neben der kostenfreien Lieferung die Einzelverpackung und Einnahmehinweise und dass Nahrungsergänzungsmittel, Multivitamine und Probiotika einfach hinzugefügt werden können. Amazon erweitert hier sein Wertversprechen in einen riesigen Markt an verschreibungspflichtigen Medikamenten und lanciert mit „PillPack by Amazon Pharmacy" ein neues Business Ökosystem.

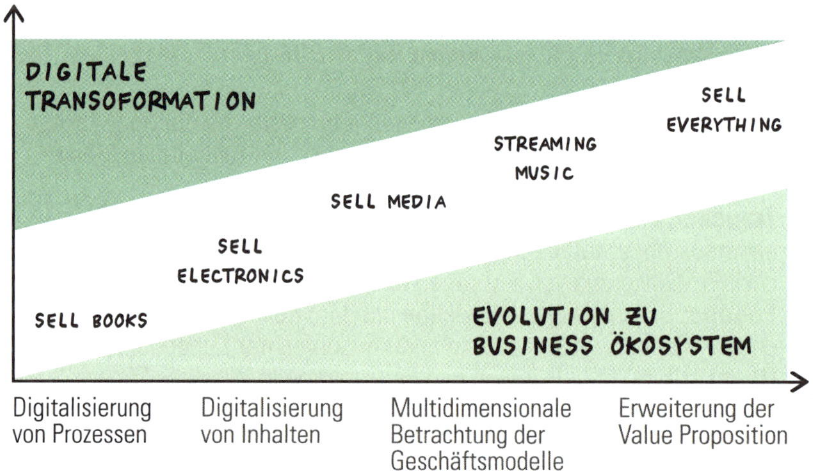

Erfolgsfaktoren

ILLUSTRATIV

- Innovation und Value Proposition Design sind zwei zentrales Elemente in der Entwicklung von neuen Wertversprechen und Angeboten
- Starke Ankereffekte durch Amazon Prime (festigt die Loyalität zum Online-Shopping)
- Nutzung von bewährten Geschäftsmodellen wie Subscription, Market Place, Pyramid Model oder von On-Demand Modellen
- Schrittweise Evolution von der Digitalisierung von physischen Prozessen hin zu einem ganzheitlichen Business Ökosystem.

Konfiguration von Amazon (Geschäftsmodell/Kapital)

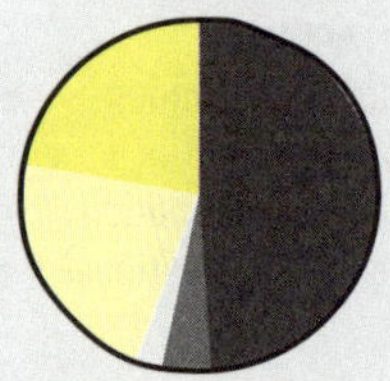

LEGENDE:

Sachkapital | Finanzkapital | Humankapital | Geistiges Kapital | Ökosystem-Kapital

ÖKOSYSTEM-SICHT AUF AMAZON: EVOLUTION VOM ONLINE-BUCHHÄNDLER IN EIN ÖKOSYSTEM-PLAY

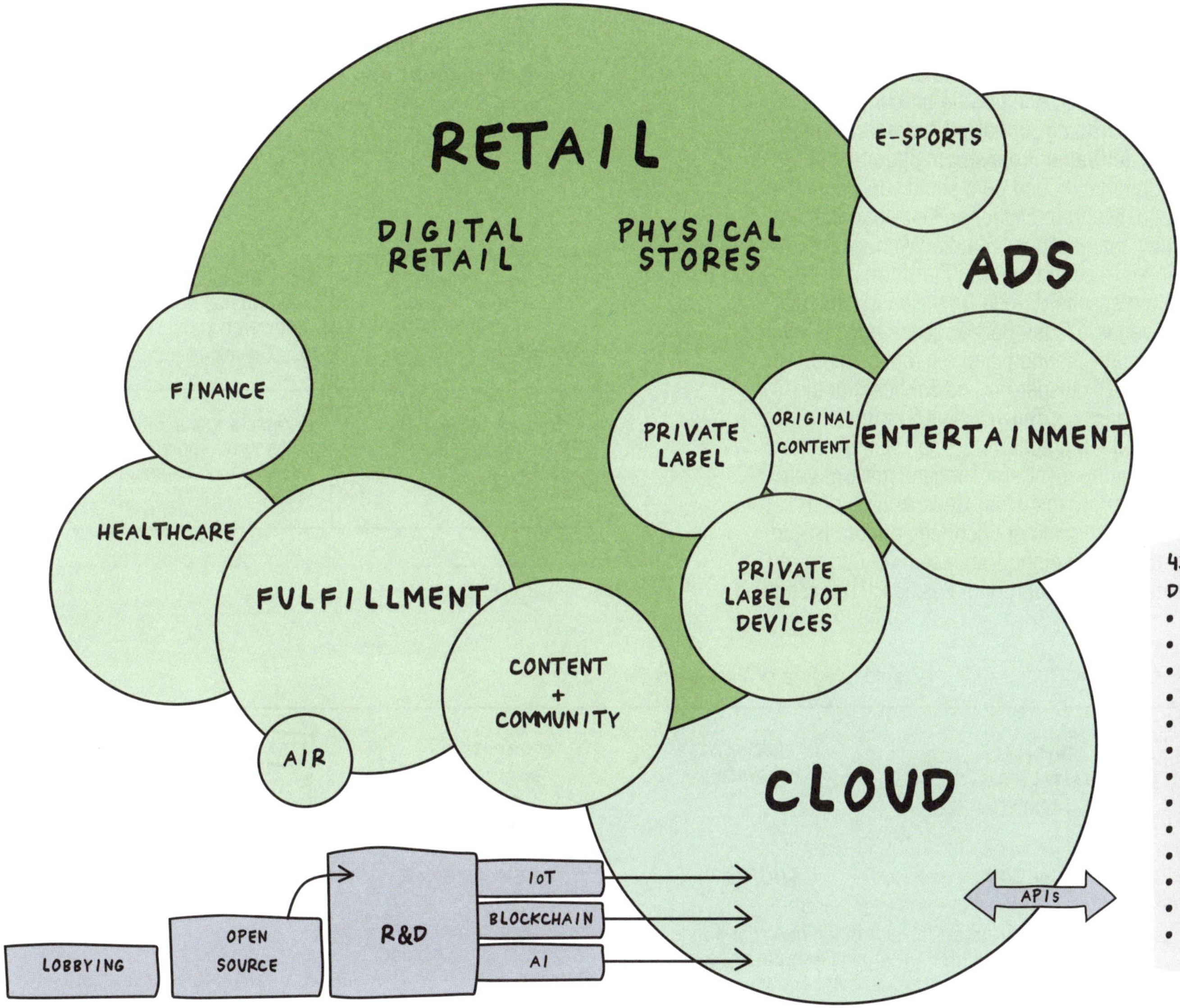

43 TOCHTERFIRMEN IN DEN BEREICHEN:

- Innovation + Start-up Enablement
- Healthcare + Retail
- Books + Publications
- Virtual Community + Content
- Entertainment
- eSports
- IoT & AI Devices
- Voice
- Infrastructure (IOT + Software)
- Lebensmittellogistik
- Digital Payments + Finance
- Digital Advertising
- Digital Education

Beispiele von verschiedenen Ökosystem-Mindsets und Value Propositions im Einzelhandel

Interessant ist zudem der Vergleich von unterschiedlichen Ausprägungen von Business Ökosystemen im Einzelhandel. Traditionelle Anbieter wie Walmart haben den Anspruch, durch Einkaufsmacht und Effizienz ihre Marktstellung zu verbessern. Amazon setzt, wie gerade beschrieben, auf exponentielles Wachstum durch die Öffnung zu vielen Marktteilnehmern und eine schrittweise Erweiterung der Value Proposition. Shopify legt den Fokus auf den Aufbau einer Community und geht somit von Beginn an einen anderen Weg als Amazon. Mehrere Millionen Einzelhändler sind inzwischen von Amazon zu Shopify „umgezogen“, da die Winner-takes-it-all-Mentalität mit starren Regeln einer zentralisierten Plattform und dem Besitz- und Datenanspruch der Kundenschnittstelle für viele Einzelhändler nicht mehr zeitgemäss ist. Initiativen wie Open Bazaar gehen noch einen Schritt weiter und etablieren auf neuen Technologien ein rein dezentralisiertes System. Dieses ist primär auf Transparenz und Fairness für die Kunden ausgelegt und stellt sicher, dass sie Teil von dem System sind. Die nächsten Evolutionsschritte und Wertversprechen zeichnen sich bereits ab. Veränderte Kundenbedürfnisse und ein anderer Umgang mit Umwelt und Besitz haben das Potenzial für neue Ökosystem-Gedanken. Zudem wird es für Initiatoren und Orchestratoren immer wichtiger, ebenfalls Kundenschnittstellen und -daten zu teilen und einen transparenten und fairen Umgang mit den Kunden und beteiligten Akteuren im Business Ökosystem zu pflegen.

„The future of commerce needs to be owned by all of us — partners, merchants, service providers, tech enablers and shoppers. The masses, not the few. So we need you to join our movement.“

- Harley Finkelstein, Shopify COO

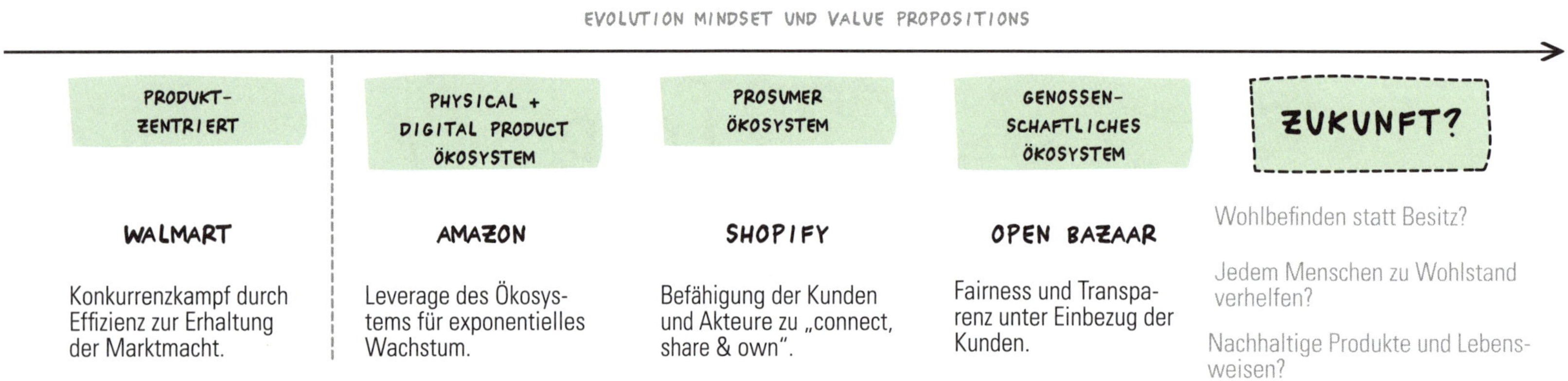

WeWork Ökosystem

WeWork wurde 2010 gegründet. Das initiale Angebot war einfach zu verstehen: Büroräume zu flexiblen Bedingungen zu vermieten. Das Ökosystem-Zielbild von WeWork geht aber viel weiter. WeWork möchte ganze Lebensbereiche mit Dienstleistungen ausgestalten. Für diese grössere Ökosystem-Ambition hat WeWork inzwischen eine Privatschule „WeGrow" eröffnet und Ladengeschäfte, die unter dem Namen WeMRKT agieren. Auf diese Weise sollen WeWork Communites entstehen, die es ermöglichen, von der Wohnung bis zur Schule inklusive Transport der Kinder zu organisieren. Also ein Business Ökosystem zu etablieren, das alles zusammenbringt, und zwar lokal in der Nachbarschaft oder in einer Stadt. Seit 2010 ist WeWork exponentiell gewachsen und die Vision enthält das Themenfeld Wohnen (WeLive) bis hin zu Fitnessstudios (Rise). Mitunter ein Grund, warum das Unternehmen und sein Business Ökosystem inzwischen unter dem Namen „The We Company" firmiert. Die Werte reflektieren die notwendigen Elemente für einen erfolgreichen Ökosystem-Player:

- Kein Produkt, sondern eine Vision verkaufen
- Global denken
- Mit den Kunden wachsen
- Eine Kultur aufbauen, die schnelles Wachstum unterstützt

Das Unternehmen hatte von Anfang an das Credo, im Sinne einer Community ihr jeweiliges Angebot zu etablieren. WeWork startete damit, Büroräume an Start-ups zu vermieten, die über die Zeit wuchsen. Zudem wurde das Konzept von Anfang an global angedacht und umgesetzt. Der Ökosystem-Orchestrator und -Initiator behandelt die „The We Company"-Unternehmenskultur nicht als eine in Stein gemeisselte Liste von Regeln. Die Kultur wird vielmehr als Instrument genutzt, um das Ökosystem dabei zu unterstützen, sich zu vergrössern und sich bei Bedarf zu verändern und weiterzuentwickeln.

"WeWork's mission is to create a world where people work to make a life, not just a living. WeLive's mission is to build a world where no one feels alone. WeGrow's mission is to unleash every human's superpowers."
– Rebekah, Miguel, and Adam Co-Founders The We Company

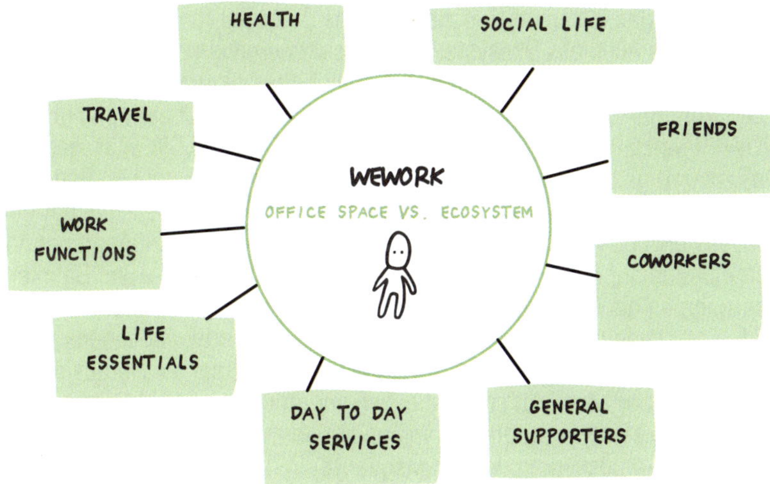

Erfolgsfaktoren

ILLUSTRATIV

- Initial einfach zu verstehende Value Proposition
- Vorgehen stark an den heutigen und zukünftigen Kundenbedürfnissen ausgerichtet
- Erweiterung des Wertversprechens in multiple Richtungen via MVEs
- Überzeugende und klar definierte Business Ökosystem-Vision

Konfiguration von WeWork (Geschäftsmodell/Kapital)

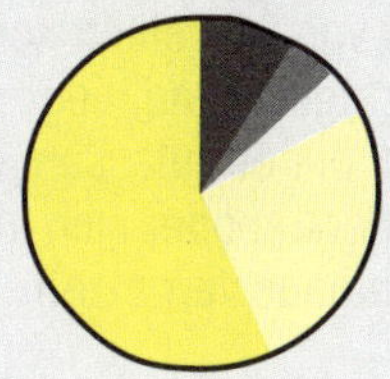

LEGENDE:
Sachkapital | Finanzkapital | Humankapital | Geistiges Kapital | Ökosystem-Kapital

YOUR NOW Ökosystem

Ein europäisches Joint-Venture wird aktuell von Daimler und BMW initialisiert, das in seinen Dimensionen das Potenzial für ein schnell wachsendes Business Ökosystem hat. Zusammen orchestriert das Joint Venture fünf Säulen, die zusammen das Mobilitätsökosystem „your now" formieren: REACH NOW (Multimodal), CHARGE NOW (Charging), FREE NOW (Ride-Hailing), PARK NOW (Parking) und SHARE NOW (CarSharing). Das zukünftige Business Ökosystem hat die Ambition, die neuen Bedürfnisse urbaner Kunden nach Mobilität abzudecken. Das Ökosystem hat ein ganzes Portfolio an Mobilitätsdiensten anzubieten, das intelligent, nahtlos vernetzt und auf einen Fingertipp zur Verfügung steht. BMW und Daimler übernehmen die Governance für die neuen Geschäftsmodelle mit dem Ziel, eine schnelle und weltweite Skalierung des Wertversprechens zu ermöglichen. Damit adressiert das Business Ökosystem die Herausforderungen urbaner Mobilität sowie die sich ändernden Kundenwünsche und trägt gemeinsam mit Städten, Kommunen und anderen Akteuren im Ökosystem zur Verbesserung der Lebensqualität in den Metropolen bei. Durch die Orchestrierung treiben sie beispielsweise die Elektromobilität voran, indem sie elektrifizierte CarSharing-Fahrzeuge und den einfachen Zugang zu Lade- und Parkmöglichkeiten anbieten. Diese auf Nachhaltigkeit angelegten Mobilitätsangebote werden damit noch einfacher erleb- und nutzbar. Ausgehend von diesem Wertversprechen und der aktuellen Kundenbasis von ca. 60 Mio. aktiven Nutzern, sollen in den Schlüsselregionen Europa und Amerika die fünf Unternehmen zukünftig global skalieren. Eine Erweiterung der Value Proposition mit zusätzlichen Mobilitätsangeboten auf Basis von voll-elektrischen und selbstfahrenden Flotten, die on-demand verfügbar sind, liegt im Vorstellbaren. Ebenso Dienstleistungen und Konzepte, die es zulassen, dass sich Fahrzeuge automatisch laden, selbstständig parken oder sich mit anderen Verkehrsmitteln über Strasse und Schiene hinaus vernetzen.

„Wir wollen weitere Verkehrsmittel anbinden, noch mehr Menschen in zusätzlichen Städten erreichen und damit die Lebensqualität in Metropolen verbessern."– Harald Krüger, Vorsitzender des Vorstands der BMW AG

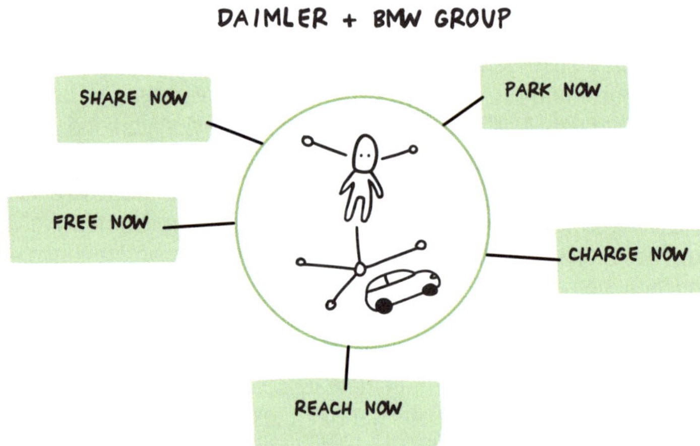

ILLUSTRATIV

Heutige Konfiguration von BMW/Daimler und „Your Now" Ökosystem (Geschäftsmodell/Kapital)

Erfolgsfaktoren

- Exploit-Strategie, die auf den existierenden Produkten zur Erweiterung der Marktfläche basiert, indem mit Start-up Firmen ein Ökosystem initialisiert wurde
- Value Proposition, basierend auf dem Grundbedürfnis, einfach von A nach B zu kommen.
- Gestaltung von neuen End-to-End-Angeboten innerhalb vom „Your Now" Ökosystem.
- Schrittweise Expansion in neue Bereiche und Portfolio-Elemente
- Zwei starke, etablierte und prestigeträchtige Marken als Branding-Element des Business Ökosystems

LEGENDE:

Sachkapital | Finanzkapital | Humankapital | Geistiges Kapital | Ökosystem-Kapital

Hubject

Hubject ist ein Business- und Transaktionsökosystem mit über 760 Akteuren in 43 Ländern. Seit 2012 baut Hubject ein flächendeckendes Ladenetzwerk für Elektroautos. Ursprünglich gestartet als Gemeinschaftsinitiative von Bosch, EnBW, Siemens, RWE, Daimler und BMW. Die Core Value Proposition des Intercharge-Networks, „Accelerating the emobility ecosystem through business services and a customer focused approach", beinhaltet Angebote für Ladestationsbetreiber, Fahrstromanbieter, Energieversorger, Flottenbetreiber, Carsharing-Unternehmen, Servicekartenanbieter bis hin zu Automobilherstellern. In 2020 waren über 250.000 Ladepunkte auf vier Kontinenten an der offenen Plattform von Hubject angeschlossen.

Hubject forciert bewusst „Coopetition" für den Markt für Mobilität über vier Industrien: Automotive, Technologie, Energieversorger und Telekommunikationsanbieter. Zudem kooperiert Hubject jeweils mit den regionalen und nationalen Unternehmen zur Unterhaltung der Ladeinfrastruktur. Endkunden können durch die Ökosystem-Orchestration auf Tausende von Ladesäulen zurückgreifen und diese bequem von ihrem Smartphone reservieren, die Abrechnung erfolgt ähnlich wie beim Roaming im Mobilnetz. Hubject bietet zudem den teilnehmenden Akteuren zahlreiche Vorteile und zusätzliche Ertragsmodelle, die wiederum einen positiven Einfluss auf das Ökosystem-Kapital haben. Zudem hat sich Hubject im Rahmen einer multidimensionalen Betrachtung der Geschäftsmodelle multiple Ertragsmodelle für die teilnehmenden Akteure überlegt. Daten spielen auch hier eine entscheidende Rolle. So werden dynamische Daten der Ladestationen im Intercharge-Netzwerk gesammelt und ausgewertet. Die digitale Interaktion mit den Endkunden und die Freischaltung der jeweiligen Ladestationen erfolgt über QR-Codes oder mit RFID-Karten, NFC-Technologie oder Plug-Charge-Lösungen. Hubject vernetzt in diesem Ökosystem verschiedene Akteure, die zusammen dem Endkunden eine einmalige Erfahrung bieten. Die einzelnen Akteure profitieren von der Skalierung, Innovation und einer modernen IT Infrastruktur, die von Hubject zur Verfügung gestellt wird.

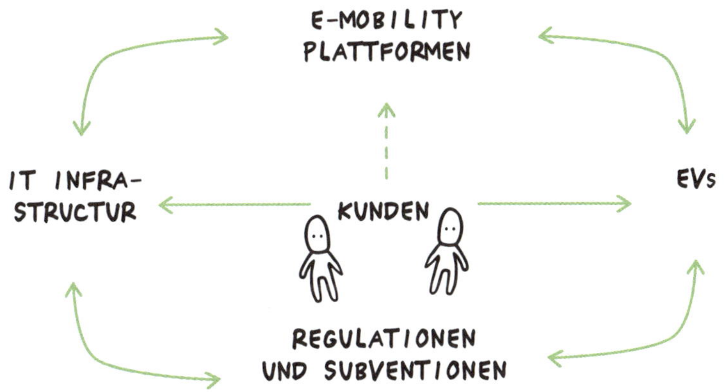

Offener und vernetzter Markt für eMobilität. Kooperation von Ladebetreiber und Fahrstromanbieter.

Erfolgsfaktoren

ILLUSTRATIV

- Partizipation an einem neuen Wachstumsmarkt eMobilität
- Core Value Proposition mit multiplen Mehrwerten für die Akteure und Endkunden
- Vereinfachung und Automatisierung von Prozessen und Zahlungsvorgängen
- Schnelle Skalierung durch einfache Schnittstellen und leistungsfähige IT
- Offenes System mit bewusstem Entscheid für „Coopetition"
- Starkes Wachstum des Ökosystem-Kapitals durch Netzwerkeffekte

Konfiguration von Hubject (Geschäftsmodell/Kapital)

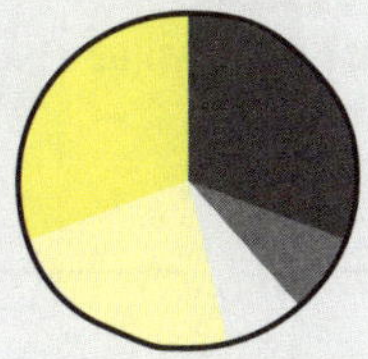

LEGENDE:

Sachkapital | Finanzkapital | Humankapital | Geistiges Kapital | Ökosystem-Kapital

Green Class

Das Green-Class-Ökosystem wurde 2016 von der SBB mit BMW initial als Design Thinking Projekt gestartet, das in kurzen Sprints in weniger als 6 Monaten ein Minimum Viable Ecosystem im Co-Creation-Modus gestaltet hat. Inzwischen besteht das Angebot aus einem Abo für den öffentlichen Verkehr und einem frei wählbaren Elektrofahrzeug. In diesem Mobilitätskonzept sind sämtliche Kundendienste, Vignetten, Reifenwechsel, Steuern und Versicherungen inklusive. Das Business Ökosystem Green Class kommt den Kundenbedürfnissen nach flexibler und sorgenfreier Mobilität nach. Zusätzlich können weitere Services wie Parkieren, Laden unterwegs, Carsharing, Bike-sharing und Taxiservices hinzugebucht werden. Die Schweizer Bahn reagiert mit der Gestaltung dieses Business Ökosystems auf das veränderte Image von eMobilität und verlässt mit diesem Vorstoss den stark regulierten Schienenverkehr. Das Zielsegment von Green Class sind vor allem Kunden, die in der Agglomeration oder auf dem Land wohnen und überwiegend in die grossen Städte pendeln. Eine multimodale Nutzung von Verkehrsmitteln gehört ebenso zu ihrem Kundenversprechen, wie ein höher ausgeprägter Wunsch nach nachhaltigen Lösungen. Meist legen sie mehr als 5 Wegstrecken am Tag zurück. Die Green-Class-Initiative ist Teil von grösseren strategischen Überlegungen der SBB: die Tür-zu-Tür-Reise entlang der gesamten Mobilitätskette.

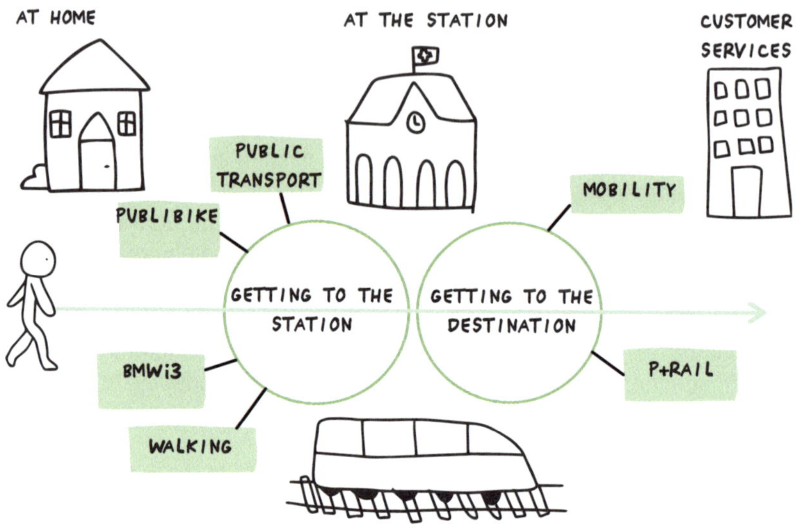

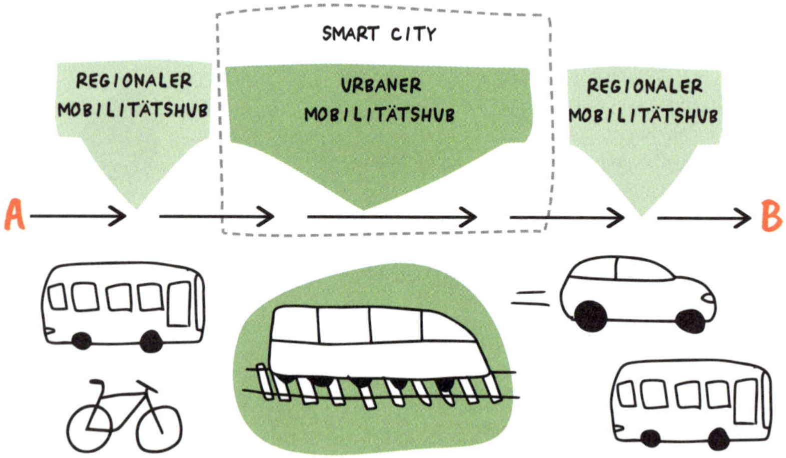

ILLUSTRATIV

Traditionelles Geschäft der SBB vs. neue Ökosystemansätze „Green Class" (Geschäftsmodell/Kapital)

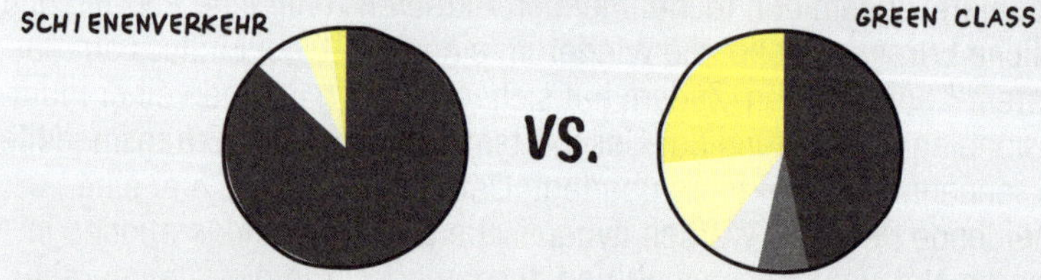

Erfolgsfaktoren

- Personalisierte Mobilitätskonzepte
- Freie Wahl der Route und Verkehrsmittel
- Starker Fokus auf Trend der Nachhaltigkeit
- Antworten auf veränderte Kundenbedürfnisse und
- Anwendung von neuen Enabler-Technologien für eine schnittstellenfreie Integration von verschiedenen Mobilitätslösungen

LEGENDE:

Sachkapital | Finanzkapital | Humankapital | Geistiges Kapital | Ökosystem-Kapital

Klara

Klara ist ein Schweizer Business Ökosystem, das seit 2016 verschiedene Aufgaben von KMUs übernimmt. Das Business Ökosystem gehört zur AXON-Gruppe. Klara orchestriert Banken, Versicherungen bis hin zu Treuhändern. Hinter KLARA stehen über 100 Fachspezialisten aus den Bereichen Lohn, Treuhand, Vermarktung und moderne IT Entwicklung. Die Value Proposition von Klara ist darauf ausgerichtet „mehr als nur den administrativen Aufwand abzunehmen – Klara macht so das Büro einfach". Klara bietet im Rahmen dieser Value Proposition in einem Business Ökosystem-Ansatz Lohnabrechnungen, Versicherungen der Mitarbeitenden, Arbeitszeugnisse, Krankheits- und Unfallmeldungen oder die gesamte Buchhaltung. Der Fokus liegt auf Kleinstunternehmen (KLARA Business) und zunehmend auch Privathaushalten (Klara Home), was es ermöglicht, zum Beispiel eine Haushaltshilfe einfach und gesetzeskonform zu verwalten. Klara setzt neben den integrierten digitalen Services auf ein hybrides Modell. So gibt es die Möglichkeit, mit dem Klara Einrichtungsservice alles von einem Fachmann so einrichten zu lassen, dass zum Beispiel die Buchführung ab dem ersten Moment funktioniert. Durch Open Banking ist es zudem möglich, Zahlungsdaten und Kontoinformationen einfach zu übermitteln. Einzelne Services wie ein CRM für Kleinunternehmen sind kostenlos, andere Dienstleistungen können in kleinen Paketen dazugebucht werden. Durch digitale Assistenten, künstliche Intelligenz, Datensammlung und Analyse werden massive Vereinfachungen für Kleinstunternehmen realisiert. Durch einen offenen Ökosystem-Ansatz werden verschiedene Services integriert, Micro Billing Systeme für flexiblere Geschäftsmodelle abgebildet, wobei die Kundenschnittstelle und Branding-Aktivitäten durch die jeweiligen Akteure selbst wahrgenommen werden. Klara nutzt für die Weiterentwicklung der Value Proposition Design Thinking, Data Ideation, Lean-Start-up und Business und Daten Ökosystem Design. Das KMU steht mit seinen Bedürfnissen im Zentrum der Core Value Proposition von Klara. Hinter KLARA steht eine Gruppe von Unternehmern, die überzeugt ist, dass die Administration von Unternehmen oder Privathaushalten einfacher, schneller und effizienter sein kann.

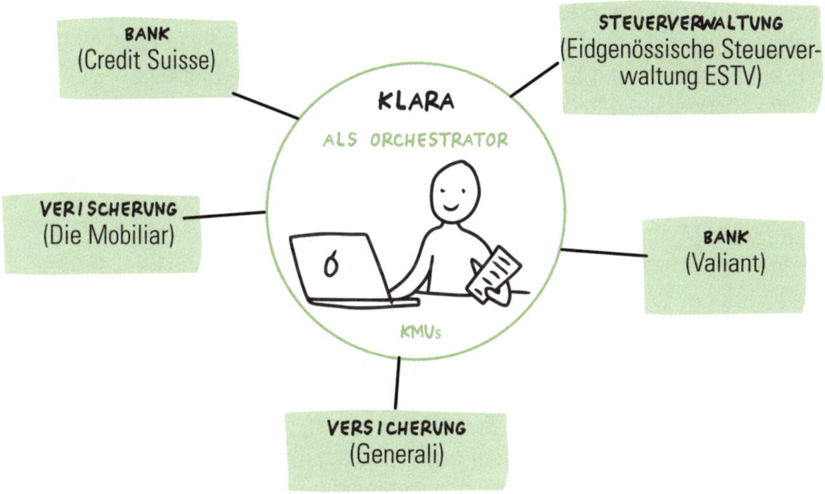

Erfolgsfaktoren

ILLUSTRATIV

- Gestaltung der Angebote nach den Kundenbedürfnissen
- Einfaches Onboarding mit der Möglichkeit, durch Coaching und Einrichtungsservices die Hemmschwelle für Kleinstunternehmen zu nehmen
- Evolutionäre Erweiterung des Angebots und Nutzung von neuen Technologien
- Durchgängige Prozesse und digitale Schnittstellen zu wichtigsten „Partnern" von Kleinunternehmen in der Schweiz
- Anwendung von verschiedenen Geschäftsmodellen von Fermium bis Subscription und Pay-per-use.

Konfiguration Klara (Geschäftsmodell/Kapital)

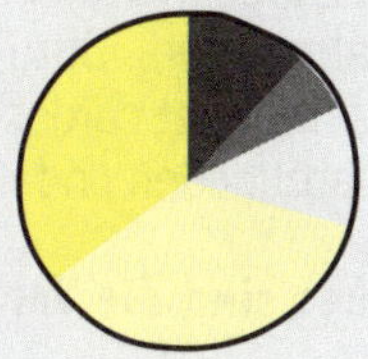

LEGENDE:

Sachkapital | Finanzkapital | Humankapital | Geistiges Kapital | Ökosystem-Kapital

cardossier

Das cardossier Ökosystem wurde 2019 als Verein in der Schweiz ins Leben gerufen. In der Rolle des Initiators und Orchestrators entwickelt der Verein zusammen mit Kunden und den Mitgliedern eine Blockchain-basierte Lösung, um den Lebenszyklus von Fahrzeugen digital abzubilden. Zu den Mitgliedern gehören die AdNovum, die Universität Zürich, die Hochschule für Informatik Luzern sowie Industriepartner wie die AMAG und die AMAG Leasing, AXA Versicherung, Mobility, Audatex, auto-i-dat AG, AutoScout24, PostFinance und der Schweizerischer Leasingverband. Die Value Proposition ist klar: Transparenz in das Ökosystem rund um Fahrzeuge zu bringen und Vertrauen für alle Handelspartner zu etablieren. Mittels Enabler-Technologien wie Blockchain werden die Daten eines Fahrzeugs nicht mehr an verschiedenen Orten und in unterschiedlichem Umfang gespeichert, sondern bei mehreren Marktteilnehmern in derselben Qualität und aktuell. Die Veränderung eines Datensatzes, ohne dafür autorisiert zu sein, ist auf dieser Basis nicht mehr möglich. Damit soll künftig die gesamte Historie eines Fahrzeugs lückenlos dargestellt werden können. Von dem Ökosystem profitieren Händler und Privatpersonen gleichermassen, öffentliche Behörden wie die kantonalen Strassenverkehrsämter und das Schweizer Bundesamt für Strassen ASTRA, das ebenfalls Teil des ÖKOSYSTEMS ist. Elf Millionen Datensätze wurden von auto-i-dat AG als Akteur im Ökosystem bereitgestellt. Die nächsten Schritte in der Erweiterung der Value Proposition konzentrieren sich auf Funktionen mit Bezug zu regulierten Prozessen (z.B. der Import und die Immatrikulation von Fahrzeugen). Dazu gehört auch der digitale Versicherungsnachweis. Weiter arbeitet cardossier an Konzepten, um Service- und Reparatureinträge abzubilden und nachvollziehbar und transparent zu machen.

Welches sind die Vorteile von Blockchain?

Blockchain Technology bietet die Möglichkeit, vertrauenswürdige Transaktionen ohne Intermediäre durchzuführen. Die Distributed Ledger Technologie (DLT), wie sie im Beispiel von cardossier zum Einsatz kommt, sorgt dafür, dass die Transaktionen an vielen Orten registriert werden, und wenn sie einmal verifiziert sind, praktisch unmöglich geändert werden können. So kann zum Beispiel der komplette Lebenszyklus eines Fahrzeugs, inkl. der gefahrenen Kilometer, Werkstattbesuche, Fahrzeuglenker bis hin zu Location Data, auf einer Blockchain festgehalten werden. Dies sind wichtige Informationen für Leasinggesellschaften wie auch Gebrauchtwagenkäufer. Das Ökosystem stellt Vertrauen zur Verfügung.

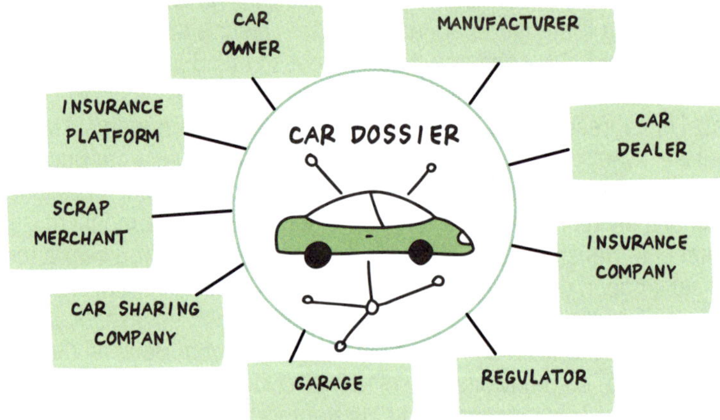

Erfolgsfaktoren

- Digitalisierung von physischen Assets mittels Blockchain-Technologie
- Effizienzsteigerung in einem Ökosystem mit vielen Akteuren und wenig Transparenz
- Datenbasis für neue Produkte (z.B. für On-Demand-Versicherungen; Pay as You Drive; parametrische Versicherungen; Peer-to-Peer-Versicherungen)
- Mehr Transparenz und Datensicherheit für Privatkunden
- Automatisierte Prozesse (z.B. erleichtertes Schadenmanagement, Vertragsabschlüsse, Dokumentenaustausch bis hin zum Fälschungsschutz)
- Ökosystem mit nahtlosem Kundenerlebnis auf vertrauenswürdiger Technologie

ILLUSTRATIV

Konfiguration cardossier (Geschäftsmodell/Kapital)

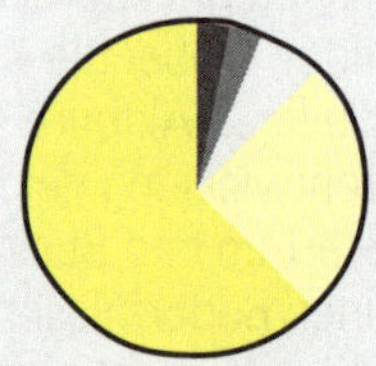

LEGENDE:

Sachkapital Finanzkapital Humankapital Geistiges Kapital Ökosystem-Kapital

Auf den Punkt gebracht!

Die Beispiele zeigen unterschiedliche Maturität und Vorgehensweisen im Aufbau von zentralisierten Business Netzwerken, Plattformen und Business Ökosystemen.

Tendenziell ist eine Dominanz von grossen Systemen zu beobachten, die eine vorherrschende Marktstellung besitzen. Einige davon, wie zum Beispiel die Bezahllösungen von Alibaba und Tencent, haben bereits erfolgreich eine Black-Ocean-Strategie umgesetzt.

Nationale und regionale Ökosystem-Initiativen gehen auf die jeweils spezifischen Anforderungen in einer Region ein. Oftmals haben sie auch einen etablierten Kundenzugang, ein Vertrauensverhältnis zum Kunden oder eine Infrastruktur, die für das Business Ökosystem benötigt werden.

Meistens nehmen Akteure verschiedene Rollen in dem Ökosystem ein. Zudem ist es erfolgsentscheidend, die jeweilige Rolle im Ökosystem weiterzuentwickeln, so wie sich die jeweiligen Ökosysteme dynamisch weiterentwickeln.

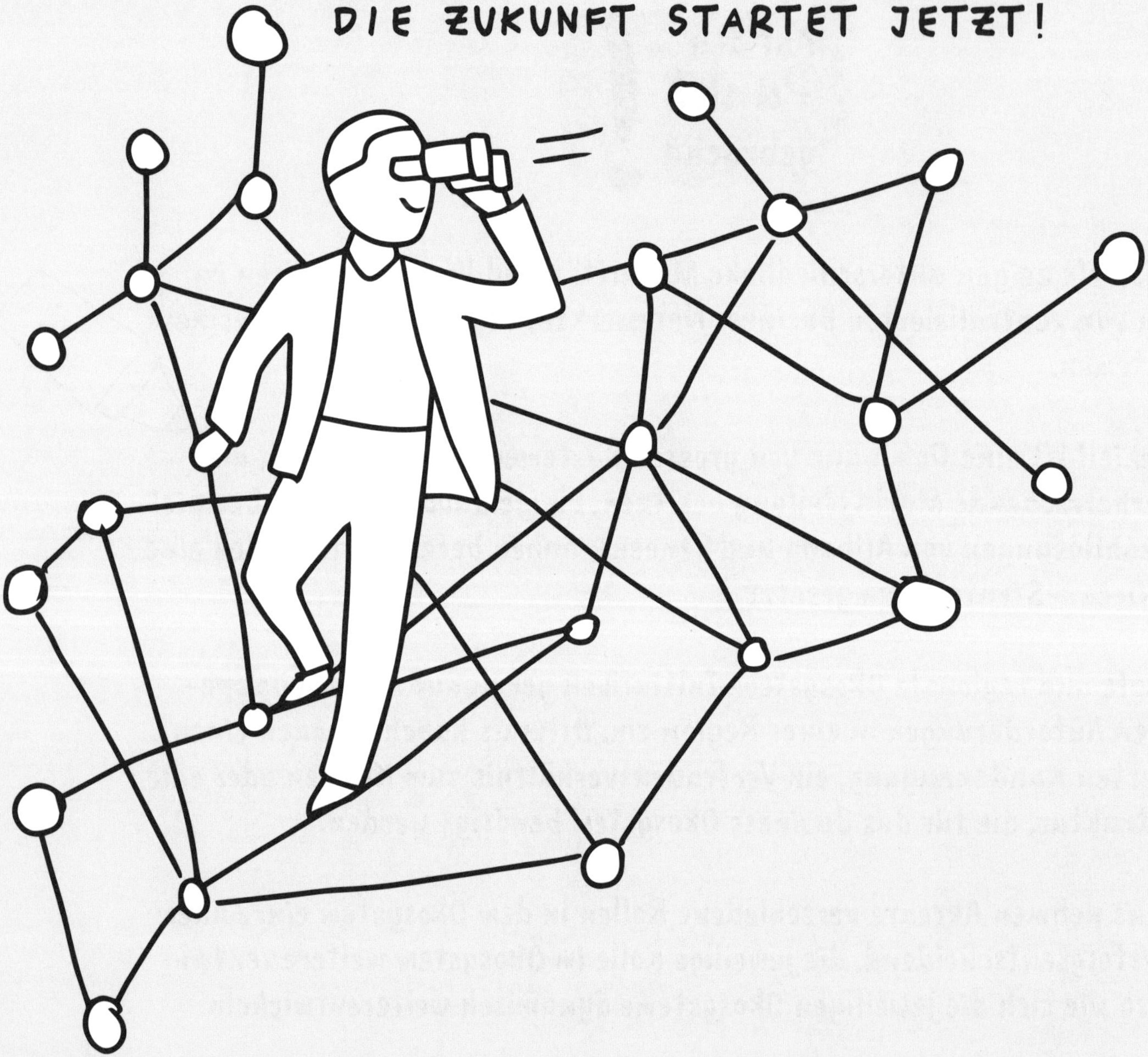
DIE ZUKUNFT STARTET JETZT!

SCHLUSSWORT

Reflexion und Ausblick

Das Design und Denken in Business Ökosystemen hat einen transformativen und einen evolutionären Charakter. Neue Ökosysteme werden die bestehenden und bekannten Grenzen erodieren lassen, was für Unternehmen die Möglichkeit bietet, neue Marktopportunitäten zu realisieren. Zum anderen werden sich daraus neue Systemgrenzen und Herausforderungen auftun. Es fällt zudem auf, dass die Zukunft in Ökosystemen zu denken und zu handeln bereits an vielen Orten existent, jedoch nicht über alle Branchen und Erdteile gleich verteilt ist. In den letzten Jahren konnten wir bereits als Endkonsumenten spüren, wie zum Beispiel die vormals getrennten Sektoren Medien, Telekommunikation und IT sich zu einem überlegenen System verschmolzen haben, das uns als Konsumenten zum Beispiel die Nachrichten in real-time auf unseren mobilen Endgeräten zu jeder Zeit an jedem Ort konsumieren lässt.

In vielen Branchen denken Entscheidungsträger immer noch in Kunden-Lieferanten-Beziehungen und wagen maximal einen ersten Schritt hin zu einer Teilnahme in einem Branchenmarktplatz oder ähnlichen Initiativen. Für einen gewissen Teil von Unternehmen wird sich auch kurz- bis mittelfristig noch nichts verändern und Business Ökosysteme werden kein grosses Thema sein, da für diese Unternehmen das bestehende Geschäftsmodell, lineare Lieferketten und die strategische Ausrichtung als integriertes Unternehmen, hervorragend funktioniert. Da sich die Digitalisierung in den letzten Jahren jedoch zunehmend beschleunigt hat und in allen Lebensbereichen etabliert, ist damit zu rechnen, dass auch bei diesen Unternehmen ähnliche Entwicklungen absehbar sind. Die Durchmischung und Dynamik von Branchen und Fähigkeiten wird also nicht nur für Unternehmen relevant, die auf veränderte Kundenanforderungen reagieren oder in bislang unbesetzte Marktflächen vorstossen möchten, es ist vielmehr ein übergreifendes globales Phänomen, das diesen Paradigmenwechsel in Bezug auf Geschäftsmodelle und Wachstum beschleunigt. Zudem erlauben neue „game changing"-Technologien, solche Systeme auch ohne eine zentrale Einheit zu organisieren, d.h., es wird auch zunehmend einen Shift hin zu dezentralen Business Ökosystemen geben.

So bietet das Business Ökosystem Design die Möglichkeit, eine einzigartige Value Proposition mit verschiedenen Akteuren zu gestalten, neue Marktplätze und Vermarktungskanäle zu erschliessen oder auf die Disruption der eigenen Industrie, bestehender Wertschöpfungsketten oder einzelner Intermediäre zu reagieren bzw. diese neuen Systeme aktiv mitzugestalten.

Das Denken in Ökosystemen ermöglicht eine systemische Sicht auf organisatorische und technologische Phänomene jenseits der traditionellen Firmen-, Wertschöpfungsketten- oder Netzwerkgrenzen. Business Ökosystem Design verlangt, dass Unternehmenslenker und die Design- und Umsetzungsteams anders denken und die anstehende Disruption, Veränderung und Transformation akzeptieren. In der Initialisierung und Partizipation von Ökosystemen ist VUKA kein Buzzword, sondern gelebte Realität.

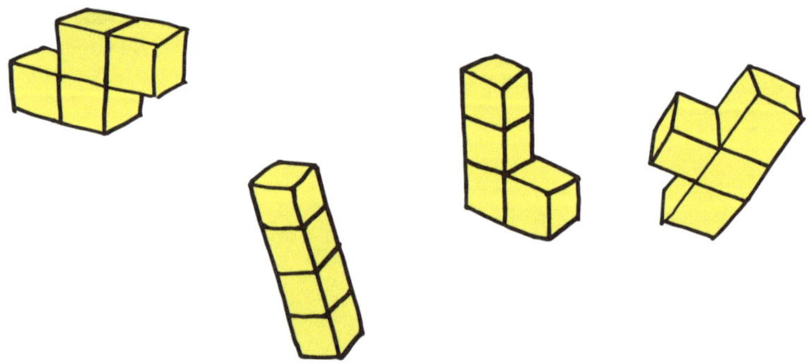

Wer ein Ökosystem aufbauen möchte, sollte sich zuerst fragen, in welchen Lebensbereichen des Kunden es Bedürfnisse befriedigen möchte, und im zweiten Schritt, wie andere Akteure dabei helfen können, dieses Wertversprechen bestmöglich abzudecken.

Die verschiedenen Beispiele von Ökosystem-Initiativen haben gezeigt, dass moderne Informationstechnologie einer der massgeblichen Enabler geworden ist, um in einem Ökosystem-Play Produkte, Dienstleistungen und Erfahrungen anzubieten. So bietet ein Ökosystem zum Beispiel die Möglichkeit für einen direkten oder indirekten Vertrieb, Kundendaten für massgeschneiderte Angebote zu nutzen und auch zusätzliche Einnahmequellen zu erschliessen. Das Öl von Ökosystemen, die Daten, sind hier ein zentrales Element. Es scheint, dass in manchen Industrien besonders Online-2-Offline-Engagements von hoher Bedeutung sind, also die Kombination aus der physischen und digitalen Welt. Für die Initialisierung, den Aufbau oder für die Orchestrierung braucht es eine Vielzahl von unterschiedlichen Ressourcen und Fähigkeiten. Ökosysteme können global skalieren, für eine Region oder auch nur für ein Land entstehen. Die Beispiele von bestehenden Ökosystemen haben zudem gezeigt, dass selbst Nischenanbieter und kleine Player mit einem durchdachten Ansatz solche Initiativen erfolgreich zum Laufen bringen können.

Dieses Buch hatte vor allem das Ziel, die horizontalen und vertikalen Strukturen, welche im kognitiven Repertoire vieler Unternehmenslenker und Manager verhaftet sind, durch eine ökosystemische Denkweise zu ersetzen.

Der in diesem Buch beschriebene Paradigmenwechsel in der Gestaltung von Geschäftsmodellen und Wachstum hat zunehmend Relevanz in der aktuellen Managementlehre und in der Betrachtung von Organisationen und ihrer Umgebung als System. Business Ökosysteme geben Raum für neue Ansätze und Vorgehensmodelle. Charakteristiken wie die Abhängigkeiten von Akteuren zur Erbringung einer Core Value Proposition, Koevolution, nichtlineares Verhalten und auf skalierbare, systemische Chancen und Herausforderungen getrimmte Systeme brauchen flexible Modelle. Im Gegensatz zum klassischen „Marktdenken" haben Business Ökosysteme Kunden und Nutzer, Co-Competition und Akteure, die als Initiator fungieren, das System orchestrieren oder ihren Beitrag zur Erstellung der Value Proposition leisten. Ökosystem-Leadership braucht zudem eine neue Kultur der kollaborativen Zusammenarbeit, ein Shift von „Control & Command" hin zu „ Initiate & Orchestrate". Da diese Systeme komplex sind, hat es sich in der Goverance für solche Systeme bewährt, den über die Unternehmensgrenzen hinweg vernetzen Teams so viel Eigenverantwortung wie möglich zu geben, sodass diese transversal von der Erhebung der Kundenbedürfnisse über die Gestaltung des Business Ökosystems bis hin zur Skalierung wirken können.

Nur die Unternehmen, die in einem Business Ökosystem-Play konsequent vom Kundennutzen aus innovieren und dies auch von den anderen Akteuren verlangen, werden erfolgreich sein und exponentielles Wachstum erzielen.

Neue Technologien sind ein grundlegender Treiber und Enabler für Ökosysteme. Anders als in der traditionellen Wirtschaft, wo Unternehmen teure physische Investitionen benötigen, um ihre Geschäftsmodelle auszubauen, können Unternehmen in der Welt der digitalen Ökosysteme durch eine geschickte Kombination von Daten, Software und passenden Ökosystem-Konfigurationen schnell wachsen. Aus den Verbindungen der Akteure entsteht nicht nur neues geistiges Kapital sondern vor allem Ökosystem-Kapital! Besonders attraktiv erscheinen hierbei aktuell hybride Modelle aus physischer und digitaler Interaktion, wie es bei den Ökosystem-Orchestratoren Amazon und Alibaba zu beobachten ist.

Für die Zukunft zeichnet es sich ab, dass Business Ökosysteme einen hohen Grad der Disruption erreichen werden. Es entstehen neue Value Propositions, Geschäftsmodelle und Formen der Zusammenarbeit. Durch die Ambition, exponentiell zu wachsen, und durch die Nutzung von Netzwerkeffekten wird zudem die Geschwindigkeit steigen, in der solche Systeme sich verbreiten. Ebenso wirken verschiedene Trends und Megatrends auf die positive Entwicklung von Business Ökosystemen. Zum einen ist es die Generation Z (Anteil der Bevölkerung > 25%), die heute bereits zu 100% in Besitz von Smartphones ist und die digitale Interaktion mit ihrer Einfachheit und Automatisierung als gegeben ansieht. Zudem erlauben uns neue Technologien, das Verhalten von Menschen zu analysieren und auf raffinierte Weise zu beeinflussen. Durch tiefe Einblicke in die menschliche Entscheidungsfindung gelingt es, bessere und überzeugendere Wertversprechen zu erstellen, die es den Kunden ermöglichen, zum Beispiel ein gesünderes Leben zu führen, passende Vorsorgemassnahmen für den Ruhestand zu definieren oder einfach nur nachhaltige Entscheidungen zu treffen. Durch „emontional AI" lernen Systeme, menschliche Emotionen, zum Beispiel durch die Analyse von Augenbewegungen, Mimik und Tonfall, zu erkennen. Insights über das Verhalten in Kombination mit den Emotionen eröffnen ganz neue Möglichkeiten, um auf unterschwellige Bedürfnisse einzugehen oder bestimmte Handlungen von Kunden zu aktivieren. Zudem werden wir neue Arten der Kundeninteraktion in Business Ökosystemen erleben. Zum einen über Sprache, aber auch in Form von „Human Augmentation", in der die virtuelle Realität nachempfunden und zielgerichtet genutzt wird. So kann ein Avatar als digitaler Berater fungieren, der gleichzeitig Augenkontakt mit Tausenden von Kunden halten kann, während er seine Tonlage, die Wahl der Worte auf der Grundlage von Daten über die Präferenzen der einzelnen Kunden anpasst. All diese neuen Technologien werden zudem einen Einfluss darauf haben, wie Menschen denken. Insbesondere die neue Welle an KI, Roboter bis hin zu selbstfahrenden Autos wird noch weitreichendere Auswirkungen haben. Neue Marktflächen für Business Ökosysteme werden zudem im Bereich der Work-life-Intergration entstehen. Themen wie Arbeiten, Freizeit gestalten und lebenslanges Lernen verschwimmen und ermöglichen völlig neue Wertangebote für unterschiedliche Menschen und Präferenzen. Hier ist eine Zukunft vorstellbar, in der Menschen in einer Art Portfolio-Ansatz auswählen können, wie die drei genannten Aktivitäten entsprechend den aktuellen Lebensumständen immer wieder ins Gleichgewicht gebracht werden müssen. Es bleibt spannend und für die Zukunft heisst es, einmal mehr aktiv an diesen Entwicklungen zu partizipieren.

Verschiedene Trends und Mega-Trends verstärken die Notwendigkeit, in Business Ökosystemen zu denken, zu handeln und mit Kunden zu interagieren.

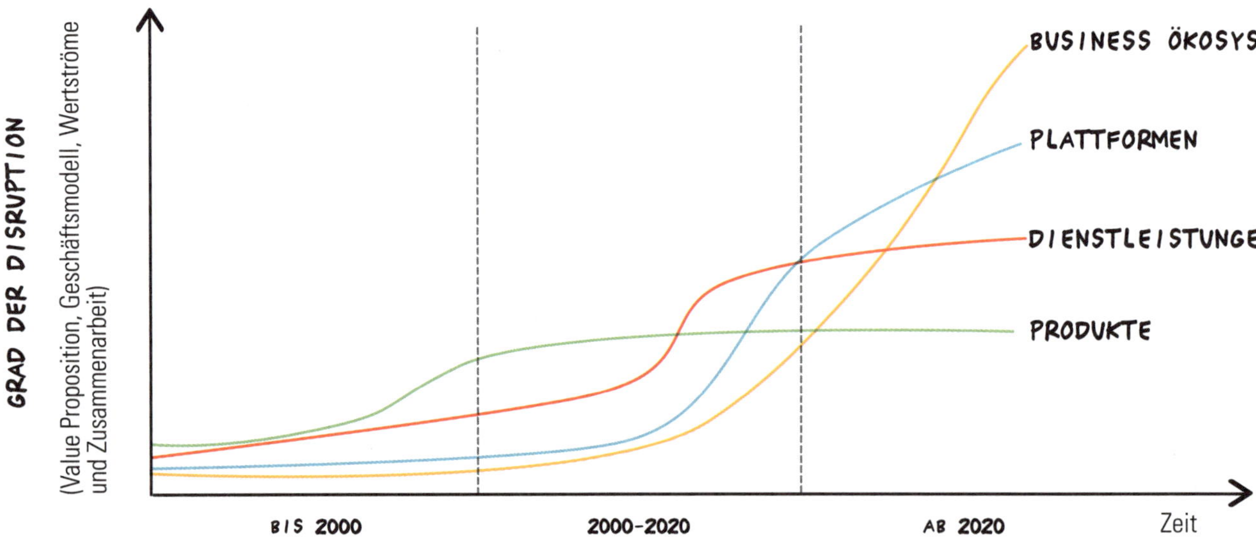

Auf den Punkt gebracht!

Für die Gestaltung und Teilnahme an Business Ökosystemen braucht es neben den grossen Mindshifts und den Schlüsselfaktoren drei wichtige Voraussetzungen:

- Öffnung nach aussen
- Transparenz über Fähigkeiten und Werte
- Veränderungsbereitschaft und Akzeptanz für neue Marktrollen

Zudem ist es wichtig, auch das Innovationsökosystem und das Daten-, Informations- und Wissens-Ökosystem in die Gestaltung eines Business Ökosystems miteinzubeziehen. Unternehmen, die heute bereits aktiv in diesen Ausprägungen von Ökosystemen agieren, haben meist gute Verbindungen zu Akteuren und Marktteilnehmern, die helfen können, eine gemeinsame Value Proposition zu realisieren.

Business Ökosysteme können über vier Design Lenses erarbeitet und skaliert werden. Die Einbettung in bestehende Strategiewerkzeuge erleichtert, das Ökosystem als strategische Initiative zu führen und zu bewerten.

Abschliessende Worte

PROF. LARRY LEIFER

- Professor Stanford University
- Founding Director, Stanford Center for Design Research
- Founding Director, Hasso Plattner Design Thinking Research Program at Stanford

Das Design von Business Ökosystemen ist ein brandaktuelles Forschungsthema in meinem LAB am Stanford Center for Design Research (CDR). Nachdem wir viel über die verschiedenen Arten von Ökosystemen in den letzten Jahren gesprochen haben, sammeln wir derzeit die Beweise dafür, was funktioniert hat, was nicht funktioniert hat und welches die Ursachen dafür sind.

Als abschliessendes Kompliment für dieses ausserordentlich zeitgemässe Buch über Business Ökosystem Design ist hervorzuheben, dass sich Michael Lewrick intensiv mit der Entwicklung des Design-Paradigmas über die letzten Jahre beschäftigt hat. Durch seine Forschung und die iterative Verbesserung seines Vorgehensmodells mit verschiedenen Ökosystem-Initiativen ist es gelungen, explizit darauf einzugehen, WO, WANN, WIE und WARUM einige Ökosysteme „gedeihen" und andere schlicht über die Zeit „verwelken".

Ökosystem Design braucht ein passendes Mindset, Methoden und Tools. Es wird jedoch einige Jahre dauern, bis diese Denkhaltung in allen Universitäten, Unternehmen und bei den jeweiligen Entscheidungsträgern angekommen ist und die „Früchte" geerntet werden können.

Larry Leifer

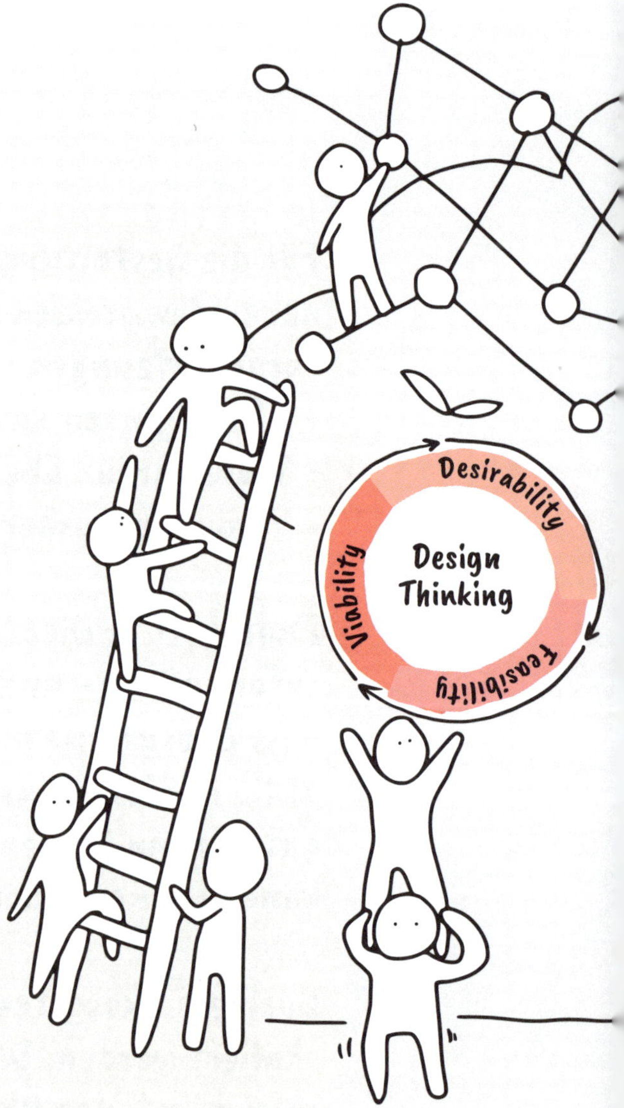

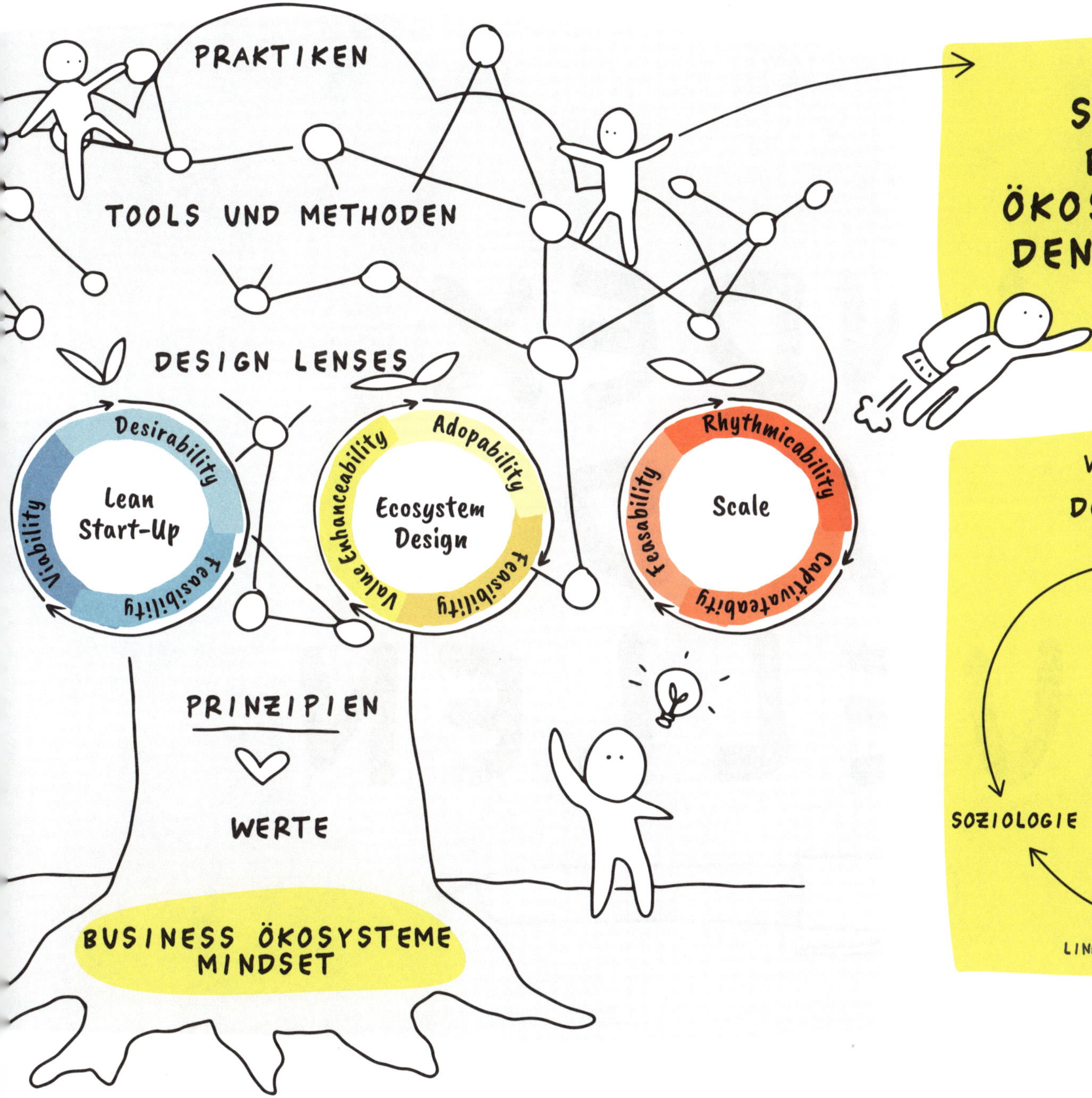

STARTE, IN BUSINESS ÖKOSYSTEMEN ZU DENKEN. JETZT!

VISUALISIERT VON

DONIKA PALAJ

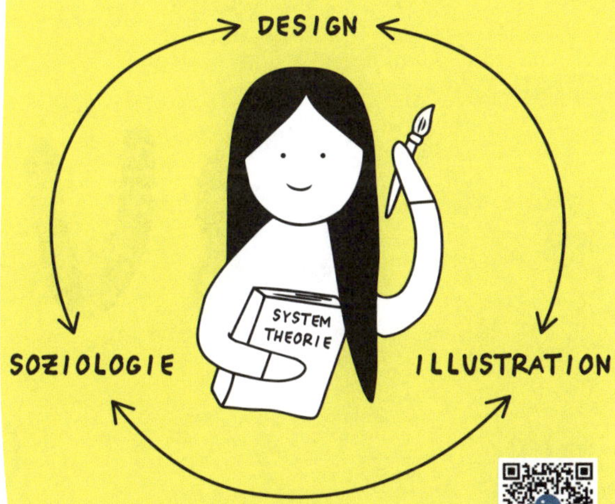

LINKEDIN.COM/DONIKA-PALAJ

INDEX UND QUELLEN

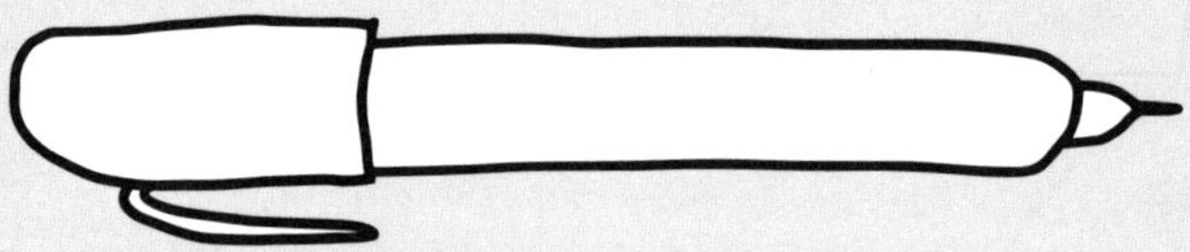

Index

A

B

C

D

E

F

G

H

Quellen

- Aaron Elstein, "Map publisher Rand McNally charts a course back to glory," Crain's New York Business, Aug. 27, 2015. Accessed March 6, 2019 https://www.crainsnewyork.com/article/20150827/TECHNOLOGY/150829890/map-publisher-rand-mcnally-is-profitable-and-ready-for-a-big-comeback
- Adner, R. (2006). Match your innovation strategy to your innovation ecosystem. Harvard Business Review, 84(4), 98-107.
- Adner, R. (2017). Ecosystem as structure: An actionable construct for strategy. Journal of Management, 43(1), 39-58. doi: 10.1177/0149206316678451
- Adner, R., & Kapoor, R. (2010). Value creation in innovation ecosystems: How the structure of technological interdependence affects firm performance in new technology generations. Strategic Management Journal, 31(3), 306-333.
- Adner, R., & Kapoor, R. (2016). Innovation ecosystems and the pace of substitution: Re-examining technology S-curves. Strategic Management Journal, 37(4), 625-648. doi: 10.1002/smj.2363
- Albers, S., Wohlgezogen, F., & Zajac, E. J. (2016). Strategic alliance structures: An organization design perspective. Journal of Management, 42(3), 582-614. doi: 10.1177/0149206313488209
- Altman, E. J., & Tushman, M. L. (2017). Platforms, open/user innovation, and ecosystems: A strategic leadership perspective. In J. Furman, A. Gawer, B. S. Silverman, & S. Stern (Eds.), Entrepreneurship, Innovation, and Platforms (Advances in Strategic Management, Vol. 37) (pp. 177-207). Bingley: Emerald.
- Alturi, V., Dietz, M., & Henke, N. (2017). Competing in a world of sectors without borders. McKinsey Quarterly. from https://www.mckinsey.com/business-functions/mckinsey-analytics/our-insights/competing-in-a-world-of-sectors-without-borders
- Anna Lowenhaupt Tsing, 2015 - The Mushroom at the End of the World
- Arnheim, R. (1969, neue Auflage 1997). Visual Thinking. Berkeley, Los Angeles: University of California Press.
- Autio, E., & Thomas, L. D. W. (2019). Value co-creation in ecosystems: Insights and research promise from three disciplinary persepctives. In S. Nambisan, K. Lyytinen, & Y. Yoo (Eds.), Handbook of digital innovation: Edward Elgar.
- Baars, J.E. (2018). Leading Design. München: Verlag Franz Vahlen GmbH
- Baert, C., Meuleman, M., Debruyne, M., & Wright, M. (2016). Portfolio entrepreneurship and resource orchestration. Strategic Entrepreneurship Journal, 10(4), 346-370. doi: 10.1002/sej.1227
- Baldwin, C. Y. (2012a). Organization design for business ecosystems. Journal of Organization Design, 1(1), 20-23. doi: 10.7146/jod.6334
- Baldwin, C. Y. (2012b). Organization design for distributed innovation. Harvard Business School Working Paper(12-100), 1-12.
- Baldwin, C. Y., & Clark, K. B. (2000). Design rules: The power of modularity. Cambridge, MA: MIT Press.
- Bansal, P., Kim, A., & Wood, M. O. (2018). Hidden in plain sight: The importance of scale in organizations' attention to issues. Academy of Management Review, 43(2), 217-241. doi: 10.5465/amr.2014.0238
- Barnett, M. L. (2008). An attention-based view of real options reasoning. Academy of Management Review, 33(3), 606-628. doi: 10.5465/amr.2008.32465698
- Beckman, C. M., Haunschild, P. R., & Phillips, D. J. (2004). Friends or Strangers? Firm-Specific uncertainty, market uncertainty, and network partner selection. Organization Science, 15(3), 259-275. doi: 10.1287/orsc.1040.0065
- Berger, W. (2014). Die Kunst des Klugen Fragens. Berlin: Berlin Verlag
- Beylerian, G.M., Dent, A. & Quinn, B. (2007). Ultra materials: How materials innovation is changing the world. Thames & Hudson.
- BIA Advisory Services, "Location-Targeted Mobile Ad Spend to Reach $29.5 Billion in the U.S. in 2020," press release, June 16, 2016, accessed February 26, 2019 http://www.biakelsey.com/location-targeted-mobile-ad-spend-reach-29-5b-u-s-2020
- Birkinshaw, J. (2019, August). Ecosystem Businesses Are Changing the Rules of Strategy. Harvard Business Review.
- Birkinshaw, J., Bessant, J., & Delbridge, R. (2007). Finding, forming, and performing: Creating networks for discontinuous innovation. California management review, 49(3), 67-84. doi: 10.2307/41166395
- Blank, S. G. (2013): „Why the lean start-up changes everything". Harvard Business Review. 91 (5): S. 63-72

- Blank, S. G., & Dorf, B. (2012). The startup owner's manual: the step-by-step guide for building a great company. Pescadero: K&S Ranch
- Bloomberg News, Feb. 12, 2003 https://www.nytimes.com/2003/02/12/business/company-news-rand-mcnally-files-for-bankruptcy-with-recovery-plan.html
- Brown T. (2016): Change by Design. Vahlen Verlag
- Brown, T. & Katz, B. (2009). Change by design: How Design Thinking transforms organizations and inspires innovation. New York: HarperCollins.
- Brusoni, S., & Prencipe, A. (2013). The organization of innovation in ecosystems: Problem framing, problem solving, and patterns of coupling. In R. Adner, J. E. Oxley, & B. S. Silverman (Eds.), Collaboration and competition in business ecosystems (Advances in Strategic Management, Vol. 30) (pp. 167-194). Bingley: Emerald.
- Buchanan, R. (1992). Wicked problems in design thinking. Design Issues, 8(2),S. 5-21
- Burkhalter, M. (2020). Allocentric Business Models - An Allocentric Business Model Ontology for the Orchestration of Value Co-Creation using the Example of Financial Services Ecosystems. St.Gallen: University of St. Gallen, Switzerland.
- Burt, R. S. (1992). Structural holes: The social structure of competition. Boston, MA: Harvard University Press.
- Carleton T. and Cockayne W. (2013). Playbook for Strategic Foresight & Innovation. Download unter http://www.innovation.io
- Cassiman, B., & Veugelers, R. (2006). In search of complementarity in innovation strategy: Internal R&D and external knowledge acquisition. Management Science, 52(1), 68-82.
- Catlin, T., Lorenz, J.-T., Nandan, J., Sharma, S., & Waschto, A. (2018). Insurance beyond digital: The rise of ecosystems and platforms. McKinsey & Company: Insurance Practice. from https://www.mckinsey.com/ch/our-insights/insurance-beyond-digital-the-rise-of-ecosystems-and-platforms
- Christensen C. et al (2011). The Innovator's Dilemma. Vahlen Verlag
- Clarysse, B., Wright, M., Bruneel, J., & Mahajan, A. (2014). Creating value in ecosystems: Crossing the chasm between knowledge and business ecosystems. Research Policy, 43(7), 1164-1176. doi: 10.1016/j.respol.2014.04.014
- Corley, K. G., & Gioia, D. A. (2004). Identity ambiguity and change in the wake of a corporate spin-off. Administrative Science Quarterly, 49(2), 173-208. doi: 10.2307/4131471
- Cowan, A.(2015): Making your product a habit: the hook framework, Webseite besucht am 2.11.2016, http://www.alexandercowan.com/the-hook-framework/
- Cross, N. (2011): Design Thinking. Oxford, Berg Publishers
- Crossland, C., & Hambrick, D. C. (2011). Differences in managerial discretion across countries: How nation-level institutions affect the degree to which ceos matter. Strategic Management Journal, 32(8), 797-819. doi: 10.1002/smj.913
- Curedale R. (2016): Design Thinking – Process & Methods Gude, 3rd Edition. Los Angeles: Design Community College Inc.
- Dattée, B., Alexy, O., & Autio, E. (2018). Maneuvering in poor visibility: How firms play the ecosystem game when uncertainty is high. Academy of Management Journal, 61(2), 466-498. doi: 10.5465/amj.2015.0869
- Dave Mather, 2012 - Innovating to create an ecosystem. A write up on Adner's talk.
- Davenport T. (2014). Big data @ work: Chancen erkennen, Risiken verstehen. Vahlen Verlag
- Davenport, T.H and D.J. Patil (2012): Data Scientist: The Sexiest Job of the 21st Century. In Harvard Business Review: October 2012 Issue, https://hbr.org/2012/10/data-scientist-the-sexiest-job-of-the-21st-century/
- Davis, J. P. (2016). The group dynamics of interorganizational relationships: Collaborating with multiple partners in innovation ecosystems. Administrative Science Quarterly, 61(4), 621-661. doi: 10.1177/0001839216649350
- den Hartigh, E., & van Asseldonk, T. (2004). Business Ecosystems: A Research Framework for Investigating the Relation Between Network Structure, Firm Strategy, and the Pattern of Innovation Diffusion. ECCON 2004 Annual Meeting Proceedings.
- Doorley, S., Witthoft, S. & Hasso Plattner Institute of Design at Stanford (2012). Make space: How to set the stage for creative collaboration. Hoboken: Wiley.
- Dorst, K. (2015). Frame Innovation. Cambridge (MA): MIT Press
- Duschlbauer, T. (2018). Der Querdenker. Zürich: Midas Management Verlag AG

- Eisenhardt, K. M., & Graebner, M. E. (2007). Theory building from cases: Opportunities and challenges. Academy of Management Journal, 50(1), 25-32. doi: 10.2307/20159839
- Erbelinger, J. und Ramge, T. (2013). Durch die Decke Denken. München: Redline Verlag GmbH
- Fernandez, A.-S., Le Roy, F., & Chiambaretto, P. (2018). Implementing the right project structure to achieve coopetitive innovation projects. Long Range Planning, 51(2), 384-405. doi: 10.1016/j.lrp.2017.07.009
- Frankenberger, K., & Sauer, R. (2019). Cognitive antecedents of business models: Exploring the link between attention and business model design over time. Long Range Planning, 52(3), 283-304. doi: 10.1016/j.lrp.2018.05.001
- Fuller, J., Jacobides, M. G., & Reeves, M. (2019). The myths and realities of business ecosystems. MIT Sloan Management Review, 60(3), 2-10.
- Fuller, J., Jacobides, M., & Reeves, M. (2019, February). The Myths and Realities of Business Ecosystems. MIT SLOAN MANAGEMENT REVIEW.
- Furr, N., & Shipilov, A. (2018). Building the right ecosystem for innovation. MIT Sloan Management Review, 59(4), 59-64.
- Ganco, M., Kapoor, R., & Lee, G. (forthcoming). From rugged landscapes to rugged ecosystems: Structure of interdependencies and firms' innovative search. Academy of Management Review. doi: 10.5465/amr.2017.0549
- Gawer, A., & Cusumano, M. (2008). How Companies Become Platform Leaders. MIT Sloan Management Review Vol 49 (2), pp. 28-35.
- Gaye Soykök, 2019 - All you need is a Minimum Viable Ecosystem. The original MVE post that sparked Pilgrim's curiosity.
- Gehman, J., Glaser, V. L., Eisenhardt, K. M., Gioia, D., Langley, A., & Corley, K. G. (2018). Finding theory–method fit: A comparison of three qualitative approaches to theory building. Journal of Management Inquiry, 27(3), 284-300. doi: 10.1177/1056492617706029
- Gerstbach I.(2016): Design Thinking in Unternehmen. Gabal Verlag
- Gladwell, M. (2005). Blink: The power of thinking without thinking. New York: Back Bay Books.
- Global Market Insights, "Mobile Mapping Market size worth over $40 billion by 2024," press release, September 12, 2018, accessed February 26, 2019 https://www.gminsights.com/pressrelease/mobile-mapping-market
- Gray, D. , Brown, S. and Macanufo, J. (2010). Gamestorming. Sebastopol (CA): O'Reilly Media Inc.
- Griffith E. (2014): Why startups fail, according to their founders. In Fortune Magazine (25. Sept 2014). http://fortune.com/2014/09/25/why-startups-fail-according-to-their-founders/
- Gulati, R., & Singh, H. (1998). The architecture of cooperation: Managing coordination costs and appropriation concerns in strategic alliances. Administrative Science Quarterly, 43(4), 781-814. doi: 10.2307/2393616
- Gulati, R., Puranam, P., & Tushman, M. (2012). Meta-Organization design: Rethinking design in interorganizational and community contexts. Strategic Management Journal, 33(6), 571-586. doi: 10.1002/smj.1975
- Hannah, D. P., & Eisenhardt, K. M. (2018). How firms navigate cooperation and competition in nascent ecosystems. Strategic Management Journal, 39(12), 3163-3192. doi: 10.1002/smj.2750
- Heath, C. & Heath, D. (2007). Made to stick: Why some ideas survive and others die. New York: Random House.
- Henderson Institute (2020), Why Do Most Business Ecosystems Fail?, https://www.bcg.com/publications/2020/why-do-most-business-ecosystems-fail
- Herrmann, N. (1996). The Whole Brain Business Book: Harnessing the Power of the Whole Brain Organization and the Whole Brain Individual, Mcgraw-Hill Professional
- Heufler, G. (2009). Design Basics: Von der Idee zum Produkt. 3. erw. Aufl. Niggli.
- Hippel, E. v. (1986): Lead Users. A Source of novel product concepts. In: Management Science, Vol. 32, S. 791–805
- Hohmann, L. (2007). Innovation Games. Boston: Pearson Education Inc.
- Hoppmann, J., Naegele, F., & Girod, B. (2019). Boards as a source of inertia: Examining the internal challenges and dynamics of boards of directors in times of environmental discontinuities. Academy of Management Journal, 62(2), 437-468. doi: 10.5465/amj.2016.1091
- Hsinchun, C., Chiang, R. H. L. & Storey, V. C. (2012). Business Intelligence and Analytics: From Big Data to Big Impact. MIS Quarterly, 36 (4), S. 1165-1188

- Huber, T. L., Kude, T., & Dibbern, J. (2017). Governance practices in platform ecosystems: Navigating tensions between cocreated value and governance costs. Information Systems Research, 28(3), 563-584. doi: 10.1287/isre.2017.0701
- Iansiti, M., & Levien, R. (2004). Strategy as Ecology. Harvard Business Review , pp. 1-11. Jacobides, M., Cennamo, C., & Gawer, A. (2018). Towards a Theory of Ecosystems. Strategic Management Journal Vol 38, Issue 8, pp. 2255-2276.
- Iansiti, M., & Levien, R. (2004a). The keystone advantage: What the new dynamics of business ecosystems mean for strategy, innovation, and sustainability. Boston, MA: Harvard Business School Press.
- Iansiti, M., & Levien, R. (2004b). Strategy as ecology. Harvard Business Review, 82(3), 68-78.
- IDEO (2009). Human centered design: Toolkit & Human centered design: Field guide. 2nded. [Beide verfügbar auf der IDEO Homepage oder unter: http://www.hcdtoolkit.com]
- Jacobides, M. G. (2019, November). The Delicate Balance of Making an Ecosystem Strategy Work. Harvard Business Review, pp. 2-5. McIntyre, D., &
- Jacobides, M. G., Cennamo, C., & Gawer, A. (2018). Towards a theory of ecosystems. Strategic Management Journal, 39(8), 2255-2276. doi: 10.1002/smj.2904
- Jonathan Larsen, Ping An chief innovation officer presentation at Platform Economy Summit, November 20, 2018, available via YouTube accessed February 28, 2019 at https://youtu.be/lGcMen4qD-M
- Jonathan Larsen, Ping An chief innovation officer presentation at Platform Economy Summit, November 20, 2018, available via YouTube accessed February 28, 2019 at https://youtu.be/lGcMen4qD-M
- Joseph, J., & Ocasio, W. (2012). Architecture, attention, and adaptation in the multibusiness firm: General electric from 1951 to 2001. Strategic Management Journal, 33(6), 633-660. doi: 10.1002/smj.1971
- Kapoor, R. (2018). Ecosystems: Broadening the locus of value creation. Journal of Organization Design, 7(1), 1-16. doi: 10.1186/s41469-018-0035-4
- Kapoor, R., & Agarwal, S. (2017). Sustaining superior performance in business ecosystems: Evidence from application software developers in the iOS and Android smartphone ecosystems. Organization Science, 28(3), 531-551. doi: 10.1287/orsc.2017.1122
- Kapoor, R., & Lee, J. M. (2013). Coordinating and competing in ecosystems: How organizational forms shape new technology investments. Strategic Management Journal, 34(3), 274-296. doi: 10.1002/smj.2010
- Kelly, T. & Littman, J. (2001). The art of innovation: Lessons in creativity from IDEO, America's leading design firm. London: Profile Books.
- Kevin Kelly, 1994 - Out Of Control: The New Biology of Machines, Social Systems, and the Economic World
- Kim, W. und Mauborgne, R. (2005). Der blaue Ozean als Strategie: wie man neue Märkte schafft, wo es keine Konkurrenz gibt. Hanser Verlag
- Knudsen, T., & Levinthal, D. A. (2007). Two faces of search: Alternative generation and alternative evaluation. Organization Science, 18(1), 39-54. doi: 10.1287/orsc.1060.0216
- Kumar, V. (2013). 101 Design Methods. Hoboken, New Jersey: John Wiley & Sons
- Leifer, L. (2012a). Rede nicht, zeig's mir, in: Organisations Entwicklung, 2, S. 8-13
- Leifer, L. (2012b). Interview with Larry Leifer (Stanford) at Swisscom, Design Thinking Final Summer Presentation, Zürich
- Leten, B., Vanhaverbeke, W., Roijakkers, N., Clerix, A., & van Helleputte, J. (2013). IP Models to orchestrate innovation ecosystems: IMEC, a public research institute in nano-electronics. California management review, 55(4), 51-64. doi: 10.1525/cmr.2013.55.4.51
- Lewrick, M. & Link, P. (2015). Hybride Management Modelle: Konvergenz von Design Thinking und Big Data. IM+io Fachzeitschrift für Innovation, Organisation und Management (4),S. 68-71
- Lewrick, M. (2014). Design Thinking – Ausbildung an Universitäten, S. 87-101. In: Sauvonnet und Blatt (Hrsg). Wo ist das Problem? Neue Beratung
- Lewrick, M. (2018). Design Thinking: Radikale Innovationen in einer Digitalisierten Welt, Beck Verlag; München
- Lewrick, M. (2019). Das Design Your Future Playbook, Versus Verlag Zürich
- Lewrick, M., Link. P, Leifer, L. (2018). Das Design Thinking Playbook, 2. Auflage. München: Verlag Franz Vahlen GmbH
- Lewrick, M., Skribanowitz, P. & Huber, F. (2012). Nutzen von Design Thinking Programmen, 16. Interdisziplinäre Jahreskonferenz zur Gründungsforschung (G-Forum), Universität Potsdam

- Lietka, J. und Ogilvie, T. (2011). Designing for Growth. New York: Columbia University Press Inc.
- Lingens, B., Miehé, L., Gassmann, O. (2020). The Ecosystem Blueprint: How Firms Shape the Design of an Ecosystem According to the Surrounding Conditions. Long Range Planning. doi: 10.1016/j.lrp.2020.102043
- Liu, G., & Rong, K. (2015). The nature of the co-evolutionary process: Complex product development in the mobile computing industry's business ecosystem. Group & Organization Management, 40(6), 809-842. doi: 10.1177/1059601115593830
- Maeda, J. (2006). The laws of simplicity – Simplicity: Design, technology, business, life. Cambridge, London: MIT Press.
- Mäkinen, S. J., & Dedehayir, O. (2013). Business ecosystems' evolution — An ecosystem clockspeed perspective. In R. Adner, J. E. Oxley, & B. S. Silverman (Eds.), Collaboration and competition in business ecosystems (Advances in Strategic Management, Vol. 30) (Vol. 30, pp. 99-125). Bingley: Emerald.
- Mariotti, F., & Delbridge, R. (2012). Overcoming network overload and redundancy in interorganizational networks: The roles of potential and latent ties. Organization Science, 23(2), 511-528. doi: 10.1287/orsc.1100.0634
- Masucci, M., Brusoni, S., & Cennamo, C. (2020). Removing bottlenecks in business ecosystems: The strategic role of outbound open innovation. Research Policy, 49(1).
- Maurya, A. (2013) Running Lean - Das How-to für erfolgreiche Innovationen.
- McCaskey, M. B. (1974). An Introduction to organizational design. California management review, 17(2), 13-20. doi: 10.2307/41164556
- Meulman, F., Reymen, I. M. M. J., Podoynitsyna, K. S., & L. Romme, A. G. (2018). Searching for partners in open innovation settings: How to overcome the constraints of local search. California management review, 60(2), 71-97. doi: 10.1177/0008125617745087
- Microsoft press release, "Microsoft to acquire GitHub for $7.5 billion," June 4, 2018, accessed February 27, 2019 at https://news.microsoft.com/2018/06/04/microsoft-to-acquire-github-for-7-5-billion
- Moore, G. (2014). Crossing the Chasm, 3rd Edition. Ney York: Harper Collins Inc.
- Moore, J. (1993). Predators and Prey: A New Ecology of Competition. Harvard Business Review, pp. 75-86.
- Moore, J. F. (1996). The death of competition: Leadership and strategy in the age of business ecosystems. New York, NY: Harper Collins.
- Muthusamy, S. K., & White, M. A. (2005). Learning and knowledge transfer in strategic alliances: A social exchange view. Organization Studies, 26(3), 415-441. doi: 10.1177/0170840605050874
- Nambisan, S., & Baron, R. A. (2013). Entrepreneurship in innovation ecosystems: Entrepreneurs' self-regulatory processes and their implications for new venture success. Entrepreneurship Theory & Practice, 37(5), 1071-1097. doi: 10.1111/j.1540-6520.2012.00519.x
- Naspers 2018 annual report, accessed February 28, 2019 at https://www.naspersreports.com/ui/pdfs/Annual_financial_statements.pdf
- Norman, D.A. (2004). Emotional design: Why we love (or hate) everyday things. New York: Basic Books.
- Norman, D.A. (2011). Living with complexity. Cambridge, London: MIT Press.
- Oh, D.-S., Phillips, F., Park, S., & Lee, E. (2016). Innovation ecosystems: A critical examination. Technovation, 54, 1-6. doi: 10.1016/j.technovation.2016.02.004
- Osterwalder, A. , Pigneur, Y. et al (2015). Value Proposition Design. Frankfurt: Campus Verlag
- Ott, T. E., Eisenhardt, K. M., & Bingham, C. B. (2017). Strategy formation in entrepreneurial settings: Past insights and future directions. Strategic Entrepreneurship Journal, 11(3), 306-325. doi: 10.1002/sej.1257
- Ozalp, H., Cennamo, C., & Gawer, A. (2018). Disruption in platform-based ecosystems. Journal of Management Studies, 55(7), 1203-1241. doi: 10.1111/joms.12351
- Ozcan, P., & Eisenhardt, K. M. (2009). Origin of alliance portfolios: Entrepreneurs, network strategies, and firm performance. Academy of Management Journal, 52(2), 246-279.
- Palmié, M., Lingens, B., & Gassmann, O. (2016). Towards an attention⊠based view of technology decisions. R&D Management, 46(4), 781-796. doi: 10.1111/radm.12146
- Parente, R., Rong, K., Geleilate, J.-M. G., & Misati, E. (2019). Adapting and sustaining operations in weak institutional environments: A business ecosystem assessment of a Chinese MNE in Central Africa. Journal of International Business Studies, 50(2), 275-291. doi: 10.1057/s41267-018-0179-z

- Patel N. (2015). 90% Of Startups Fail: Here's What You Need To Know About The 10%. In Forbes (16. Jan. 2015). https://www.forbes.com/sites/neilpatel/2015/01/16/90-of-startups-will-fail-heres-what-you-need-to-know-about-the-10/#5e710a5b6679
- Phillips, M. A., & Ritala, P. (2019). A complex adaptive systems agenda for ecosystem research methodology. Technological Forecasting and Social Change, 148, 119739. doi: 10.1016/j.techfore.2019.119739
- Pierce, L. (2009). Big losses in ecosystem niches: How core firm decisions drive complementary product shakeouts. Strategic Management Journal, 30(3), 323-347. doi: 10.1002/smj.736
- Ping An annual reports from 2017 http://www.pingan.com/app_upload/images/info/upload/fefe8a8e-fd10-4814-b7b2-aaecf814ff6d.pdf and 2013 http://www.pingan.com/app_upload/images/info/upload/5e41531f-63f0-4428-a00a-0625327ee293.pdfaccessed March 6, 2019.
- Plattner, H., Meinel, C. & Leifer, L. (2010). Design Thinking: Understand – improve – apply (understanding innovation). Heidelberg: Springer.
- Posen, H. E., Keil, T., Kim, S., & Meissner, F. D. (2018). Renewing research on problemistic search - A review and research agenda. Academy of Management Annals, 12(1), 208-251. doi: 10.5465/annals.2016.0018
- Powell, W. W., Koput, K. W., & Smith-Doerr, L. (1996). Interorganizational collaboration and the locus of innovation: Networks of learning in biotechnology. Administrative Science Quarterly, 41(1), 116-145. doi: 10.2307/2393988
- Puccio, J.C, Mance M. , Murdock M.C. (2011). Creative Leadjership, Skills that Dirve Change. Sage: Thousand Oak, CA
- Rand McNally history page https://www.randmcnally.com/about/history
- Rand McNally website https://www.randmcnally.com/about/patriarch_partners
- Ritala, P., & Almpanopoulou, A. (2017). In defense of ‚eco' in innovation ecosystem. Technovation, 60, 39-42. doi: 10.1016/j.technovation.2017.01.004
- Riverdale & IDEO (2011). Design Thinking for educators. Version One. [verfügbar unter: http://designthinkingforeducators.com/]
- Roam, D. (2008). The back of the napkin: Solving problems and selling ideas with pictures. London: Portfolio.
- Robert Elder, "Google Maps finds a way to monetize," Business Insider, March 21, 2017, accessed February 26, 2019 https://www.businessinsider.com/google-maps-finds-a-way-monetize-2017-3
- Ron Adner, 2012 - The Wide Lens. Potentially the first mention of the „Minimum Viable Ecosystem
- Rong, K., & Shi, Y. (2015). Business ecosystems: Constructs, configuration and sustaining superior performance. London, UK: Palgrave Macmillan.
- Rong, K., Hu, G., Lin, Y., Shi, Y., & Guo, L. (2015a). Understanding business ecosystem using a 6C framework in Internet-of-Things-based sectors. International Journal of Production Economics, 159, 41-55. doi: 10.1016/j.ijpe.2014.09.003
- Rong, K., Wu, J., Shi, Y., & Guo, L. (2015b). Nurturing business ecosystems for growth in a foreign market: Incubating, identifying and integrating stakeholders. Journal of International Management, 21(4), 293-308. doi: 10.1016/j.intman.2015.07.004
- Rothschild, M. (1990). Bionomics: Economy as Business Ecosystem. Washington, WA, USA:: Beard Books.
- Sauvonnet, E. und Blatt, M. (2017): Wo ist das Problem? München: Verlag Franz Vahlen GmbH
- Sawhney, M. (2011). Orchestration Processes in Network-Centric: Evidence from the field. Academy of Management Perspectives, 25(3), pp. 40-57.
- Shipilov, A., & Gawer, A. (2019). Integrating research on inter-organizational networks and ecosystems. Academy of Management Annals, 14, 92-121. doi: 10.5465/annals.2018.0121
- Siggelkow, N. (2007). Persuasion with case studies. Academy of Management Journal, 50(1), 20-24. doi: 10.2307/20159838
- Simon, H. A. (1997). Administrative behavior: A study of decision-making processes in administrative organizations (4th ed.). New York, NY: Free Press.
- Sirmon, D. G., Hitt, M. A., Ireland, R. D., & Gilbert, B. A. (2011). Resource Orchestration to Create Competitive Advantage:Breadth, Depth, and Life Cycle Effects. Journal of Management, 37(5), 1390-1412. doi: 10.1177/0149206310385695
- Spieth, P., Schneider, S., Clauss, T., & Eichenberg, D. (2019). Value drivers of social businesses: A business model perspective. Long Range Planning, 52(3), 427-444. doi: 10.1016/j.lrp.2018.04.004

- Srinivasan, A. (2017). Networks, Platforms, and Strategy: Emerging Views and Next Steps. Strategic Management Journal, pp. 141-160. Nambisan, S., &
- Stareritz, F. & Torrance, S. (2020), Fightback: How to win in the digital economy with plattforms, ventures and entrepreneurs, LIDpublishing.com
- Stickdorn, M. & Schneider, J. (2016). This is service design thinking, 6th Edition. Amsterdam: BIS Publishers.
- Strauss, A. L., & Corbett, A. C. (1998). Basics of qualitative research: Grounded theory procedures and techniques (2nd ed.). Thousand Oaks, CA: Sage.
- Subramaniam, M., Iyer, B., & Venkatraman, V. (2019). Competing in Digital Ecosystems. Business Horizons, 62(1), pp. 83–94. Voima, P., Heinonen, K., Strandvik, T., Mickelsson, K.-J., & Arantola-Hattab, L. J. (2011). A Customer Ecosystem Perspective on Service. QUIS 12: Advances in Service Quality, Innovation and Excellence, pp. 1015- 1024.
- Teece, D. J. (2016). Business Ecosystem. In M. Augier & D. J. Teece (Eds.), The Palgrave Encyclopedia of Strategic Management (pp. 1-4). London, UK: Palgrave Macmillan.
- Teece, D. J., Peteraf, M., & Leih, S. (2016). Dynamic capabilities and organizational agility: Risk, uncertainty, and strategy in the innovation economy. California management review, 58(4), 13-35. doi: 10.1525/cmr.2016.58.4.13
- Töpfer A. (2008). Lean Six Sigma. Heidelberg: Springer-Verlag GmbH
- Uber website, accessed February 28, 2019 at https://www.uber.com/newsroom/company-info
- Uebernickel, F., Brenner, W. et al (2015). Design Thinking – Das Handbuch. Frankfurt am Main: Frankfurter Allgemeine Buch
- Ulrich K. (2011), Design Creation of Artifacts in Socity, Published by the University of Pennsylvania. http://www.ulrichbook.org/
- Ulwick, A. (2016): Jobs to be done. Idea Bite Press
- Usman Haque, 2010 - Notes on the Design of Participatory Systems - for the City or for the Planet
- Vahs, D. und Brem, A. (2013). Innovationsmanagement, 4. Aufage. Stuttgart: Schäffer-Poeschel Verlag
- Van Aerssen B. und Buchholz C. (2018): Das grosse Handbuch Innovation. München: Verlag Franz Vahlen GmbH
- Van der Pijl, P., Lokitz, J. and Solomon, L.K. (2016). Design a better business. München: Verlag Franz Vahlen GmbH
- Velu, C. (2015). Knowledge management capabilities of lead firms in innovation ecosystems. AMS Review, 5(3), 123-141. doi: 10.1007/s13162-015-0068-6
- Velu, C., & Stiles, P. (2013). Managing decision-making and cannibalization for parallel business models. Long Range Planning, 46(6), 443-458. doi: 10.1016/j.lrp.2013.08.003
- Victionary (2007). Simply materials: Exploring the potential of materials and creative competency. Ginko Press.
- Wareham, J., Fox, P. B., & Giner, J. L. C. (2014). Technology ecosystem governance. Organization Science, 25(4), 1195-1215. doi: 10.1287/orsc.2014.0895
- Weinberg, U. (2015). Network Thinking. Hamburg: Murmann Publishers GmbH
- Williamson, P. J., & de Meyer, A. (2012). Ecosystem advantage: How to successfully harness the power of partners. California management review, 55(1), 24-46. doi: 10.1525/cmr.2012.55.1.24
- Williamson, P. J., & De Meyer, A. (2012). Ecosystem Advantage: How to Successfully Harness the Power of Partners. California Management Review. 55, (1), pp. 24-46.
- Williamson, P., & De Meyer, A. (2019, September). How to Monetize a Business Ecosystem. Harvard Business Review, pp. 2-4
- Yin, R. K. (2014). Case study research: Design and methods (5th ed.). Thousand Oaks, CA: Sage.
- Yin, R. K. (2018). Case study research and applications: Design and methods (6th ed.). Thousand Oaks, CA: Sage.
- Zahra, S. A., & George, G. (2002). Absorptive capacity: A review, reconceptualization, and extension. Academy of Management Review, 27(2), 185-203. doi: 10.2307/4134351
- Zahra, S. A., & Nambisan, S. (2012). Entrepreneurship and strategic thinking in business ecosystems. Business Horizons, 55(3), 219-229. doi: 10.1016/j.bushor.2011.12.004